Essais de Michel de Montaigne

Livre premier

ÉDITION PRÉSENTÉE,
ÉTABLIE ET ANNOTÉE
PAR EMMANUEL NAYA,

Maître de conférences à l'Université Lumière Lyon 2

DELPHINE REGUIG

Maître de conférences à l'Université Paris-Sorbonne (Paris IV)

ET ALEXANDRE TARRÊTE

Maître de conférences à l'Université Paris-Sorbonne (Paris IV)

Gallimard

COLLECTION
FOLIO CLASSIQUE

PRÉFACE

L'époque de Montaigne ressemble à la nôtre : elle est traversée par le doute. C'est un âge instable, où les découvertes scientifiques issues de l'expérience commencent à remettre en cause les savoirs transmis depuis l'Antiquité. En médecine, en géographie, en astronomie, les certitudes se fissurent. Après une période d'essor et d'optimisme (expansion économique, grandes découvertes, progrès techniques), l'Occident est confronté à une première crise de la modernité. Les guerres de religion ébranlent la relation au sacré et la conception même de la vérité. Les conséquences en sont multiples : clivages idéologiques, morcellement communautaire, crise du politique. Les rois qui se succèdent sur le trône de France sont faibles et peinent à reprendre les rênes d'un royaume plongé dans le chaos. L'Europe paraît sombrer dans le déclin. La littérature reflète ces incertitudes[1]*. Pourtant, au cœur de ce monde crépusculaire, l'éternelle jeunesse de Montaigne n'en finit pas de nous étonner. Il suffit d'ouvrir les* Essais *pour entendre une parole incom-*

1. Voir F. Lestringant, « La crise de la Renaissance », *La Littérature française : dynamique et histoire*, dir. J.-Y. Tadié, Paris, Gallimard, 2007, p. 377-456.

parablement vivante et accorte, qui s'offre à nous entretenir de tous les sujets possibles. Montaigne est constamment en mouvement : enquêtant, citant un témoignage décisif, s'indignant, s'amusant, rêvant, changeant de sujet, s'excusant, apostrophant son lecteur : « Je parle au papier comme je parle au premier que je rencontre » (III, 1). Les Essais *sont écrits dans une langue qui peut paraître difficile aujourd'hui (cette édition en tient compte en modernisant l'orthographe et en expliquant le lexique en bas de page). Mais qu'importe : car la parole de Montaigne est tout ce qu'il y a de plus vivante.*

Ce miracle ne doit rien au hasard : il a voulu écrire comme il conversait, dictant ses réflexions à un secrétaire tandis qu'il déambulait librement dans sa « librairie » (III, 3), cette bibliothèque qu'il fit aménager et décorer de fresques et d'inscriptions, au deuxième étage de la tour d'angle de son manoir périgourdin[1]*. Composition à bâtons rompus, associations d'idées, tournures orales, style familier, ironie et prise à partie du lecteur : Montaigne semble littéralement sortir des pages pour venir nous offrir des « essais en chair et en os » (III, 5). Est-ce parce que son livre retentit encore des discussions passionnées qu'il avait avec Étienne de La Boétie, avant sa disparition précoce ? Écrire devint par la suite la seule manière possible de refuser la mort de l'ami, en continuant le dialogue interrompu avec le cercle élargi des lecteurs*[2]*. Les* Essais

1. Voir A. Legros, *Essais sur poutres. Peintures et inscriptions chez Montaigne*, Paris, Klincksieck, 2000.

2. Voir F. Rigolot, *Les Métamorphoses de Montaigne*, Paris, PUF, 1988 ; G. Defaux, *Montaigne et le travail de l'amitié*, Orléans, Paradigme, 1981 ; G. Mathieu-Castellani, *Montaigne ou la Vérité du mensonge*, Genève, Droz, 2000 ; Ph. Desan, *Montaigne dans tous ses états*, Fasano, Schena Editore, 2001.

sont à peine un livre : ils sont une conversation amicale à laquelle nous avons le privilège de nous joindre [1]. C'est non seulement avec Montaigne qu'il nous est donné de nous entretenir, mais c'est aussi, à travers lui, avec les auteurs anciens et modernes, avec les grands de France et de Navarre, avec les paysans de Guyenne, avec les savants ou les simples, les sages et les fous, les Cannibales du Brésil (I, 31) ou les sorcières de Lorraine (III, 11). Car selon Montaigne, la lecture comme la conversation doit être un art de conférer (III, 8), c'est-à-dire de comparer et de confronter son opinion avec d'autres opinions : c'est au miroir de l'altérité que l'on pourra mieux se connaître soi-même.

De quoi parle-t-on dans les Essais ? De tout, littéralement. De la vertu et du plaisir, de la santé et de la mort, de la fin et des moyens, de la servitude et de la liberté, de littérature et de philosophie, de l'enfance et de la vieillesse, et parfois aussi de la vanité, sujet moins vain qu'il n'y paraît. Sur tous ces sujets, il s'agit de se confronter aux meilleurs penseurs des siècles passés. Il s'agit presque d'une escrime à fleuret moucheté, pour l'emporter sur ses partenaires, aller plus loin qu'eux, voir le vrai mieux qu'ils n'ont su le faire. Car si Montaigne cite constamment les Anciens, il ne les sacralise pas [2] : il donne à sa propre opinion exactement le même poids qu'à celle de Platon, de Sénèque ou de Plutarque, ou qu'à celle d'un ami ou d'un voisin, c'est-à-dire un poids tout relatif : toute opinion est faillible, mais aucune n'est sans intérêt. Peut-on imaginer contrat de lecture plus décomplexant ?

1. Voir M. Fumaroli, « Les *Essais* de Montaigne : l'éloquence du for intérieur », repris dans *La Diplomatie de l'esprit*, Paris, Hermann, 1998, p. 125-161.

2. Voir M. Charles, *L'Arbre et la Source*, Paris, Seuil, 1985, p. 156-181.

Montaigne, malgré son immense culture, nous met parfaitement à l'aise: «un parler ouvert ouvre un autre parler et le tire hors, comme fait le vin et l'amour» (III, 1). Nous n'avons pas, comme lui, lu et annoté les grands poètes, historiens et philosophes de l'Antiquité, les voyageurs et les historiens modernes? Nous n'avons pas passé vingt ans de notre vie à nous «éplucher» (III, 2), à examiner les plis et replis de notre âme? Qu'importe, nous avons voix au chapitre et nous sommes conviés à nous «essayer» à penser en compagnie de Montaigne.

LES *ESSAIS*: L'INVENTION D'UN GENRE?

Les Essais*: ce titre aujourd'hui si familier ne doit pas nous abuser par sa fausse transparence. Au* XVIe *siècle, le mot «essai» ne désigne pas encore un genre littéraire défini*[1]*. Le texte de Montaigne relève bien d'un mode d'enquête incisif, aventureux, sur des questions politiques et morales d'actualité; mais, contrairement aux «essayistes» qui le suivront — à commencer par Bacon —, Montaigne ne distingue pas nettement les problèmes qu'il traite. Il s'ingénie même à les entrelacer de manière symphonique, en créant des jeux d'échos entre des domaines fort différents. Autre singularité: il ne sépare pas les réflexions générales des confidences privées, entrecoupant ses développements de longues digressions. Il ne se pique pas non plus de cohérence, et s'autorise à se contredire d'un chapitre à l'autre, voire d'une page à l'autre. Il mêle le souci de vérité aux licences de la fiction et de*

1. Voir H. Friedrich, *Montaigne,* trad. fr. Paris, Gallimard, 1968, p. 355.

la fantaisie[1]*. Enfin, il ne cherche jamais à conclure. Bref, si Montaigne est un «essayiste» avant la lettre, c'est en un sens bien particulier. Il invente peut-être un genre, mais dont son livre s'excepte aussitôt.*

En 1580, ce que Montaigne offre au public, qui ne le connaît pas encore, c'est un livre assez proche, par son foisonnement et sa liberté, des recueils de leçons érudites que publiaient les grands humanistes, comme les Adages *d'Érasme, le* De Asse *(traité de l'as, monnaie antique) de Budé, les* Adversaria *(*Brouillons*) de Turnèbe. Un recueil d'ébauches, d'exercices, de rêveries sur une foule de sujets: questions de morale, de religion, d'histoire antique ou moderne, de politique, de stratégie militaire, ou encore de poésie et d'éloquence... Bref, le fruit d'une décennie de loisir lettré, consacrée à lire les auteurs antiques et modernes et à noter toute sorte de réflexions, mais en dilettante, sans autorité particulière.*

Pourtant, les Essais *sont tout sauf un résumé doxographique des grands philosophes ou un répertoire de «lieux communs». Montaigne importe dans son livre des citations qu'il réorganise et dispose en perspective; elles sont ainsi modalisées par sa pensée, voire tenues à distance par son propre doute. Se défiant des lecteurs de son temps, prompts à découdre un traité pour en tirer des sentences ou des exemples réutilisables, Montaigne a refusé de livrer les références de ses emprunts, en dédaignant l'emploi des «manchettes» (notes marginales). Ces choix, plutôt rares à l'époque, ne sont pas à imputer à la coquetterie d'un honnête homme qui dissimule son érudition pour ne pas sentir le pédant. Ils indiquent plutôt une requête: Montaigne*

1. Voir O. Guerrier, *«Quand les poètes feignent»: «fantaisie» et fiction dans les* Essais *de Montaigne*, Paris, Champion, 2002.

veut être lu dans la durée, dans son entier, et non de manière utilitaire ou rapide.

Le titre choisi par Montaigne présente aussi une dimension paradoxale. Il intègre le nom de l'auteur, modalisant ainsi l'ensemble du contenu du livre au prisme d'une subjectivité: Essais de Michel, seigneur de Montaigne. *Attitude de modestie d'un côté mais, de l'autre, revendication nobiliaire bien affirmée. Certaines éditions précisaient même les titres du « seigneur de Montaigne » : « Chevalier de l'ordre du Roi, et gentilhomme ordinaire de sa chambre, maire et gouverneur de Bordeaux » (édition de 1582). Et si, tout compte fait, l'apparente modestie de l'apprenti présentant ses « essais » renvoyait à une fierté très assumée, celle de ne pas être un « faiseur de livre » (I, 20) comme les autres ? Montaigne ne prend pas la parole en spécialiste d'un petit canton du savoir, mais en tant que gentilhomme, s'adonnant libéralement aux sciences pour son propre plaisir, sans quérir la faveur d'un public, ni celle d'un protecteur. Il a pleinement conscience du caractère nouveau d'un tel projet, et sait qu'il parle « non comme grammairien ou poète ou jurisconsulte », mais en tant que lui-même, Michel de Montaigne (III, 2). C'est pourquoi, si les rapprochements sont possibles entre les* Essais *et d'autres genres alors pratiqués, comme les leçons humanistes, les commentaires, les florilèges, ceux-ci restent toujours insuffisants dans la mesure où le projet de Montaigne est radicalement centré sur lui-même: « ce sont ici mes fantaisies, par lesquelles je ne tâche point à donner à connaître les choses, mais moi » (II, 10). Il faudrait plutôt rapprocher les* Essais *du genre épistolaire, alors quasi inexistant en langue française, propice à l'épanchement du moi, aux digressions, aux variations de ton et de thème*[1]*. Montaigne l'indique : son livre est comme une correspondance sans correspondant, le seul interlocuteur valable (La Boétie) ayant désormais disparu (I, 40). Faute d'interlocuteur, et en l'absence de dédicataire officiel, Montaigne écrit pour ses amis («Au lecteur»), et pour tous ceux qui voudront le devenir par le miracle de la lecture. À une époque où l'écrivain est en général lié par le service de plume ou la recherche d'un mécène, Montaigne écrit en tant qu'homme libre. La critique récente a pu montrer que Montaigne avait parfois poursuivi des buts plus ordinaires, recherché des appuis, rêvé d'une carrière diplomatique en Italie : les* Essais *de 1580, remis au roi, auraient servi cette stratégie*[2]*. Toutefois, la singularité de ce livre en tant que discours radicalement autonome est manifestement irréductible à toutes les utilisations que Montaigne a pu faire par ailleurs de sa notoriété d'auteur.*

MONTAIGNE EN SON TEMPS

La liberté que Montaigne revendique n'est pas synonyme de neutralité. Elle est même la condition d'un engagement actif au service de son roi et de son pays. Contrairement à une image d'Épinal trop longtemps répandue, Montaigne n'a pas contemplé les troubles de son temps depuis sa tour d'ivoire. Il fut partie prenante des combats de son temps[3]*. La condition*

1. Voir C. Magnien-Simonin (dir.), *L'Épistolaire au XVIe siècle,* Cahiers V. L. Saulnier, 18, Éditions Rue d'Ulm, 2001.

2. Voir J. Balsamo, « Un gentilhomme et ses patrons : remarques sur la biographie politique de Montaigne », *Montaigne politique,* dir. Ph. Desan, Paris, Champion, 2006, p. 223-242.

3. Voir G. Nakam, *Montaigne et son temps,* Paris, Gallimard, 1993.

nobiliaire à laquelle la famille Eyquem avait accédé depuis quelques générations s'assortissait d'une obligation d'assistance au roi. Le père de Montaigne participa aux guerres d'Italie et en rapporta une admiration profonde pour l'humanisme alors en plein essor, dont l'éducation de ses fils a largement bénéficié. Montaigne, quant à lui, renâcle à prendre part aux combats des guerres civiles : trop confuses, injustes et sans panache, elles ne lui inspirent que du dégoût. Il trouve toutefois le moyen de s'employer au service de la paix : grâce à ses relations avec le marquis de Trans, noble influent de Guyenne, il est décoré par Charles IX de l'ordre de Saint-Michel. Les missions qu'il remplit pour le parlement de Bordeaux le mettent régulièrement en contact avec la cour. Il prend de plus en plus d'étoffe dans un rôle de négociateur officieux entre les chefs de parti, le duc de Guise (chef de la Ligue), Henri de Navarre (chef du parti protestant), et Henri III, qui tente de trouver un équilibre entre les factions. Son rôle diplomatique, toutefois, ne fut qu'épisodique. Refusant de jouer au courtisan, préférant la vérité à la flatterie, Montaigne n'avait guère d'avenir auprès des grands. Il s'était un temps imaginé directeur de conscience d'un genre nouveau, examinant librement les mœurs du maître qui eût accepté une telle franchise : « j'eusse dit ses vérités à mon maître, et eusse contrerollé [contrôlé] ses mœurs, s'il eût voulu » (III, 13). Les Essais *prendront en quelque sorte la suite de ce projet : ces exercices du jugement peuvent permettre à ceux qui en tirent le fruit de sélectionner les hommes, de discerner le flatteur d'avec l'ami (pour reprendre un titre de Plutarque), bref de choisir des conseillers efficaces et de bien s'entourer, l'un des points les plus importants selon les miroirs du prince.*

S'il ne joua pas vraiment de rôle politique direct,

Montaigne fut pourtant la conscience de son temps. Il prit position contre la banalisation de la cruauté qui marqua les guerres civiles (III, 12); il dénonça la torture (II, 5), les excès des duels (II, 27). Catholique d'observance, royaliste et légitimiste, il fut aussi l'ami de nombreux protestants. Il concéda toutefois au prince le droit de s'excepter de la morale ordinaire en cas de crise, dans l'intérêt du royaume (III, 1). C'est probablement pourquoi il évita d'évoquer directement les massacres de la Saint-Barthélemy, survenus en 1572, une dizaine d'années avant la publication des Essais*: partagé entre une aversion instinctive devant toute forme de violence politique, et un soutien inflexible au pouvoir royal (en l'occurrence à Charles IX et à Catherine de Médicis, qui furent accusés d'être à l'origine du massacre des chefs protestants), il préfère ne pas retourner le couteau dans la plaie et éviter toute polémique rétrospective. Sa décision de ne pas republier le* Discours sur la servitude volontaire *d'Étienne de La Boétie (I, 28), souvent instrumentalisé par les protestants monarchomaques, va dans le même sens. Il est moins réticent à condamner les Ligueurs des années 1580, leurs pratiques de dévotion excessives (III, 2) et leur esprit partisan (III, 10). Montaigne s'engagea aussi sur d'autres débats alors brûlants: il fut de ceux qui réduisaient la sorcellerie à des phénomènes naturels d'hallucination ou d'autosuggestion et dénonçaient les bûchers (III, 11). Il déplora l'invasion de l'Amérique et la destruction des civilisations inca et aztèque (I, 31 et III, 6)*[1]*. Bien placé pour le faire, il dénonça l'arbitraire de la justice, la suffisance des juges, les erreurs judiciaires (III, 13). Il*

1. Voir F. Lestringant, *Le Brésil de Montaigne*, Paris, Chandeigne, 2005.

prôna et pratiqua l'ouverture et la tolérance envers toutes les croyances et toutes les coutumes, tout en préconisant dans les affaires politiques un conservatisme résolu (I, 23), c'est-à-dire une doctrine toute pragmatique qui visait à défendre l'ordre, la paix et l'équilibre traditionnel des pouvoirs face aux « nouvelletés » réclamées par certains protestants en matière politique et religieuse.

LE MOI DANS LES MARGES

En marge de l'histoire mais souvent en réaction à ses drames, le moi s'explore en toute liberté dans ce journal sans chronologie que sont les Essais. *Faute de proposer au lecteur un autoportrait en pied ou un récit chronologique de sa vie, Montaigne donne à connaître ses « conditions et humeurs » (« Au lecteur ») en enregistrant ses pensées les plus fugaces : les* Essais *portent la trace de ses préoccupations les plus intimes pendant plus de vingt ans. N'est-ce pas la meilleure façon de connaître un homme ? « Je donne [au lecteur] beaucoup de pays gagné, car tout ce qu'une longue connaissance et familiarité lui pourrait avoir acquis en plusieurs années, il le voit en trois jours en ce registre, et plus sûrement et exactement » (III, 9). Les sujets en apparence les plus impersonnels ramènent le lecteur vers les thèmes qui obsèdent l'écrivain : l'influence du corps sur l'esprit, la peur de la mort, la tentation du suicide[1]. La dimension autobiographique du livre naît de ce subjectivisme implicite : si toutes les pensées collectées par Montaigne au cours de ses lectures sont*

1. Voir F. Garavini, *Monstres et Chimères. Montaigne, le texte et le fantasme*, Paris, Champion, 1993.

siennes à quelque degré, soit qu'il les approuve, soit qu'il les conteste, soit qu'il les laisse en doute, alors elles nous apprennent à chaque fois quelque chose de l'auteur des Essais, *de sa manière de lire, de penser, de ses préférences, de ses goûts.*

L'autobiographie d'un homme banal n'est pas un projet qui allait de soi à l'âge de la redécouverte des grands hommes de Plutarque et des philosophes de Diogène Laërce. Pour s'y livrer malgré tout, Montaigne investit l'espace des marges. C'est en glosant les grands textes qu'il parvient à se dire. Le genre humaniste du commentaire s'y prêtait: Érasme, Vivès ou Budé ne rechignaient pas à agrémenter leurs leçons antiques de parallèles constants avec le présent, et même de parenthèses personnelles[1]. *Montaigne s'engouffre dans cette faille, et pousse cette licence à l'extrême. Il tire tous les sujets à lui, les rapporte au seul objet sur lequel il se reconnaisse une compétence: lui-même. «Si j'étudie autre chose, c'est pour soudain le coucher sur moi, ou en moi» (II, 6). Égotisme sans complexe? Certes: «J'ose non seulement parler de moi, mais parler seulement de moi» (III, 8). Montaigne nous dit tout de son régime, de son corps, de ses maux et de ses plaisirs*[2]. *Pourtant, l'usage très extensif de la première personne cache un écrivain plus réservé qu'il n'y paraît. Montaigne parle rarement de sa mère, mentionne à peine ses frères, est peu disert sur ses conquêtes amoureuses. On ne sait rien de sa jeunesse étudiante.*

1. Voir J. Céard, «Les formes du commentaire», *Précis de littérature française du XVIe siècle*, dir. R. Aulotte, Paris, PUF, 1991, p. 177-191; M. Jeanneret, «La glose, le commentaire, l'essai à la Renaissance», *Histoire de la France littéraire*, dir. F. Lestringant et M. Zink, Paris, PUF, 2006, t. I, p. 1025-1052.

2. Voir J. Starobinski, *Montaigne en mouvement*, Paris, Gallimard, 1982.

Peu de chose de son action et de son bilan à la mairie de Bordeaux, ou des ambassades qu'il aurait menées pour le compte des rois de France et de Navarre. S'il évoque précisément sa santé, sa physiologie, ses maux (et en particulier la « gravelle », maladie rénale fort douloureuse), il n'aborde qu'obliquement sa vie intime, par le biais de citations latines qui lui permettent d'être à la fois expressif et allusif (III, 5). L'apparente volubilité des Essais *cache souvent une discrétion bien réelle, qui laisse aujourd'hui le champ libre aux hypothèses.*

« UN REGISTRE DE DURÉE[1] »

Si Montaigne se livre à chaque page, il ne le fait pas de manière systématique, ordonnée et complète. Mais l'évolution de son livre au fil des ans révèle beaucoup, de manière indirecte, sur la mutation des projets et des préoccupations de son auteur. Les Essais *ont ainsi connu plusieurs rééditions (en particulier en 1582 et 1588), chacune fortement augmentée. Une nouvelle version était en préparation lorsque Montaigne est mort, en 1592. Le brouillon qu'il laisse aboutira à l'édition de 1595, préparée par Marie de Gournay. L'architecture de l'œuvre s'est modifiée avec le temps. Le livre I, qui devait accueillir en son centre le* Discours de la servitude volontaire, *formant comme un écrin de pensées diverses et fantasques autour de l'éloquence parfaite de La Boétie (I, 28), présente aujourd'hui un cœur vide. Montaigne a dû écarter ce texte, que les Protestants lisaient désormais comme un brûlot antimonarchique, pour ne pas interférer*

1. *Essais*, II, 18.

avec les polémiques du temps. Il y a d'abord substitué une série de sonnets que son ami avait laissés. Puis ces vers mêmes, republiés ailleurs, ont disparu, laissant un vide béant au cœur du livre — à l'unisson de l'absence laissée par l'ami disparu[1]*. La Boétie a patronné l'entrée en littérature de Montaigne, lui léguant ses livres et ses manuscrits. Avant d'écrire, Montaigne fut l'éditeur et le préfacier de son ami disparu. Le livre porte lui aussi le souvenir de cette médiation. Mais toute tutelle devient, à la longue, encombrante. Le livre s'en est affranchi progressivement, à mesure qu'il s'est développé. Les* Essais *donnent à lire l'histoire de leur propre genèse, et retracent la naissance d'un écrivain, la conquête progressive d'un nom d'auteur*[2]*. De même, le livre II s'est trouvé peu à peu déséquilibré par la croissance de l'« Apologie de Raymond Sebond » (l'auteur que le père de Montaigne lui avait confié, pour traduction). Le plaidoyer, en se développant aux dimensions d'un livre dans le livre, a tourné à la critique la plus radicale. La disparition du père a permis, sans doute, ce retournement rhétorique et théologique. Comme le livre I porte la trace de l'émancipation progressive de l'ami disparu, le livre II donne à lire l'affranchissement du père. Le troisième livre quant à lui voit le jour après la mairie de Bordeaux, expérience décisive qui égale désormais Michel à son père, qui avait lui-même occupé cette charge. Montaigne y trouve un ton nouveau : plus joyeux, plus insouciant, plus personnel, plus impertinent que jamais. Des chapitres plus amples, et plus labyrinthiques encore. Comme une libération de toutes les tutelles, enfin.*

1. Voir M. Butor, *Essais sur les* Essais, Paris, Gallimard, 1968.
2. Voir A. Compagnon, *Nous, Michel de Montaigne,* Paris, Seuil, 1980.

Au fil des rééditions, Montaigne a pris la liberté d'insérer dans les chapitres existants une grande quantité d'ajouts : réflexions intercalées, citations, exemples ou contre-exemples, voire réfutations. Les phrases ou les passages qui entrelardent le texte à chaque nouvelle parution augmentent sa complexité et ravivent ses tensions internes. Les pratiques éditoriales du temps favorisaient la republication de livres augmentés[1]*, mais Montaigne pousse jusqu'au bout les virtualités de ce système. Loin de tendre vers une reformulation ou vers une synthèse, son écriture laisse les contradictions patentes, les accentue même. « J'ajoute, mais je ne corrige point » (III, 9). Les érudits modernes, à l'instar de Pierre Villey, ont parfois délimité différentes strates dans le texte de Montaigne : 1580 [A], 1588 [B] et après 1588 [C]. Mais ce découpage est par trop simplificateur. Ce n'est pas « d'âge en âge », mais « de minute en minute » que l'écriture de Montaigne se « diversifie » (III, 2). À chaque instant le texte se clive entre une pensée relue et un commentaire ajouté. C'est pourquoi cette édition ne distingue que les deux couches les moins sujettes à caution : celles qui sont immédiatement visibles sur le brouillon laissé par Montaigne (l'Exemplaire de Bordeaux) : le texte imprimé (édition de 1588) et le texte manuscrit (les ajouts marginaux, après 1588), sans entrer dans le détail des repentirs*[2]*. Né par sédimentation, le livre de Montaigne ne ressemble à aucun autre. Ce n'est pas un journal, puisque les additions s'ajoutent au fil des pages, et s'intègrent à un texte déjà fragmenté, en modifiant son*

1. Voir G. Hoffman, *Montaigne's Career*, Oxford, Clarendon Press, 1998.

2. On en trouvera un relevé exhaustif dans *Les Essais*, éd. J. Balsamo, M. Magnien, C. Magnien-Simonin, Paris, Gallimard, « Bibl. de la Pléiade », 2007.

équilibre et son sens. Une pensée de jeunesse peut donc voisiner avec un ajout de la dernière heure, au prix de ce que Montaigne nomme « une transposition de chronologie » (III, 9). On est aux antipodes de l'autobiographie linéaire et téléologique, telle qu'Augustin l'inventa ou que Rousseau la modernisera. Montaigne se relit sans cesse, il réagit à ce qu'il vient d'écrire, il revient sur ce qu'il avait pensé plusieurs années auparavant : il est tout entier dans ce retour sur soi qui donne à son livre son caractère si particulier.

Sur un thème clé comme la mort et la crainte qu'elle inspire, Montaigne évolue considérablement[1]*. Au milieu des années 1580, Montaigne pouvait écrire une phrase comme : « c'est le vivre heureusement, non le mourir heureusement, qui fait l'humaine félicité ». Dix ans auparavant, au temps des premiers chapitres, très marqués par les exercices spirituels stoïciens de préparation à la mort, Montaigne écrivait au contraire des chapitres dont le titre était à lui-même un programme, axant la philosophie entière sur la préparation à la mort : « Qu'il ne faut juger de notre heur, qu'après la mort » (I, 19), ou « Que philosopher c'est apprendre à mourir » (I, 20). Ensuite, ces chapitres font eux-mêmes l'objet d'ajouts qui en réorientent considérablement le sens.*

Il est fréquent qu'une addition renverse une phrase ou un paragraphe en place. Prenons l'exemple le plus célèbre : la déclaration d'amitié passionnée adressée à La Boétie. Jusqu'en 1588, le texte imprimé renvoie le sentiment à l'indicible : « ... je sens que cela ne se peut exprimer ». Les ajouts manuscrits d'après 1588 complètent la phrase comme l'on sait : « ... cela ne se peut

1. Voir Cl. Blum, *La Représentation de la mort dans la littérature française de la Renaissance*, Paris, Champion, 1989, p. 647-793.

exprimer qu'en répondant : parce que c'était lui, parce que c'était moi ». Une forme simple et vraie a remplacé ce qu'avait d'un peu convenu le lyrisme de l'ineffable. Les ajouts manuscrits, car il y en eut au moins deux, au même point du texte : en effet, la reproduction photographique de l'Exemplaire de Bordeaux récemment publiée par Philippe Desan[1] *laisse apparaître sans ambiguïté que le membre de phrase ajouté le fut en deux fois, avec une encre légèrement différente. Une heure, un jour, ou un an plus tard, Montaigne a ajouté les mots le concernant : « parce que c'était moi », donnant à la formule son équilibre définitif. C'est dire que toute stratification temporelle de l'écriture des* Essais *pèche par approximation. On ne figera jamais le mouvement infini de Montaigne au travail. Les deux états laissés par l'Exemplaire de Bordeaux (manuscrit et imprimé) donnent toutefois une approximation souvent saisissante de la manière unique qu'avait Montaigne de repenser et de réécrire son texte, en parcourant à nouveau les chemins qu'il avait dessinés, sans négliger d'ouvrir ici et là de nouveaux raccourcis dans des directions inattendues. Il serait dommageable de lire aujourd'hui les* Essais *sans tirer une partie du bénéfice possible de ce brouillon exceptionnel que sont les marges de l'Exemplaire de Bordeaux.*

Autre exemple, plus tendu et plus problématique, d'une réécriture au fil des années : la fin du chapitre « De la conscience » (II, 5). Le texte le plus récent livre au lecteur une condamnation catégorique de la torture. Les états précédents la dénonçaient aussi, mais de manière moins tranchée, avec une préférence donnée à des arguments techniques sur les arguments

1. *Reproduction en quadrichromie des* Essais *de Montaigne,* éd. Ph. Desan, Fasano-Chicago, Schena Editore-Montaigne Studies, 2002.

éthiques («C'est une dangereuse invention que celle des gehennes [tortures], et semble que ce soit plutôt un essai de patience que de vérité»). Il n'allait pas de soi, au XVI*e siècle, de dénoncer la question judiciaire. Montaigne n'y parvient qu'au terme d'un parcours complexe, dont l'Exemplaire de Bordeaux révèle les méandres. La dernière phrase, en 1588, semblait classer l'affaire avec fatalisme, sur le compte de l'imperfection de la justice humaine, trop humaine: «Mais tant y a que c'est le moins mal que l'humaine faiblesse ait pu inventer.» Les ajouts manuscrits réécrivent cette phrase et la prolongent par un paragraphe décisif. La réflexion rebondit dans le sens d'une condamnation sans appel: «Mais tant y a, que c'est* dit-on *le moins mal que l'humaine faiblesse ait pu inventer.* Bien inhumainement et bien inutilement, à mon avis. *» Ce texte toujours en mouvement, jusqu'à l'interruption fortuite de la vie de son infatigable auteur, donne une impression unique de proximité: Montaigne est présent à nos côtés, en train de se relire, de se juger, de se scruter. Le livre est sans cesse relu, réécrit, ressaisi dans un présent perpétuel: il ne s'est jamais refermé.*

Le texte des Essais *n'ignore pas la temporalité: il se polarise souvent entre plusieurs époques: la jeunesse dissolue et la vieillesse assagie malgré elle, l'Antiquité héroïque et la décadence des temps présents. Mais le temps de l'écriture n'a rien de linéaire. Ce livre s'est «bâti à diverses poses et intervalles» (II, 37). Cette fragmentation dissimule toutefois des réorientations et des inflexions. Plusieurs projets se sont entrecroisés dans cette entreprise de vingt années. Commençant d'écrire le portrait d'un homme banal et inconnu, Montaigne achève de se peindre en écrivain célèbre. Il est possible que le gentilhomme des années 1570 qui témoigne de sa compétence en matière politique et militaire ait eu en vue une carrière à la cour ou dans les ambassades. L'échec de ses ambitions l'a ensuite éloigné de ces sujets, au profit d'un recentrement sur l'analyse de soi. Certaines expériences décisives infléchissent ensuite le projet. L'expérience du long voyage en Allemagne et en Italie laisse des traces dans la réédition de 1582 : des souvenirs de voyage, soigneusement filtrés, mais aussi les traces d'une lecture des auteurs italiens les plus récents, comme le Tasse ou Guazzo. Lorsque Montaigne reprend la plume, après l'expérience de la mairie de Bordeaux, c'est avec un souci d'apologie personnelle, fût-elle voilée. Il cherche à se justifier, non de son action ou de ses résultats, mais des principes éthiques qui l'ont guidé dans son action publique. Alarmé peut-être d'apparaître à ses premiers lecteurs comme un sage stoïcien, Montaigne creuse davantage, à mesure qu'il avance en âge, la veine épicurienne. À mesure que l'auteur vit et vieillit, le livre enregistre ses expériences successives. Il se modifie au gré de la maturité et des désillusions, s'enrichit de découvertes et d'anecdotes. Œuvre en construction, les* Essais *enflent et se modifient avec le temps. Livre vivant, contradictoire, les* Essais *sont « consubstantiels » à leur auteur. « Je n'ai pas plus fait mon livre que mon livre m'a fait » (II, 18). Michel Eyquem de Montaigne, au fil des ans, est devenu Montaigne, c'est-à-dire l'auteur des* Essais*. L'auteur s'est mis à ressembler à son livre.*

MONTAIGNE ET LA PHILOSOPHIE

La philosophie dans le bassin

*Il semblerait, à contempler l'*exemplum *socratique — « si sainte image de l'humaine forme » dont le propre est de se départir de la doctrine et d'adopter un type de discours « naïf et bas » (III, 12) —, que la philosophie soit « bannie de l'école sainte, comme servante inutile », « école de bêtise ». S'il s'agit de refermer l'existence sur elle-même, d'« être à soi » pour « se faire particulièrement la cour » (III, 3) en ne reconnaissant plus comme vérité que sa seule expérience, il semble bien que la philosophie — entendue non seulement comme procédure dialectique dont le but est de discriminer le vrai du faux mais aussi comme exposition des solutions scientifiques et éthiques ainsi dégagées — n'ait plus de place légitime ; si « [le corps] va bien sans [l'esprit] », constat radical tiré dans « De ménager sa volonté » (III, 10), difficile de continuer à prêter à l'investigation philosophique une quelconque pertinence. Pourtant, même lorsqu'il se départit de toute posture philosophique en proclamant qu'« [il n'est] pas philosophe », Montaigne met ses pas dans ceux de Socrate, maître par excellence en sagesse humaine, et nous livre l'impression qui résulte d'une enquête proprement philosophique, véritable exercice spirituel ou, pour reprendre l'expression de Jean-Yves Pouilloux, un « éveil de la pensée*[1] ». *Les modalités du discours montaignien l'ont effectivement rendu, tout au long du XX*e *siècle, semblable au Socrate qu'il dépeint dans « De la physionomie » (III, 12) : invisible*

1. J.-Y. Pouilloux, *Montaigne. L'éveil de la pensée*, Paris, Champion, 1995.

aux yeux des philosophes, car ayant par trop rendu son discours « naturel ». En effet, ignorés par la branche philosophique de l'Université jusqu'aux années 1990, les Essais *de Montaigne ont été étudiés depuis le* XIXe *siècle d'un point de vue littéraire, ou par des littéraires ; certes, ils n'ont jamais cessé d'être lus par des philosophes tels que Pascal, Rousseau, Diderot, Nietzsche, Bergson ou Merleau-Ponty ; mais les études classiques consacrées aux* Essais *depuis la fin du* XIXe *siècle sont le produit de philologues*[1]*. Ce sont eux qui ont pris en charge l'exploration de la pensée de Montaigne par un examen minutieux de la facture poétique, rhétorique et stylistique. Depuis une vingtaine d'années, les études philosophiques ont réintégré ce texte dans leur champ d'étude — à la faveur notamment du renouveau d'intérêt pour l'histoire du scepticisme, mais sans pour autant entrer en discussion réelle avec la critique « littéraire » des* Essais[2]*. Le croisement des perspectives disciplinaires n'est encore qu'un fait récent, limité à quelques entreprises. Quelles sont les raisons qui peuvent motiver cette relative absence de dialogue ? Y aurait-il deux lectures possibles des* Essais, *qui justifieraient deux approches différentes, deux classements dans des rayons différents selon les librairies ? Cette question des « divers lustres et diverses considérations » que l'on peut porter sur les* Essais *ouvre la question encore plus vaste des rapports entre la pensée et l'écriture — qu'il s'agisse*

1. Voir *infra*, p. 80.

2. Marcel Conche a été un des premiers à relancer les études philosophiques sur Montaigne : voir *Montaigne et la philosophie*, Paris, PUF, 1996 [1987] et *Montaigne ou la Conscience heureuse*, Paris, PUF, 2008 [1964]. Il a ouvert la voie à d'autres spécialistes du scepticisme à l'époque moderne : notamment F. Brahami, *Le Travail du scepticisme*, Paris, PUF, 2001, et S. Giocanti, *Penser l'irrésolution*, Paris, Champion, 2001.

de poétique des formes et des genres ou de stylistique. Nous nous contenterons ici d'aborder la question de la rencontre de la philosophie et de la poétique à travers une mise en perspective du genre de l'essai : le caractère philosophique des Essais ne dépend pas seulement ou avant tout des thèmes qu'il traite, des débats dans lesquels il s'insère ou qu'il ouvre ; il est profondément lié à une manière d'écrire et de composer. C'est bien là que se joue le problème de sa reconnaissance philosophique : Montaigne passe pour avoir fondé un genre qu'il aurait immédiatement porté à son apogée[1]. Cependant, les Essais ne ressemblent à peu près à rien de ce que l'on a reconnu a posteriori comme découlant de leur lignée. Récusant les formes philosophiques usuelles, tout en les enrôlant toutes « à nouveau service » et le plus souvent à contre-emploi — du traité à la somme, en passant par le dialogue ou le commentaire —, Montaigne a développé un type d'enquête fondé sur l'instabilité du point de vue, l'autocontestation et la polyphonie, cultivant ainsi la « monstruosité » de son entreprise. Si à la Renaissance, le discours philosophique se détache de l'esprit de système des voies d'enquête médiévales, Montaigne radicalise une telle remise en cause en subvertissant l'attachement même au principe logique fondateur de la pensée occidentale, celui de non-contradiction qu'énonce Aristote au livre gamma de la Métaphysique. Ce faisant, sans contredire la vérité comme il le revendique au début de « Du repentir » — ou même pour ne pas la contredire —, il ne manque pas de se contredire lui-même, finissant par entraîner une fluctuation des concepts et des notions dans un « contre-

1. Voir P. Glaudes (dir.), *L'Essai : métamorphoses d'un genre*, Toulouse, Presses universitaires du Mirail, 2002.

rolle » d'énoncés fluctuants relevant d'un « dictionnaire tout à part [lui] ». Ce texte qui accuse, dès l'avis « Au lecteur », sa propre inutilité, aurait la caractéristique de « ne pas [former] l'homme », mais de le « réciter » (la « récitation » n'étant qu'une représentation superficielle des apparences saisies dans leur succession immaîtrisée), ne pouvait que sembler condamner les formes philosophiques traditionnelles. Il en résulterait une production de soi dont la fidélité dépendrait d'une capacité à digérer les discours constitués pour les transformer après en avoir tiré usage.

*La métaphore excrémentielle semble éloigner radicalement Montaigne des voies de la philosophie, fût-elle cynique, comme cette comparaison entre le geste d'écriture et l'habitude de ce « Gentilhomme qui ne communiquait sa vie que par les opérations de son ventre : vous voyiez chez lui, en montre, un ordre de bassins de sept ou huit jours : c'était son étude, ses discours : tout autre propos lui puait » (III, 9). Cette fermeture sur soi et sur les « excréments d'un vieil esprit » (*ibid.*), entre les murs d'une librairie, a beau être extrême, elle n'en répond pas moins à une exigence philosophique : exigence de se défaire des aliénations du* negotium *pour établir les conditions de possibilités d'une vie où l'on puisse s'adonner à l'exercice de la raison, selon l'injonction de Sénèque dans le* De brevitate vitæ, *mais aussi exigence posée par le mouvement même de l'enquête rationnelle qui, se défaisant des représentations abstraites et universelles au fil de son avancée, recentre toujours un peu plus le sujet sur la singularité de son point de vue. Comme le montre la description de sa réclusion dans sa librairie, présentée suggestivement comme une abbaye inversée — à laquelle ne manque qu'un cloître pour associer le corps à la méditation, l'enquête se nourrira d'un mou-*

vement centrifuge d'exploration du monde à travers les livres disposés tout au long des murs, mais afin de nourrir une dynamique proprement centripète : il s'agit de se « faire particulièrement la cour » (III, 3), de développer envers soi cette amitié virile et porteuse d'une véritable érotique — celle de la connaissance — qui consiste à conduire envers soi-même une altercation sans concession. Cette manière de se départir avec franchise, sans repentir, des exigences posées par le cadre de l'anthropologie augustinienne la plus courante marque la volonté de mettre en place un protocole d'expérience renouvelé et proprement philosophique.

La mise en examen du sujet : les modèles de l'enquête

L'essai est une expérience unifiant dans un même geste la vie, l'enquête philosophique et la création littéraire. Bien sûr, la Renaissance ne connaît pas de barrières qui sépareraient a priori *la philosophie des* bonæ litteræ. *Montaigne réactive, dans l'écriture de l'essai, l'« exercice spirituel » au sens où l'entend Pierre Hadot à propos de la philosophie antique*[1]. *Procès dont la nature philosophique ne tient pas dans le produit fini mais dans l'expérience de conversion intellectuelle et éthique qu'il déploie, l'exercice spirituel est avant tout cheminement intellectuel tendu vers la connaissance. Le terme même choisi par Montaigne renvoie non seulement à une pratique d'écriture fondée sur un travail de déploiement dialogique de la pensée, au produit de ce geste que l'on livrera à l'im-*

1. Voir *Exercices spirituels et philosophie antique*, Paris, A. Michel, 2002 [1993], p. 19-74 et *Qu'est-ce que la philosophie antique ?*, Paris, Gallimard, 1995, p. 15-24.

primeur puis au lecteur, mais aussi — et plus fondamentalement — à la pesée (« exagium »*), à l'évaluation de l'auteur par lui-même*[1]*. Le titre indique* « Essais de messire Michel Seigneur de Montaigne »*, seule la mention honorifique disparaissant dès 1588. Il ne faut pas lire ici, dans ce complément du nom* « Essais »[2]*, leur détermination par un traditionnel renvoi à l'auteur qui marquerait la provenance, mais plutôt l'objet qui se soumet au processus qu'ils constituent. Le texte produit la mise à l'épreuve d'un sujet singulier qui, faute de « [pouvoir] prendre pied » et se « [résoudre] », est contraint de s'essayer pour fixer les limites de ses capacités naturelles et, partant, les contours du moi. Son écriture est non seulement occasion d'exercer ses propres forces, mais aussi d'en reconnaître l'extension. Pour reprendre l'expression de Montaigne à propos de l'évaluation de Sebond et de ses détracteurs dans « L'Apologie », il s'agit de considérer en l'expérimentant ce que peut « l'homme seul, sans secours étranger, armé seulement de ses armes, et dépourvu de la grâce et connaissance divine, qui est tout son honneur, sa force et le fondement de son être » (II, 12). C'est bien la compréhension de soi que l'on vise en s'essayant, et si l'on n'y parvient, faute d'une stabilité suffisante de l'objet observé et de critères incontestables d'observation, on engage tout de même un processus d'élucidation de l'être dans son instabilité même. L'enquête qu'il déploie n'a pas de règle, si ce n'est — comme le suggère « De l'art de conférer »*

1. Sur l'usage du terme chez Montaigne, voir J. Vignes, « L'exercice, l'épreuve et l'expérience. *Essais* et *essayer* dans le livre III des *Essais* », *Le Livre III des* Essais, *Cahiers Textuel*, 26, Paris, 2003, p. 9-26.

2. Voir sur ce point F. Goyet, « Humilité de l'essai ? (Réflexions sur Montaigne) », *L'Essai : métamorphoses d'un genre*, P. Glaudes dir., *op. cit.*, p. 206.

— la prolongation sans borne assignable de la contradiction, dynamique donnant voie d'expression à la nature même de l'homme dont «[l'esprit] ne fait que fureter, [allant] sans cesse tournoyant, bâtissant, et s'empêtrant en sa besogne» (III, 13). Un tel jeu de la contradiction qui anime l'enquête philosophique n'est toutefois pas sans modèle. Deux expériences se superposent chez notre auteur, selon une correspondance par ailleurs traditionnelle à son époque : l'expérience juridique et l'expérience sceptique, deux voies de la mise en examen du monde, et par là même de celui qui en juge. Notons au passage que le vocabulaire juridique du verdict — qu'il s'agisse d'une décision positive ou d'un non-lieu — et le vocabulaire sceptique des opérations du jugement tendent, de Cicéron aux dictionnaires du début du Grand Siècle, à se confondre. La séquence du juge Bridoye, jugé lui-même par une cour de justice spéciale aux chapitres XXXIX-XLIV *du* Tiers Livre *de Rabelais, est ainsi une parfaite reconduction métaphorique de la séquence précédente où Panurge et ses amis consultent Trouillogan, le philosophe pyrrhonien et, comme chez Montaigne dans «Des boiteux», elle convoque l'anecdote judiciaire du jugement de l'Aréopage comme illustration concrète de la suspension du jugement et de l'assertion dogmatique précipitée. Il a été montré combien le travail de Montaigne à la Chambre des Enquêtes du parlement de Bordeaux, entre 1557 et 1570, avait contribué à sa formation intellectuelle et à sa méthode de réflexion*[1]*. Traitant des dossiers trop complexes pour un simple passage devant la Grande Chambre, cette charge consistait à expertiser des procès sans comparution des*

1. Voir A. Tournon, *La Glose et l'essai*, Paris, Champion, 2000 (pour la nouvelle éd.), notamment p. 185-202.

parties, en se fondant uniquement sur un examen critique des pièces écrites versées au dossier. Ce travail de seconde main devant confronter pour les évaluer des textes donnait lieu in fine *à la rédaction d'une synthèse formulée* in utramque partem, *pesant le pour et le contre, assortie non d'un verdict qui dépendait de la seule Grande Chambre, mais d'un «avis», proposition moins définitive ayant pris la mesure des éléments à charge et à décharge. Si le dégoût pour une justice arbitraire en ses derniers ressorts, tiraillée entre droit romain et droit coutumier, a fini par s'imposer à notre auteur, il est certain que cette pratique de l'investigation textuelle, de la glose et du cheminement contradictoire débouchant sur une conviction ayant une force pratique, mais ne relevant pas d'un ultime verdict, n'a pu que peser dans l'élaboration empirique de l'«inquisition» qui sous-tend chaque chapitre des* Essais. *Et ce d'autant plus qu'une telle procédure s'est vue confirmée et renforcée sur un champ plus abstrait par la découverte de la* skepsis *des pyrrhoniens, ce scepticisme que l'on doit traduire par «examen»*[1].

Le scepticisme à l'essai

L'essai et le scepticisme procèdent de façon similaire: tous deux impliquent une situation où se confrontent une instance critique productrice de jugements de rang 1 et une instance métacritique qui, dans un jugement de rang 2, évalue les précédents. Peu importe que Sextus Empiricus, dans sa définition de la skepsis *en* Hypotyposes pyrrhoniennes, *I, 8,*

1. Marcel Conche a rénové la question du scepticisme des *Essais* en suggérant qu'il s'agissait moins d'une doctrine que d'une manière de discourir et de penser. Voir «Le pyrrhonisme dans la méthode», *Montaigne et la philosophie, op. cit.*, p. 27-42.

distingue ces deux instances comme deux personnes séparées intervenant dans un processus de thérapie — le malade dogmatique et le médecin sceptique. La portée autoréflexive qui est au cœur du pyrrhonisme n'offre aucune position stable à quiconque, et les propositions contradictoires du thérapeute sont elles-mêmes soumises à une contradiction suspensive, dans une logique inexpugnable de l'incertitude elle-même incertaine. Peu importe aussi que le jeu contradictoire implique deux, trois ou mille jugements antithétiques comme on l'observe dans les contrerolles de dissension montaigniens, et que ces jugements soient des discours rapportés, nourris par la bibliothèque de l'auteur: quelles que soient l'origine et la nature des aliments, c'est toujours de la même vie de l'esprit qu'il va, et d'une quête de connaissance qui doit en permanence, faute d'aboutir sur des certitudes universelles reconnues et énoncées comme telles, réorienter sa course sur de nouvelles pistes. Cette contradiction propre à la skepsis *comme à l'essai passe par deux voies principales dans les deux cas: d'une part la confrontation, dans un même chapitre, d'un chapitre à l'autre, mais aussi d'une édition à l'autre à la faveur de nouveaux «allongeails», de représentations conflictuelles; d'autre part un jeu de retour critique du discours sur sa propre extension et sur la relativité de la situation d'énonciation, introduisant la contradiction et l'incertitude au sein d'une même prise de position. Cette poétique de la contradiction — celle de «l'honnête et habile homme» — n'a plus rien à voir avec celle qui, au début du siècle, avait été mise en pratique dans les cercles évangéliques pour désamorcer une herméneutique rationnelle et favoriser une méditation spirituelle en «sens agile», pour reprendre le mot rabelaisien. Elle vise, dans une perspective totalement rationaliste, à conduire la raison, par un retour sur elle-même, à valider la pertinence et la pérennité de ses représentations. Ne rien accepter ni tenir pour acquis, c'est se départir de cette tyrannie de la pensée dont on subissait les effets dans le système scolastique et que dénonçait, entre autres, Omer Talon dans ses* Academia *en 1547, et que Montaigne fustige dans « Des boiteux » ; cela revient à se donner les moyens d'une véritable liberté intellectuelle, rendant l'individu comparable à ces « âmes [...] réglées, [...] fortes et bien nées, à qui on se puisse fier de leur propre conduite, et qui puissent, avec modération et sans témérité, voguer en la liberté de leur jugement au-delà des opinions communes » (II, 12). L'important, pour juger de l'impact du scepticisme sur les* Essais, *est de ne pas se laisser aller, comme le souligne Sextus Empiricus à titre général, au « trouble » causé par le miroitement de ce « phénomène ». Tout d'abord, on est souvent gêné par une telle étiquette en ce qu'elle semble contredire la force séminale et la puissance de jugement déployée dans les* Essais *: mais un tel « inconfort » n'est que la conséquence d'une fausse appréciation du scepticisme, ce dernier n'ayant rien d'une défaite de la pensée, misérabilisme intellectuel qui croirait avoir tout dit en partant d'une axiomatique liée à un dogmatisme négatif qui voudrait que l'on ne puisse rien savoir. Ce type de position, s'il n'est pas étranger à certains prolongements du scepticisme que Montaigne récuse, à la suite de Sextus, dans l'« Apologie de Raimond Sebond », n'est que fermeture ou tout au moins restriction de la pensée, là où la contradiction autoréflexive du pyrrhonisme maintient, dans la suspension, toutes les virtualités pensables, ouvrant une voie sans fin à l'avancée du jugement. D'autre part se pose la question de la nature du scepticisme, philosophie* *dont la tradition est éclatée entre de nombreux témoignages antiques fortement hétérogènes, et dont la réinterprétation à la Renaissance se borne à multiplier des lectures elles-mêmes fortement contrastées. Lentement réélaboré par les imprimeurs-libraires dans leurs éditions de témoignages pyrrhoniens tout au long du siècle à la manière d'un assemblage de pièces disparates*[1]*, il ne peut être limité, comme l'histoire des idées l'a fixé de Pierre Villey à Richard H. Popkin*[2]*, à un simple instrument critique subordonné à une visée apologétique. Le «fidéisme sceptique» n'est qu'une lecture parmi d'autres assimilant tantôt le scepticisme à un néo-socratisme, tantôt à sa version probabiliste néo-académicienne, tantôt à un néomobilisme de type héraclitéen, tantôt à une pratique radicale de la contradiction liée à une portée autoabolitive de la formule centrale de cette philosophie, le* ou mallon *(«pas plus»). D'où de nombreuses portées et de multiples utilisations : simple réticence rhétorique et langagière ou rapport au monde engageant une métaphysique, mouvement dialectique apte à ruiner la vérité ou au contraire à rénover les moyens d'y accéder qu'Aristote avait fixés et que la scolastique avait corrompus, instrument apologétique ou position éthiquement et théologiquement incompatible avec la Révélation : le* XVIe *siècle, pas plus que le* XXIe*, ne connaît un seul scepticisme. L'héritage de Pyrrhon se diffracte en de nombreuses apparences sinon contradictoires, du*

1. Sur le rôle fondamental du vecteur éditorial comme lieu de redistribution et de réinterprétation du scepticisme, voir E. Naya, *Le Phénomène pyrrhonien. Lire le scepticisme au XVIe siècle*, à paraître chez les Classiques Garnier.

2. Pour la dernière mise à jour de l'ouvrage pionnier de R.H. Popkin, *The History of Scepticism from Savonarola to Bayle*, Oxford, Oxford University Press, 2003.

moins contraires. Loin de vouloir trancher ici la question de l'unité du pyrrhonisme qui a évolué dans l'histoire au fil des situations dialectiques, nous nous contenterons d'affirmer une unité du scepticisme (Nouvelle-Académie mise à part, récusée par Montaigne) autour du ou mallon, *formule venant instaurer la contradiction tout en s'appliquant aussi à cette dernière. De Diogène Laërce à Aulu-Gelle en passant par Sextus ou Eusèbe de Césarée, la logique d'une contradiction purement empirique (car se frappant elle-même d'incertitude) ne se dément pas. Au terme d'un « examen », exercice spirituel antithétique produisant une simple « présomption » d'équilibre entre les représentations opposées (« l'isosthénie »), l'individu suspend son assentiment à toute représentation absolue. Ainsi s'évanouissent les effets indésirables dont l'attachement dogmatique initial était porteur, « ataraxie relative aux opinions », prise de distance permettant d'épurer l'expérience des « effets parasites » découlant d'un rapport intellectualisé au réel. Le scepticisme est ainsi, pour un lecteur qui recherche à préciser la cohérence méthodologique qui court depuis Pyrrhon jusqu'aux néo-pyrrhoniens et que Sextus Empiricus revendique pour ses* Hypotyposes, *non une philosophie entendue au sens de système ou d'assemblage doctrinal de philosophèmes variés, mais une simple expérience, un « exercice spirituel » impliquant une gestion des représentations selon une dynamique contradictoire (la «* dunamis antithétikè *»); ce processus entraîne chez celui qui le pratique un éveil de la pensée, une ouverture du regard à la pluralité, une libération ponctuelle et momentanée de l'ambition de parvenir au sens ultime des choses et, de surcroît, une métriopathie le conduisant à enrayer des mécanismes affectifs superfétatoires. Notons qu'il propose, en tant* *que procédure argumentative, une «poétique» singulière, faite d'un agencement dynamique et contradictoire des énoncés.*

De quelle lecture du scepticisme Montaigne était-il tributaire? L'édition latine des Hypotyposes pyrrhoniennes *par Henri Estienne (Genève, 1562) dont il a disposé se distingue comme un vecteur particulièrement ambigu. Elle réactive en effet d'une part, dans une préface de ton très érasmien, l'instrumentalisation religieuse du scepticisme telle que Gianfrancesco Pico della Mirandola l'avait promue dès 1520 dans son* Examen vanitatis doctrinæ gentium *en faisant du pyrrhonisme une voie pour réduire les dogmatiques impies de ce siècle à cette folie chrétienne promue par saint Paul dans la* Première Épître aux Corinthiens. *Mais dans cette même préface — et plus encore dans les annotations où il ramasse, en fin de volume, une importante documentation pyrrhonienne —, Estienne propose tous les outils philosophiques nécessaires pour faire de ce texte une lecture radicale et logiquement incompatible avec la foi chrétienne, insistant tant sur la distinction entre pyrrhonisme originel et dévoiement néo-académicien (que Montaigne suivra dans l'«Apologie»), que sur le relativisme intégral porté par cette voie philosophique, ou encore la* sceptica loquendi forma, *usage décalé et paradoxal du langage impliqué par la suspension du jugement, «nouveau langage» dont Montaigne a bien senti la nécessité. En matière religieuse, Estienne a rendu compte de manière extrêmement indécise de la piété des sceptiques en parlant de «*naturalis instinctus*», expression pouvant aussi bien renvoyer à l'illumination intérieure dans un régime de foi vive, qu'à une «reconnaissance naturelle» des «indications de la vie» telle que la décrit, dans une perspective tota-*

lement naturaliste, Sextus Empiricus. Une des pièces maîtresses du dossier sceptique de notre auteur se distingue donc par un double mouvement, sacrifiant à la fois au geste humaniste traditionnel du transitus hellinismi ad Christianismum *selon l'expression de Guillaume Budé, mais délivrant en même temps tout l'arsenal théorique nécessaire pour rendre une telle transition impossible. Expert de la Chambre des Enquêtes habitué à manier des dossiers contradictoires, Montaigne a tiré parti, il nous semble, de ces deux pistes à la fois. Non de manière inconséquente, mais dans un des jeux contradictoires constitutifs de son enquête. Reprise — notamment dans l'« Apologie » — d'un thème fidéiste*[1] *et d'une posture qui connaissait, depuis Omer Talon, un usage fortement politique à l'époque ; mais aussi reprise d'une méthode générale, d'une forme d'exercice intellectuel ne reconnaissant pas d'objet qui,* a priori *et en vertu d'une dignité extraordinaire, pourrait échapper à sa dynamique contradictoire et critique : pas même la question religieuse, et son articulation avec une inscience sceptique. Les deux lectures du pyrrhonisme sont donc pertinentes dans les* Essais, *mais leur usage — et bien plus leur niveau d'action — sont tout à fait différents.*

1. Pour une lecture intégralement fidéiste du scepticisme montaignien, voir H. Janssen, *Montaigne fidéiste*, Nimègues-Utrecht, N.V. Dekher-Van de Vegt, 1930.

« L'ART DE CONFÉRER » ET SES CONTRAINTES NATURELLES

Adapter l'enquête au « branle » du monde

La dynamique contradictoire de l'essai n'a toutefois rien d'un choix de pure et simple réaction à un cadre philosophique ambiant où l'autorité du Maître de l'École prédominerait. Elle s'impose comme réponse nécessaire à une donnée immédiate de l'expérience : le mouvement[1]. *Chez Sextus Empiricus, la* skepsis *n'est rien d'autre qu'une réorientation imprévue d'une enquête dogmatique qui tourne mal et qui, cherchant à déterminer le sens des phénomènes s'imposant à la conscience, ne peut aboutir, butant sans cesse contre l'irrégularité (*anomalia*) des apparences et la dissension (*diaphonia*) des représentations que ces dernières engendrent. Lorsque le peintre Apelle décide de jeter l'éponge sur sa peinture, c'est qu'il ne peut fixer la complexité de son sujet qui, de tentative en tentative, lui échappe toujours. C'est alors qu'il atteint, de manière paradoxale et casuelle, l'effet pictural escompté. Le sceptique parvient, de même, à son but (la tranquillité en matière d'opinions), lorsqu'il jette lui aussi l'éponge dans son enquête philosophique. La libération par la contradiction n'est donc qu'une manière de s'adapter à la vie proliférante d'un esprit incapable de suivre le monde dans sa proliférante bigarrure. Même constat physique et anthropologique chez Montaigne, qui sans théoriser une loi du mouvement,*

1. Sur cette question, voir, à côté de l'étude classique de J. Starobinski citée *supra*, M. Jeanneret, Perpetuum mobile. *Métamorphose des corps et des œuvres de Vinci à Montaigne*, Paris, Macula, 1997 et F. Rigolot, *Les Métamorphoses de Montaigne*, *op. cit.*

constate empiriquement les effets du «branle». La première page de «Du repentir» vise à faire partager au lecteur le vertige d'un monde où la vie tant physique que psychique, travaillée de l'intérieur par une constante altération, empêche toute représentation uniforme. Sept chapitres plus loin, Montaigne prête à cette entropie généralisée qui emporte le monde le nom de «vanité» — vanité qui n'indique plus, comme dans l'anthropologie religieuse traditionnelle, la voie de son dépassement en Dieu, et à laquelle on n'a d'autre choix que de se plier en répondant au besoin de voyager, mais aussi par une manière d'écrire aussi hasardeuse que celle par laquelle s'écrit l'histoire des sociétés et des civilisations. Affectant aussi bien le sujet observant que l'objet observé, elle ouvre à l'infini le discours, rendant impossible une peinture définitive qui fixerait la connaissance de soi; elle renverse aussi le cadre logique occidental, en réintégrant ce qu'Aristote avait prohibé: la contradiction qui menace l'homme de le ravaler, en le coupant du discours qui est toujours détermination et individuation du sens, au statut de «plante». «Tant y a que je me contredis bien à l'aventure, mais la vérité, [...] je ne la contredis point» (III, 2). Cette affirmation peut se comprendre en envisageant l'écriture dans la synchronie, ne trahissant jamais, à chaque instant séparé d'un autre, la vérité de l'être montaignien: ce n'est pas «en même temps et sous le même rapport» que le même prédicat appartient et n'appartient pas au même. Mais la possibilité d'une lecture diachronique n'est pas à écarter, ce qui demanderait un abandon de la vérité comme adéquation du discours à un objet déterminé pour une redéfinition de cette dernière, comme on l'entrevoit dans «Des boiteux»: la vérité, se résolvant dans l'expérience immédiate, ne serait plus contrainte par aucun principe d'identité, et pourrait intégrer en son sein les phénomènes les plus contradictoires pour un logicien de stricte obédience. L'enquête, devant s'adapter à un monde changeant et proliférant, n'est plus capable de «formation» philosophique, tout juste de «récitation», constitution du «contrerolle» des phénomènes répondant à «l'anomalie» du monde. Poétique d'une lecture littérale, essayant de sonder «approximativement» le réel. La «branloire pérenne», pour qui en perçoit les effets, ne laisse donc plus enquêter traditionnellement selon les formes accoutumées de la philosophie: les traits du traité se déforment et, peu à peu, la «monstruosité» du sujet tout comme l'instabilité du point de vue entraînent le texte où la discrimination des propos et le repentir n'ont, selon Montaigne, plus de sens. Sans repère fixe qui pourrait déterminer un ensemble de critères, l'évaluation relative des «fadaises» qui échappent nonchalamment à leur auteur n'est plus de mise. Bien sûr, la perte de contrôle est toute relative, et s'adapter au monde demande de fixer les formes intermédiaires du mouvement pour rendre possible une perception dans le flux. Tension évoquée dans «De trois commerces» (III, 3) entre la volubilité constitutive de l'esprit et le risque d'empêtrement qui va de pair avec son exercice. Telle est la vertu du scepticisme, fondant un mouvement zététique infini: il permet de canaliser «la maladie naturelle de [notre] esprit», cet infini «besoin d'interpréter»; l'exemple des chiens d'Ésope qui, voulant s'assurer de la réalité d'une apparence de quelque corps mort flottant, décidèrent, faute de pouvoir l'approcher, d'assécher la mer en la buvant, traduit bien la nature pathogène de ce qui paradoxalement est aussi la marque de notre santé et de notre «générosité» native: «nul esprit généreux ne s'arrête en soi : il prétend toujours et va outre ses forces » (III, 13). L'enquête pyrrhonienne a cette vertu : ouvrir toujours une « route par ailleurs »[1], *dégager l'esprit de l'immobilisme non naturel produit par l'opiniâtreté et la témérité, synonymes de dogmatisme et de précipitation de jugement, en récusant toute perspective absolutiste. Bien sûr, il n'est pas question de penser qu'aucune décision de l'esprit, aucun avis, aucune conviction ne puisse se prendre : les* Essais *sont constamment porteurs des avis tranchés et des effets de la conscience de Montaigne. Mais ceux-ci, ne revendiquant aucun fondement rationnel qui les établirait avec constance et universalité, n'empêchent ni la liberté de pensée de notre auteur par reconduction ou réorientation de l'enquête, ni celle du lecteur. Libérer et assurer la permanence du mouvement, favoriser la souplesse de l'esprit et sa capacité à s'accoutumer à de nouvelles formes, l'enquête sceptique — simple « examen » du monde — permet de l'assurer en ménageant une subtile dialectique faite d'adhésion et d'indifférence, de « raideur » et de « nonchalance ».*

Une dialectique du plaisir

Si l'enquête philosophique répond donc à des contraintes fondamentales de l'expérience humaine, il est possible, sinon de la théoriser, du moins d'en faire une « hypotypose ». Nous trouvons cette dernière dans « De l'art de conférer » qui, décrivant les modalités du commerce favori de Montaigne — celui qu'il entretient avec les « honnêtes et habiles hommes » —, nous livre une parfaite modélisation de la technique qui,

1. Voir A. Tournon, *« Route par ailleurs ». Le « nouveau langage » des* Essais, Paris, Champion, 2006.

dans les Essais, *permet de dynamiser l'enquête. Précision terminologique importante sur ce que Montaigne appelle déjà, dans « De trois commerces », « la fréquentation et conférence, l'exercice des âmes » (III, 3) : la notion de « conférence » ne se résume pas à une transposition des pratiques de la « conversation civile » héritée des Italiens et dont elle emprunte certains traits. En tant que processus aléthique dont le but est de quêter le vrai, elle nous semble une transposition française de la traduction latine par Henri Estienne de la définition de la* skepsis *chez Sextus Empiricus. L'humaniste rend en effet la glose sextusienne de l'examen (*dunamis antithétikè, *« faculté d'opposition ») par* « facultas quæ confert [apparentia] inter se atque opponit ». *Ce doublet synonymique, utilisé dans ce passage crucial du début des* Hypotyposes pyrrhoniennes, *n'est pas reconduit par Estienne qui tend à conserver le verbe* « opponere » *pour rendre compte de la contradiction qui fonde le mouvement examinateur ; Montaigne, lui, nous semble s'arrêter sur le premier verbe, dont la portée sémantique est plus large dans la mesure où elle inclut l'idée de la mise en balance des énoncés, de leur « essai » (*exagium*), mais aussi l'idée d'un commerce interpersonnel et d'une circulation dialogique de la pensée. Réaction instinctive à la sottise, synonyme de précipitation inconsidérée du jugement qui tend à tenir pour acquis ce qui est embarqué dans la vanité du monde, la conférence se caractérise comme le maintien d'un mouvement perpétuel qui pourrait demander, Montaigne émet cette possibilité, d'être entretenu par une structure objective de contrainte, en la personne d'un valet chargé de tenir le compte des incapacités de son maître à soutenir l'escrime intellectuelle face aux « raides jouteurs ». Ignorance au sens d'incapacité à nourrir la dispute,* *fatale dans le cas d'une « ignorance pour laquelle concevoir il n'y a pas moins de science que pour concevoir la science » (III, 11), et « opiniâtreté », au sens d'attachement dogmatique à défendre une représentation, tels sont les deux écueils sur lesquels peut s'échouer la conférence qui a toujours besoin, pour être prolongée, de matière et de liberté intellectuelle. En parfaite cohérence avec la logique pyrrhonienne, la conférence contradictoire s'insère dans un objectif commun aux deux consciences, la « cause commune » de la vérité. Dans cette perspective de recherche sans relâche du vrai, les moyens de l'enquête — en tant qu'ils sont indifférents et maniés « approximativement », selon la logique réflexive de l'opposition sceptique, n'ont pas de valeur particulière : « il me chaut peu de la matière, et me sont les opinions unes, et la victoire du sujet à peu près indifférente » (III, 8). Comme le précise à nouveau le chapitre suivant, toute « fantaisie » est saisie comme équipollente et vraisemblable pour ceux qui « [privent] leur jugement du droit de faire des arrêts » (*ibid.*) : tant que l'on échappe au vice d'opiniâtreté, il est pertinent de faire feu de tout bois en maniant des représentations indifférentes car impondérables en dernier recours. Dès que la « vérité » est affaire d'expérience et de point de vue, l'enquête par voie de conférence n'est pas évaluée en termes de contenu et de résultat, mais en termes esthétiques. La joute contradictoire signalera avant tout « la grâce et la pertinence » (III, 3), et si elle ne peut aboutir à un résultat stable et définitif, au moins aura-t-elle révélé une idiosyncrasie dont elle aura fait « l'essai », celle du jouteur. Singularité de l'âme perceptible dans la manière de disputer, tout comme le langage est censé refléter la beauté spirituelle et l'originalité de la perspective : les voies de l'échange ne sont plus suscep-*

tibles d'être évaluées en termes d'adéquation à la réalité, mais en termes esthétiques mettant en jeu la beauté et le plaisir. Tout comme Sextus déclare nécessaire d'adapter la médication sceptique, administrée par voie de contradiction, au dogmatisme de son interlocuteur, Montaigne n'envisage pas non plus qu'une rupture d'équilibre entre les partenaires de l'enquête puisse menacer la pérennité de cette dernière ; les instances en opposition doivent aller d'un même pas, et rester à la fois impliquées dans une « société et familiarité forte et virile » qui « se flatte, comme l'amour, ès morsures et égratignures sanglantes », érotique sans concession qui maintienne à son plus haut degré le principe de mouvement, et indifférentes en libérant l'enquête de tout attachement passionnel aux contenus qu'elle met en jeu. L'art de conférer, qui vise comme le précise son entrée en matière, à inviter l'autre à fuir l'exemple montaignien, à « s'amender à reculons, par disconvenance plus que par accord, par différence que par similitude », élargit l'enquête à l'intervention du lecteur. Ce dernier, comme chez Sextus Empiricus, est donné comme un possible contradicteur de la méthode contradictoire elle-même que l'on va exposer. L'amélioration ne s'obtient que dans la contradiction, seule apte à relancer le mouvement de l'esprit, lui permettant d'exercer ses facultés naturelles et de jouir du plaisir de ses évolutions.

« IL N'EST DÉSIR PLUS NATUREL QUE LE DÉSIR DE CONNAISSANCE[1] »

Loin d'être une impasse que l'esprit saurait infranchissable, l'examen sceptique, en ce qu'il est incertain de sa propre incertitude, définit une enquête infinie, devant toujours être prolongée, reconduite, « accommodée à l'heure » présente. « Il n'y a point de fin en nos inquisitions : notre fin est en l'autre monde » (III, 13), soit que l'inquiétude du sens cesse dans le face-à-face avec le Créateur, seul dispensateur de la science, soit qu'elle ne soit interrompue que par l'extinction physique de l'esprit, force de curiosité toute tendue vers l'interprétation, la contestation et la relance de sa chasse. Il n'est pas de dogmatisme négatif dans les Essais *qui soutiendrait, comme un cadre* a priori *de l'expérience humaine, l'impossibilité d'aboutir dans la quête de connaissance. Montaigne avoue, dans « De la vanité », être incapable d'évaluer les progrès ou la régression de sa réflexion ; « mouvement d'ivrogne, titubant, vertigineux, informe, ou des joncs que l'air manie casuellement », les fantaisies s'accumulent, impondérables, sans que l'on puisse les corriger sans « [crainte] de perdre au change ». Comme il le souligne deux chapitres plus loin, l'ignorance à laquelle il parvient n'est jamais un point de départ qui ôterait le souci de la quête du sens. Tel est le paradoxe scientifique propre au scepticisme : si les jugements universels et essentialistes tombent, ce n'est jamais par principe, mais toujours au terme d'une expérience de crise intellectuelle convoquant les savoirs prétendument établis. « Quêter ce qui est » (III, 8), chercher à établir la vérité,*

1. *Essais,* III, 13.

et non prouver qu'il y a là quelque chose d'inaccessible par nature, telle est la démarche fondatrice de l'essai. La mise à l'épreuve du jugement conduit bien souvent, au terme d'un examen à charge et à décharge, à adopter — contre toute opinion téméraire et opiniâtre —, une « mollesse » du point de vue, avatar montaignien de la notion de « modération » : « nous autres, qui privons notre jugement du droit de faire des arrêts, regardons mollement les opinions diverses ; et, si nous n'y prêtons le jugement, nous y prêtons aisément l'oreille » (III, 8). La « mollesse », effet de la suspension, n'est toutefois en aucun cas une manière de flotter dans l'indécision : l'assentiment, qui n'est plus contraint d'embrasser dogmatiquement une représentation univoque, se voit libéré, rendu apte à dégager un avis singulier et personnel, dans toute sa fragilité et sa possible labilité. Fruit paradoxal d'une inquisition énergique sur les terres de la doxa, ce point de vue à la fois distancié et tout entier investi dans un effet de conscience subjectif et singulier est avant tout lié à l'expérience. « Des boiteux » s'ouvre justement sur l'opposition entre le phénomène et les discours que l'on peut y attacher. À la saisie instinctive et immédiate du monde, les hommes préfèrent construire une représentation discursive et interprétative ; rythme des saisons, dégustation du vin, reconnaissance des miracles et des manifestations de sorcellerie : on parle au lieu d'expérimenter directement les phénomènes. La survalorisation de telles surélaborations discursives nous enferme dans une concaténation verbale venant faire écran, et donnant lieu, aussi bien dans la rumeur de la foule que dans les leçons des écoles, à des opinions imposées avec violence. Pour Montaigne, il y a bien une vérité, mais sa nature est antéprédicative pour « nous qui n'en avons que la souffrance, et qui en avons l'usage parfaitement plein, selon notre nature, sans en pénétrer l'origine et l'essence» (III, 11). À l'écart des savoirs acquis et de la raison «capable d'étoffer cent autres mondes» tout en ignorant celui où elle évolue, la vérité est affaire de «souffrance», c'est-à-dire de perception passive, expérience directe, immédiate et libre de toute préconception. L'enquête permet alors de se défaire des infinies constructions de notre vanité où «nous aimons à nous embrouiller, comme conforme à notre être», pour rendre le jugement personnel disponible, émanation psychoaffective liée à la forme singulière du sujet liant le jeu de son esprit à celui de son corps. Une telle expérience, irréductiblement individuelle et non reproductible, ne peut fonder la science universelle: comme Montaigne l'expose dans «De l'expérience», le droit, la médecine témoignent chaque jour d'un tel échec. Il n'est même pas sûr qu'elle permette à l'individu de fonder un savoir cohérent sur lui-même. Incapable de reconnaître les miracles et autres «événements étranges», Montaigne souligne qu'il «n'a vu monstre et miracle au monde plus exprès que [lui]-même» (III, 11)[1]*. Alors même que le moi devrait constituer l'objet d'étude le moins enclin à l'abstraction et à la généralisation, objet dont Montaigne fait sa «physique» et sa «métaphysique» (III, 13), les métamorphoses infinies auxquelles il est sujet empêchent ce dernier de «[s]'entendre en [lui]». Soumise au branle universel, la connaissance de soi et du monde demande une perpétuelle réadaptation du regard, une souplesse permettant de se déprendre de ses habitudes. Les conséquences de cette inaptitude à fonder un savoir constant et arrêté, fût-il fondé sur*

1. Sur ce thème de la monstruosité et du miracle, voir J. Céard, *La Nature et les prodiges*, Genève, Droz, 1977, p. 387-434.

l'expérience, sont décisives : une conception de l'éducation cherchant à assouplir l'esprit, en apprenant à désapprendre et à diversifier son point de vue ; une résistance à l'imposition par la force, dans la sphère sociale, d'opinions d'égale fragilité ; un refus de rentrer dans une telle orientation didactique qui viserait à « former l'homme » : en préférant le « réciter », Montaigne revendique l'inutilité de son texte pour le lecteur, même si, en l'appelant sans cesse à se faire « diligent » et « raide jouteur », il lui inculque l'empirique méthode qui permet d'éveiller et de libérer la pensée de ses carcans.

SAGESSE DU CORPS

« Je n'ai pas plus fait mon livre que mon livre m'a fait, livre consubstantiel à son auteur, d'une occupation propre, membre de ma vie » (II, 18). Recentrant l'essayiste sur l'expérience, l'enquête philosophique détermine une conjointure indissoluble entre le livre et le corps de celui qui l'écrit. Se détachant des abstractions, l'esprit est convié à trouver dans la matérialité corporelle le terrain d'une connaissance intime, la seule qui découle d'une attention passive au flux des phénomènes qui constituent le tissu de l'existence. Se saisir dans sa singularité, affiner les traits de sa propre peinture et se connaître passe donc non seulement par un discours affectif, une pathologie *où le verbe est singularisé dans une perception sensible du monde — discours « commémoratif », seul aux yeux des sceptiques à rendre compte d'une expérience intérieure, et à échapper aux prétentions abstraites d'un discours « indicatif*[1] » *; mais*

1. Voir M.-L. Demonet, *À plaisir. Sémiotique et scepticisme dans les* Essais, Orléans, Paradigme, 2002.

aussi par un discours sur le corps, terrain mis à l'abri de la juridiction de la philosophie, de la médecine et de leur ascétisme dogmatique, domaine, comme le souligne Jean Starobinski, « du mien, *du* propre, *de l'inaliénable*[1] ». *La peinture du corps permet d'esquisser une « complexion », tempérament que Michael Screech définit comme « mélancolique et sanguin*[2] », *et surtout de délimiter une « forme », idiosyncrasie à la fois sédimentée et mise en branle par la multiplication des expériences singulières. Cet équilibre relatif, qui infléchit chaque moment de l'existence, est pour Montaigne un objet d'étude fondamental en ce qu'il conditionne la vie de l'esprit tout entière. Particulièrement étudiée dans « De l'expérience », la « forme » singulière de l'auteur est décrite dans ses moindres détails, au mépris des conventions qui régissent le « commerce de soi » en littérature. Montaigne observe ainsi l'autorégulation naturelle d'un corps touché par la maladie, sagesse instinctive qui rend la vie à son cours naturel et qu'il s'agit de ne pas rompre par un interventionnisme inconsidéré et souvent dogmatique. Par le jeu des désirs, des appétits et du plaisir, jeu dont les orientations ont été fixées par l'accoutumance, le corps imprime sa marque sur l'expérience en se faisant l'indicateur de l'« utile », miroir de la santé et de « l'aisance », critère central de l'action chez notre auteur. L'écriture de l'essai permet justement de prendre conscience, par une « autoscopie » attentive, de cette norme sanitaire liée à une forme singulière et personnelle, dont le plaisir et la douleur rendent les contours sensibles. Toutefois, le corps est aussi pour Montaigne le lieu de*

1. J. Starobinski, *Montaigne en mouvement, op. cit.*, p. 179.
2. M. A. Screech, *Montaigne et la mélancolie,* trad. fr., Paris, PUF, 1992, p. 33-51.

*rebellions, de mouvements incontrôlés et autonomes qui échappent à toute modélisation: «le corps a ses mouvements et humeurs que l'esprit ne peut contrôler», souligne-t-il dans l'«*Apologie*». Cette résistance du corps à l'analyse et à la maîtrise n'en fait pas pour autant une entité fermée sur elle-même: soumis à la «force de l'imagination» (I, 31), il peut subir la force quasi physique que peut lui imprimer la fantaisie. Montaigne décrit alors une dialectique d'influences réciproques où la volonté n'a qu'une place tout à fait partielle, part d'influence qui nécessite justement l'essai de soi par l'écriture et la prise de conscience qu'elle occasionne. Ce poids du corps sur l'expérience n'est d'ailleurs pas décrit comme une entrave ou un effet de la corruption originelle dans les* Essais*: immanente au cours naturel de la vie, la sagesse du corps est valorisée contre les troubles incessants que l'esprit engendre dans son dogmatisme: «le corps reçoit les charges qu'on lui met sus, justement selon qu'elles sont; l'esprit les étend et les appesantit souvent à ses dépens, leur donnant la mesure que bon lui semble. On fait pareilles choses avec divers efforts et différente contention de volonté. L'un va bien sans l'autre». Le corps peut effectivement bien aller sans l'esprit, définissant une action naturelle et insouciante, telle que celle qui est relatée dans «De l'exercitation». Montaigne y décrit l'état d'inconscience où l'a plongé une chute de cheval, douce suspension de toute régence des lumières naturelles, où les mouvements et même le discours se produisent de manière spontanée, comme une réaction instinctive au cours des choses. Cette sagesse du corps qui se purge de son sang, se libère des entraves du pourpoint trop serré et répond même aux embarras rencontrés par l'épouse de Montaigne, accourue en catastrophe vers son mari blessé, marque une expé-*

rience emblématique dans les Essais*: celle d'une modération de la douleur et des passions, au moment même où la raison se voit bien involontairement suspendue. Laissé à lui-même, le corps agit selon une prudence naturelle et prolonge l'expérience dans la douceur. Le retour de la conscience et de la faculté à se représenter les situations, un peu plus tard, marque alors l'amplification des douleurs, comme par le retour du bruit parasite venant brouiller la jouissance du silence propre à la vie naturelle.*

PENSER LE LIEN POLITIQUE

Tout comme le corps privé et ses appétences, sa capacité à digérer ou non telle nourriture, le corps public est une forme qui n'a rien de fondé en raison: il se construit par une lente sédimentation de ses éléments constitutifs, au gré du mouvement erratique imprimé par la vanité qui emporte le monde. Montaigne récupère ce concept d'origine biblique en III, 9 à titre d'outillage mental propre à exprimer approximativement un constat anthropologique et pousse son extension si loin que sa portée religieuse finit par se voir subvertie. Plus la vanité est grande, moins on peut en sortir: le dépassement fixé par la religion qui entraînerait l'individu à trouver en Dieu, à l'écart des idoles, une stabilité liée à sa vocation spirituelle, n'est pas une issue envisagée par l'essayiste qui radicalise les effets d'un branle universel dont on ne peut sortir en accédant à quelque assiette ferme. Ce cadre permet à Montaigne de penser l'autorégulation du lien social et de la forme politique; selon une image quasi épicurienne et lucrétienne, les sociétés se forment comme des objets, au fond d'une «poche», finissent spontané-

ment par adopter un agencement et une cohésion optimaux. Toute forme publique est déterminée par le cours des choses, rendue adéquate à un usage, non à la faveur d'une rationalité ou d'une moralité immanente (une société des méchants étant ainsi possible). Les théories politiques ne sont finalement qu'un effet de la vanité, au même titre que les formes de gouvernement elles-mêmes, et ne viennent que justifier a posteriori *un donné de l'expérience humaine : comme Montaigne le souligne dans l'« Apologie », remonter à la source des lois, c'est être fort souvent confronté à un ridicule petit « surgeon d'eau » bien disproportionné en comparaison du torrent impétueux qui irrigue l'expérience présente. Créant une « couture fortuite » qui se fige dans l'expression institutionnelle des constitutions et des systèmes juridiques, la « vanité » ne se réduit plus à n'être qu'une entropie improductive qu'il faudrait dépasser ; poussés à leur comble, le hasard et le flux déterminent des formes, une stabilité relative. « Ce que notre raison nous y conseille de plus vraisemblable, c'est généralement à chacun d'obéir aux lois de son pays » (II, 12). Parties prenantes de ces formes, nous ne saurions les réformer. Le conservatisme politique de Montaigne, qu'il exprime notamment dans « De la coutume et de ne changer aisément une loi reçue » (I, 23), est d'abord lié à la reconnaissance de la force architectonique de « l'accoutumance » ; l'expérience, à force de répétition, est capable de stabiliser toute disposition sociale, si incongrue ou monstrueuse soit-elle. Face à cette puissance non rationnelle qui nous détermine, il est vain de faire jouer la critique rationnelle de ses fondements pour en espérer le renouvellement. Le critère de l'utilité ne doit pas être renversé pour promouvoir une représentation artificielle des besoins et des moyens que la société doit se donner.*

Comme dans le cas du corps, la diversification spontanée des lois et des coutumes témoigne d'une adaptation autorégulée ayant sa raison d'être ; comme avec les thérapies artificielles des docteurs, ou les ascèses antiphysiques des philosophes, le risque est de vouloir introduire des mutations trop fortes, auxquelles la forme initiale ne résisterait pas, et qui ne seraient que le miroir de l'humaine vanité. Le danger des réformes, et à l'époque de Montaigne, de la Réforme en matière de religion, est de déformer jusqu'à la perte irrémédiable de la police initiale. Si la vie est envisagée par notre auteur comme une perpétuelle tension, liée au branle du monde, entre stabilité et métamorphose, si donc il est une déformation propre au cours naturel des choses, il est dangereux, pour l'utilité publique, d'accroître la part de réformisme lié à « notre dérèglement et imprudence humaine ». Les conséquences de l'examen sceptique ne peuvent d'ailleurs que justifier cet appel à la retenue : si l'homme est incapable de dégager rationnellement une législation juste, si aucun droit naturel n'est plus accessible, mieux vaut s'en tenir à la coutume. Pas plus que chez Sextus ou dans le cas de Pyrrhon qui, malgré sa philosophie suspensive, était grand prêtre, le conservatisme sceptique ne doit être entendu comme un simple pis-aller : il s'agit d'adhérer à un fonctionnement social qui s'impose à l'individu au même titre que les besoins et les instincts les plus corporels. De telles données de l'expérience doivent être embrassées à des fins d'utilité personnelle et publique, et non être théorisées et renversées par des fantaisies réformatrices. Et, de fait, Montaigne a cherché à s'inscrire dans l'action politique comme un rouage de la mécanique d'ensemble, notamment en espérant obtenir, comme l'a démontré

Philippe Desan, une ambassade à Rome[1]*. Si les lois n'ont pour Montaigne aucun « fondement mystique » qui les ancrerait dans un droit naturel, « se maintenant en crédit, non parce qu'elles sont justes, mais parce qu'elles sont lois » (III, 13), si elles n'ont qu'une valeur relative au cadre particulier dans lequel elles établissent un usage fondé sur l'utilité, elles sont relatives et permettent dans les* Essais, *qui jouent souvent sur leurs contrariétés, de suspendre toute possibilité d'accès à une norme juridique universelle et transcendante. Dans un tel contexte, comment penser l'engagement public ? L'avis que Montaigne délivre à ce propos tient lieu d'une construction théorique qui ne recoupe pas forcément sa propre expérience, marquée par un désir initial d'engagement sur la scène des relations internationales ; désir contrarié aboutissant à la prise en charge de la mairie de Bordeaux. S'essayant à penser les conditions de l'action publique, Montaigne déconstruit la prudence selon Aristote, cette* phronèsis *qui définit le bon stratège et le bon dirigeant : l'évocation de nombreuses situations impliquant des décisions dans des situations critiques souligne combien les conditions de possibilité de l'action prudente ne peuvent être aisément atteintes. L'infinité de paramètres à intégrer à son calcul, les difficultés posées par la connaissance de l'objet sur lequel on délibère, celles qui éloignent de toute cohérence le sujet délibérant, la part décisive du hasard, l'incapacité à développer un* habitus *vertueux établissant une disposition constante à fonder l'action sur la détermination du juste milieu : dès que la raison,*

1. Voir Ph. Desan, « L'appel de Rome ou comment Montaigne ne devint jamais ambassadeur », *Chemin de l'exil, havres de paix. Migration d'hommes et d'idées au XVIe siècle,* dir. J. Balsamo et Ch. Lastroiali, Paris, Champion, 2009, p. 229-259.

fût-elle pratique, se mêle de politique, elle bloque l'action en l'empêchant dans ses propres apories. À cet inconvénient majeur s'ajoute l'aliénation qui guette l'individu asservi aux tâches collectives : face à la raison d'État et à l'utilité publique, Montaigne réaffirme les droits de la conscience singulière à revendiquer une honnêteté des moyens politiques (III, 1). Surtout, prolongeant une lecture du De brevitate *de Sénèque, il récuse la dilapidation de sa propre vie et l'envahissement de son espace intérieur par les charges extérieures. S'opposant au modèle paternel totalement aliéné par une mauvaise appréciation des devoirs que l'on se doit, Montaigne montre dans « De ménager sa volonté » combien une modération intellectuelle constante peut éteindre le surplus passionnel que l'on met à s'investir dans les charges publiques. Fondant son accession à la mairie de Bordeaux sur un aveu public d'insuffisance — déclarant de pas posséder la moindre des capacités intellectuelles requises par l'exercice prudentiel, telles que la mémoire, la vigilance et l'expérience —, Montaigne établit un modèle d'engagement public paradoxal car distancié : implication se résumant à une sorte de « somnambulisme » où, comme dans le sommeil ou l'expérience de la chute de cheval, l'esprit agit de manière instinctive et dépassionnée, n'exposant que l'écorce de l'individu au lieu d'hypothéquer son intériorité. Sans calcul ni prudence, sans attachement affectif indu, l'homme politique doit, s'il veut prétendre à quelque efficacité, ne pas amplifier la versatilité de la fortune en rajoutant les effets incertains de sa propre incapacité. Fidélité à soi, respect de sa forme privée comme de la forme publique, tel est le chemin que Montaigne se fixe comme règle de l'implication politique.*

CRITIQUE DU LANGAGE

Cette adhésion distanciée de Montaigne aux codes de la vie communautaire définit aussi son rapport à la faculté de parole, tout comme aux langues qu'elle peut mettre en jeu. Dans un passage fameux de « De la gloire », Montaigne sépare avec netteté les mots et les choses auxquelles ils sont censés renvoyer. Réactivant la critique sextusienne des « signes indicatifs » qui voudraient lier de manière nécessaire signifiant et signifié, et développant un geste profondément nominaliste — comme l'a mis en perspective Antoine Compagnon[1] *— qui consiste à récuser les noms comme autant de catégories abstraites qui ne parlent pas du réel, toute réalité étant singulière et individuée, notre auteur fait ressortir la nature arbitraire du langage, voué à ne délivrer que des abstractions susceptibles d'être réifiées par un usage dogmatique. Issu lui aussi de la prolifération vaniteuse des produits de l'esprit humain, organisé par des règles logiciennes inaptes à saisir — dans le principe de non-contradiction — la complexité du réel, le langage et ses dérives essentialistes cristallisent le dogmatisme humain. « Combien de querelles et combien importantes a produit au monde le doute du sens de cette syllabe,* HOC *! » (II, 12). À l'heure des fanatismes religieux, la définition dogmatique de termes obscurs ajoute un peu plus de désordre dans un monde défini par le principe d'entropie. Les noms, faute de pouvoir représenter le réel de manière claire et évidente, ne sont que catégories vides auxquelles la fantaisie qui s'exprime dans leur utilisation vient prêter un sens*

1. A. Compagnon, *Nous, Michel de Montaigne, op. cit.*

aussi contestable que l'opinion qui le fonde. Noms de « salades », attributs prêtés à Dieu : le langage, quelles que soient ses manifestations, est porté par la « folle fierté » du fantasme de référentialité. Comme le souligne l'ouverture de « Des boiteux », le discours ne réussit qu'à nous couper de l'expérience et du monde, venant embrouiller les phénomènes en le pliant à la science et aux conceptions universelles du dictionnaire commun. Pour désamorcer le dogmatisme foncier du langage et des formes rhétoriques et dialectiques qui fixent son usage, il reste, en sens inverse, à faire que l'expérience réinvestisse les mots. Si l'examen des produits du discours aboutit à la suspension et à la revendication d'un point de vue personnel et spécifique, la personnalisation à l'extrême du discours peut permettre à l'individu non seulement de libérer sa pensée, mais encore de l'exprimer au plus juste, dans une parole consubstantielle. Faire de l'écriture le reflet de la forme du locuteur, tel est l'objectif que se fixe Montaigne, poursuivant le « nouveau langage » dont auraient besoin les pyrrhoniens pour s'exprimer sans verser dans la lettre morte du dogmatisme. Comment se réapproprier les mots, en libérant le sens qu'ils portent, et tordre le langage jusqu'à lui faire épouser les contours ondoyants de sa fantaisie ? Plusieurs stratégies linguistiques propres au scepticisme ancien sont mises en œuvre dans les Essais *: évitement des abstractions, à moins qu'il s'agisse de les examiner et de les soumettre à suspension, et choix d'objets de représentation liés à la vie psychophysiologique dans ce qu'elle a de plus intime ; choix de la « récitation », expression directe du monde tel qu'il est perçu, à la manière du « compte rendu » pyrrhonien, et qui engage un point de vue personnel sur le monde. Mais surtout, introduction de la conférence au cœur du discours,* *pratique contradictoire visant à épuiser le dogmatisme des énoncés pour ne délivrer qu'une perspective. Une telle pratique connaît elle-même de nombreuses modalités dans les* Essais*: l'une d'elles consiste à relativiser la situation d'énonciation par la volonté, à l'image du discours «indifférent» et «approximatif» revendiqué par Sextus Empiricus, de mettre en jeu un «dictionnaire tout à part [lui]», venant contester le sens commun des mots pour une appropriation consubstantielle à la fantaisie qu'il s'agit d'exprimer. Montaigne s'écarte donc non seulement du dictionnaire commun, refondant l'usage de certains termes, mais rend impossible même la constitution d'un dictionnaire qui lui serait privé, engageant des variations sémantiques au gré de son cheminement intellectuel, tordant et retordant les mots pour les adapter à une appréhension singulière du monde. L'autre procédure, la plus courante dans les* Essais*, consiste à suspendre la portée dogmatique des énoncés et des représentations courantes par un jeu concerté de forces contraires; une telle conférence libère alors le point de vue personnel, susceptible et même destiné à être contredit à son tour. Cette poétique contradictoire peut être fondée soit sur le recours, en début de chapitre, à un jugement général venant relativiser la situation d'énonciation dans son ensemble, accusant sa faiblesse, son inanité, sa spontanéité incontrôlée, etc.; soit sur la mise en écho d'énoncés antithétiques, dans une interaction fondée aussi bien sur la contiguïté — comme dans les longs contrerolles des dissensions et des irrégularités dérivées de l'expérience —, que sur l'éparpillement et la contradiction à distance — d'un bout à l'autre du chapitre, d'un chapitre à l'autre. Sans jamais renoncer à l'expression de ses intimes convictions, l'essayiste joue de l'autocontradiction et de la relativisation de son propre* *point de vue pour « [ne pas contredire] la vérité » (III, 2) dont l'instabilité et la fragilité ne supportent pas l'arrogance du discours. Si Montaigne met en jeu une personnalisation extrême du langage, ce n'est pas par un renouvellement du code linguistique, qu'il réprouve, contre les défenseurs d'un enrichissement du lexique, réformisme dogmatique qui n'aurait d'égal que le renversement des lois par un réformisme politique. Comme il le défend dans « Sur des vers de Virgile », c'est la singularité de l'usage qui permet d'en tirer un usage « outre l'ordinaire », capable de produire une « conception outre l'ordinaire », qui « voit plus clair et plus outre dans la chose ». En « étirant et ployant » les mots, Montaigne ambitionne de sortir de la signification dans ce qu'elle a d'universel et de figé pour instaurer une présence, un regard singulier, produit de l'expérience destiné à se répercuter dans une nouvelle expérience, celle du lecteur.*

LE(S) STYLE(S) DE MONTAIGNE

À une époque où le latin domine encore les genres philosophiques, Montaigne fait le choix d'écrire en français. Toutefois, nourri des grands modèles antiques et de Sénèque en particulier, il invente dans sa propre langue un style qui s'en inspire, « succulent et nerveux, court et serré » (I, 26). Ses contemporains, comme Étienne Pasquier ou Jean-Pierre Camus, ont aussitôt apprécié ce style coupé, qui cherche souvent le trait. Ils n'avaient qu'à se baisser pour cueillir des sentences dans le parterre des Essais. *Chacun a en mémoire les plus célèbres : « savoir par cœur n'est pas savoir » (I, 26) ; « plutôt la tête bien faite que bien pleine » (I, 26) ; « le vrai miroir de nos discours est le cours de nos* vies» (I, 26); «chacun appelle barbarie ce qui n'est pas de son usage» (I, 31); «nous troublons la vie par le soin de la mort, et la mort par le soin de la vie» (III, 12); «le monde n'est qu'une branloire pérenne» (III, 2)... Cette abondance dans la brièveté renvoie en fait moins à la générosité d'un tempérament sanguin qu'à une forme de mélancolie toujours menaçante (II, 17)[1]. En effet, Terence Cave a montré que le culte de la *copia* exprimait souvent, à la Renaissance, une forme paradoxale d'insatisfaction[2]. Si Montaigne puise sans relâche aux sources du savoir antique, traduisant Sénèque ou adaptant Plutarque, c'est à la manière des Danaïdes (I, 26), sans en tirer d'enrichissement véritable: lire lui donne envie de lire davantage, mais ne le rend ni plus savant ni plus sage. La corne d'abondance des citations latines, grecques ou italiennes qui enrichissent les *Essais* ne procure ni le savoir ni la sagesse, elle est un simple moyen d'attiser le désir d'une forme parfaite, inaccessible, dans une prose que son auteur ressent comme insuffisante et incertaine. Le lecteur tire de cette alternance linguistique et poétique entre vers et prose une jouissance d'un autre ordre: celle de la variété et du contraste. Les jeux subtils de l'intertextualité ouvrent le texte sur la polyphonie des voix antiques et modernes, et associent à un texte en prose les virtualités de la poésie[3].

Les *Essais* frappent aussi par la liberté de leur composition. Montaigne ne prend pas d'avance sur son lecteur. Il ne lui tend pas de piège, méprise la rhétorique et la composition, il ne sait pas où il l'em-

1. Voir M. Screech, *Montaigne et la mélancolie*, trad. fr., *op. cit.*

2. Voir T. Cave, *Cornucopia. Figures de l'abondance au XVIe siècle*, trad. fr. Paris, Macula, 1997, p. 277-324.

3. Voir N. Dauvois, *Prose et poésie dans les* Essais *de Montaigne*, Paris, Champion, 1997.

mènera. Il y va avec lui, prêt à bifurquer à la moindre occasion : son goût impénitent de la digression charme et agace à la fois des lecteurs comme Pasquier ou Guez de Balzac. Mais même s'il réfute le modèle de la rhétorique cicéronienne (I, 40), Montaigne ne néglige pas ce grand principe de l'éloquence antique qui consiste à varier son style et à l'adapter au sujet traité. Il sait user, par exemple pour la satire, d'un style « éloigné d'affectation, déréglé, décousu et hardi » (I, 26), d'« un parler sec, rond et cru qui tire [...] un peu vers le dédaigneux » (I, 40). Ainsi, pour démystifier les vains prestiges du pédant : « Qu'il ôte son chaperon, sa robe et son latin; qu'il ne batte pas nos oreilles d'Aristote tout pur et tout cru, vous les prendrez pour l'un d'entre nous, ou pis » (III, 8). Ou pour fustiger, en général, l'outrecuidance de la nature humaine : « Si [aussi] avons-nous beau monter sur des échasses, car sur des échasses faut-il encore marcher de nos jambes. Et au plus élevé trône du monde si ne sommes assis que sus notre cul » (III, 13). En une phrase, il esquisse de véritables portraits satiriques, par exemple celui d'un collègue du parlement de Bordeaux, confit d'auto-satisfaction : « un conseiller de ma connaissance, ayant dégorgé une battelée [une cargaison] de paragraphes d'une extrême contention et pareille ineptie, s'étant retiré de la chambre du conseil au pissoir du palais, fut oui marmottant entre les dents tout consciencieusement : Non nobis, Domine, non nobis, sed nomini tuo da gloriam *[Non pas à nous, Seigneur, non pas à nous, mais à ton nom la gloire] » (III, 10).*

Montaigne ne s'effarouche pas des sujets les plus abstraits : théologie, droit, philosophie première. Mais il sait user pour les aborder d'une langue concrète et rendue presque tactile grâce à l'utilisation d'images : minérales (« les arguments de la philosophie vont à tous coups côtoyant et gauchissant la matière, et à peine essuyant sa croûte », III, 4), animales (« Je festoie et caresse la vérité en quelque main que je la trouve », III, 8), végétales (« Nos opinions s'entent les unes sur les autres. La première sert de tige à la seconde, la seconde à la tierce. Nous échellons ainsi de degré en degré », III, 13). Il aime à reprendre et à retravailler des expressions toutes faites et des proverbes : « je passe le temps, quand il est mauvais et incommode ; quand il est bon, je ne le veux pas passer, je le retâte, je m'y tiens » (III, 13). Ailleurs, il remotive une comparaison courante (celle du corps et d'une habitation) en filant la métaphore : « les bâtiments de mon âge ont naturellement à souffrir quelque gouttière [...] je paye par là le loyer dû à la vieillesse » (III, 13). Dans sa recherche de la sagesse, l'auteur des Essais *intègre toujours une forme d'humour, un sourire sur soi-même, jouant sur les mots (« Mon opinion est qu'il se faut prêter à autrui et ne se donner qu'à soi-même », III, 10) ou maniant l'hyperbate (« De l'expérience que j'ai de moi, je trouve assez de quoi me faire sage, si j'étais bon écolier », III, 13). Il sait recourir au comique, voire à la scatologie, pour souligner la sottise humaine : « Ésope, ce grand homme, vit son maître qui pissait en se promenant : Quoi donc, fit-il, nous faudra-t-il chier en courant ? » (III, 13). Le ton libre de l'essai s'accommode de l'esprit et du jeu de mots. Des puissants qui ne savent pas mettre un frein à la cour que leur vouent leurs clients, il note : « ils n'ont pas seulement leur retrait pour retraite » (III, 3).*

Mais Montaigne n'a pas qu'un style : sur les grands sujets, il sait quitter le langage bas et coulant qu'il affectionne ordinairement, pour se hausser au pathétique et au sublime. Ainsi pour dénoncer l'injustice de la justice humaine : « Combien avons-nous découvert d'innocents avoir été punis [...]? Combien ai-je vu de condamnations, plus crimineuses que le crime?» (III, 13). De même pour déplorer les guerres civiles, qui opposent les frères aux frères, dans la plus grande confusion des valeurs: «Monstrueuse guerre: les autres agissent au-dehors; celle-ci encore contre soi se ronge et se défait par son propre venin. Elle est de nature si maligne et ruineuse, qu'elle se ruine quant et quant [avec] le reste, et se déchire et démembre de rage» (III, 12). Ailleurs encore, c'est une imprécation vibrante contre les crimes des conquérants du Nouveau Monde: «Qui mit jamais à tel prix le service de la mercadence et de la trafique? Tant de villes rasées, tant de nations exterminées, tant de millions de peuples passés au fil de l'épée, et la plus riche et belle partie du monde bouleversée pour la négociation des perles et du poivre: mécaniques victoires. Jamais l'ambition, jamais les inimitiés publiques ne poussèrent les hommes les uns contre les autres à si horribles hostilités et calamités si misérables» (III, 6). On l'oublie souvent, mais Montaigne est capable du sublime cicéronien. Toutefois, la condamnation est peut-être plus vive encore lorsqu'il retrouve sa franchise de ton coutumière, son «parler simple et naïf», sa «fierté [...] dédaigneuse de l'art» (I, 26); sur l'arbitraire des juges, par exemple: «c'est mettre ses conjectures à bien haut prix que d'en faire cuire un homme tout vif» (III, 11).

Parce qu'il écrit en français, Montaigne s'autorise un relâchement, une souplesse, un naturel qu'on ne trouve ni dans le style tendu et aigu de Sénèque, ni dans les vers ciselés de Virgile, de Lucrèce ou de Lucain. Il décrit volontiers lui-même son propre style en termes dépréciatifs, comme étant «trop serré, désordonné, coupé, particulier» (I, 26). Cette insatisfaction de soi-même rejoint une forme de lucidité, qui coïncide avec un abaissement de soi sans humiliation, une conscience de ses limites, sans mauvaise conscience[1]. *Ce travail d'acceptation de soi, de ratification de sa forme par un retour incessant sur soi, a pour corollaire stylistique une langue qui exprime davantage un tempérament singulier qu'une forme parfaite. Au style idéal de Sénèque ou de Cicéron, ou même de La Boétie, Montaigne oppose sa propre prose, incertaine, nonchalante, ondoyante. Sans fierté, mais sans repentir.*

UNE ŒUVRE OUVERTE

Si les Essais *affirment par leur style la singularité d'un tempérament, ils sont aussi, par leur fragmentation même et du fait de leur composition hétérogène, une œuvre offerte au lecteur pour qu'il en tire des sens nouveaux. «Un suffisant [talentueux] lecteur trouve souvent ès [dans les] écrits d'autrui des perfections autres que celles que l'auteur y a mises et aperçues, et y prête des sens et des visages plus riches» (I, 24). Tirant toutes les potentialités des compilations et des recueils de lieux communs qui organisaient le savoir à la Renaissance, Montaigne offre au lecteur un éventail de discours possibles dont aucun n'est définitivement refermé. L'enquête sceptique, par son ouverture, laisse le lecteur libre de décider de ses parcours et de ses lectures. Au gré des accents qu'il choisira de placer, ou de ses intérêts du moment, le lecteur choisira ses itinéraires dans un livre foisonnant et divers. Montaigne n'amasse pas d'arguments à l'appui d'une thèse prédéterminée. Il rassemble des témoignages divergents, de tous ordres, sur les problèmes qui le préoc-*

1. Voir H. Friedrich, *Montaigne, op. cit.*, chap. v.

cupent. Il lègue ensuite au lecteur le dossier ouvert d'une enquête à reprendre. S'il donne un avis, il est souvent tranchant, mais provisoire. Au lecteur de reprendre le questionnement à son compte.

Montaigne dédaigne la composition rhétorique. Il rejette l'ordre cicéronien, préférant les fulgurances de Sénèque ou les embardées de Platon. Le discours des Essais *n'est pas linéaire. Il assemble des éléments disparates dans des directions divergentes. À l'échelle du chapitre ou du livre entier, des échos relient les morceaux épars d'un discours à construire. Il revient à chacun de frayer son propre chemin dans la* « *marqueterie* » *(III, 9) de Montaigne. Chaque lecteur depuis le* XVIe *siècle a privilégié son axe, en fonction de ses priorités du moment ou de ses choix herméneutiques. Prenons l'exemple du chapitre* « *De l'art de conférer* » *(III, 8). On a pu le lire comme un traité de conversation, ou bien comme un recueil de règles pour bien penser, ou comme un traité sur la sottise, ou encore comme une théorie de la lecture, dont les dernières pages, sur Tacite, donneraient une application pratique. Le chapitre est composé de pièces qui peuvent faire chacune leur jeu. De même,* « *Des Coches* » *(III, 6) juxtapose librement une enquête érudite sur les moyens de transport terrestres et fluviaux, une réflexion morale sur la magnificence, une déploration solennelle sur la destruction du Nouveau Monde par les Européens, et une réflexion générale sur la chute des empires et le sens de l'histoire. Montaigne a créé un livre dans lequel il n'y a ni conclusion ni parcours prédéterminé.*

LA FORTUNE DES *ESSAIS*

Retracer la réception des Essais *conduit à rencontrer une singulière difficulté. Se superposent en effet, en une obscure clarté, l'évidence qui illumine l'impact primordial de cette œuvre, depuis sa prime édition, sur la création littéraire et philosophique, et l'image* «*trouble et chancelante*» *émanant des lectures qui en ont été faites. Si Montaigne proclame en ouverture de* «*Du repentir*» *l'inconstance de son propre texte, travaillé par la vaine tentative de fixer les effets de la* «*vanité*» *sur sa propre vie, la réception de ce texte occasionne en elle-même, selon la propension naturelle de l'esprit humain à l'interprétation et à l'*«*entre-glose*»*, un phénomène ondoyant et bigarré, sans forme majeure et dont les contours sans cesse changeants ont évolué au fur et à mesure des* «*essais*» *que les lecteurs ont faits contre Montaigne, à l'invitation même de ce dernier. Cette diversité* «*phénoménale*» *ne se borne pourtant pas à être l'effet simple et courant de la lecture forcément individuelle des textes. Les* Essais *constituent un cas tout particulièrement problématique, dans la mesure où leur auteur* «*avertit [le lecteur] dès l'entrée, qu'[il ne s'est] proposé aucune fin, que domestique et privée*» *et qu'il n'a eu* «*nulle considération de [son] service*» *(*«*Au Lecteur*»*); dans* «*De la vanité*»*, il accuse le caractère évanescent et transitoire de son œuvre, précisant qu'il* «*[écrit] son livre à peu d'hommes et à peu d'années*» *(III, 9, 983). Tant sur le fond que sur la forme donc, les* Essais de Michel Seigneur de Montaigne *n'avaient pas vocation à viser l'utilité publique, et encore moins à se constituer en monument littéraire. Pourtant, alors même qu'il récuse toute ambition de* «*[formation]*» *de* «*l'homme*»*,*

*Montaigne réclame sans cesse une lecture « suffisante », apte à soutenir le mouvement de la pensée de l'auteur et à soutenir la contradiction avec cette dernière ; au moment même où il met en place l'*ethos *d'un auteur invisible, comme pouvait l'être Socrate aux yeux de ses contemporains, puisque incompréhensible dans le cadre dogmatique courant, Montaigne invite le lecteur à soutenir l'effort de contemplation que commande sa « marqueterie mal jointe ». Sans cesse le lecteur se trouve éconduit dans son travail d'appropriation du texte, et provoqué, incité à la fois à pareil « essai ». Pourtant, malgré ce caractère éminemment « soluble » dans la lecture, les* Essais *ont irrigué de manière exceptionnelle la pensée et les pratiques scripturaires occidentales, alors même qu'ils n'étaient pas forcément reçus pour ce qu'ils étaient, qu'ils n'étaient pas perçus dans leur singularité et qu'ils se trouvaient parfois même récusés. Lire Montaigne, quels que soient les déplacements et les déperditions que cette appropriation implique, c'est encore le retrouver dans son intuition la plus vive lorsqu'il se dépeint en lecteur et utilisateur des textes d'autrui : c'est prouver par l'expérience que la lecture n'est pas transposition de doctrine, mais échauffement de l'esprit, matière à un nouvel usage fondé sur le principe d'utilité privée et sur une exaltation de la perspective singulière. La fortune des* Essais *tient peut-être au fait que Montaigne a relayé, en en faisant un objet d'enquête et d'expression inconnu depuis l'Antiquité, des postures fondamentales de l'esprit que la philosophie et la littérature — pour nous placer dans un cadre disciplinaire contemporain et bien inadéquat à rendre compte de la réalité textuelle renaissante — ont eu à prendre en compte et à traiter comme des positions radicales dont on ne pouvait économiser le traitement. Le scepticisme* *philosophique, non pas entendu comme misérabilisme intellectuel, mais comme principe de stimulation d'une pensée à laquelle on doit toujours ménager «route par ailleurs», a certainement déterminé une radicalité et une originalité fortes des positions montaigniennes: critique radicale de la métaphysique qui suscite à l'entrée du Grand Siècle un «néo-pyrrhonisme» — pour reprendre l'expression de Richard H. Popkin*[1] *— face auquel il n'y avait d'autre choix que de se situer; survalorisation du singulier et constitution d'un sujet dans l'expérience duquel se joue l'accès au sens et à la vérité; développement d'une rhétorique anti-rhétoricienne et d'un «nouveau langage», sec et nerveux, dont la propriété essentielle doit être de viser à la consubstantialité de l'expérience et des mots. Une telle position de rupture intellectuelle exigeait de désamorcer les pièges courants de la métaphysique grammairienne et de réinventer les conditions scripturaires d'une présence: elle développait au seuil de la Modernité les paradoxes antiques d'une philosophie antiphilosophique. Faut-il y voir comme Thibaudet le lieu d'émergence d'une littérature française d'idées*[2]*, une véritable Renaissance dans l'ordre de l'esprit? Les lignages théoriques et poétiques que l'on pourrait bâtir à partir d'un tel* terminus a quo *auraient tous leurs artifices. Faire de Montaigne le fondateur d'un genre qu'il aurait créé et immédiatement porté à perfection, celui de l'essai, par l'efficacité d'un texte auquel on peine à comparer les autres essais qui ont suivi depuis, est une de ces manières de localiser l'œuvre dans l'histoire de la littérature. Peut-*

1. Voir R. H. Popkin, *The History of Scepticism from Savonarola to Bayle, op. cit.*

2. Voir «Place des *"Essais"*» (1962), repris en préface au t. II des *Essais*, éd. P. Michel, Paris, Gallimard, 1965, p. 8.

être doit-on se borner à esquisser, à « réciter », dirait notre auteur, les traits les plus saillants de ce phénomène de lecture impliquant un texte qui l'a directement et indirectement à ce point théorisé lui-même.

Première réception

Les Essais *ont connu un véritable succès éditorial, comme en témoignent les trente-cinq éditions recensées par Richard Sayce et David Maskell entre 1580 et 1669 à Bordeaux, Paris, Lyon, Leyde et Rouen — auxquelles on doit ajouter une traduction anglaise dès 1603*[1]*. Marie de Gournay qui se prit de passion vers ses dix-huit ans pour les* Essais *et qui s'attacha à Montaigne de « l'affection » et de « l'alliance de père à fille » (« Copie de la Vie de la Damoiselle de Gournay »), joua un rôle central dans la diffusion de l'œuvre de celui qu'elle appelait son « Père », éditant le texte posthume à de très nombreuses reprises jusqu'en 1635. Ses textes préfaciels tendirent à faire des* Essais *« la quintessence de la vraie Philosophie, le trône judicial de la raison, l'hellébore de la folie, le hors de page des esprits, la résurrection de la vérité morale et humaine », et de leur auteur le tenant d'un catholicisme de combat, cherchant à contrer l'*hybris *des Titans de la Réforme partis à l'assaut du Ciel, champion du catholicisme mis à mal par les « nulles et fausses religions », et bien plus : un Bon Pasteur dont on n'a pas eu d'équivalent depuis « quinze cents ans »*[2]*, en un mot, l'être le plus*

1. Voir R. A. Sayce et D. Maskell, *A Descriptive Bibliography of Montaigne's Essais, 1580-1700*, Londres, Bibliographical Society-Modern Humanities Research Association, 1983.

2. M. de Gournay, Préface à l'édition de 1595, reproduite par O. Millet dans *La Première réception des* Essais *de Montaigne* (1580-1640), Paris, Champion, 1995. Voir p. 99-101.

proche du Créateur depuis le Christ lui-même. Ce Montaigne en don de Dieu et en pierre de touche de l'orthodoxie post-tridentine, fibre vivante du catholicisme romain, est révélateur non seulement d'un point de vue, mais encore plus des objections que l'on avait pu faire, dès leur parution, aux Essais*: langue déconcertante mêlant l'idiolecte gascon, les archaïsmes aux néologismes, immoralité de propos jugés trop libres dans le domaine érotique, tendance du discours à «extravaguer», à se couper sans cesse au lieu d'avancer selon une «droite méthode» démonstrative vers la conclusion — source d'annulation de sa portée didactique et d'obscurité dans l'ordre de la simple communication —, orthodoxie religieuse virtuellement indécise lorsque Montaigne accepte de louer la poésie de Théodore de Bèze*[1]*, et lorsque l'argumentation déployée contre les «Nouveaux Docteurs» a tendance, par sa radicalité, à emporter les fondements de la Foi véritable. L'apologie peu nuancée de Marie de Gournay révèle une difficulté, pour les contemporains de Montaigne, à assimiler un texte aussi neuf en son fond que dans sa forme. Son édition posthume de 1595, comme nous l'avons déjà souligné, indique — à moins de postuler un revirement de Montaigne opéré de l'Exemplaire de Bordeaux à l'*Exemplar[2] *— une difficulté de l'apologète elle-même à reproduire les caractères innovants de ce qui constitue la fibre même de la segmentation du discours qu'elle défend par ailleurs contre les «répréhensions» de certains de ses contemporains: son «style coupé» contestant les voies dogmatiques de l'expression.*

Notons, à la suite d'Olivier Millet dans La Première

1. Voir II, 17, p. 480.
2. Sur cette copie préparatoire à l'édition posthume, voir notre notice sur les principes d'édition, *infra*, p. 89.

réception des *Essais* de Montaigne[1], *une compréhension « double et bigarrée à divers lustres » du projet même de Montaigne : si Juste Lipse, en 1583, voit dans l'essai un simple exercice du goût (« gustus ») — tout comme un Del Rio y lira, dans une volonté de relativiser le point de vue montaignien, de simples tentatives (*« testamenta »*) —, d'autres comme Sainte-Marthe (1602) ou de Thou (1620) y voient la traduction poétique de la modestie de l'auteur, parti que Pasquier avait rejeté en 1605 en notant une volonté antiphrastique chez leur auteur : ce qui est présenté comme coup d'« essai » est en fait suggéré comme coup de maître. La Croix du Maine y décèle, dans une autre perspective, la notion d'« expérience » dont on ferait le compte-rendu, « déclarant » sa vie à autrui*[2]*. Comme le note Olivier Millet, il ne fut que Saint-Sernin pour comprendre en 1626 le titre comme essai du jugement sur diverses matières, et pour rentrer dans la logique de l'enquête déployée par Montaigne. Cette profusion d'interprétations nous semble proportionnelle au caractère innovant et inusité d'un tel texte. Mais la définition du projet n'empêche pas le* XVII*e siècle de faire d'un tel texte les usages les plus divers : si certains, encouragés par les appréciations de La Croix du Maine qui voyait dans les* Essais *une « diverse leçon », ouvrage de polymathie compilant « toute une variété d'auteurs qu'il a lus »*[3]*, ont alimenté leurs propres livres de « mélanges » et de devis bigarrés en pillant les abondantes anecdotes recueillies par Montaigne, d'autres*

1. *Op. cit.* Sur cette question de la fortune des *Essais* au XVIIe siècle, voir également Alan M. Boase, *The Fortunes of Montaigne : A History of the Essays in France, 1580-1669*, Londres, Methuen and Co., 1935.

2. *La Bibliothèque du sieur de la Croix-du-Maine*, Paris, L'Angelier, 1584, cité *ibid.*, p. 53.

3. *Ibid.*, p. 52.

ont trouvé en Montaigne une inspiration philosophique. Charron a ainsi utilisé, parfois jusqu'au plagiat, les Essais *pour composer* De la sagesse *(1601), tentant d'en dépasser le relativisme pour le rendre plus compatible avec la religion. Le néo-pyrrhonisme et le naturalisme des* Essais *ont eu un fort impact sur les libertins érudits : on peut en mesurer les effets chez Naudé, Cyrano de Bergerac ou dans certains vers de Théophile de Viau qui sont tout empreints de développements de l'« Apologie de Raimond Sebond ». Le défaut de « jointure » propre à la « marqueterie » des* Essais *a même pu être considéré par certains comme une stratégie prudente mettant en place un discours non systématique et donc apte à déjouer la surveillance de la censure. Bayle insiste tout particulièrement sur ce point dans son* Éclaircissement sur les athées *: « C'est ainsi que se comportèrent [sans s'inquiéter] les facultés de Théologie, par rapport au livre de Michel de Montaigne. Elles laissèrent passer toutes les maximes de cet auteur, qui, sans suivre aucun système, aucune méthode, aucun ordre, entassait et faufilait tout ce qui lui était présenté par sa mémoire. Mais quand Pierre Charron, prêtre et théologal, s'avisa de débiter quelques-uns des sentiments de Montaigne dans un traité méthodique et systématique de morale, les théologiens ne se tinrent plus en repos*[1]*. » Si les* Essais *sont pour Bayle un modèle de « licence », « soit à l'égard de [leur] pyrrhonisme, soit à l'égard de [leurs] saletés » (*Réflexions sur le prétendu jugement du public, *III), dont on ne peut assumer explicitement la filiation, leur influence est grande sur les modes aporétiques de l'enquête*

1. *Éclaircissement sur les athées*, III, *in Dictionnaire critique et historique*, réimpression de l'édition de Paris 1820-1824, Slatkine reprints, 1969, t. XV, p. 271.

rationaliste déployée dans le Dictionnaire, *et sur la manière de disséminer en plusieurs lieux, « sans ordre ni dessein », des positions contradictoires, ou parfois d'une portée critique extrêmement corrosive.*

Cartésianisme et augustinisme : la critique du pyrrhonisme

Ainsi, si Montaigne a pu — en vertu peut-être d'un contresens partiel sur sa conception de l'honnêteté et de la « conférence » — avoir un impact sur la formation de l'« honnêteté » au siècle suivant, apparaissant comme le promoteur même d'une paideia *antique fondée sur l'éclectisme et d'une civilité propre à l'« honnête et habile homme », influençant ainsi Faret et Méré*[1]*, il ne s'est pas borné à tracer, pour les auteurs du Grand Siècle, une éthique impliquant un certain rapport à la culture et une certaine manière de discourir ; c'est peut-être avant tout un positionnement philosophique radical qui a frappé les esprits. Finissant par incarner le pyrrhonisme, exercice philosophique mettant à mal toute métaphysique, Montaigne est aux yeux des philosophes le tenant d'une position outrée qu'il faut réfuter si l'on veut rendre possible une enquête valable fondée sur une droite méthode : on peut lire dans le* cogito *cartésien cette nécessité de refonder la possibilité d'une approche scientifique du monde après l'expérience du doute intégral. De même, dans* De la recherche de la vérité[2]*, Malebranche n'a pas de termes assez forts pour disqualifier la lecture des* Essais, *impliquant non l'usage méthodique de la raison, mais*

1. Voir E. Bury, *Littérature et politesse*, Paris, PUF, 1996, notamment p. 9-44.

2. Livre II, Troisième partie, chap. 5. Voir *De la recherche de la vérité*, éd. J.-C. Bardout, Paris, Vrin, 2006, p. 387-397.

au contraire le jeu déréglé des passions qui déterminent la lecture d'un tel texte, lui-même porté par la concupiscence dont l'effet principal est de porter à peindre sa propre vanité pour s'y complaire. La critique de Malebranche ne porte pas uniquement sur la force que l'imagination d'un tel auteur peut avoir, par communication directe, sur celle du lecteur : Montaigne doit être discuté et récusé en tant que sectateur avoué de Pyrrhon : « Ceux qui ont lu Montaigne savent assez que cet auteur affectait de passer pour Pyrrhonien, et qu'il faisait gloire de douter de tout. [...] Ainsi en le supposant académicien, on pourrait tout d'un coup le convaincre d'être le plus ignorant des hommes, non seulement dans ce qui regarde la nature de l'esprit, mais même en toute autre chose. » Livre inepte d'un homme ne sachant pas raisonner, les Essais *se sont aussi attiré les réprobations les plus sévères de Port-Royal. Cherchant à fonder, dans* La Logique, *un « art de penser » solide, Antoine Arnauld et Pierre Nicole fondent leur entreprise, dès les premières pages de l'œuvre et selon le geste qui était aussi celui de Descartes dans ses* Méditations, *sur la récusation des pyrrhoniens, « secte de menteurs*[1] *» qui, offrant l'exemple d'un usage « approximatif », indifférent et distancié du langage, perdent toute possibilité de fonder le sens en un dictionnaire commun. Montaigne — et son « dictionnaire tout à par [lui] » —, est évidemment désigné comme le plus emblématique représentant de cette catastrophe linguistique et, par suite, épistémologique. Le traitement pascalien de cet auteur est certainement plus complexe car délié d'un tel projet rationaliste, et dépendant d'une intention apologétique. Les réminis-*

1. A. Arnauld et P. Nicole, *La Logique ou l'Art de penser*, éd. P. Clair et F. Girbal, Paris, Vrin, 1993 [1981], p. 19.

cences des Essais *abondent dans les* Pensées, *Pascal faisant sienne la pratique non de l'allégation mais de l'invention que Montaigne revendique dans «De la physionomie» face à ceux qui lui reprochent de trop citer, ne produisant qu'un «amas de fleurs étrangères» (III, 12): «Ce n'est pas dans Montaigne, mais dans moi que j'y trouve tout ce que j'y vois» (fr. Sellier 568). Intégrée à une disposition singulière qui dépend elle-même d'une perspective personnelle, la source textuelle perd son statut de produit de «seconde main» pour devenir écrit de «première main». Les* Essais *ont donc fait penser Pascal à nouveau frais, et si Montaigne est souvent condamné pour l'incompatibilité qui sépare son «nonchaloir» de la morale chrétienne, sa pensée affleure souvent sous la plume de l'apologiste, devenant celle d'un autre, exercice spirituel prolongé dans une expérience nouvelle, soumise à une utilité bien différente de celle qui la motivait initialement. Le doute montaignien acquiert d'ailleurs une certaine dignité, dans l'ordre du raisonnement de la créature abandonnée à son état post-lapsaire: «Le pyrrhonisme est le vrai» (fr. Sellier 570), dans la mesure où sans Révélation qui nous vienne d'une lumière surplombante, on ne peut ni affirmer notre impuissance fondamentale ni son contraire, ce qui rend toute anthropologie parfaitement impossible. Le scepticisme des* Essais *acquiert alors une dignité particulière, puisqu'il permet de déployer — dans le cadre du point de vue libertin refusant d'admettre un tel éclairage par la foi — toute la faiblesse de l'homme. Vrai dans un second état de nature car témoignage de notre corruption, il devient faux dans une perspective fidéiste, la foi conduisant à connaître la réparation ontologique que Dieu a offerte à l'humanité. Montaigne a donc continué avec Pascal à être utilisé comme sup-*

port d'un « fidéisme sceptique » ouvrant à une nouvelle illumination au terme d'un obscurcissement intégral et irréductible des capacités de la raison humaine. Vantant dans L'Entretien avec Monsieur de Sacy *la lecture de Montaigne comme le plus sûr moyen de connaître nos limites de créatures imparfaites*[1]*, Pascal a fait des* Essais *un outil à la fois vrai et faux, selon l'ordre où on les envisage, mais toujours utile pour qui veut sortir du champ de la pure philosophie païenne pour rentrer dans un point de vue plus englobant. Au moment même où, pendant plus d'un demi-siècle, on avait cessé de l'éditer, Montaigne était donc devenu une matière centrale dont on ne pouvait ignorer les positions ; encore condamné pour le désordre et le manque de méthode de son enquête, il était tantôt un « aimable homme », selon le mot de Madame de Sévigné, dont la fréquentation permettait de faire croître cette civilité humaniste si précieuse, tantôt une force séminale qui donnait à penser — comme l'ont montré Pascal, La Rochefoucauld ou La Bruyère —, tantôt le meilleur ennemi que l'on pouvait trouver, et dont la confrontation était inévitable lorsqu'il s'agissait de refonder, au terme de la crise intellectuelle du siècle précédent, la pensée.*

Les *Essais*, éclair de lumières

Montaigne resta, au siècle suivant, une figure ambiguë aussi bien propre à incarner le peintre de la versatilité humaine et de l'inconstance du sentiment, qu'un progressiste défendant les peuples colonisés contre la barbarie des Européens, ou qu'un réactionnaire incapable de penser — selon le grief d'Antoine-Léonard

1. *L'Entretien avec Monsieur de Sacy*, éd. P. Mengotti et J. Mesnard, Paris, Desclée de Brouwer, 1994.

Thomas — la dignité du sexe féminin. Apôtre de l'expérience dressée comme critère de vérité contre l'esprit de système et d'abstraction, Montaigne fut reçu comme un précurseur autorisant de ses Essais *les travaux des empiristes et des sensualistes : plus généralement, on le lit alors comme le devancier des Lumières, pratiquant une philosophie engagée et fondée sur le libre exercice du jugement contre l'obscurantisme et l'asservissement visé par les écoles de toutes obédiences. La présentation que l'*Encyclopédie *propose de Montaigne dans l'article « Pyrrhonienne ou sceptique (philosophie) », d'une clairvoyance rare, insiste sur la liberté qu'il y a à produire, dans une poétique décousue et antithétique, les contradictions propres à la vie de l'esprit : « Parmi les sectateurs du Pyrrhonisme, nous avons oublié Michel de Montagne, l'auteur de ces essais qui seront lus tant qu'il y aura des hommes qui aimeront la vérité, la force, la simplicité. L'ouvrage de Montagne est la pierre de touche d'un bon esprit. Prononcez de celui à qui cette lecture déplaît, qu'il a quelque vice de cœur ou d'entendement ; il n'y a presqu'aucune question que cet auteur n'ait agitée pour & contre, & toujours avec le même air de persuasion. Les contradictions de son ouvrage sont l'image fidèle des contradictions de l'entendement humain[1]. » L'aveu de filiation entre le projet des Lumières et leur illustre prédécesseur a beau être implicite, il n'en est pas moins sensible. La méthode et les enjeux — l'émancipation de l'individu par l'essai de ses propres ressources — semblent identiques. Pourtant, le parti antiphilosophique revendiqua un tout autre Montaigne, conservateur, ennemi de la « nouvelleté », afin*

1. Diderot, *Œuvres complètes,* éd. J. Lough et J. Proust, Paris, Hermann, 1976, p. 152.

de rendre sensible l'usurpation intellectuelle qui consistait à croire en une libération par le progrès de l'esprit. Là encore, le scepticisme montaignien offrait des prises contrastées qui, si elles avaient une cohérence théorique forte, pouvaient être scindées en simples postures aptes à nourrir la polémique.

Le renouveau philologique

Si le XVIII*e siècle insista donc particulièrement sur les tenants et les aboutissants philosophiques et moraux de la lecture des* Essais, *ne se préoccupant que peu de rééditer le texte — à l'exception notable de la grande édition Coste de 1725 qui devait finir par leur adjoindre deux ans plus tard le* Discours de la servitude volontaire *de La Boétie —, le siècle suivant témoigna avant tout d'un intérêt nouveau pour la mise en question de l'accès au texte. Toutes les grandes éditions ou les manuscrits que l'Âge Classique avait méconnus furent édités, sensibilisant le public à la question de la nature fluctuante d'un texte dont les contours étaient difficiles à fixer : Naigeon donna en 1802 une édition stéréotype de l'Exemplaire de Bordeaux, retrouvé en 1772 par François de Neufchâteau, proposant une alternative inédite à la lecture d'un texte pratiqué depuis la mort de Montaigne dans l'édition posthume de 1595 ; R. Dezeimeris et H. Barckhausen publièrent les* Essais *dans leur version originelle de 1580, en deux livres, entre 1870 et 1873*[1]*. Treize ans plus tard, M. Motheau et D. Jouaust livrèrent au public la dernière édition du vivant de l'auteur, datant de 1588*[2]*, alors qu'E. Courbet et C.-H. Royer renouvelaient l'accès à l'édition posthume*

1. *Essais de Michel de Montaigne,* Bordeaux, impr. de G. Gounouilhou, 1870-1873.
2. *Les Essais de Montaigne,* Paris, Librairie des bibliophiles, 1886-1889.

dans une nouvelle édition en cinq volumes, entre 1872 et 1900[1]*. Ainsi, après l'impulsion philologique donnée par la publication de l'Exemplaire de Bordeaux, les trois dernières décennies du* XIX*e siècle virent l'épanouissement d'une interrogation nouvelle : celle des conditions de l'accès au texte. Bien sûr, les illustres lecteurs de Montaigne ne manquèrent pas. On se contentera de mentionner ici celui qui, en son temps, perça mieux que quiconque l'originalité du projet montaignien pour y trouver un lointain écho de ses propres intuitions : Friedrich Nietzsche. Désireux de porter la pensée à un degré d'autocontestation et d'incandescence maximal pour que s'exprime la vigueur naturelle d'un esprit qu'il comparait au sien pour sa vivacité, le philosophe n'a pu qu'être sensible à l'évolution d'un sujet éclaté dans le flux d'un univers en mouvement perpétuel, affirmation de l'être dans une enquête indissociable d'une poétique elle-même philosophique. Lorsque, dans « Sur des vers de Virgile », Montaigne définit un travail linguistique et stylistique qui est avant tout effet de pensée et de compréhension singulière et clairvoyante du monde, il donne l'expression la plus remarquable de l'union indissociable de l'écriture et de la pensée ; cette dernière constitua un objet privilégié de la pensée de Nietzsche, qui admirait dans le Français un précurseur de la philosophie « à coups de marteau » déchaîné contre les idoles de la métaphysique et du dogmatisme sot.*

Montaigne en mouvement

Les philologues français du tournant du siècle se saisirent des Essais *à leur tour comme d'un objet de*

1. *Les Essais de Montaigne,* Paris, A. Lemerre, 1900.

prédilection, auquel G. Guizot[1] *— et surtout Sainte-Beuve*[2] *— avaient donné une place éminente dans le paysage intellectuel français: Brunetière, Strowski, Villey et Faguet*[3] *consacrèrent à l'essayiste cours et publications majeures. Strowski et Villey, collaborant à la publication décisive de l'« Édition municipale » entre 1906 et 1933, opérèrent alors un tournant majeur pour le* XX*e* *siècle: en produisant un manuscrit autographe où l'on pouvait observer le mouvement même de la réécriture permanente du texte, et en radicalisant ces métamorphoses par l'intégration de marques textuelles délimitant des strates de variantes, ils modifièrent profondément la perception du texte. Ce dernier perdit en effet, pour la première fois depuis la mort de Montaigne, son aspect monumental et monolithique en apparaissant avec ses réorientations, ses détours et ses « allongeails ». Avec* Les Sources et l'évolution des idées de Montaigne, *Pierre Villey mit en avant l'idée d'une inflexion en trois temps de la pensée dans les* Essais, *passant du stoïcisme à un naturalisme épicurien au terme d'une phase critique pyrrhonienne. Quelle que soit la validité de cette tripartition parallèle à la stratification du texte en trois couches — validité aujourd'hui très largement remise en cause —, elle contribua, dès 1908, à faire du mouvement la caractéristique majeure du texte montaignien, structure formelle et thématique qui retint, dans une étude majeure,*

1. *Montaigne: études et fragments*, Paris, Hachette, 1899.

2. Voir les textes réunis par F. Rigolot dans *Causeries sur Montaigne*, Paris, Champion, 2003.

3. Voir F. Brunetière, *Études sur Montaigne*, textes réunis par A. Compagnon, Paris, Champion, 1999; F. Strowski, *Montaigne*, Paris, F. Alcan, 1906; P. Villey, *Les Sources et l'évolution des* Essais *de Montaigne*, Paris, Hachette, 1908 (rééd. Osnabrück, O. Zeller reprint, 1976); E. Faguet, *Études sur Montaigne*, textes réunis par A. Compagnon, Paris, Champion, 2000.

toute l'attention de Jean Starobinski[1]. *La pensée de Montaigne continua à retenir l'attention des philosophes, parmi lesquels on peut notamment citer Maurice Merleau-Ponty qui, refusant de réduire la pensée de Montaigne à un simple scepticisme, décela dans sa «Lecture de Montaigne» une position proprement phénoménologiste fondée sur une pensée de l'intentionnalité*[2]. *Il faut encore citer dans ce cadre Marcel Conche qui, après avoir étudié Montaigne en croisant son approche avec une connaissance intime du pyrrhonisme*[3], *rendit aux* Essais *une place parmi les objets philosophiques admis par l'Université*[4]. *L'étanchéité des disciplines universitaires au sein de l'institution avait, depuis un siècle environ, déterminé un usage ambigu des* Essais *comme texte philosophique dont la portée spirituelle avait été totalement prise en charge par les spécialistes de littérature dont les grandes figures furent Albert Thibaudet, Maurice Rat*[5] *et Hugo Friedrich*[6], *et cela dans la foulée de la fondation de l'histoire littéraire par le lansonisme dont l'ambition ultime était d'accéder à une pensée insufflée dans la chair même du verbe. Avec l'inscription de l'«Apologie de Raimond Sebond» au programme de l'agrégation de philosophie en 1993, Montaigne fut réintégré comme objet d'étude légitime dans le champ*

1. *Montaigne en mouvement, op. cit.*
2. Texte repris en préface de l'éd. P. Michel des *Essais*, Paris, Gallimard, 1965, t. III, p. 7-23.
3. Voir son *Pyrrhon ou l'Apparence*, Paris, PUF, 1994 pour la 2e éd. (Éditions de Mégare, 1973).
4. Voir *Montaigne et la philosophie, op. cit.*, et *Montaigne ou la Conscience heureuse*, Paris, PUF, 2008 [1964].
5. A. Thibaudet et M. Rat proposèrent, en 1962, la première édition de poche des œuvres complètes de Montaigne dans la «Bibliothèque de la Pléiade», douze ans après la publication des *Essais* édités par A. Thibaudet dans la même collection.
6. *Montaigne, op. cit.*

philosophique, et fut un des premiers textes à ouvrir la voie à la reconnaissance institutionnelle d'une philosophie de la Renaissance en France. Si ce texte pose encore, dans les bibliothèques et les librairies, des problèmes de classement dus à la séparation des types de discours par la tradition universitaire — à l'instar des Pensées *de Pascal —, on s'achemine aujourd'hui vers une collaboration accrue des nouvelles générations de chercheurs qui, en philosophie comme en littérature, reviennent à ce qui paraissait naturel aux lecteurs d'hier, dont le point de vue critique n'avait pas été façonné par des ruptures disciplinaires si saillantes : la consubstantialité de la création littéraire et de l'enquête philosophique. À l'heure où les choix exclusifs d'un accès au texte à travers la sacralisation d'une seule et unique édition tombent, l'illusion selon laquelle il y aurait un seul « biais et lustre » légitime pour aborder cette expérience scripturaire où être, écrire et penser ne font qu'un, paraît bien désuète. Des* Petits traités *de Pascal Quignard aux textes de Clément Rosset, les* Essais *de Montaigne continuent à déployer, sans orientation contraignante, leur force germinative, enrôlant au-delà de toute barrière tous ceux qui cherchent encore à « secouer vivement et hardiment les fondements ridicules sur quoi [nos] fausses opinions se bâtissent » pour, « avec modération et sans témérité, voguer en la liberté de leurs jugements au-delà des opinions communes ».*

EMMANUEL NAYA,
DELPHINE REGUIG et
ALEXANDRE TARRÊTE

NOTE
SUR LA PRÉSENTE ÉDITION

L'éditeur au banc d'essai

Plus de quatre siècles après leur première édition, lire les *Essais* demeure hautement problématique. Les spécialistes — s'ils proposent des solutions différentes — s'accordent à reconnaître la difficulté : « je n'ai jamais lu les *Essais* de Montaigne », affirmait paradoxalement André Tournon en 1991, relayé quelques années plus tard par Claude Blum qui voyait dans l'édition des *Essais* « une sorte de mauvais rêve, une infinie confusion[1] ». Un double problème se pose en effet à qui veut publier les *Essais* : celui du choix de l'édition ou du manuscrit de référence ; celui du traitement d'un pareil objet (quel degré de fidélité dans la restitution ? édition philologique ou délibérément interprétative ? rendre saillant le mouvement de la pensée entre la première et la dernière édition du vivant de l'auteur, ou produire le dernier état comme un objet homogène dont la

1. « L'édition des *Essais* à travers les âges : histoire d'un sinistre », *Éditer les* Essais *de Montaigne,* actes réunis par Cl. Blum et A. Tournon, Paris, Champion, 1997, p. 2. Voir également Ph. Desan, « L'Histoire d'E.B. », introduction à l'édition de l'Exemplaire de Bordeaux, Schena ed. et *Montaigne Studies*, 2002.

logique ne serait pas déterminée par une approche génétique ?). Si ces questions ne sont pas propres à l'édition de ce seul texte, on doit cependant constater qu'elles sont poussées à un degré de difficulté tout particulier par la nature d'une œuvre en perpétuel décalage. Décalage avec elle-même tout d'abord : Montaigne a supervisé plusieurs éditions successives entre 1580 et 1588 et travaillait, au moment de sa mort, au renouvellement amplifié de la cinquième. Chacune de ces éditions est « un texte plénier à chacun de ses arrêts par publication[1] », et ne constitue pas une étape orientée vers un achèvement parfait que refléterait la dernière. Le raisonnement que Montaigne avance dans les *Essais* sur la rupture de l'identité du sujet dans le temps vaut aussi bien pour son texte qui lui serait, à l'en croire, « consubstantiel[2] ». Son livre « est toujours un », et toujours divers à la fois. Décalage ensuite avec les genres littéraires et les formes philosophiques admises, mais aussi avec les pratiques rhétoriques et stylistiques. Confronté à une pensée qui, en perpétuelle autocontestation, « récite l'homme » au lieu de le « former » (III, 2), le lecteur ne peut qu'acquiescer à la dénomination « monstrueuse » que Montaigne donne de son propre texte. Éditer les *Essais* présuppose un parcours de lecture et demande d'entrer dans la « conférence » que leur auteur ouvre à tout sujet, notamment pour préciser la nature d'un texte singulier et la respecter par des choix éditoriaux idoines. Pour éditer une œuvre si « associative » et qui implique tant la participation active du lecteur,

1. *Ibid.*, p. 4.
2. « Moi à cette heure et moi tantôt sommes bien deux ; mais quand meilleur, je n'en puis rien dire » (III, 9, p. 964).

il faut toujours « s'essayer » sur les « essais » que « Michel Seigneur de Montaigne » fait de lui-même. Chaque jalon de l'histoire éditoriale de ce texte n'est que le résultat d'un essai, d'une conférence entre un lecteur et un « monstre » qui, de manière très concertée, organise la déconcertation de sa réception.

Le texte de référence après le 13 septembre

13 septembre 1592 ; la date de la mort de Montaigne simplifie et complique à la fois le choix de l'éditeur. Elle la simplifie en ce qu'elle appelle l'application d'un principe général demandant de privilégier le dernier état textuel, imprimé ou non, ce qui s'avère particulièrement pertinent dans le cas d'un texte qui, théorisant sa propre pratique de « l'allongeail », « se renforce au fur et à mesure qu'il avance[1] ». Les enquêtes les plus récentes ont fait des premières éditions des *Essais* des entreprises littéraires à visée politique[2] : l'édition de 1580 aurait ainsi ambitionné une diffusion restreinte dans le cercle de la Cour permettant à Montaigne, sinon de s'affirmer sur la scène politique bordelaise ou de publier ses aptitudes à officier en qualité d'ambassadeur[3], du moins d'être reconnu et confirmé dans ses titres de noblesse récemment acquis ; l'édition de 1582 aurait permis de corriger la précédente, livrée en hâte à l'imprimeur Simon Millanges pour que Montaigne puisse donner son livre en main propre au roi ; elle aurait

1. « *Viresque acquirit eundo* », stipule un ajout manuscrit porté sur l'exemplaire dit « de Bordeaux ».

2. Voir notamment G. Hoffmann, *Montaigne's Career*, Oxford, Clarendon Press, 1998 et l'introduction donnée par Ph. Desan à son édition des *Essais* de 1582 en S.T.F.M., Paris, 2005.

3. Voir *supra*, p. 55, n. 1.

ainsi permis d'affirmer une *persona* de maire de Bordeaux quelques mois après son élection à cette charge. L'édition de 1588 a ainsi pu être interprétée comme la volonté d'embrasser, après la carrière juridique et la magistrature municipale, une troisième carrière : celle d'un véritable auteur, nouvelle *persona* favorisée par le recentrement sur un éditeur parisien — Abel L'Angelier —, et qui se serait imposée au terme d'une accumulation de difficultés mettant un frein aux ambitions politiques. L'effacement de la mention des charges publiques en titre en serait le meilleur témoin. Toute révélatrice qu'elle soit, la portée « pragmatique » des *Essais* ne doit pas occulter une tendance de fond qui existe dès leur première parution : il y a certes peinture et publication d'un moi, qui, malgré ce que revendique l'avis « Au Lecteur », sont peut-être bien destinées à « rechercher la faveur du monde », mais ce moi est l'objet d'une enquête expérimentale renouvelée à tout propos, de chapitre en chapitre. L'ambition est d'emblée heuristique et philosophique, quelle que soit l'ampleur conférée à l'enquête intime dans le « troisième allongeail » de 1588. Dès lors, si éditer les *Essais* consiste à publier cette « peinture au vif » dans son perpétuel recommencement visant à l'amélioration, l'édition de 1588 devient elle-même insuffisante, malgré ses 641 additions modifiant notamment 30 fins de chapitre, ses 543 citations nouvelles et son troisième livre « supernuméraire ». Montaigne, certainement sous l'impulsion d'Abel L'Angelier, soucieux de renouveler son privilège avant 1597, a pu donner libre cours à ce principe d'une conférence infinie avec soi-même en augmentant, vraisemblablement dès l'été 1588, la dernière édition pourtant tout nouvellement parue. « Qui ne voit que j'ai pris une route par laquelle, sans cesse et sans travail, j'irai autant qu'il y aura d'encre et de papier au monde[1] ? »

Ce n'est toutefois pas tant la pénurie de moyens pour rédiger qu'un œdème de la gorge qui interrompit le travail de réécriture. La mort de Montaigne, qui laisse des brouillons sans avoir supervisé la nouvelle édition L'Angelier, complique donc également le travail de l'éditeur, et l'oblige à choisir entre deux traditions éditoriales. La plus ancienne est celle qui consiste à se fonder sur l'édition donnée par Marie de Gournay en 1595 chez L'Angelier, déclarée « Édition nouvelle, trouvée après le décès de l'auteur, revue et augmentée par lui d'un tiers plus qu'aux précédentes impressions », édition remaniée à huit reprises par l'éditrice entre 1598 et 1635. Cet état du texte, même s'il a connu des altérations successives, a fondé le monument littéraire des *Essais*, celui que l'on a fréquenté tout au long de l'âge classique et jusqu'à l'édition Courbet et Royet (1872-1900) qui voyait en lui le texte définitif des *Essais*. L'exemplaire manuscrit ayant, suivant la coutume, été certainement détruit lors de l'impression, on ne sait malheureusement pas sur quels fondements textuels Marie de Gournay a travaillé, ni quel exemplaire autographe elle a eu entre les mains pour effectuer sa collation avec son exemplaire aujourd'hui perdu : Exemplaire de Bordeaux, largement remanié par elle (puisque 50 % des retouches de segmentation de cet exemplaire à l'édition de 1588 ne sont pas retenues dans l'édition posthume) ? un autre exemplaire encore dont il est impossible d'assurer la validité ? Cette tradition éditoriale donnant la prééminence à l'édition posthume a connu, sous l'impulsion de

1. III, 9, p. 235.

M. Simonin, une nouvelle actualité, donnant lieu à deux éditions majeures depuis 2001 : elle tirerait sa légitimité de l'existence d'un autre exemplaire de 1588 annoté par Montaigne, ayant connu une vie parallèle à celle de l'Exemplaire de Bordeaux et retenu pour l'impression parce que plus complet.

La seconde tradition qui détermine le cadre éditorial au sein duquel nous devons fixer nos propres choix a privilégié l'édition de l'Exemplaire de Bordeaux (noté ci-dessous E.B.), édition de 1588 complétée manuscritement par l'auteur de milliers d'ajouts marginaux ou interlinéaires, et modifiée en profondeur par un travail de segmentation phrastique inédit. Conservé par l'ordre des Feuillants peut-être dès 1593 après un don de la veuve de Montaigne, cet exemplaire remanié n'a été retrouvé et exploité qu'à partir de 1772 par François de Neufchâteau. Ce dernier commanda à Naigeon en 1799 d'en faire une édition qui parut chez Didot en 1802, premier moment d'une entreprise éditoriale qui n'affirma toutefois sa prépondérance qu'au XXe siècle, sous l'impulsion de Fortunat Strowski et de Pierre Villey. Le sentiment de « donner du Montaigne authentique » et la conscience — permise par l'utilisation de l'E.B. — de proposer un texte évolutif, dont le mouvement pouvait et devait être mis à la disposition du lecteur, se mirent à prévaloir au fur et à mesure que parurent quelques jalons essentiels de l'histoire éditoriale des *Essais*. Nous ne citerons — outre l'édition dite « phototypique » de P. Villey en 1912 donnant un accès photographique à l'E.B., et l'édition dite « typographique » d'E. Courbet (Imprimerie nationale, 1913-1931) mettant au clair en fac-similé les ajouts manuscrits sur l'exemplaire de 1588 — que la fameuse « Édition municipale » dirigée par

F. Strowski[1], censée fixer avec exactitude le contenu de l'E.B., et l'édition de P. Villey parue aux Presses universitaires de France en 1930, remaniée en 1965 par V.-L. Saulnier et utilisée depuis comme édition de référence des *Essais* par la communauté scientifique. Le statut et la matérialité même de cet exemplaire ne vont pas toutefois sans poser problème : tout d'abord, malgré ce que l'on a longtemps affirmé, l'E.B. a pu ne pas être utilisé par Marie de Gournay — du moins comme copie principale ; il se peut que cet exemplaire — devenu impraticable — ait été effectivement supplanté par un autre, dont la mise au propre plus nette aurait permis de continuer la réécriture. Selon cette hypothèse aussi vraisemblable qu'invérifiable en dernière instance, l'E.B. aurait alors été « déclassé » pour devenir un simple brouillon. Texte peut-être incomplet aussi en ce qu'il aurait été dépouillé de feuillets intercalés ou de paperolles collées lors du rassemblement des pièces nécessaires à la mise sur pied de l'édition posthume. Cette autre hypothèse se heurte néanmoins à l'absence de toute trace de colle, et à l'existence d'espaces inutilisés que Montaigne aurait, en cohérence avec sa pratique à certains endroits de l'E.B., pu exploiter. Texte enfin certainement incomplet, dans la mesure où l'une des trois reliures qui en ont été faites l'a tronqué en bordure de pages par des coups de massicot. Les éditions modernes de l'E.B. ont alors dû opérer un travail de synthèse en restituant — avec un degré d'appréciation pouvant poser problème — les zones tronquées à l'aide des passages pouvant correspondre dans l'édition posthume de 1595.

1. Avec la collaboration de P. Gebelin et P. Villey, Bordeaux, Pech, 1906-1933.

Le choix de l'Exemplaire de Bordeaux

Pourquoi choisir alors, comme nous le faisons résolument ici, cet exemplaire imparfait et incertain en sa nature, à l'heure où l'édition posthume connaît une renaissance après un siècle de quasi-abandon ? Peut-être pour la plus simple des raisons : parce qu'il existe. C'est appliquer certainement une exigence nominaliste qui a sa prudence, et qui consiste à réduire au minimum le nombre des hypothèses. L'histoire de l'*exemplar* perdu qui authentifierait l'édition posthume comme le reflet des exigences de Montaigne[1] — histoire ayant une incontestable vraisemblance — multiplie les hypothèses et les zones d'ombre invérifiables. La nécessaire suspension du jugement sur la réalité des faits ne peut en aucun cas conduire à écarter l'édition posthume comme texte illégitime : elle libère au contraire le choix éditorial de tout dogmatisme. On appliquera ici le point de vue sceptique qui fonde le discours épistémologique de Montaigne dans « Des boiteux », lorsque ce dernier récuse les élaborations rationnelles indues venant amplifier des phénomènes dont on n'a pas vérifié la simple existence. La vérité pour Montaigne, dans ce chapitre, tient dans l'expérience directe, l'autopsie qui permet d'embrasser un phénomène non dans ses causes ou ses modalités obscures, mais dans sa présence directe. L'E.B., par sa seule présence que n'invalide pas un autre manuscrit autographe plus complet, impose une vérité que l'on ne peut méconnaître et qui fondera ici notre « expé-

1. Voir notamment M. Simonin, « Aux origines de l'édition de 1595 », *Montaigne et Marie de Gournay*, éd. par Marcel Tetel, Paris, Champion, 1997, p. 7-51.

rience» de la lecture des *Essais*. À cette première raison dont la simplicité tient lieu de force — n'apparaît que ce qui est —, on pourra ajouter deux pistes de réflexion : le caractère incompréhensible et inconséquent de la suppression par Montaigne, sur un *exemplar* qui aurait servi de base à l'édition posthume, de près de la moitié des retouches de ponctuation et de majuscules de l'E.B., le retranchement oscillant, selon les statistiques d'A. Tournon aux analyses duquel nous renvoyons, entre 0 et 87 % selon les chapitres[1] ; d'autre part, l'impossibilité de vérifier les interventions d'imprimeur bien sûr, toujours nombreuses au XVIe siècle, mais surtout d'éditeur, dans l'édition posthume. Comme l'a fait remarquer Cl. Blum, il est possible de prendre en considération un critère qui, tout externe qu'il est, a pu avoir des retombées radicales sur l'édition de 1595 : sans rappeler l'édition renouvelée de la *Harangue au Duc de Guise* de Ronsard, que Marie de Gournay avait déclaré avoir trouvée dans les papiers du poète, et qui témoigne en fait d'une manipulation textuelle visant à le protéger des attaques de Malherbe, on peut constater que de 1598 à 1635, les rééditions de l'édition posthume connaissent de constantes et de très nombreuses modifications[2] d'orthographe, de ponctuation, de syntaxe et même de vocabulaire. Une telle tendance laisse peu à penser que M. de Gournay aurait été parfaitement fidèle à un *exemplar* fixé par la main de Montaigne. Ainsi, faute de pouvoir reconnaître le texte authentique

1. Voir son édition des *Essais*, t. I, Paris, Imprimerie nationale, 1998, p. 13-14.

2. Cl. Blum envisage une variante par ligne en moyenne. Voir sa mise au point dans le *Dictionnaire Michel de Montaigne*, dir. Ph. Desan, Paris, Champion, 2004, p. 311.

sous l'édition qui en fut donnée, édition elle-même en mouvement comme nous l'avons vu, nous nous attacherons à reproduire, le plus fidèlement possible, ce qui constitue le dernier des visages tangibles que Montaigne a donné de ses *Essais* et dont nous disposions encore, même si celui de l'E.B. s'est figé trop tôt, par abandon progressif, ou par disparition de l'auteur. Ce faisant, nous prolongeons la démarche de redécouverte de l'E.B. initiée par l'édition dite « Municipale » de Strowski et Villey (1906-1933), approfondie un demi-siècle plus tard par A. Tournon qui, dans son édition de l'Imprimerie nationale en 1998, a voulu restituer ces *Essais* qu'il n'avait, selon son propre aveu, « jamais [lus] ». Comme nous le détaillerons ci-dessous dans notre protocole, nous essaierons de pousser ce projet le plus loin possible, avec la volonté de donner à lire le dernier état des *Essais* disponible sans transformation interprétative : pas de segmentation introduisant des effets de sens non voulus par l'auteur, pas d'interprétation de la ponctuation dont il faudrait donner un équivalent logique moderne. Accéder au texte — tout original qu'il est — en étant guidé dans sa compréhension, tel est notre objectif qu'a grandement facilité l'édition photographique numérisée de l'*Exemplaire de Bordeaux* par Ph. Desan[1], reproduction permettant de cerner au plus près les zones manuscrites du texte. L'histoire éditoriale de l'E.B. — même sous ses formes les plus reconnues — lui a toujours fait plus ou moins perdre, à force d'interventions, la singularité qui l'institue en véritable *hapax* de la littérature et de la philosophie : c'est donc ici une tentative

1. *Essais*, éd. par Ph. Desan, Schena ed. et *Montaigne Studies*, 2002.

de restauration de la lecture de Montaigne que l'on poursuit ; lecture non d'un monument littéraire, si tant est qu'il existe de manière unifiée[1], tel qu'il a été pratiqué jusqu'au XIXe siècle, mais lecture d'un texte « écrit à peu d'hommes et à peu d'années », qui fonde son ambition et sa finalité dans une proximité maximale, une « consubstantialité » : texte dont les inflexions ont été notées avec une scrupuleuse exactitude par la main de son auteur dans notre exemplaire de référence. Insistons enfin encore une fois sur le fait que le choix de ce dernier est lié à une suspension du jugement sur le degré exact d'authenticité de l'édition posthume ; dès lors, nous restons en deçà d'une quelconque reconnaissance d'une légitimité absolue et exclusive d'un état textuel sur l'autre, chacun présentant des avantages exclusifs, tout comme des zones d'ombre sans réponse. L'histoire de la rédaction des *Essais* rend indispensable de pouvoir accéder de manière fiable, et pour des raisons finalement différentes, à l'édition posthume *comme* à l'E.B. La « conférence » que Montaigne ouvre dans son œuvre entre ses différents visages en dépend.

Nul n'entre ici s'il n'est géologue

Les éditions contemporaines des *Essais* qui se sont fondées sur l'E.B. ont, avec le temps, cristallisé une présentation donnant à voir la stratification des couches textuelles introduites en 1580, en 1588 et sur l'exemplaire autographe. Peu à peu, le mouvement d'écriture, devenu perceptible au contact de l'E.B.,

1. Comme le précise Cl. Blum (*loc. cit.*), l'édition de 1598 a eu tendance à s'imposer au XVIIe siècle, et celle de 1595 au XVIIIe.

est devenu par un jeu signalétique une partie intégrante et signifiante du texte lui-même : jusqu'aux récentes éditions de la version posthume, le texte ne semblait plus lisible que rendu en ses « couches », palimpseste accusant la visibilité et la permanence quasi intégrale de chacun de ses états successifs. C'est une conception du texte que nous abandonnons ici, faute d'en reconnaître l'exactitude et d'en admettre la pertinence. Dans la célèbre ouverture de « Du repentir » (III, 2), décrivant l'adaptation de l'écriture au « branle » universel qui emporte toute chose dans la vanité, Montaigne écrit : « Tant y a que je me contredis bien à l'aventure, mais la vérité, comme disait Demades, je ne la contredis point. » Cette affirmation centrale, qui d'un geste révolutionnaire place les *Essais* hors de l'empire logique du principe aristotélicien de non-contradiction, pourrait donner à penser que la peinture de Montaigne est globalement contradictoire, mais qu'elle est toujours respectueuse de la vérité à chaque moment de son élaboration, où l'on est toujours autre que celui qu'on était. Cette interprétation, compatible d'ailleurs avec la théorie aristotélicienne du mouvement, autoriserait une approche synchronique du texte, qui prélèverait des espaces successifs de vérité, d'adéquation à soi, qu'une saisie linéaire et globale rendrait contradictoire. De fait, P. Villey a superposé dans son édition la tripartition des inspirations philosophiques de Montaigne qu'il a observée dans sa thèse de 1908 sur *Les Sources et l'évolution des* Essais *de Montaigne* et la triple stratification qu'il a introduite, dès l'Édition municipale, en marge du texte. Sa logique était simple : ne pas faire de « la distinction des trois fonds marqués par les lettres A, B, C » le reflet exact des remaniements du texte (ne signalant ni les courtes additions ni ce qui « intéresse le travail du style »), mais le reflet de l'évolution de « la pensée de l'auteur »[1]. Chaque allongeail aurait alors sa propre vérité, et viendrait réorienter un texte qui devrait assumer son auto-contradiction. Mais une autre lecture peut se faire de cet extrait de « Du repentir », plus radicale — et cohérente avec la reconnaissance sceptique d'une vanité foncière du monde : respecter la vérité, c'est-à-dire ce qui est, en rendre compte en une peinture la plus vive possible, c'est assumer une contradiction générale. La vérité, loin d'être bornée par une vision logicienne imposée par l'École aristotélicienne, réunit les contradictoires au lieu de les opposer de manière disjonctive. Cette vérité se perçoit alors au terme d'une approche non plus synchronique mais véritablement diachronique, chaque élément n'étant pas là pour témoigner d'un moment de la rédaction, mais pour réorienter une expérience de pensée bornée et structurée par le chapitre, expérience que ne vient figer que chaque nouvelle édition imprimée. Nous ne reviendrons pas sur les dangers des lectures atomisées par prélèvements ponctuels sans prise en compte du système d'ensemble propre à chaque chapitre : la fragmentation du texte en zones non seulement généalogiques mais tout autant sémantiques contrevient à l'ambition d'un auteur qui ouvre à chaque chapitre un parcours intellectuel, certes chaotique et fait de mille détours par des « routes nouvelles », mais ayant sa cohérence tant dans l'intention que dans le déroulement. Montaigne n'a pas donné à voir le mouvement de sa pensée dans l'ordre de la génétique du texte, mais une pen-

1. « Note de l'éditeur [1930] », *Essais*, éd. Villey-Saulnier, Paris, PUF, 2004 pour la dernière édition, p. xxv.

sée en mouvement qui, toute marquée qu'elle est par des saillies inattendues, ne perd jamais son sujet. « C'est l'indiligent lecteur qui perd mon sujet, non pas moi » (III, 9) : se laisser fasciner par le parasite symbiote que sont devenues les strates depuis que V.-L. Saulnier les a fait passer en 1965 de la marge à l'intérieur du texte — à leur « juste place » selon lui[1] —, c'est aborder le texte avec une perspective de géologue et courir le risque d'une lecture rendue « indiligente » par un tel divertissement. Notons enfin que ces couches liées à une perception de l'évolution intellectuelle ne rendent pas compte avec exactitude de la variation du texte selon ses états. Repères artificiels ne pouvant indiquer les bornes d'une stratification naturelle du texte, elles gomment les sutures entre deux versions, et ne peuvent rendre compte de ce que seul un système complet de variantes pourrait signaler. Pour toutes ces raisons, nous revenons au dernier état manuscrit du texte en le tenant comme achevé et porteur d'une unité, non en considération d'une intention de l'auteur, mais en considération de l'absence d'un support offrant autant de garanties immédiates.

Compte tenu de la nature spécifique de l'E.B., destiné à l'édition comme en attestent des indications manuscrites à l'imprimeur, mais soit abandonné pour une mise au net sur un autre exemplaire, soit inachevé à la mort de l'auteur, nous avons signalé par un changement de police les zones manuscrites désignées ordinairement par la lettre C. Le lecteur ne devra pas y voir pour autant une quelconque contradiction avec notre volonté de rompre avec les normes précédemment évoquées : puisque l'édition

1. « Montaigne et Villey de nouveau », *ibid.*, p. XIX.

des *Essais* ultérieure à 1588 ne sera jamais publiable avec des gages requis d'authenticité, et puisqu'on ne lira peut-être jamais l'ultime édition que Montaigne préparait de son texte, nous publions ici un brouillon que l'édition contemporaine a trop souvent présenté comme définitif. Rendre visibles les zones manuscrites sans pour autant introduire une signalétique étrangère au texte nous permettra donc de respecter la nature singulière d'un texte fixée par son histoire inachevée, mais en aucun cas il ne s'agira de fixer des variantes d'écriture ou de pensée entre 1588 et le dernier état de l'E.B. ; d'autre part, ce changement typographique retenu pour sa visibilité tout en n'entravant pas la saisie continue du texte permettra au lecteur de repérer des « zones d'incertitude », seuls endroits où notre principe de fidélité intégrale à la ponctuation a légèrement été aménagé lorsque cette dernière était totalement absente, et où des ajouts ponctuels de passages tirés de l'édition posthume ont pu permettre de rétablir un texte tronqué par le coup de massicot porté sur l'E.B. lors d'une de ses reliures.

Nous synthétiserons alors notre protocole d'édition comme suit.

PROTOCOLE DE LA PRÉSENTE ÉDITION

Le principe de cette nouvelle édition est de permettre la lecture d'une version la plus fidèle possible de l'E.B. avec une somme suffisante d'outils pour en faciliter la compréhension. Il ne s'agit donc pas ici de fournir une édition scientifique et critique qui excéderait le format lié à une large diffusion, mais plus simplement de rendre accessible et maniable le dernier état disponible et intégralement authentifiable du processus d'écriture des *Essais*. Une édition fidèle de cet état en livre de poche constitue à elle seule une entreprise inédite à ce jour.

Établissement du texte

— *Texte de référence* : Nous reproduisons ici aussi fidèlement que possible l'E.B. en signalant les zones manuscrites du texte, dès qu'il y va de l'apparition d'un mot, par l'utilisation d'une autre police légèrement étroitisée. Les ajouts de ponctuation, de majuscules venant scander une phrase, ou d'une simple lettre qui ne modifie pas le sens du terme initial, s'ils sont intégralement pris en compte, ne sont pas indiqués par un tel changement de présentation visuelle. Les passages ou les mots manuscrits finalement biffés par Montaigne ne seront pas repris. Au sein de ces zones indiquant les reports manuscrits de Montaigne sur son exemplaire de 1588, nous restituons les passages tronqués par la préparation de la reliure de l'E.B. à partir de l'édition posthume de 1595, en les signalant entre crochets droits lorsqu'il s'agit d'un segment absolument illisible ou invisible. Tout mot tronqué dont on peut légitimement extrapoler la suite ou la teneur d'après l'édition posthume ne sera pas placé entre crochets. La lacune doit donc être complète, ou rendre l'attestation du mot à partir d'une ou deux lettres visibles trop ambiguë ou problématique, pour que les crochets droits soient employés. Lorsque l'édition de 1595 propose un passage en fin de chapitre qui n'apparaît pas dans l'E.B., on le restitue entre crochets droits s'il y a une marque claire d'ajout renvoyant à un feuillet perdu (avec note de fin de volume). S'il n'y a pas de marque d'ajout, ce passage figurera en variante dans les notes de fin de volume, au même titre que les variantes intéressantes de 1580 ou 1582.

— *Orthographe* : Nous prenons ici le parti de la moderniser. L'orthographe de Montaigne est extrêmement « diverse et ondoyante », tout autant que celle des imprimeurs auxquels il délègue le traitement de ce point. Respecter scrupuleusement — à l'instar de l'Édition municipale — les graphies de l'E.B. ne ferait qu'opacifier une lecture dont la portée revendiquée par l'auteur n'est pas lexicologique. Harmoniser cette inconstance orthographique demanderait de fixer arbitrairement une orthographe de synthèse entre les pratiques de l'auteur et des deux éditeurs (Millanges et L'Angelier), comme a tenté de le faire Villey : ce serait renoncer à l'exactitude historique recherchée par la création d'une chimère. Si Montaigne a témoigné d'un souci constant en matière de ponctuation, l'orthographe ne le retient que peu : « Je ne me mêle, ni d'orthographe, et ordonne seulement qu'ils suivent l'ancienne : Ni de la ponctuation : je suis peu expert en l'un et en l'autre » (III, 9). Les quelque 9 000 retouches autographes de ponctuation, ainsi que les instructions portées au verso à l'intention de l'imprimeur de la page de titre démentent bien sûr, en partie, cette proposition. Mais pour ce qui est de l'orthographe, on voit ici Montaigne déléguer ce souci à celui qui éditera son texte, donnant une consigne générale cohérente avec sa théorie de la coutume. L'orthographe, comme les lois, se cristallise en formes accoutumées selon un mouvement spontané, un « branle » qui fait l'objet du chapitre « De la vanité ». Suivre la forme ancienne revient à refuser toute réforme dogmatique du code linguistique, et à fixer dans l'espace du livre le branle universel qui affecte aussi les mots. Bien évidemment, se fondre dans une forme ne revient pas à nier la labilité profonde de cette dernière : pas de fixisme chez Montaigne. Il nous semble dès lors que proposer ici une translation modernisée des graphies est parfaitement respectueux non seulement du projet de Montaigne — être lu —, mais aussi de sa philosophie du mouvement : c'est épouser le mouvement de la vie, et fondre la réception de ce texte dans notre « forme accoutumée ». Cette modernisation, frustrant les historiens de la langue, mais facilitant la lecture du plus grand nombre, aura ses limites sur le plan de la morphologie lexicale cette fois : les mots garderont le genre qu'ils avaient au XVIe siècle (par exemple l'« étude » demeurera un substantif masculin, dont le genre dérive de *studium* ; de même pour « affaire »), et lorsqu'ils auront disparu entre-temps, ils seront conservés en l'état (« ains » par exemple) ou proposés avec un léger aménagement (« iceluy » sera transcrit par « icelui », « cette-cy » par « cette-ci »). De tels vestiges du lexique renaissant seront éclairés en note de bas de page. De la même manière, les noms propres de personne comme de lieu conserveront leur orthographe d'origine : « Mechmet » ne sera donc pas traduit par « Mahomet », si ce n'est en note. Envisageons enfin deux cas particuliers de différence avec nos normes modernes d'application des majuscules. Les fonctions politiques (Roi, Empereur) ou les adjectifs de nationalité conserveront la majuscule qui est la leur sous la plume de Montaigne ; enfin, dans les rares cas où il y a divergence sur ce point entre le XVIe et le XXIe siècle, et où cette différence induit une différence de sens pour le lecteur moderne, l'usage montaignien sera respecté et éclairé par une note de compréhension littérale en bas de page (par ex. « état » dans l'E.B. qui donne « État » en français moderne).

Si l'on met de côté ces quelques dérogations conservatoires, nous insistons sur le fait que l'adoption des graphies modernes n'introduira pas de modification sémantique ou stylistique : il ne s'agira que d'une transposition en un système graphique plus accessible.

— *Segmentation du texte* : nous renonçons à l'introduction, quasi générale dans les éditions de Montaigne au XXe siècle, de toute constitution de paragraphes par jeu d'alinéas. L'essai est une enquête qui instaure son équilibre argumentatif dans une suite logique ininterrompue : détacher un paragraphe, c'est déjà interpréter et mettre en avant une rupture thématique, un changement de point de vue qui n'a pas forcément de légitimité pour l'auteur. Ses « fadaises » lui échappent « nonchalamment », dit Montaigne en ouverture de « De l'utile et de l'honnête », fantaisies dont la particularité est d'être impondérables comme le souligne à son tour « De la vanité ». Organiser le « contrerolle » montaignien en le segmentant, c'est perturber un jeu physique de forces en interaction dont l'efficacité ne se joue que dans la continuité. L'édition posthume a, elle, respecté cette constante montaignienne qui ne se dément qu'au chapitre 47 du premier livre.

Les citations de vers, si elles demandent un passage à la ligne en colonne centrée, ne constituent pas une segmentation logique du texte. Nous les respecterons ici, et essaierons de rendre au mieux la disposition précise qu'elles adoptent dans l'E.B. — disposition qui témoigne de l'utilisation d'un seul segment de tel ou tel vers par exemple. Notons à ce propos que, suivant l'usage de Montaigne, nous rendrons les textes latins en italique, et suivant ses instructions à l'imprimeur, ferons de même pour les « allégations » de textes italiens.

Dans la même logique du flux intellectuel qui plonge le lecteur dans l'immanence d'un véritable « exercice spirituel », il n'était pas question d'introduire ici des guillemets lorsque Montaigne a recours aux auteurs avec lesquels il entre en conférence. Comme le stipule « De la physionomie » (III, 12), Montaigne ne cite pas pour faire un « amas de fleurs étrangères » ; ses « allégations » sont toujours des appropriations d'une formule qui « [déguisée et déformée] à nouveau service », devient pleinement sienne, par adjonction de « quelque particulière adresse de sa main ». Dans cette logique de la « seconde main » étudiée par A. Compagnon[1], il serait inopportun de donner les références des hypotextes en regard du texte. Les citations latines ou en langue étrangère seront traduites en notes de bas de page pour une compréhension immédiate du propos, mais la satisfaction de la curiosité du lecteur sur la source exacte du texte attendra les notes de fin de volume dont la raison d'être n'est pas de comprendre littéralement le discours de Montaigne, mais de donner les outils nécessaires à l'interprétation qu'il suscite. De la même manière, les passages au discours direct (prises de parole, prosopopées, dialogues insérés, etc.) et les segments métalinguistiques, où il s'agit de commenter

1. *La Seconde Main*, Paris, Seuil, 1979.

l'usage d'un mot ou d'un groupe de mots, ne seront pas signalés selon les normes modernes : nous n'introduisons donc ni guillemet ni tiret dans le cas du dialogue.

— *Ponctuation* : « C'est un langage coupé. [Que l'éditeur] n'y épargne les points et lettres majuscules. Moi-même ai failli souvent à les ôter et à mettre des comma où il fallait un point. » Cette instruction manuscrite au dos de la page de titre de l'E.B. et destinée à l'imprimeur témoigne de l'importance que Montaigne mettait, dans la révision de l'édition de 1588, à renforcer la segmentation stylistique et rhétorique de son texte. Nous ne reviendrons pas ici sur l'importance capitale de ce geste qui, par l'ajout de milliers de corrections manuscrites, a introduit une révolution linguistique et a façonné l'identité singulière de la langue de Montaigne : A. Tournon, dans de nombreuses contributions[1], et dans la préface de son édition à l'Imprimerie nationale, a mis en évidence l'invention d'un « nouveau langage », plus adapté à l'assomption d'une parole moins dogmatique, et la « convention tacite d'indifférence » que les éditeurs ont toujours respectée face à un objet littéraire non identifié. Quand ils n'ont pas purement et simplement refondu totalement le jeu de la ponctuation et des majuscules insérées après une ponctuation faible, ils l'ont renvoyé dans des appendices inexploitables et incomplets, comme c'est le cas avec l'Édition municipale. Il en va pourtant d'une forme qui tente de rendre au plus près la

1. Voir notamment « Je n'ai jamais lu les *Essais* de Montaigne », *Cahiers Textuel* 12, Université Paris Diderot-Paris 7, 1993, p. 9-29 et « La segmentation du texte : usages et singularités », *Éditer les* Essais *de Montaigne*, éd. par Cl. Blum, Paris, Champion, 1997, p. 171-196.

vie de l'esprit dans ses détours, ses volte-face, ses prises de recul, et qui cherche à se défaire de la rhétorique usuelle, toute tendue dans ses cadences vers une conclusion stable, pour inventer un cheminement spirituel singulier, une « route par ailleurs ». Intervenir sur la ponctuation fixée par l'E.B., même en différenciant de manière hasardeuse ce qui relève de la convention d'époque et ce qui relève de l'invention d'un langage coupé, nous aliénerait ce que les *Essais* ont de plus original et essentiel : vouloir échapper à la pensée préconçue que détermine silencieusement la grammaire pour y substituer une pensée plus singulière et plus libre. Nous respecterons donc intégralement la ponctuation des *Essais* de 1588, en prenant en compte toutes les notations faites par Montaigne sur l'E.B. La segmentation permettra de retrouver non seulement un « langage coupé » propre à exprimer une véritable aventure intellectuelle, mais aussi une écriture de la présence et de l'oralité. Lire ces *Essais* à haute voix en respectant la segmentation qui leur est propre permettra de redécouvrir le texte en mettant en valeur des segments entiers dissimulés par le lissage de notre ponctuation habituelle. En refusant notamment d'interpréter les « deux points » qui surabondent dans l'E.B. et de trier ce qui doit se rendre par un tiret signalant une incise, par un « : » qui signale un passage de cause à conséquence, ou par un type de ponctuation qui signalerait la portée hypothétique d'un segment détaché[1], nous n'avons voulu que séparer le travail de l'éditeur de celui de l'interprète.

1. C'est l'option prise par A. Tournon dans son édition de l'Imprimerie nationale lorsqu'il a recours au « point en haut » dérivé de la ponctuation grecque.

« [Mis] en sentence suspendue, et non du tout finie » selon Étienne Dolet, ponctuation semi-faible à mi-chemin entre le point et la virgule — mais que notre point-virgule ne saurait en aucun cas rendre —, les deux points organisent des clivages de mise en valeur, des parenthèses, des décrochements vers une glose périphérique, organisent des énumérations. Leur usage renforcé à l'extrême est si particulier que le sens de nombreux passages en dépend : ce n'est pas à l'éditeur d'arrêter et de stabiliser la « conférence » infinie à laquelle Montaigne nous convie, mais à chaque lecteur. Encore faut-il que ce dernier puisse fonder sa lecture sur une saisie fidèle du texte souhaité par l'auteur. Nous avons donc voulu privilégier la singularité du point de vue dans l'ordre de la lecture de chacun, singularité qu'exalte Montaigne en la soumettant à un diligent « essai ». Ce respect de la ponctuation initiale nous a conduits à n'employer le point d'interrogation que lorsqu'il figurait sur l'E.B. : bien souvent, les interrogatives — notamment oratoires, et qui équivalent à une affirmation — n'en comportent pas. La question de la lisibilité du ton, notamment ironique, de Montaigne, est aussi affaire de lecture : les points d'exclamation n'auront donc pas été introduits. Les parenthèses auront été respectées, jamais ajoutées.

Le respect de la ponctuation propre au dernier jet disponible des *Essais* se heurte toutefois à un problème posé par le caractère inabouti et tronqué de ce dernier. La ponctuation n'étant pas toujours complète dans les zones textuelles manuscrites, nous avons introduit le minimum de ponctuation absolument nécessaire : des virgules — dans un nombre le plus limité possible —, des points et des points d'interrogation lorsque ceux-ci n'étaient pas donnés.

Lorsqu'il s'agit de ponctuer une zone tronquée du texte par le massicot du relieur, nous suivons la ponctuation de 1595 dont nous nous servons pour rétablir la lacune. Lorsque l'ajout manuscrit est ponctué sur l'E.B., nous conservons cette ponctuation. Ces modifications minimales sont en tout cas cantonnées aux zones de texte déterminées par un changement de police ; rendre visibles les zones manuscrites permettra ainsi au lecteur de reconnaître qu'il est dans un espace textuel incertain où quelques virgules et points ont pu être ajoutés. Une confrontation avec l'E.B. sur support papier ou numérique[1] permettra de trancher si l'incertitude soulève un problème capital.

— *Grammaire* : si moderniser les graphies permet de faciliter la lecture sans modification profonde du texte, il n'en va pas de même pour la grammaire. Nous avons évité, autant que possible, les effets de lissage, notamment en ce qui concerne l'accord des adjectifs ou des verbes avec le mot le plus proche dans le cas d'une énumération, ou dans le cas de l'accord des participes. Pour plus de cohérence, nous évitons toute modification grammaticale. Ainsi, par exemple, nous conserverons la flexion en nombre du participe présent. Les passages ambigus seront éclairés par une note de bas de page, et une notice grammaticale viendra synthétiser en fin d'ouvrage les phénomènes les plus courants.

1. Sur le site de l'Université de Chicago : http ://www.lib.uchicago.edu/efts/ARTFL/projects/montaigne/.

Le paratexte

— Les *notes de bas de page* seront appelées par lettres selon une indexation continue par page. Elles n'ont pas d'autre but que d'aider à la compréhension littérale du texte : ces notes contiendront sans distinction les traductions de textes en langue étrangère, ainsi que les explications sémantiques : qu'il s'agisse d'éclairer un mot, ou tout un segment par proposition d'équivalent. Les passages que la ponctuation d'époque rendrait trop ambigus — leur nombre est finalement fort limité — feront également ici l'objet d'une transposition.

— Les *notes de fin de volume* appelées par chiffre dans une numérotation continue par chapitre proposeront, pour chacun des trois tomes, les éléments suivants : y seront mentionnées les sources utilisées par Montaigne, les références et allusions historiques (événements, personnages, dates) impliquées par son texte. Pour l'attribution de sources incertaines, on ne signalera l'auteur de l'hypothèse que si la découverte est fondamentale et particulièrement experte. Sinon, nos dettes innombrables sont exprimées à la fin de cette Note sur les principes d'édition. Seront enfin intégrées dans ces notes de fin de volume une sélection des variantes les plus significatives de 1595 qui ne seraient pas susceptibles d'être intégrées au texte comme restitution d'une lacune, mais aussi des variantes de 1580, 1582 et 1588. On ne trouvera pas ici de système complet de variantes, cette édition visant avant tout à permettre de lire aisément et fidèlement le dernier état des *Essais* parfaitement authentifiable.

— Une courte *notice introductive* pour chaque chapitre, donnant des repères essentiels pour sa compréhension globale, précédera les notes de fin de volume qui s'y rapportent. Mise ainsi à l'écart du texte lui-même et n'interférant donc pas sur l'accès direct au propos de l'auteur, elle proposera une brève proposition de repérage du mouvement de l'argumentation, une exposition des points fondamentaux du chapitre, ou encore une ou plusieurs pistes de lecture.

— *Appendices* : le lecteur bénéficiera au sein du premier tome de quelques éléments utiles pour entrer dans la « conférence » que lui propose Montaigne : en plus de la présente Note sur les principes d'édition, on trouvera en fin de volume une notice sur la syntaxe du XVIe siècle et sur les usages particuliers de l'auteur des *Essais* (les notes de bas de page ne feront pas de renvois systématiques à cette notice). Le troisième tome offrira une concordance des pages entre notre édition, l'E.B. et l'édition Villey-Saulnier qui a été pratiquée comme édition de référence depuis la moitié du siècle dernier, une chronologie générale des années 1533-1592, une notice bibliographique sélective, renvoyant aux publications fondamentales, et un index des noms. Chaque tome disposera enfin d'une notice éditoriale abrégée récapitulant le présent protocole.

Les éditeurs tiennent enfin à signaler leur dette envers les éditions précédentes, en particulier :

Les Essais de Michel de Montaigne publiés d'après l'exemplaire de Bordeaux, éd. F. Strowski, F. Gébelin, P. Villey, Bordeaux, F. Pech, 1906-1933.

Essais de Michel de Montaigne, éd. A. Tournon, Paris, Imprimerie nationale, 1998.

Les Essais, éd. D. Bjaï, B. Boudou, J. Céard, I. Pantin, Paris, Le Livre de Poche, 2001.

Reproduction en quadrichromie de l'Exemplaire de Bordeaux, éd. Ph. Desan, Fasano-Chicago, Schena-Montaigne Studies, 2002.

Le Brésil de Montaigne, éd. F. Lestringant, Paris, Chandeigne, 2005.

Les Essais, éd. J. Balsamo, M. Magnien, C. Magnien-Simonin, Paris, Gallimard, « Bibliothèque de la Pléiade », 2007.

NOTE
SUR L'ÉTABLISSEMENT DU TEXTE

Comme l'édition de Pierre Michel (Folio, 1965), dont elle prend la suite, cette nouvelle édition des *Essais* se fonde sur l'Exemplaire conservé à la Bibliothèque municipale de Bordeaux, qui comporte deux zones de texte bien distinctes : une partie imprimée (le texte de l'édition de 1588) et une partie manuscrite (les ajouts et corrections portés par Montaigne dans les marges après 1588). Nous avons choisi une police de caractères différente pour signaler la partie manuscrite : les ajouts et corrections portant au moins sur un mot entier ont ainsi été rendus immédiatement visibles ; les crochets signalent les passages restitués (tronqués par le massicot d'un relieur maladroit), pour lesquels on a eu recours au texte de l'édition posthume (1595).

Nous avons respecté la disposition typographique d'origine : absence d'alinéa dans le texte, italique sans alinéa pour la prose latine, et italique détaché et disposé en colonne centrée pour les vers. L'italique a été étendu aux citations en langues vivantes.

À la suite de Pierre Michel, nous avons modernisé les graphies et l'orthographe pour faciliter la lecture (à l'exception toutefois des noms propres, que Montaigne préférait conserver sous leur forme latine :

voir le chapitre « Des noms », I, 46). La syntaxe et les accords de la langue du XVIe siècle ont été conservés.

La ponctuation et ses corrections autographes ont été respectées, intégralement dans les parties imprimées, et au prix d'une restitution minimale dans les parties manuscrites (où elle était souvent très lacunaire). Montaigne emploie notamment la majuscule après une virgule ou après deux points, ce qui a pour effet de détacher un segment de phrase, de signaler une pause ou un élan nouveau dans la réflexion. La ponctuation du XVIe siècle ne donne pas aux deux points de valeur sémantique particulière (tandis qu'ils annoncent en général aujourd'hui une explication ou une conclusion), ils indiquent simplement une pause plus longue que le point-virgule (plus rare), et moins affirmée que le point. La virgule quant à elle a parfois un rôle rythmique, mais son usage est souvent lié à la syntaxe, d'une manière qui tranche avec les usages d'aujourd'hui : ainsi elle détache souvent la complétive et la principale, précédant un propos rapporté.

Une annotation abondante, en bas de page, explique les constructions et les mots difficiles ; elle propose également la traduction des passages en langue étrangère.

En fin de volume, une notice présente chaque chapitre ; des notes signalent les sources qui ont pu être utilisées par Montaigne, en renvoyant, par commodité, aux éditions d'aujourd'hui. Les références des citations sont rejetées en notes de fin, selon le choix de Montaigne sur ce point, qui ne donnait aucune référence en marge de son texte. Nous avons signalé les variantes antérieures ou postérieures les plus significatives (éditions de 1580 ou 1582, ou édition de 1595).

Essais
de
Michel de Montaigne

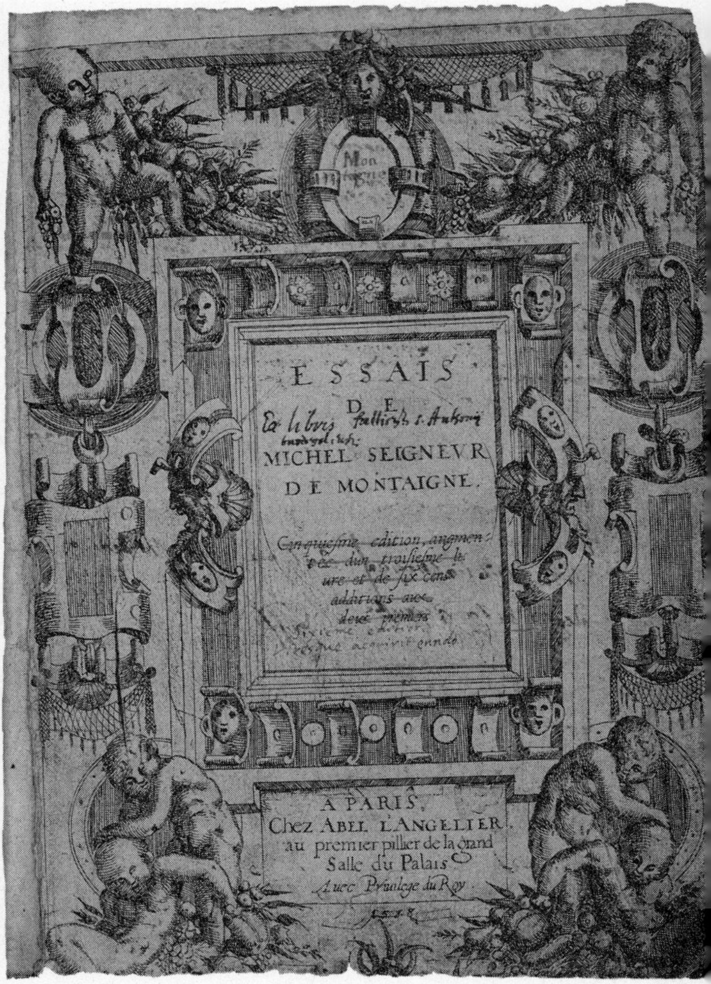
ESSAIS
DE
MICHEL SEIGNEVR
DE MONTAIGNE.
Cinquiesme edition, augmentée d'un troisiesme liure et de six cens additions aux deux premiers
A PARIS,
Chez ABEL L'ANGELIER,
au premier pillier de la grand
Salle du Palais.
Auec Priuilege du Roy.

ESSAIS
DE MICHEL
SEIGNEUR DE MONTAIGNE

Sixième édition

Viresque acquirit eundo[1]

À PARIS,

Chez ABEL L'ANGELIER

au premier pilier de la grand

Salle du Palais

Avec Privilège du Roi

1. « Et il prend des forces en avançant » (Virgile, *Énéide*, IV, 175).

RECOMMANDATIONS DE MONTAIGNE À L'IMPRIMEUR

Montaigne a inscrit ces recommandations au dos de la page de titre de l'Exemplaire de Bordeaux. Les zones restituées entre crochets droits sont conjecturales (et établies sur le même mode que dans le corps du livre), puisque l'édition de 1595 n'a pas pris en compte cet ajout manuscrit. Nous ponctuons, et conservons pour la cohérence des remarques l'orthographe de Montaigne.

[Montre, montrer, remontrer] etc. escrives les sans /s/ à la differance de monstre, monstrueus.
[Cet] home, cette fame, escrives le sans /s/ à la differance de c'est, c'estoit.
Ainsi mettes le sans /n/ quand une voyelle suit et aveq /n/ si c'est une une consonante : ainsi marcha, ainsin alla.
[Campaigne], espaigne, gascouigne, etc. mettez un /i/ devant le /g/ come a montaigne, non pas sans /i/ : campagne, espagne.
Mettez mon nom tout du long sur chaque face : Essais de michel de Montaigne liv. I.
Ne mettez en grande lettre que les noms propres ou au moins ne diversifies pas come en cet examplere que un mesme mot soit tantost en grande lettre, tantost en petite.
[La] prose Latine, grecque ou autre estrangiere, il la faut mettre parmi la prose françoise en caractere differant. Les vers a part et les placer selon leur nature : pentamettres saphiques. Les demi vers : les comancemans au bout de la ligne, la fin sur la fin. En cet examplere il y a mille fautes en tout cela.
Mettes regles, regler, non pas reigles, reigler.
Suives l'orthografe antienne.
Outre les corrections qui sont en cet examplaire, il y a infinies autres à faire de quoi l'imprimur se pourra aviser, mais regarder de pres aus pouints qui sont en ce [stile] de grande importance.
[S'il] treuve une mesme chose en mesme sens deux fois qu'il en oste l'une ou il verra qu'elle sert le moins.
C'est un langage coupé / qu'il n'y espargne les pouincts et lettres maiuscules. Moimesme ai failli [souvant] a les oster et a mettre des comma ou il falloit un pouinct.
Qu'il voie en plusieurs lieus ou il y a des parantheses, s'il ne suffira de distinguer [le] sens aveq des pouincts.
Qu'il mette tout au long les dates et sans chiffre.
Qu'il serre les mots autremant qu'icy les uns aus autres.

Au Lecteur

C'est ici un livre de bonne foi, lecteur. Il t'avertit dès l'entrée, que je ne m'y suis proposé aucune fin, que domestique et privée. Je n'y ai eu nulle considération de ton service, ni de ma gloire. Mes forces ne sont pas capables d'un tel dessein. Je l'ai voué à la commodité particulière de mes parents et amis : à ce que m'ayant perdu (ce qu'ils ont à faire bientôt) ils y puissent retrouver aucuns traits de mes conditions et humeurs, et que par ce moyen ils nourrissent plus entière et plus vive, la connaissance qu'ils ont eu[a] de moi. Si c'eût été pour rechercher la faveur du monde : je me fusse mieux paré et me présenterais en une marche étudiée. Je veux[1] qu'on m'y voie en ma façon simple, naturelle et ordinaire, sans contention[b] et artifice : car c'est moi que je peins. Mes défauts s'y liront au vif. Et ma forme naïve[c], autant que la révérence publique me l'a permis. Que si j'eusse été entre ces nations qu'on dit vivre encore sous la douce liberté des premières lois de nature, je t'assure que je m'y fusse très volontiers peint tout entier, et tout nu. Ainsi, lecteur, je suis moi-même la matière de mon livre : ce n'est pas raison que tu emploies ton loisir en un sujet si frivole et si vain. Adieu donc, de Montaigne, ce premier de Mars mille cinq cent quatre-vingt[2].

a. eue – *b.* effort – *c.* naturelle

LIVRE PREMIER

Par divers moyens on arrive à pareille fin

CHAP. PREMIER

La plus commune façon d'amollir les cœurs de ceux qu'on a offensés, lorsqu'ayant la vengeance en main, ils nous tiennent à leur merci, c'est de les émouvoir par soumission à commisération et à pitié. Toutefois la braverie, et la constance, moyens tous contraires, ont quelquefois servi à ce même effet. Édouard prince de Galles[1], celui qui régenta si longtemps notre Guyenne : personnage, duquel les conditions et la fortune ont beaucoup de notables parties de grandeur, ayant été bien fort offensé par les Limousins, et prenant leur ville par force, ne put être arrêté par les cris du peuple, et des femmes, et enfants abandonnés à la boucherie, lui criants merci, et se jetants à ses pieds, jusqu'à ce que passant toujours outre[a] dans la ville, il aperçut trois gentilshommes Français, qui d'une hardiesse incroyable soutenaient seuls l'effort de son armée victorieuse. La considération et le respect d'une si notable vertu, reboucha[b] premièrement la pointe de sa colère : Et commença par ces trois, à faire miséricorde à tous les autres habitants de la ville. Scanderberch, prince de l'Épire[2], suivant un soldat des siens pour le tuer :

a. s'avançant – *b*. émoussa

et ce soldat ayant essayé par toute espèce d'humilité et de supplication, de l'apaiser, se résolut à toute extrémité de l'attendre l'épée au poing. Cette sienne résolution arrêta sus bout[a] la furie de son maître, qui pour lui avoir vu prendre un si honorable parti, le reçut en grâce[b]. Cet exemple pourra souffrir autre interprétation de ceux, qui n'auront lu la prodigieuse force et vaillance de ce prince-là. L'Empereur Conrad troisième, ayant assiégé Guelphe duc de Bavière[1], ne voulut condescendre à plus douces conditions, quelques viles et lâches satisfactions qu'on lui offrît, que de permettre seulement aux gentils-femmes[c] qui étaient assiégées avec le Duc, de sortir leur honneur sauve à pied, avec ce qu'elles pourraient emporter sur elles. Elles d'un cœur magnanime s'avisèrent de charger sur leurs épaules leurs maris, leurs enfants et le Duc même. L'Empereur prit si grand plaisir à voir la gentillesse[d] de leur courage, qu'il en pleura d'aise : Et amortit toute cette aigreur d'inimitié mortelle et capitale, qu'il avait portée contre ce Duc : Et dès lors en avant le traita humainement lui et les siens. L'un et l'autre de ces deux moyens m'emporterait aisément. Car j'ai une merveilleuse lâcheté vers la miséricorde et la mansuétude. Tant y a qu'à mon avis, je serais pour me rendre plus naturellement à la compassion, qu'à l'estimation[e]. Si[f] est la pitié, passion vicieuse aux Stoïques[2]. Ils veulent qu'on secoure les affligés. Mais non pas qu'on fléchisse et compatisse avec eux. Or ces exemples me semblent plus à propos. D'autant qu'on voit ces âmes assaillies et essayées[g] par ces deux moyens, en soutenir l'un sans s'ébranler, et courber sous l'autre.

a. arrêta net – *b.* lui pardonna – *c.* femmes nobles – *d.* noblesse – *e.* appréciation – *f.* pourtant – *g.* mises à l'épreuve

Il se peut dire, que de rompre son cœur à la commisération, c'est l'effet de la facilité, débonnaireté, et mollesse : D'où il advient que les natures plus faibles, comme celles des femmes, des enfants, et du vulgaire y sont plus sujettes. Mais ayant eu à dédain les larmes et les prières, de se rendre à la seule révérence[a] de la sainte image de la vertu, que c'est l'effet d'une âme forte et imployable[b], ayant en affection et en honneur une vigueur mâle[1], et obstinée. Toutefois ès[c] âmes moins généreuses, l'étonnement et l'admiration, peuvent faire naître un pareil effet. Témoin le peuple Thébain[2] : lequel ayant mis en justice d'accusation capitale ses capitaines, pour avoir continué leur charge outre le temps, qui leur avait été prescrit et préordonné, absolut à toutes peines[d] Pelopidas, qui pliait sous le faix de telles objections, et n'employait à se garantir que requêtes et supplications : Et au contraire Epaminondas, qui vint à raconter magnifiquement les choses par lui faites, et à les reprocher au peuple, d'une façon fière et arrogante, il n'eut pas le cœur de prendre seulement les balotes[e] en main ; Et se départit[f] l'assemblée, louant grandement la hautesse[g] du courage de ce personnage. Dionisius le vieil, après des longueurs et difficultés extrêmes, ayant pris la ville de Rege et en icelle le capitaine Phyton[3] grand homme de bien qui l'avait si obstinément défendue, voulut en tirer un tragique exemple de vengeance. Il lui dit premièrement comment le jour avant il avait fait noyer son fils et tous ceux de sa parenté. À quoi Phyton répondit seulement, qu'ils en étaient d'un jour plus heureux que lui. Après il le fit dépouiller et saisir à[h] des bourreaux et le traîner par la ville en le fouettant très ignominieusement et cruellement : et en outre le chargeant de félonnes paroles et coutumélieuses[i]. Mais il eut le

a. respect – *b.* inflexible – *c.* dans les – *d.* avec difficulté – *e.* petites boules utilisées pour le vote – *f.* se sépara – *g.* grandeur – *h.* par – *i.* injurieuses

courage toujours constant sans se perdre : Et d'un visage ferme, allait au contraire ramentevant[a] à haute voix l'honorable et glorieuse cause de sa mort : pour n'avoir voulu rendre son pays entre les mains d'un tyran : le menaçant d'une prochaine punition des Dieux. Dionisius lisant dans les yeux de la commune de son armée qu'au lieu de s'animer des bravades de cet ennemi vaincu au mépris de leur chef et de son triomphe elle allait s'amollissant par l'étonnement d'une si rare vertu et marchandait[b] de se mutiner étant à même d'arracher Phyton d'entre les mains de ses sergents, fit cesser ce martyre et à cachette[c] l'envoya noyer en la mer. Certes c'est un sujet merveilleusement vain, divers, et ondoyant, que l'homme. Il est malaisé d'y fonder jugement constant et uniforme. Voilà Pompeius qui pardonna à toute la ville des Mamertins[1], contre laquelle il était fort animé, en considération de la vertu et magnanimité du citoyen Zenon, qui se chargeait seul de la faute publique, et ne requérait autre grâce que d'en porter seul la peine. Et l'hôte de Sylla ayant usé en la ville de Peruse de semblable vertu, n'y gagna rien, ni pour soi ni pour les autres[2]. Et directement contre mes premiers exemples, le plus hardi des hommes, et si gracieux[d] aux vaincus, Alexandre[3], forçant après beaucoup de grandes difficultés, la ville de Gaza, rencontra Betis qui y commandait, de la valeur duquel il avait, pendant ce siège, senti des preuves merveilleuses : lors seul, abandonné des siens, ses armes dépecées, tout couvert de sang et de plaies, combattant encore au milieu de plusieurs Macédoniens, qui le chamaillaient de toutes parts : Et lui dit, tout piqué d'une si chère victoire : car entre autres dommages, il y avait reçu deux fraîches blessures sur sa personne. Tu ne mourras pas comme

a. rappelant – *b.* hésitait à – *c.* en secret – *d.* enclin à accorder sa grâce

tu as voulu, Betis : Fais état qu'il te faut souffrir toutes les sortes de tourments qui se pourront inventer contre un captif. L'autre, d'une mine non seulement assurée, mais rogue et altière, se tint sans mot dire à ces menaces. Lors Alexandre, voyant son fier et obstiné silence : A-il fléchi un genou ? lui est-il échappé quelque voix suppliante ? Vraiment je vaincrai ta taciturnité : Et si je n'en puis arracher parole, j'en arracherai au moins du gémissement : Et tournant sa colère en rage, commanda qu'on lui perçât les talons : et le fit[1] ainsi traîner tout vif, déchirer et démembrer au cul d'une charrette. Serait-ce, que la hardiesse lui fut si commune, que pour ne l'admirer point, il la respectât moins ? Ou qu'il l'estimât si proprement sienne qu'en cette hauteur [il] ne pût souffrir de la voir en un autre sans le dépit d'une passion envieuse ? Ou que l'impétuosité naturelle de sa colère fût incapable d'opposition ? De vrai si elle eût reçu [la] bride[a] il est à croire qu'en la prise et désolation de [la] ville de Thebes elle l'eût reçue à voir cruellement mettre au[b] fil de l'épée tant de vaillants hommes perdus et n'ayant plus moyen [de] défense publique, car il en fut tué bien six mille desquels nul ne fut [vu] ni fuyant ni demandant merci, au rebours cherchant qui çà qui là [par] les rues à affronter les ennemis victorieux, les provoquant à les faire mourir d'une mort honorable. Nul ne fut vu si abattu de blessures qui n'essayât en son dernier soupir de [se] venger encore. Et à tout[c] les armes du désespoir consoler sa mort en la mort de quelque ennemi. [Si][d] ne trouva l'affliction de leur vertu aucune pitié et ne suffit la longueur d'un jour à assouvir sa vengeance. Dura ce carnage jusqu'à la dernière goutte de sang qui se trouva épandable[e] et ne s'arrêta qu'aux personnes désarmées, vieillards, femmes et enfants, pour en tirer trente mille esclaves.

a. si elle eût été réfrénée – *b*. passer au – *c*. avec – *d*. Pourtant – *e*. qui put être versée

De la Tristesse

CHAP. II

Je suis des plus exempts de cette passion : Et ne l'aime ni l'estime. Quoique le monde ait pris comme à prix fait[a] de l'honorer de faveur particulière. Ils en habillent[b] la sagesse, la vertu, la conscience : sot et monstrueux ornement. Les Italiens ont plus sortablement[c] baptisé de son nom la malignité[1]. Car c'est une qualité[d] toujours nuisible, toujours [folle], Et comme toujours couarde et basse les Stoïciens [en] défendent le sentiment à leur sage[2]. Mais le conte[e] dit, que Psammenitus Roi d'Egypte, ayant été défait et pris par Cambise Roi de Perse, voyant passer devant lui sa fille prisonnière habillée en servante, qu'on envoyait puiser de l'eau, tous ses amis pleurants et lamentants autour de lui, se tint coi sans mot dire, les yeux fichés en terre : Et voyant encore tantôt qu'on menait son fils à la mort, se maintint en cette même contenance : Mais qu'ayant aperçu un de ses domestiques conduit entre les captifs, il se mit à battre sa tête[f], et mener un deuil extrême[3]. Ceci se pourrait apparier à[g] ce qu'on vit dernièrement d'un Prince des nôtres[4], Qui ayant ouï à Trante[h], où il était, nouvelles de la mort de son frère aîné, mais un frère en qui consistait l'appui et

a. sans plus négocier – *b.* déguisent – *c.* proprement – *d.* passion – *e.* l'histoire – *f.* se frapper la tête – *g.* rapprocher de – *h.* Trente

l'honneur de toute sa maison, Et bientôt après d'un puîné, sa seconde espérance, Et ayant soutenu ces deux charges d'une constance exemplaire, Comme quelques jours après un de ses gens vint à mourir, il se laissa emporter à ce dernier accident, Et quittant sa résolution, s'abandonna au deuil et aux regrets, En manière qu'aucuns en prirent argument[a], qu'il n'avait été touché au vif que de cette dernière secousse : Mais à la vérité ce fut, qu'étant d'ailleurs plein et comblé de tristesse, la moindre surcharge brisa les barrières de la patience[b]. Il s'en pourrait (dis-je) autant juger de notre histoire, N'était qu'elle ajoute, que Cambise s'enquérant à Psammenitus, pourquoi ne s'étant ému au malheur de son fils et de sa fille, il portait si impatiemment[c] celui d'un de ses amis : C'est, répondit-il, que ce seul dernier déplaisir se peut signifier par larmes, les deux premiers surpassants de bien loin tout moyen de se pouvoir exprimer. À l'aventure[d] reviendrait à ce propos l'invention de cet ancien peintre[1], lequel ayant à représenter au sacrifice de Iphigenia, le deuil des assistants, selon les degrés de l'intérêt que chacun apportait à la mort de cette belle fille innocente : ayant épuisé les derniers efforts de son art : quand se vint au père de la fille, il le peignit le visage couvert, Comme si nulle contenance ne pouvait représenter ce degré de deuil. Voilà pourquoi les poètes feignent[e] cette misérable mère Niobé, ayant perdu premièrement sept fils, et puis de suite autant de filles, surchargée de pertes, avoir été enfin transmuée en rocher,

Diriguisse malis[f][2] :

a. que certains prétendirent – *b.* sa capacité à supporter la douleur – *c.* il supportait si mal – *d.* Peut-être – *e.* imaginent – *f.* « pétrifiée par la douleur »

Pour exprimer cette morne, muette et sourde stupidité[a], qui nous transit, lorsque les accidents nous accablent surpassants notre portée. De vrai, l'effort[b] d'un déplaisir, pour être extrême, doit étonner toute l'âme, et lui empêcher la liberté de ses actions : Comme il nous advient à la chaude alarme d'une bien mauvaise nouvelle, de nous sentir saisis, transis, et comme perclus de tous mouvements, De façon que l'âme se relâchant après aux larmes et aux plaintes, semble se déprendre, se démêler et se mettre plus au large, et à son aise,

Et via vix tandem voci laxata dolore est[c1] :

En la guerre que le Roi Ferdinand fit contre la veuve de Jan Roi de Hongrie, autour de Bude, Raïsciac capitaine Allemand, voyant rapporter le corps d'un homme de cheval à qui chacun avait vu excessivement bien faire [en] la mêlée, le plaignait d'une plainte commune[d], mais curieux avec les autres de reconnaître qui il était, après qu'on l'eut désarmé, trouva que c'était son fils. [Et] parmi les larmes publiques lui seul se tint sans épandre ni voix ni pleurs, debout sur ses pieds, ses yeux immobiles, le regardant fixement jusqu'à ce que l'effort de la tristesse venant [à] glacer ses esprits vitaux, [le] porta en cet état raide mort par terre[2].

Chi puo dir com'egli arde é in picciol fuoco[e3]

disent les amoureux, qui veulent représenter une passion insupportable :

misero quod omnes
Eripit sensus mihi. Nam simul te,
Lesbia aspexi, nihil est super mi
Quod loquar amens.
Lingua sed torpet, tenuis sub artus
Flamma dimanat, sonitu suopte

a. insensibilité – *b.* la violence – *c.* « Et enfin avec peine la douleur libéra sa voix » – *d.* ordinaire – *e.* « Qui peut dire combien il brûle, brûle d'un petit feu »

Tinniunt aures, gemina teguntur
Lumina nocte[a][1].

Aussi n'est-ce pas en la vive et plus cuisante chaleur de l'accès que nous sommes propres à déployer nos plaintes et nos persuasions : L'âme est lors aggravée[b] de profondes pensées, et le corps abattu et languissant d'amour. Et de là s'engendre parfois la défaillance fortuite, qui surprend les amoureux si hors de saison, Et cette glace qui les saisit par la force d'une ardeur extrême, au giron[c] même de la jouissance[2]. Toutes passions qui se laissent goûter et digérer, ne sont que médiocres,

Curæ leves loquuntur, ingentes stupent[d3].

La surprise d'un plaisir inespéré nous étonne de même,

Ut me conspexit venientem, et Troïa circum
Arma amens vidit, magnis exterrita monstris,
Diriguit visu in medio, calor ossa reliquit,
Labitur, et longo vix tandem tempore fatur[e4].

Outre la femme Romaine, qui mourut surprise d'aise de voir son fils revenu de la route[f] de Cannes : Sophocles et Denis le Tyran, qui trépassèrent d'aise : Et Talva qui mourut en Corsegue[g], lisant les nouvelles des honneurs que le Sénat de Rome lui avait décernés[5] ; Nous tenons en notre siècle que le pape Léon dixième[6] ayant été averti de la prise de Milan, qu'il avait extrêmement souhaitée, entra en tel excès de

a. « Pauvre de moi ! Tous les sens me sont ravis. Car en te voyant, Lesbia, je perds la raison et je ne puis parler. Ma langue est paralysée, une flamme subtile court dans mes membres, mes oreilles tintent, la nuit obscurcit mes yeux » – *b.* alourdie – *c.* sein – *d.* « Les soucis légers sont bavards, les soucis immenses se taisent » – *e.* « Lorsqu'elle me vit approcher, elle reconnut, hors d'elle-même, les armes de Troie qui m'entouraient ; terrorisée par ce prodige, elle figea son regard, la chaleur abandonna son corps. Elle tombe évanouie et ne retrouve la parole que longtemps après » – *f.* déroute – *g.* Corse

joie, que la fièvre l'en prit et en mourut. Et pour un plus notable témoignage de l'imbécillité[a] humaine, il a été remarqué par les anciens, que Diodorus le Dialecticien[1] mourut sur-le-champ, épris d'une extrême passion de honte, pour en son école et en public ne se pouvoir développer d'un argument[b] qu'on lui avait fait. Je suis peu en prise de ces violentes passions : J'ai l'appréhension[c] naturellement dure ; Et l'encroûte et épaissis tous les jours par discours[d].

a. faiblesse – *b*. trouver la solution d'un problème – *c*. la faculté de sentir – *d*. volontairement

Nos affections s'emportent au-delà de nous

CHAP. III

Ceux qui accusent les hommes d'aller toujours béant[a] après les choses futures, Et nous apprennent à nous saisir des biens présents, et nous rasseoir[b] en ceux-là, comme n'ayant aucune prise sur ce qui est à venir, voire assez moins que nous n'avons sur ce qui est passé, touchent la plus commune des humaines erreurs : S'ils osent appeler erreur, chose à quoi nature même nous achemine, pour le service de la continuation de son ouvrage : nous imprimant comme assez d'autres cette imagination fausse : plus jalouse de notre action que de notre science. Nous ne sommes jamais chez nous, nous sommes toujours au-delà. La crainte, le désir, l'espérance nous élancent vers l'avenir : et nous dérobent le sentiment et la considération de ce qui est, pour nous amuser[c] à ce qui sera, voire quand nous ne serons plus. *Calamitosus est animus futuri anxius*[d][1]. Ce grand précepte est souvent allégué en Platon : Fais ton fait et te connais[2]. Chacun de ses deux membres enveloppe généralement tout notre devoir : et semblablement enveloppe son compagnon. Qui aurait à faire son fait verrait que sa première leçon c'est connaître ce qu'il est et ce qui lui est propre. Et qui se connaît, ne prend plus

a. de désirer toujours avidement – *b.* nous fixer – *c.* occuper à – *d.* « Malheureux est l'esprit obsédé par l'avenir »

l'étranger fait[a] pour le sien : s'aime et se cultive avant toute autre chose : refuse les occupations superflues et les pensées et propositions inutiles. *Ut stultitia etsi adepta est quod concupivit nunquam se tamen satis consecutam putat : sic sapientia semper eo contenta est quod adest, neque eam unquam sui pœnitet*[b][1]. Epicurus dispense son sage de la prévoyance et sollicitude de l'avenir[2]. Entre les lois qui regardent les trépassés, celle ici me semble autant solide, qui oblige les actions des Princes à être examinées après leur mort. Ils sont compagnons, sinon maîtres des lois : Ce que la Justice n'a pu sur leurs têtes, c'est raison qu'elle l'ait sur leur réputation, et biens de leurs successeurs : Choses que souvent nous préférons à la vie. C'est une usance[c] qui apporte des commodités singulières aux nations où elle est observée, et désirable à tous bons princes [, qui ont à se plaindre de ce qu'on traite la mémoire des méchants comme la leur.] Nous devons la sujétion et l'obéissance également à tous Rois, car elle regarde leur office[d] : mais l'estimation non plus que l'affection nous ne la devons qu'à leur vertu. Donnons à l'ordre politique de les souffrir patiemment indignes, de celer leurs vices, d'aider de notre recommandation leurs actions indifférentes pendant que leur autorité a besoin de notre appui. Mais notre commerce fini, ce n'est pas raison de refuser à la justice et à notre liberté l'expression de nos vrais ressentiments[e]. Et nommément[f] de refuser aux bons sujets la gloire d'avoir révéremment et fidèlement servi un maître, les imperfections duquel leur étaient si bien connues : frustrant la postérité d'un [si] utile exemple. Et ceux qui par respect de quelque obligation privée épousent iniquement la mémoire d'un prince mèslouable[g], font justice particulière aux dépens de la justice publique. Tite Live dit vrai, que le langage des

a. le fait d'un autre – *b*. « Comme la folie quand on lui octroiera ce qu'elle désire, ne sera pas contente : aussi est la sagesse contente de ce qui est présent, ne se déplaît jamais de soi. » (traduction donnée par Montaigne dans l'édition de 1595) – *c*. coutume – *d*. fonction – *e*. sentiments – *f*. particulièrement – *g*. blâmable

hommes nourris sous la royauté est toujours plein de folles ostentations [et] vains témoignages : chacun élevant indifféremment son roi à l'extrême ligne de valeur [et] grandeur souveraine[1]. [On] peut réprouver la magnanimité de ces deux soldats qui répondirent à Neron [à] sa barbe : l'un enquis [de] lui pourquoi il lui voulait du mal. Je t'aimais quand tu le valais : mais depuis que tu es venu parricide, boutefeu[a], bateleur[b], cocher[c], je te hais comme tu mérites[2]. L'autre, pourquoi il le voulait tuer : Parce que [je] ne trouve autre remède [à] tes continuelles méchancetés[3]. Mais les publics et universels témoignages qui après [sa] mort ont été rendus [et] le seront à tout jamais [de] ses tyranniques et vilains déportements[d], qui de sain entendement [les] peut réprouver ? [Il] me déplaît qu'en une [si] sainte police[e] que la Lacédémonienne se fût mêlée une si feinte cérémonie[4]. À [la] mort des Rois tous les confédérés[f] et voisins, tous les ilotes[g], hommes, femmes, pêle-mêle, se découpaient le front pour témoignage de deuil et disaient en leurs cris et lamentations que celui-là, quel qu'il eût été, était le meilleur Roi de tous les leurs : attribuant au rang le los[h] qui appartenait au mérite, et qui appartenait au premier mérite [au] postrême[i] et dernier rang. Aristote qui remue toutes choses[j] : s'enquiert sur le mot de Solon que nul avant sa mort ne peut être dit heureux, si celui-là même qui a vécu et qui est mort selon ordre, peut être dit heureux si sa renommée va mal, si sa postérité est misérable[5]. Pendant que nous nous remuons nous nous portons par préoccupation[k] où il nous plaît : mais étant hors de l'être nous n'avons aucune communication avec ce qui est. Et serait meilleur de dire à Solon que jamais homme n'est donc heureux puisqu'il ne l'est qu'après qu'il n'est plus.

Quisquam
Vix radicitus e vita se tollit, et ejicit :
Sed facit esse sui quiddam super inscius ipse,
Nec removet satis a projecto corpore sese, et
Vindicat[l6].

a. incendiaire – *b.* acteur de foire – *c.* conducteur de char – *d.* conduites – *e.* organisation politique – *f.* alliés – *g.* esclaves – *h.* louange – *i.* dernier – *j.* aborde tous les sujets – *k.* anticipation – *l.* « Il nous est

Bertrand du Glesquin[1] mourut au siège du château de Rancon, près du Puy en Auvergne : Les assiégés s'étant rendus après, furent obligés de porter les clefs de la place sur le corps du trépassé. Barthelemy d'Alviane[2], Général de l'armée des Vénitiens, étant mort au service de leurs guerres en la Bresse, et son corps ayant à être rapporté à Venise par le Véronais, terre ennemie : la plupart de ceux de l'armée étaient d'avis, qu'on demandât sauf-conduit pour le passage à ceux de Vérone. Mais Theodore Trivolce y contredit ; et choisit plutôt de le passer par vive force, au hasard du combat : N'étant convenable, disait-il, que celui qui en sa vie n'avait jamais eu peur de ses ennemis, étant mort fît démonstration de les craindre. De vrai, en chose voisine, par les lois Grecques, celui qui demandait à l'ennemi un corps pour l'inhumer, renonçait à la victoire, et ne lui était plus loisible d'en dresser trophée. À celui qui en était requis, c'était titre de gain. Ainsi perdit Nicias[3] l'avantage qu'il avait nettement gagné sur les Corinthiens : Et au rebours, Agesilaus[4] assura celui qui lui était bien douteusement acquis sur les Béotiens. Ces traits se pourraient trouver étranges, s'il n'était reçu de tout temps, non seulement d'étendre le soin que nous avons de nous au-delà cette vie : mais encore de croire que bien souvent les faveurs célestes nous accompagnent au tombeau, et continuent à nos reliques[a]. De quoi il y a tant d'exemples anciens, laissant à part les nôtres, qu'il n'est besoin que je m'y étende. Edouard premier Roi d'Angleterre, ayant essayé aux longues guerres d'entre lui et Robert Roi

---

difficile de nous arracher et de nous retrancher radicalement de la vie : mais à notre insu même, nous supposons qu'il survit quelque chose de nous, et nous ne nous détachons pas assez du corps abandonné, au contraire, nous le revendiquons. » – *a.* restes

d'Ecosse, combien sa présence donnait d'avantage à ses affaires, rapportant toujours la victoire de ce qu'il entreprenait en personne : mourant, obligea son fils par solennel serment, à ce qu'étant trépassé, il fît bouillir son corps pour déprendre sa chair d'avec les os, laquelle il fît enterrer : et quant aux os, qu'il les réservât pour les porter avec lui et en son armée, toutes les fois qu'il lui adviendrait d'avoir guerre contre les Ecossais. Comme si la destinée avait fatalement attaché la victoire à ses membres. Jean Vischa[1] qui troubla la Boheme pour la défense des erreurs de Wiclef, voulut qu'on l'écorchât après sa mort, et de sa peau qu'on fît un tambourin à porter à la guerre contre ses ennemis : Estimant que cela aiderait à continuer les avantages qu'il avait eu aux guerres, par lui conduites contre eux. Certains Indiens portaient ainsi au combat contre les Espagnols, les ossements de l'un de leurs Capitaines ; en considération de l'heur qu'il avait eu en vivant[2]. Et d'autres peuples en ce même monde, traînent à la guerre les corps des vaillants hommes, qui sont morts en leurs batailles, pour leur servir de bonne fortune et d'encouragement. Les premiers exemples ne réservent au tombeau, que la réputation acquise par leurs actions passées. Mais ceux-ci y veulent encore mêler la puissance d'agir. Le fait du capitaine Bayard[3] est de meilleure composition, lequel se sentant blessé à mort d'une arquebusade dans le corps, conseillé de se retirer de la mêlée, répondit, qu'il ne commencerait point sur sa fin à tourner le dos à l'ennemi : Et ayant combattu autant qu'il eut de force, se sentant défaillir et échapper du cheval, commanda à son maître d'hôtel[a], de le coucher au

a. administrateur

pied d'un arbre, Mais que ce fût en façon qu'il mourût le visage tourné vers l'ennemi, comme il fit. Il me faut ajouter cet autre exemple aussi remarquable pour cette considération, que nul des précédents. L'Empereur Maximilian bisaïeul du Roi Philippes[1], qui est à présent[a], était Prince doué de tout plein de grandes qualités, et entre autres d'une beauté de corps singulière : Mais parmi ces humeurs, il avait cette-ci bien contraire à celle des princes, qui pour dépêcher les plus importants affaires font leur trône de leur chaise-percée : C'est qu'il n'eut jamais valet de chambre, si privé, à qui il permît de le voir en sa garde-robe[b]. Il se dérobait pour tomber de l'eau, aussi religieux[c] qu'une pucelle à ne découvrir ni à médecin ni à qui que ce fût, les parties qu'on a accoutumé de tenir cachées. Moi, qui ai la bouche si effrontée, suis pourtant par complexion[d] touché de cette honte. Si ce n'est à une grande suasion[e] de la nécessité ou de la volupté, je ne communique guère aux yeux de personne les membres et actions, que notre coutume ordonne être couvertes : J'y souffre plus de contrainte, que je n'estime bienséant à un homme : Et surtout, à un homme de ma profession : Mais lui, en vint à telle superstition, qu'il ordonna par paroles expresses de son testament, qu'on lui attachât des caleçons, quand il serait mort. Il devait ajouter par codicille, que celui qui les lui monterait eût les yeux bandés. L'ordonnance[f] que Cyrus[2] fait à ses enfants que ni eux ni autre ne voie et touche son corps après que l'âme en sera séparée, je l'attribue à quelque sienne dévotion. Car et son historien et lui entre leurs grandes qualités ont semé par tout le cours de leur [vie] un singulier soin et révérence à la religion. Ce

a. qui règne actuellement – *b.* lieu où l'on installait une chaise percée – *c.* scrupuleux – *d.* caractère – *e.* sollicitation – *f.* commandement

conte me déplut qu'un grand me fit d'un mien allié : homme assez connu et en paix et en guerre. C'est que mourant bien vieil en sa cour, tourmenté de douleurs extrêmes de la pierre, il amusa toutes ses heures dernières avec un soin véhément, à disposer l'honneur et la cérémonie de son enverrement, et somma toute la noblesse qui le visitait, de lui donner parole d'assister à son convoi. À ce prince même, qui le vit sur ces derniers traits, il fit une instante supplication que sa maison fût commandée de s'y trouver, Employant plusieurs exemples et raisons à prouver que c'était chose, qui appartenait à un homme de sa sorte : Et sembla expirer content, ayant retiré cette promesse, et ordonné à son gré la distribution, et ordre de sa montre[a]. Je n'ai guère vu de vanité si persévérante. Cette autre curiosité contraire, en laquelle je n'ai point aussi faute d'exemple domestique, me semble germaine à cette-ci, D'aller se soignant[b] et passionnant à ce dernier point à régler son convoi, à quelque particulière et inusitée parcimonie, à un serviteur et une lanterne. Je vois louer cette humeur, et l'ordonnance de Marcus Æmilius Lepidus[1], qui défendit à ses héritiers d'employer pour lui les cérémonies qu'on avait accoutumé en telles choses. Est-ce encore tempérance et frugalité, d'éviter la dépense et la volupté, desquelles l'usage et la connaissance nous est imperceptible[c] ? Voilà une aisée réformation et de peu de coût. S'il était besoin d'en ordonner je serais d'avis qu'en celle-là comme en toute action de la vie chacun en rapportât la règle à la forme de sa fortune. Et le philosophe Lycon[2] prescrit sagement à ses amis de mettre son corps où ils aviseront pour le mieux et, quant aux funérailles, de les

a. pompe funèbre – *b*. se souciant de – *c*. sont imperceptibles faire ni superflues ni mécaniques[a]. Je lairrai[b] purement la coutume ordonner de cette cérémonie[1], Et m'en remettrai à la discrétion des premiers à qui je tomberai en charge. *Totus hic locus est contemnendus in nobis non negligendus in nostris*[c 2]. Et est saintement dit à [un] saint. *Curatio funeris conditio sepulturæ pompa exequiarum magis sunt vivorum solatia quam subsidia mortuorum*[d 3]. Pourtant[e] Socrates [à] Crito qui sur l'heure de sa fin lui demande comment il veut être enterré. Comme vous voudrez[4] répond-il. Si j'avais à m'en empêcher[f] plus avant, je trouverais plus galant, d'imiter ceux, qui entreprennent vivants et respirants, jouir de l'ordre et honneur de leur sépulture, Et qui se plaisent de voir en marbre, leur morte contenance. Heureux, qui sachent réjouir et gratifier leur sens, par l'insensibilité, et vivre de leur mort. À peu que[g] je n'entre en haine irréconciliable contre toute domination popupaire, quoiqu'elle me semble la plus naturelle et équitable : quand [il] me souvient de cette inhumaine injustice du peuple athénien, de faire mourir sans rémission [et] sans les vouloir seulement ouïr en leurs défenses, ses braves capitaines, venants de gagner contre les Lacédémoniens la bataille navale près des îles Arginuses : la plus contestée, la plus forte bataille que les Grecs aient onques donnée en mer de leurs forces : parce qu'après la victoire ils avaient suivi les occasions que la loi de la guerre leur présentait, plutôt, que de s'arrêter à recueillir et inhumer leurs morts[5]. Et rend cette exécution plus odieuse le fait de Diomedon. Cettui-ci est l'un [des] condamnés, homme de notable vertu, et militaire et politique : Lequel se tirant avant pour parler, après avoir ouï l'arrêt de leur condamnation : et trouvant seulement lors, temps de paisible audience : au lieu de s'en servir au bien de sa

a. ni somptueuses ni petites – *b*. Je laisserai – *c*. « Tout ce point donc, il faut le regarder avec mépris en ce qui nous concerne mais, en ce qui concerne les nôtres, il ne faut pas le négliger. » – *d*. « Les soins funèbres, le choix de la sépulture, la pompe des obsèques, tout ceci représente plutôt une consolation pour les vivants qu'un secours pour les morts. » – *e*. Par conséquent – *f*. m'embarrasser – *g*. Peu s'en faut que

cause et à découvrir l'évidente injustice d'une si cruelle conclusion, ne représenta qu'un soin de la conservation de ses juges : priant les dieux de tourner ce jugement à leur bien : et afin qu'à faute de rendre les vœux que lui et ses compagnons avaient voué en reconnaissance d'une si illustre fortune, ils n'attirassent l'ire des dieux sur eux, les avertissant quels vœux [c'étaient. Et sans dire autre chose et sans marchander, s'achemina de ce pas courageusement au supplice.] La fortune quelques années après les punit de même pain soupe[a]. Car Chabrias[1], capitaine général de l'armée de mer des Athéniens, ayant eu le dessus du combat contre Pollis amiral de Sparte en l'île de Naxe[2], perdit le fruit tout net et comptant de sa victoire, très important à leurs affaires : pour n'encourir le malheur de cet exemple. Et pour ne perdre peu des corps morts de ses amis qui flottaient en mer, laissa voguer en sauveté[b] un monde d'ennemis vivants, qui depuis leur firent bien acheter cette importune superstition.

Quœris quo jaceas post obitum loco
Quo non nata jacent[c][3].

Cet autre redonne le sentiment du repos à un corps sans âme :

[Neque] sepulchrum quo recipiat, habeat portum corporis,
[Ubi, remissa humana vita, corpus] requiescat a malis[d][4].

[Tout ainsi que nature nous fait voir que plusieurs choses mortes ont encore des relations occultes à la vie. Le vin s'altère aux caves, selon aucunes[e] mutations des saisons de sa vigne. Et la chair de venaison change d'état aux saloirs et de goût, selon les lois de la chair vive, à ce qu'on dit.]

a. de la même manière – *b*. sûreté – *c*. « Tu veux connaître le lieu où l'on repose après la mort ? Là où reposent les êtres qui ne sont pas nés. » – *d*. « Qu'il n'ait jamais de tombeau où son corps puisse reposer, où, lorsque nous sommes délivrés de cette vie, le corps trouve l'apaisement de ses maux. » – *e*. certaines

Comme l'âme décharge ses passions sur des objets faux, quand les vrais lui défaillent

CHAP. IV

Un gentilhomme des nôtres merveilleusement[a] sujet à la goutte, étant pressé par les médecins de laisser du tout[b] l'usage des viandes salées, avait accoutumé de répondre fort plaisamment, que sur les efforts et tourments du mal, il voulait avoir à qui s'en prendre, Et que s'écriant et maudissant tantôt le cervelas, tantôt la langue de bœuf et le jambon, il s'en sentait d'autant allégé. Mais en bon escient[c], comme le bras étant haussé pour frapper, il nous deult[d], si le coup ne rencontre, et qu'il aille au vent : Aussi que[e] pour rendre une vue plaisante, il ne faut pas qu'elle soit perdue et écartée dans le vague de l'air, ains[f] qu'elle ait butte pour la soutenir à raisonnable distance,

Ventus ut amittit vires, nisi robore densæ
Occurrant silvæ spatio diffusus inani[g][1].

De même il semble que l'âme ébranlée et émue se perde en soi-même, si on ne lui donne prise : Et faut toujours lui fournir d'objet où elle s'abutte[h] et agisse. Plutarque[2] dit à propos de ceux, qui s'affectionnent

a. extrêmement – *b*. totalement – *c*. véritablement – *d*. cause de la douleur – *e*. De même que – *f*. mais – *g*. « Comme le vent, s'il ne rencontre d'épaisses forêts, perd ses forces et se dissipe dans l'espace vide. » – *h*. bute

aux guenons et petits chiens, que la partie amoureuse, qui est en nous, à faute de prise légitime, plutôt que de demeurer en vain, s'en forge ainsi une fausse et frivole. Et nous voyons que l'âme en ses passions se pipe[a] plutôt elle-même, se dressant un faux sujet et fantastique[b], voire contre sa propre créance, que de n'agir contre quelque chose. Ainsi emporte les bêtes leur rage à s'attaquer à la pierre et au fer, qui les a blessées, Et à se venger à belles dents sur soi-même du mal qu'elles sentent,

Pannonis haud aliter post ictum sævior ursa
Cum jaculum parva Lybis amentavit habena,
Se rotat in vulnus, telúmque irata receptum
Impetit, et secum fugientem circuit hastam[c 1].

Quelles causes n'inventons-nous des malheurs, qui nous adviennent ? À quoi ne nous prenons-nous à tort ou à droit[d], pour avoir où nous escrimer ? Ce ne sont pas ces tresses blondes, que tu déchires, ni la blancheur de cette poitrine, que dépite[e] tu bats si cruellement, qui ont perdu d'un malheureux plomb ce frère bien-aimé : Prends-t'en ailleurs. Livius parlant de l'armée Romaine en Espaigne après la perte [des] deux frères, ses grands capitaines : *Flere omnes repente et offensare capita*[f2] : C'est [un] usage commun. [Et] le philosophe Bion[3] de ce Roi qui de deuil s'arrachait les poils, fut-il pas plaisant. Cettui-ci pense il que la pelade soulage le deuil ? Qui n'a vu mâcher et engloutir les cartes, se gorger d'une balle de dés, pour avoir où se venger de la perte de son argent ? Xerxes[4] fouetta la mer de l'Hellespont, l'enforgea et lui fit dire mille

a. se trompe – *b*. chimérique – *c*. « Ainsi l'ourse de Pannonie, devenue plus cruelle après le coup qu'elle a reçu du javelot lancé, d'une courte courroie, par le Libyen, se roule sur sa blessure, cherche dans sa colère à atteindre le trait reçu et tourne pour saisir l'arme qui fuit avec elle. » – *d*. à tort ou à raison – *e*. irrité – *f*. « Tous de pleurer aussitôt et de se frapper la tête »

vilenies, et écrivit un cartel de défi au mont Athos : Et Cyrus[1] amusa[a] toute une armée plusieurs jours à se venger de la rivière de Gyndus, pour la peur qu'il avait eu[b] en la passant : Et Caligula[2] ruina une très belle maison, pour le plaisir que sa mère y avait eu. Le peuple disait en ma jeunesse qu'un Roi de nos voisins ayant reçu de Dieu une bastonnade jura de s'en venger : ordonnant que de dix ans on ne le priât ni parlât de lui, ni, autant qu'il était en son autorité, qu'on ne crût en lui. Par où on voulait peindre non tant la sottise que la gloire naturelle à la nation de quoi était le conte. Ce sont vices toujours conjoints, mais telles actions tiennent à la vérité un peu plus encore d'outrecuidance que de bêtise. Augustus Cesar[3] ayant été battu de la tempête sur mer, se prit à défier le Dieu Neptunus, et en la pompe des jeux Circenses[c] fit ôter son image du rang, où elle était parmi les autres dieux, pour se venger de lui. En quoi il est encore moins excusable, que les précédents, et moins qu'il ne fut depuis, lorsqu'ayant perdu une bataille sous Quintilius Varus en Allemagne, il allait de colère et de désespoir, choquant sa tête contre la muraille, en s'écriant. Varus rends-moi mes soldats : Car ceux-là surpassent toute folie, d'autant que l'impiété y est jointe, qui s'en adressent à Dieu même, ou à la fortune, Comme si elle avait des oreilles sujettes à notre batterie[d]. À l'exemple des Thraces[4] qui quand il tonne ou éclaire[e] se mettent à tirer contre le ciel d'une vengeance titanienne[f] pour ranger dieu à raison[g] à coups de flèches. Or, comme dit cet ancien poète chez Plutarque,

Point ne se faut courroucer aux affaires.
Il ne leur chaut de toutes nos colères[5].

Mais nous ne dirons jamais assez d'injures au dérèglement de notre esprit.

a. occupa – *b.* eue – *c.* du cirque – *d.* assaut – *e.* lance des éclairs – *f.* propre aux Titans, qui défièrent les dieux – *g.* maîtriser

Si le chef d'une place assiégée, doit sortir pour parlementer

Chap. V

Lucius Marcius[1] Légat des Romains, en la guerre contre Perseus Roi de Macédoine voulant gagner le temps, qu'il lui fallait encore à mettre en point[a] son armée, sema des entrejets[b] d'accord, desquels[c] le Roi endormi accorda trêve pour quelques jours : Fournissant par ce moyen son ennemi d'opportunité et loisir pour s'armer : D'où le Roi encourut sa dernière ruine. Si est-ce, que les vieils[d] du Sénat mémoratifs[e] des mœurs de leurs pères, accusèrent cette pratique comme ennemie de leur style ancien : qui fut, disaient-ils, combattre de vertu, non de finesse[f] : ni par surprises et rencontres de nuit : ni par fuites apostées[g], et recharges inopinées : n'entreprenant guerre qu'après l'avoir dénoncée[h], et souvent après avoir assigné l'heure et lieu de la bataille. De cette conscience[i], ils renvoyèrent à Pyrrus son traître médecin, et aux Falisques leur méchant maître d'école[2]. C'étaient les formes vraiment Romaines, non de la Grecque subtilité et astuce Punique, où le vaincre par force est moins glorieux que par fraude. Le tromper peut servir pour le coup[j] : mais celui seul se tient pour surmonté[k], qui sait l'avoir été ni par ruse ni de sort, mais par vaillance, de troupe à troupe, en une loyale et juste guerre. [II]

a. préparer – *b.* propositions – *c.* à cause desquels – *d.* Toutefois les anciens – *e.* se souvenant – *f.* par courage, non par ruse – *g.* simulées – *h.* déclarée – *i.* À cause de ce scrupule – *j.* sur le moment – *k.* vaincu

appert bien par le langage de ces bonnes gens[a] qu'ils n'avaient encore reçu cette belle sentence,

dolus an virtus quis in hoste requirat[b][1] ?

Les Achéens dit Polibe[2] détestaient toute voie de tromperie en leurs guerres, n'estimant victoire sinon où les courages des ennemis sont abattus. *Eam vir sanctus et sapiens sciet veram esse victoriam, quæ salva fide et integra dignitate parabitur*[c][3] : dit un autre.

Vos ne velit an me regnare hera quidve ferat fors
Virtute experiamur[d][4].

[Au] Royaume de Ternate[5], parmi ces nations que si à pleine bouche nous appelons barbares, la coutume porte qu'ils n'entreprennent guerre sans l'avoir premièrement dénoncée, y ajoutant ample déclaration des moyens qu'ils ont à y employer, quels, combien d'hommes, quelles munitions, quelles armes offensives [et] défensives. Mais cela fait aussi, si leurs ennemis ne cèdent et viennent à accord, ils [se] donnent loi au pis faire[e] et [ne] pensent pouvoir être reprochés de trahison, de finesse [et] de tout moyen qui sert à vaincre. Les anciens Florentins[6] étaient si éloignés de vouloir gagner avantage sur leurs ennemis [par] surprise : qu'ils les avertissaient un mois avant que de mettre leur exercite[f] aux champs par [le] continuel son de la cloche qu'ils nommaient Martinella. Quant à nous moins superstitieux[g], qui tenons celui avoir l'honneur de la guerre, qui en a le profit, Et qui après Lysander[7], disons que où la peau du lion ne peut suffire, il y faut coudre un lopin de celle du renard, les plus ordinaires occasions de surprise se tirent de cette pratique : Et n'est heure, disons-nous, où un chef doive avoir plus l'œil au guet, que celle des parlements[h] et

a. hommes de bien – *b.* « ruse ou vertu, qu'importe, envers un ennemi ? » – *c.* « L'homme vertueux et sage saura que la seule victoire véritable est celle que l'on remporte en respectant la loyauté et l'honneur » – *d.* « Éprouvons par notre courage si la fortune, maîtresse des événements, veut que ce soit vous ou moi qui obtienne le pouvoir » – *e.* le droit de commettre le pire – *f.* armée – *g.* scrupuleux – *h.* pourparlers traités d'accord. Et pour cette cause, c'est une règle en la bouche de tous les hommes de guerre de notre temps, qu'il ne faut jamais que le gouverneur en une place assiégée sorte lui-même pour parlementer. Du temps de nos pères cela fut reproché aux seigneurs de Montmord et de l'Assigni, défendants Mouson[1] contre le comte de Nansaut. Mais aussi à ce compte, celui-là serait excusable, qui sortirait en telle façon, que la sûreté et l'avantage demeurât de son côté: Comme fit en la ville de Regge[2], le Comte Guy de Rangon (s'il en faut croire du Bellay, car Guicciardin dit que ce fut lui-même) lorsque le Seigneur de l'Escut s'en approcha pour parlementer: Car il abandonna de si peu son fort, qu'un trouble[a] s'étant ému pendant ce parlement, non seulement Monsieur de l'Escut et sa troupe, qui était approchée avec lui, se trouva la plus faible, de façon que Alexandre Trivulce y fut tué, mais lui-même fut contraint, pour le plus sûr, de suivre le Comte, et se jeter sur sa foi[b] à l'abri des coups dans la ville. Eumenes[3] en la ville de Nora pressé par Antigonus qui l'assiégeait, de sortir parler à lui, et qui après plusieurs autres entremises alléguait, que c'était raison[c] qu'il vînt devers lui, attendu qu'il était le plus grand et le plus fort: Après avoir fait cette noble réponse, je n'estimerai jamais homme plus grand que moi, tant que j'aurai mon épée en ma puissance, N'y consentit, qu'Antigonus ne lui eût donné Ptolomæus son propre neveu otage, comme il demandait. Si est-ce que encore en y a-il, qui se sont très bien trouvés de sortir sur la parole de l'assaillant. Témoin Henry de Vaux[4], chevalier Champenois, lequel étant assiégé dans le château de Commercy par les Anglais, et Barthelemy de Bonnes, qui com-

a. une révolte – *b.* en lui faisant confiance – *c.* il était juste

mandait au siège, ayant par dehors fait saper la plupart du Château, si qu'il ne restait[a] que le feu pour accabler les assiégés sous les ruines, somma ledit Henry de sortir à parlementer pour son profit[b] : Comme il fit lui quatrième[c] : et son évidente ruine lui ayant été montrée à l'œil, il s'en sentit singulièrement obligé à l'ennemi : À la discrétion duquel, après qu'il se fut rendu et sa troupe, le feu étant mis à la mine, les étançons de bois venus à faillir, le Château fut emporté de fond en comble. Je me fie aisément à la foi d'autrui. Mais malaisément le ferais-je lorsque je donnerais à juger, l'avoir plutôt fait par désespoir et faute de cœur[d], que par franchise, et fiance de[e] sa loyauté.

a. de sorte qu'il n'y avait plus qu'à – *b*. dans son intérêt – *c*. avec trois autres – *d*. courage – *e*. par liberté et confiance en

L'heure des parlements[a] dangereuse

CHAP. VI

Toutefois je vis dernièrement en mon voisinage de Mussidan[1], que ceux, qui en furent délogés à force par notre armée, et autres de leur parti, criaient comme de[b] trahison, de ce que pendant les entremises d'accord[c], et le traité se continuant encore, on les avait surpris et mis en pièces: Chose qui eût eu à l'aventure apparence[d] en un autre siècle, Mais, comme je viens de dire, nos façons sont entièrement éloignées de ces règles: Et ne se doit attendre fiance[e] des uns aux autres, que le dernier sceau d'obligation n'y soit passé[f]: Encore y a-il lors assez affaire. Et a toujours été conseil[g] hasardeux de fier à la licence d'une armée victorieuse l'observation de la foi qu'on a donnée à une ville qui vient de se rendre par douce et favorable composition, et d'en laisser sur la chaude[h] l'entrée libre aux soldats. L. Æmylius Regillus[2] préteur Romain, ayant perdu son temps à essayer de prendre la ville de Phocaees à force, pour la singulière prouesse des habitants à se bien défendre, fit pacte avec eux de les recevoir pour amis du peuple Romain, et d'y entrer comme en ville confédérée : leur ôtant toute crainte d'action hostile. Mais y ayant quant et[i] lui introduit son armée, pour s'y faire voir en plus de pompe, il ne fut en sa puis-

a. pourparlers – *b.* dénonçaient comme une – *c.* négociations – *d.* peut-être été recevable – *e.* confiance – *f.* que le pacte ne soit définitivement scellé – *g.* décision – *h.* aussitôt – *i.* avec

sance, quelque effort qu'il y employât, de tenir la bride à ses gens : et vit devant ses yeux fourrager[a] bonne partie de la ville : les droits de l'avarice[b] et de la vengeance, suppéditant[c] ceux de son autorité et de la [discipline militaire.] Cleomenes[1] disait, que quelque mal qu'on pût faire aux ennemis en guerre, cela était par-dessus[d] la justice, et non sujet à icelle, tant envers les dieux, qu'envers les hommes. Et ayant fait trêve avec les Argiens, pour sept jours, la troisième nuit après il les alla charger tous endormis et les défit, Alléguant qu'en sa trêve il n'avait pas été parlé des nuits : Mais les dieux vengèrent cette perfide subtilité. Pendant le parlement [et] qu'ils musaient sur leurs sûretés, la ville de Casilinum fut saisie par surprise[2]. Et cela pourtant aux siècles [et] des plus justes capitaines, et de la plus parfaite milice[e] romaine. Car il n'est pas dit, que en temps et lieu, il ne soit permis de nous prévaloir de la sottise de nos ennemis, comme nous faisons de leur lâcheté. Et certes la guerre a naturellement beaucoup de privilèges raisonnables au préjudice de la raison ; et ici faut[f] la règle : *neminem id agere ut ex alterius prædetur inscitia*[g][3]. Mais je m'étonne de l'étendue que Xenophon leur donne : et par les propos et par divers exploits de son parfait empereur[4] : auteur de merveilleux poids en telles choses : comme grand capitaine, [et] philosophe des premiers disciples de Socrates. [Et] ne consens pas à la mesure de sa dispense[h], en tout et partout. Monsieur d'Aubigny assiégeant Capoue, et après y avoir fait une furieuse batterie[i], le Seigneur Fabrice Colonne, Capitaine de la Ville, ayant commencé à parlementer de dessus un bastion, et ses gens faisant plus molle garde, les nôtres s'en emparèrent et mirent tout en pièces[5]. Et de plus fraîche mémoire à Yvoy[6] le Seigneur Jullian Rommero, ayant fait ce pas de clerc de sortir pour parlementer

a. piller – *b.* la cupidité – *c.* supplantant – *d.* ne relevait pas de – *e.* discipline militaire – *f.* n'est pas valable – *g.* « que personne ne profite de l'ignorance d'autrui. » – *h.* je n'approuve pas sa tolérance – *i.* canonnade

avec Monsieur le Connétable, trouva au retour sa place saisie. Mais afin que nous ne nous en allions pas sans revanche : Le marquis de Pesquaire assiégeant Gênes[1], où le duc Octavien Fregose commandait sous notre protection, et l'accord entre eux ayant été poussé si avant, qu'on le tenait pour fait, sur le point de la conclusion, les Espagnols s'étant coulés dedans, en usèrent comme en une victoire plénière : Et depuis en Ligny en Barrois[2], où le Comte de Brienne commandait, l'Empereur l'ayant assiégé en personne, et Bertheuille Lieutenant dudit Comte étant sorti pour parler, pendant le marché la ville se trouva saisie.

Fu il vincer sempre mai laudabil cosa,
Vincasi o per fortuna o per ingegno[a][3],

disent-ils : mais le philosophe Chrisippus[4] n'eût pas été de cet avis, Et moi aussi peu : Car il disait que ceux, qui courent à l'envi[b], doivent bien employer toutes leurs forces à la vitesse. Mais il ne leur est pourtant aucunement loisible de mettre la main sur leur adversaire pour l'arrêter, ni de lui tendre la jambe, pour le faire choir. Et plus généreusement encore ce grand Alexandre à Polypercon, qui lui suadait[c] de se servir de l'avantage que l'obscurité de la nuit lui donnait pour assaillir Darius : point, fit-il, ce n'est pas à moi d'employer[d] des victoires dérobées : *Malo me fortunæ pæniteat, quam victoriæ pudeat*[e][5].

Atque idem fugientem haud est dignatus Orodem
Sternere, nec jacta cæcum dare cuspide vulnus :
Obvius, adversóque occurrit, seque viro vir
Contulit, haud furto melior, sed fortibus armis[f][6].

a. « Vaincre est toujours louable, que la victoire soit due à la fortune ou à l'adresse » – *b.* rivalisent à la course – *c.* conseillait – *d.* de tirer profit – *e.* « Je préfère me plaindre de ma fortune qu'avoir honte de ma victoire. » – *f.* « Il dédaigna d'abattre Orode en fuite et de le frapper d'un

Que l'intention juge nos actions

Chap. VII

La mort, dit-on, nous acquitte de toutes nos obligations. J'en sais qui l'ont pris en diverse façon. Henry septième Roi d'Angleterre[1] fit composition[a] avec Dom Philippe fils de l'Empereur Maximilian, ou pour le confronter[b] plus honorablement, père de l'Empereur Charles cinquième, que ledit Philippe remettait entre ses mains le Duc de Suffolc de la rose blanche, son ennemi, lequel s'en était fui et retiré au pays bas, moyennant qu'il promettait de n'attenter rien sur la vie dudit Duc : Toutefois venant à mourir, il commanda par son testament à son fils, de le faire mourir, soudain après[c] qu'il serait décédé. Dernièrement en cette tragédie, que le Duc d'Albe nous fit voir à Bruxelles ès Comtes de Horne et d'Aiguemond[2], il y eut tout plein de choses remarquables : Et entre autres que ledit Comte d'Aiguemond, sous la foi et assurance duquel le Comte de Horne s'était venu rendre au duc d'Albe, requit avec grande instance, qu'on le fît mourir le premier : Afin que sa mort l'affranchît de l'obligation, qu'il avait audit

---

trait dans le dos : il accourt à lui, l'attaque face à face, homme contre homme, et l'emporte non par ruse mais par la force des armes. » – *a*. convint – *b*. l'associer – *c*. dès qu'il

Comte de Horne. Il semble que la mort n'ait point déchargé le premier[a] de sa foi donnée, Et que le second[b] en était quitte, même sans mourir. Nous ne pouvons être tenus au-delà de nos forces et de nos moyens. À cette cause[c], parce que les effets et exécutions ne sont aucunement en notre puissance, et qu'il n'y a rien en bon escient[d] en notre puissance, que la volonté: en celle-là se fondent par nécessité, et s'établissent toutes les règles du devoir de l'homme. Par ainsi le Comte d'Aiguemond tenant son âme et volonté endettée à sa promesse, bien que la puissance de l'effectuer ne fût pas en ses mains, était sans doute[e] absous de son devoir, quand[f] il eût survécu le Comte de Horne. Mais le Roi d'Angleterre faillant à sa parole par son intention, ne se peut excuser pour avoir retardé jusques après sa mort l'exécution de sa déloyauté. Non plus que le maçon de Herodote, lequel ayant loyalement conservé durant sa vie le secret des trésors du roi d'Egypte son maître, mourant les découvrit à ses enfants[1]. J'ai vu plusieurs de mon temps convaincus par leur conscience, retenir de l'autrui[g] : se disposer à y satisfaire par leur testament, [et] après leur décès. Ils ne font rien qui vaille. Ni de prendre terme[h] à chose si pressante : ni de vouloir rétablir une injure[i] avec si peu de leur ressentiment et intérêt. [Ils] doivent du plus leur[j]. [Et] d'autant qu'ils payent plus pesamment, et incommodément : d'autant en est leur satisfaction[k] plus juste [et] méritoire. La pénitence demande à se charger. Ceux-là font encore pis qui réservent la révélation de quelque haineuse [volonté] envers le[l] proche [à] leur dernière volonté, l'ayant cachée pendant la vie. Et montrent avoir [peu] de soin du

a. Henri VII – *b*. le comte d'Egmont – *c*. c'est pourquoi – *d*. en réalité – *e*. assurément – *f*. quand bien même – *g*. détenir du bien d'autrui – *h*. différer – *i*. réparer une injustice – *j*. sans en ressentir les effets sur leurs intérêts. Ils doivent davantage payer de leur personne. – *k*. l'effet de leur sacrifice – *l*. un propre[a] honneur, irritant l'offensé [à l'encontre] de leur mémoire : [et] moins[b] de leur conscience, n'ayant pour le respect de la [mort] même su faire mourir [leur] maltalent[c] : et en étendant la vie outre la leur. [Iniques] juges qui remettent à juger alors qu'ils n'ont plus de connaissance de cause. Je me garderai si je puis que ma mort die chose que ma vie n'ait premièrement dit.

a. de leur propre – *b*. encore moins – *c*. haine

De l'oisiveté

CHAP. VIII

Comme nous voyons des terres oisives[a1], si elles sont grasses et fertiles, foisonner en cent mille sortes d'herbes sauvages et inutiles, Et que pour les tenir en office[b], il les faut assujettir et employer à certaines semences, pour notre service. Et comme nous voyons, que les femmes produisent bien toutes seules, des amas et pièces de chair informes[2], mais que pour faire une génération bonne et naturelle, il les faut embesogner[c] d'une autre semence. Ainsi est-il des esprits. Si on ne les occupe à certain sujet, qui les bride et contraigne, ils se jettent déréglés, par-ci par-là, dans le vague champ des imaginations,

Sicut aquæ tremulum labris ubi lumen ahenis
Sole repercussum, aut radiantis imagine Lunæ
Omnia pervolitat latè loca, jámque sub auras
Erigitur, summique ferit laquearia tecti[d3].

Et n'est folie ni rêverie, qu'ils ne produisent en cette agitation,

velut ægri somnia, vanæ
Finguntur species[e4].

a. en friche – *b.* en état – *c.* féconder – *d.* « Comme lorsque dans un vase de bronze l'eau tremblante réfléchit la lumière du soleil ou les rayons de la lune, ces reflets voltigent et s'élèvent dans les airs, et vont frapper le plafond lambrissé. » – *e.* « ils forgent de vaines images, semblables aux songes d'un malade. »

L'âme qui n'a point de but établi, elle se perd : Car comme on dit, c'est n'être en aucun lieu, que d'être partout.

Quisquis ubique habitat, Maxime ; nusquam habitat[a1]. Dernièrement que je me retirai chez moi, délibéré[b] autant que je pourrai, ne me mêler d'autre chose, que de passer en repos, et à part, ce peu qui me reste de vie : il me semblait ne pouvoir faire plus grande faveur à mon esprit, que de le laisser en pleine oisiveté, s'entretenir soi-même, et s'arrêter et rasseoir en soi : Ce que j'espérais qu'il peut meshuy[c] faire plus aisément, devenu avec le temps, plus pesant, et plus mûr : Mais je trouve,

variam semper dant otia mentem[d2],

que au rebours[e], faisant le cheval échappé, il se donne cent fois plus d'affaire à soi-même, qu'il n'en prenait pour autrui : Et m'enfante tant de chimères et monstres fantasques les uns sur les autres, sans ordre, et sans propos, que pour en contempler à mon aise l'ineptie et l'étrangeté, j'ai commencé de les mettre en rôle[f], Espérant avec le temps, lui en faire honte à lui-même.

a. « Qui habite partout, Maximus, n'habite nulle part. » – *b*. décidé – *c*. qu'il pût désormais – *d*. « l'oisiveté rend toujours l'esprit inconstant » – *e*. au contraire – *f*. enregistrer

Des Menteurs

Chap. IX

Il n'est homme à quoi il sièse[a] si mal de se mêler de parler de mémoire. Car je n'en reconnais quasi trace en moi. Et ne pense qu'il y en ait au monde, une autre si monstrueuse en défaillance. J'ai toutes mes autres parties viles et communes. Mais en cette-là je pense être singulier et très rare, et digne de gagner par là, nom et réputation[1]. Outre l'inconvénient naturel que j'en souffre car certes vu sa nécessité Platon[2] [a] raison de la nommer une grande et puissante déesse, si en mon pays on veut dire qu'un homme n'a point de sens, ils disent, qu'il n'a point de mémoire : Et quand je me plains du défaut de la mienne, ils me reprennent et mécroient[b], comme si je m'accusais d'être insensé. Ils ne voient pas de choix[c] entre mémoire et entendement. C'est bien empirer mon marché[d] : Mais ils me font tort. Car il se voit par expérience plutôt au rebours, que les mémoires excellentes se joignent volontiers aux jugements débiles[e]. Ils me font tort aussi en ceci, qui[f] ne sais rien si bien faire qu'être ami, que les mêmes paroles qui accusent ma maladie, représentent l'ingratitude. On se prend de mon affec-

a. convienne – *b*. refusent de me croire – *c*. ils ne voient pas de différence – *d*. mon cas – *e*. faibles – *f*. à moi qui

tion à ma mémoire[a]. Et d'un défaut naturel, on en fait un défaut de conscience. Il a oublié, dit-on, cette prière ou cette promesse. Il ne se souvient point de ses amis. Il ne s'est point souvenu de dire, ou faire, ou taire cela, pour l'amour de moi. Certes je puis aisément oublier, mais de mettre à nonchaloir[b] la charge que mon ami m'a donnée je ne le fais pas. Qu'on se contente de ma misère, sans en faire une espèce de malice : Et de la malice autant[c] ennemie de mon humeur. Je me console aucunement[d]. Premièrement sur ce que c'est un mal duquel principalement j'ai tiré la raison de corriger un mal pire [qui] se fût facilement produit [en] moi : savoir est l'ambition car c'est une défaillance insupportable à qui s'empêche[e] des négociations du monde. Que comme disent plusieurs pareils exemples du progrès de nature[f], elle a volontiers fortifié d'autres facultés [en] moi à mesure que cette-ci s'est affaiblie : et irais facilement couchant et alanguissant mon esprit et mon jugement sur les traces d'autrui, comme fait le monde, sans exercer leurs propres forces, si les inventions et opinions étrangères m'étaient présentes par le bénéfice[g] de la mémoire. Que mon parler en est plus court. Car le magasin de la mémoire, est volontiers plus fourni de matière, que n'est celui de l'invention. Si elle m'eût tenu bon, j'eusse assourdi tous mes amis de babil : les sujets éveillant cette telle quelle faculté[h] que j'ai de les manier et employer, Échauffant et [attirant] mes discours. C'est pitié. Je l'essaie[i] par la preuve d'aucuns[j] de mes privés amis. À mesure que la mémoire leur fournit la chose entière et présente, ils reculent si arrière leur narration, et la chargent de vaines circonstances, que si le conte est bon, ils en étouffent la bonté. S'il ne l'est pas, vous êtes à

a. on réclame à ma mémoire des comptes de mon affection – *b.* négliger – *c.* fort – *d.* un peu – *e.* s'embarrasse – *f.* du cours de la nature – *g.* bienfait – *h.* cette faculté telle qu'elle est – *i.* je l'expérimente – *j.* quelques-uns

maudire ou l'heur de leur mémoire, ou le malheur de leur jugement. [Et] c'est chose difficile de fermer un propos et de le [couper] depuis qu'on est arrouté[a]. [Et] n'est rien où la force d'un cheval se connaisse plus qu'à faire un arrêt rond et net. Entre les pertinents[b] mêmes j'en vois qui veulent [et ne] se peuvent défaire de leur course. Cependant qu'ils cherchent [le] point de clore le pas, [ils] s'en vont balivernant et traînant [comme] des hommes qui défaillent [de] faiblesse. Surtout les vieillards sont dangereux, [à qui] la souvenance des choses passées demeure et ont perdu la souvenance de leurs redites. [J'ai] vu des récits bien plaisants devenir très ennuyeux en la bouche d'un seigneur : chacun de l'assistance en ayant été abreuvé cent fois. Secondement[c], qu'il me souvient moins des offenses reçues, ainsi que disait cet ancien. Il me faudrait un protocole[d] : comme Darius[1] pour n'oublier l'offense qu'il avait reçu des Athéniens faisait qu'un page à tous les coups qu'il se mettait à table lui vînt rechanter par trois fois à l'oreille. Sire souvienne-vous des Athéniens. Et que[e] les lieux et les livres que je revois me rient toujours d'une fraîche nouvelleté. Ce n'est pas sans raison qu'on dit, que qui ne se sent point assez ferme de mémoire, ne se doit pas mêler d'être menteur. Je sais bien que les grammairiens font différence, entre dire mensonge, et mentir : Et disent, que dire mensonge, c'est dire chose fausse, mais qu'on a pris pour vraie. Et que la définition du mot de mentir en Latin, d'où notre Français est parti, porte autant, comme aller contre sa conscience. Et que par conséquent cela ne touche, que ceux qui disent contre ce qu'ils savent, desquels je parle[2]. Or ceux ici, ou ils inventent marc et tout[f], ou ils déguisent et altèrent un fond véritable. Lorsqu'ils déguisent et changent, à les remettre sou-

a. une fois mis en route – *b*. ceux qui sont pertinents – *c*. ellipse syntaxique : je me console, secondement, sur ce qu'il me souvient moins – *d*. souffleur – *e*. qu'il me souvient [...] et que les lieux et les livres – *f*. l'essentiel et le reste

vent en ce même conte, il est malaisé qu'ils ne se déferrent[a]: Parce que la chose, comme elle est, s'étant logée la première dans la mémoire, et s'y étant empreinte, par la voie de la connaissance, et de la science, il est malaisé qu'elle ne se représente à l'imagination, délogeant la fausseté, qui n'y peut avoir le pied si ferme, ni si rassis : Et que les circonstances du premier apprentissage, se coulant à tous coups dans l'esprit, ne fassent perdre le souvenir des pièces rapportées fausses ou abâtardies. En ce qu'ils inventent tout à fait: d'autant qu'il n'y a nulle impression contraire, qui choque leur fausseté, ils semblent avoir d'autant moins à craindre de se mécompter[b]. Toutefois encore ceci, parce que c'est un corps vain[c], et sans prise, échappe volontiers à la mémoire, si elle n'est bien assurée. De quoi j'ai souvent vu l'expérience. Et plaisamment, aux dépens de ceux qui font profession de ne former autrement leur parole, que selon qu'il sert aux affaires qu'ils négocient, Et qu'il plaît aux grands à qui ils parlent. Car ces circonstances à quoi ils veulent asservir leur foi et leur conscience, étants sujettes à plusieurs changements, il faut que leur parole se diversifie quand et quand[d]. D'où il advient que de même chose, ils disent, gris tantôt, tantôt jaune : À tel homme d'une sorte, à tel d'une autre : Et si par fortune ces hommes rapportent en butin[e] leurs instructions si contraires, que devient cette belle art[f]? Outre ce qu'imprudemment ils se déferrent eux-mêmes si souvent : Car quelle mémoire leur pourrait suffire à se souvenir de tant de diverses formes, qu'ils ont forgées à un même sujet. J'ai vu plusieurs de mon temps, envier la répu-

a. ne se déstabilisent – *b.* se tromper – *c.* objet creux – *d.* en même temps – *e.* partagent comme un butin – *f.* ce bel art

tation de cette belle sorte de prudence, Qui ne voient pas, que si la réputation y est, l'effet n'y peut être. [En vérité, le mentir est un maudit vice. Nous ne sommes hommes et ne nous tenons les uns aux autres que par la] parole. Si nous en connaissions l'horreur et le poids, nous le poursuivrions à feu plus justement que d'autres crimes. Je trouve qu'on s'amuse ordinairement à châtier aux enfants des erreurs innocentes très mal à propos et qu'on les tourmente pour des actions téméraires qui n'ont ni impression ni suite. La menterie seule et un peu au-dessous l'opiniâtreté me semblent être celles desquelles [on] devrait à toute instance[a] combattre la naissance et le progrès. Elles croissent quand et eux[b]. Et depuis qu'on a donné ce faux train à la langue, c'est merveille combien il est impossible de l'en retirer. [Par] où il advient que nous voyons des honnêtes hommes d'ailleurs[c], y être sujets et asservis. J'ai un bon garçon de tailleur à qui [je] n'ouïs jamais dire une vérité, non pas quand elle s'offre pour lui servir utilement. Si comme la vérité le mensonge n'avait qu'un visage, nous serions [en] meilleurs termes. Car nous prendrions pour certain l'opposé de ce que dirait [le] menteur. Mais le revers de la vérité a cent mille figures et un champ indéfini. Les Pythagoriciens font le bien certain et fini, le mal infini et incertain[1]. Mille routes dévoient du blanc[d], une y va. Certes je ne m'assure pas que je puisse venir à bout de moi, à garantir un danger [évident] et [extrême] par une effrontée et solemne[e] mensonge. Un ancien père[2] dit que nous sommes mieux en [la] compagnie d'un chien connu qu'en celle d'un homme duquel le langage nous est inconnu. *[Ut] externus alieno non sit hominis vice*[f][3]. [Et] de combien est le langage faux moins sociable que le silence. Le Roi François premier[4], se vantait d'avoir mis au rouet[g] par ce moyen Francisque Taverna, ambassadeur de François Sforce Duc de Milan, homme très fameux en science de

a. avec grand soin – *b*. avec eux – *c*. par ailleurs – *d*. s'écartent du but – *e*. solennel – *f*. « De telle sorte qu'un étranger passe à peine pour un homme aux yeux d'un autre homme. » – *g*. mis dans un cercle, dans une situation impossible

parlerie. Cettui-ci avait été dépêché pour excuser son maître envers sa Majesté, d'un fait de grande conséquence, qui était tel. Le Roi pour maintenir toujours quelques intelligences en Italie, d'où il avait été dernièrement chassé, même au Duché de Milan, avait avisé d'y tenir près du Duc un gentilhomme de sa part[a], ambassadeur par effet[b], mais par apparence homme privé, qui fit la mine d'y être pour ses affaires particulières: D'autant que le Duc, qui dépendait beaucoup plus de l'Empereur, lors principalement qu'il était en traité de mariage avec sa nièce, fille du Roi de Dannemarc, qui est à présent douairière de Lorraine, ne pouvait découvrir avoir aucune pratique et conférence avec nous, sans son grand intérêt[c]. À cette commission, se trouva propre un gentilhomme Milanais, écuyer d'écurie chez le Roi, nommé Merveille. Cettui-ci dépêché avec lettres secrètes de créance, et instructions d'ambassadeur, Et avec d'autres lettres de recommandation envers le Duc, en faveur de ses affaires particuliers, pour le masque et la montre, Fut si longtemps auprès du Duc, qu'il en vint quelque ressentiment[d] à l'Empereur. Qui donna cause à ce qui s'ensuivit après, comme nous pensons: Qui fut, que sous couleur de quelque meurtre, voilà le Duc qui lui fait trancher la tête de belle nuit, et son procès fait en deux jours. Messire Francisque étant venu prêt d'une longue déduction contrefaite de cette histoire[e] car le roi s'en était adressé, pour demander raison, à tous les princes de Chrétienté, et au Duc même: fut ouï aux affaires du matin[f], et ayant établi pour le fondement de sa cause, et dressé à cette fin, plusieurs belles appa-

a. de son parti – *b.* en réalité – *c.* préjudice – *d.* soupçon – *e.* muni d'une longue narration mensongère des faits – *f.* fut entendu à la faveur du conseil du matin

rences du fait : Que son maître n'avait jamais pris notre homme, que pour gentilhomme privé, et sien sujet, qui était venu faire ses affaires à Milan, et qui n'avait jamais vécu là sous autre visage, Désavouant même avoir su qu'il fût en état de la maison du Roi[a], ni connu de lui, tant s'en faut qu'il le prît pour ambassadeur. Le Roi à son tour le pressant de diverses objections et demandes, et le chargeant de toutes parts, l'accula enfin sur le point de l'exécution faite de nuit, et comme à la dérobée. À quoi le pauvre homme embarrassé, répondit, pour faire l'honnête, que pour le respect de sa Majesté, le Duc eût été bien marri, que telle exécution se fût faite de jour. Chacun peut penser, comme il fut relevé[b], s'étant si lourdement coupé, et à l'endroit d'un tel nez, que celui du Roi François. Le Pape Jules second[1] ayant envoyé un ambassadeur vers le Roi d'Angleterre, pour l'animer contre le Roi François[2], l'ambassadeur ayant été ouï sur sa charge, et le Roi d'Angleterre s'étant arrêté en sa réponse aux difficultés qu'il trouvait, à dresser les préparatifs, qu'il faudrait pour combattre un Roi si puissant, et en alléguant quelques raisons. L'ambassadeur répliqua mal à propos, qu'il les avait aussi considérées de sa part, et les avait bien dites au Pape. De cette parole si éloignée de sa proposition[c], qui était de le pousser incontinent[d] à la guerre, le Roi d'Angleterre prit le premier argument de ce qu'il trouva depuis par effet[e], que cet ambassadeur de son intention particulière, pendait du côté de France. Et en ayant averti son maître, ses biens furent confisqués, et ne tint à guère qu'il n'en perdît la vie.

a. couché sur l'état de la maison du roi – *b.* corrigé – *c.* projet – *d.* sur-le-champ – *e.* par les faits

Du parler prompt ou tardif

CHAP. X

Onc ne furent à tous, toutes grâces données[1]. Aussi voyons-nous qu'au don d'éloquence, les uns ont la facilité et la promptitude, et ce qu'on dit, le boute-hors[a], si aisé, qu'à chaque bout de champ ils sont prêts : Les autres plus tardifs ne parlent jamais rien qu'élaboré et prémédité. Comme on donne des règles aux dames de prendre les jeux et les exercices du corps, selon l'avantage de ce, qu'elles ont le plus beau. Si j'avais à conseiller de même, en ces deux divers avantages de l'éloquence, de laquelle il semble en notre siècle, que les prêcheurs et les avocats fassent principale profession, le tardif serait mieux prêcheur, ce me semble, et l'autre mieux avocat : Parce que la charge de celui-là lui donne autant qu'il lui plaît de loisir pour se préparer, Et puis sa carrière se passe d'un fil et d'une suite, sans interruption, Là où les commodités[b] de l'avocat le pressent à toute heure de se mettre en lice : Et les réponses improuvues[c] de sa partie adverse, le rejettent hors de son branle[d], où il lui faut sur-le-champ prendre nouveau parti. Si est-ce qu'à l'entrevue du Pape Clément et du Roi François à Marseille[2], il advint tout au rebours, Que

a. l'élocution si aisée – *b*. les conditions du travail – *c*. imprévues – *d*. mouvement

monsieur Poyet, homme toute sa vie nourri au barreau, en grande réputation, ayant charge de faire la harangue au Pape, et l'ayant de longue main pourpensée[a], voire, à ce qu'on dit, apportée de Paris toute prête, le jour même qu'elle devait être prononcée, le Pape se craignant qu'on lui tînt propos, qui pût offenser les ambassadeurs des autres princes, qui étaient autour de lui, manda au Roi, l'argument[b], qui lui semblait être le plus propre au temps et au lieu. Mais de fortune, tout autre que celui, sur lequel monsieur Poyet s'était travaillé. De façon que sa harangue demeurait inutile, et lui en fallait promptement refaire une autre. Mais s'en sentant incapable, il fallut que monsieur le Cardinal du Bellay en prît la charge. La part de l'Avocat est plus difficile que celle du Prêcheur, Et nous trouvons pourtant ce m'est avis plus de passables Avocats que Prêcheurs, Au moins en France. Il semble que ce soit plus le propre de l'esprit, d'avoir son opération prompte et soudaine, et plus le propre du jugement, de l'avoir lente et posée. Mais qui demeure du tout[c] muet, s'il n'a loisir de se préparer, Et celui aussi, à qui le loisir ne donne avantage de mieux dire, ils sont en pareil degré d'étrangeté. On récite[d] de Severus Cassius[1], qu'il disait mieux sans y avoir pensé, Qu'il devait plus à la fortune, qu'à sa diligence, Qu'il lui venait à profit d'être troublé en parlant, Et que ses adversaires craignaient de le piquer, de peur que la colère ne lui fît redoubler son éloquence. Je connais par expérience, cette condition de nature, qui ne peut soutenir une véhémente préméditation et laborieuse : Si elle ne va gaiement et librement, elle ne va rien qui

a. préparée – *b.* présenta au roi le sujet – *c.* complètement – *d.* raconte

vaille[1]. Nous disons d'aucuns[a] ouvrages qu'ils puent l'huile et la lampe, pour certaine âpreté et rudesse, que le travail imprime en ceux, où il a grande part. Mais outre cela, la sollicitude de bien faire, et cette contention de l'âme trop bandée et trop tendue à son entreprise, la met au rouet[b], la rompt, et l'empêche. Ainsi qu'il advient à l'eau qui par force de[c] se presser de sa violence et abondance, ne peut trouver issue en un goulet ouvert. En cette condition de nature, de quoi je parle, il y a quant et quant[d] aussi cela. Qu'elle demande à être non pas ébranlée et piquée par ces passions fortes, comme la colère de Cassius (car ce mouvement serait trop âpre) elle veut être non pas secouée, mais sollicitée : Elle veut être échauffée et réveillée par les occasions étrangères, présentes, et fortuites : Si elle va toute seule, elle ne fait que traîner et languir : L'agitation est sa vie et sa grâce[2]. Je ne me tiens pas bien en ma possession et disposition. Le hasard y a plus de droit que moi. L'occasion, la compagnie, le branle même de ma voix, tire plus de mon esprit, que je n'y trouve lorsque je le sonde, et emploie à part moi. Ainsi les paroles en valent mieux que les écrits. S'il y peut avoir choix où il n'y a point de prix. Ceci m'advient aussi : Que je ne me trouve pas où je me cherche : et me trouve plus par rencontre que par l'inquisition de mon jugement. J'aurai élancé[e] quelque subtilité en écrivant. J'entends bien : mornée[f] pour un autre, affilée pour moi. Laissons toutes ces honnêtetés[g]. Cela se dit par chacun selon [sa] force. Je l'ai [si] bien perdue que je ne sais ce que j'ai voulu dire : et l'a l'étranger découverte parfois avant moi. Si je portais le rasoir partout où cela m'advient, je me déferais[h] tout. [La] rencontre m'en offrira le jour quelque autre fois plus apparent que celui du midi : [et] me fera étonner [de] mon hésitation.

a. de quelques – *b*. torture – *c*. à force de – *d*. en même temps – *e*. fait surgir – *f*. émoussée – *g*. négligeons les manières civiles – *h*. j'enlèverais

Des pronostications

CHAP. XI

Quant aux oracles, il est certain, que bonne pièce avant[a] la venue de Jésus-Christ, ils avaient commencé à perdre leur crédit : Car nous voyons que Cicero se met en peine de trouver la cause de leur défaillance et ces mots sont à lui. *Cur isto modo jam oracula Delphis non eduntur non modo nostra œtate sed jamdiu, ut modo nihil possit esse contemptius*[b 1]. Mais quant aux autres pronostics, qui se tiraient de l'anatomie des bêtes aux sacrifices, auxquels Platon attribue en partie la constitution naturelle des membres internes d'icelles[2], du trépignement des poulets, du vol des oiseaux, *aves quasdam rerum augurandarum causa natas esse putamus*[c 3], des foudres, du tournoiement des rivières, *multa cernunt aruspices, multa augures provident, multa oraculis declarantur, multa vaticinationibus, multa somniis, multa portentis*[d4] : et autres sur lesquels l'ancienneté appuyait la plupart des entreprises, tant publiques que privées ; notre religion les a abolies. Et encore qu'il reste entre nous, quelques

a. longtemps avant – *b*. « Pourquoi de tels oracles ne sont-ils plus rendus à Delphes, non seulement à présent, mais depuis longtemps, en sorte que rien n'est si méprisé ? » – *c*. « nous estimons que certains oiseaux sont nés pour servir aux augures » – *d*. « Les aruspices voient beaucoup de choses ; les augures en prévoient beaucoup ; de nombreuses choses sont annoncées par les oracles, de nombreuses par les prophéties, de nombreuses par les songes, de nombreuses par les prodiges. »

moyens de divination ès astres, ès esprits, ès figures du corps, ès songes, et ailleurs. Notable exemple de la forcenée[a] curiosité de notre nature, s'amusant à préoccuper[b] les choses futures, comme si elle n'avait pas assez affaire à digérer les présentes :

cur hanc tibi rector Olympi
Sollicitis visum mortalibus addere curam,
Noscant venturas ut dira per omina clades,
Sit subitum quodcumque paras, sit cæca futuri
Mens hominum fati, liceat sperare timenti[c 1],

Ne utile quidem est scire quid futurum sit. Miserum est enim nihil proficientem angi[d2] : Si est-ce qu'elle[e] est de beaucoup moindre autorité. Voilà pourquoi l'exemple de François Marquis de Sallusse[3] m'a semblé remarquable : Car lieutenant du Roi François en son armée delà les monts[4], infiniment favorisé de notre cour, et obligé au Roi du Marquisat même, qui avait été confisqué de son frère : Au reste ne se présentant occasion de le faire, son affection même y contredisant, se laissa si fort épouvanter (comme il a été avéré) aux belles pronostications qu'on faisait lors courir de tous côtés à l'avantage de l'empereur Charles cinquième, et à notre désavantage, même[f] en Italie, où ces folles prophéties avaient trouvé tant de place, qu'à Rome fut baillé grande somme d'argent au change, pour cette opinion de notre ruine : Qu'après s'être souvent condolu à ses privés[g], des maux qu'il voyait inévitablement préparés à la

a. insensée – *b.* penser par avance à – *c.* « pourquoi, Ô maître de l'Olympe, as-tu jugé bon d'ajouter aux inquiétudes des mortels le souci de connaître par de sinistres présages les désastres à venir ? […] Que tout ce que tu prépares arrive soudainement ; que l'esprit humain soit aveugle sur ses destinées ; permets d'espérer à qui craint. » – *d.* « Il n'est pas même utile de connaître l'avenir. C'est une misère en effet de se tourmenter sans profit. » – *e.* Pourtant la divination – *f.* particulièrement – *g.* s'être affligé avec ses proches

couronne de France, et aux amis qu'il y avait, se révolta, et changea de parti : À son grand dommage pourtant, quelque constellation qu'il y eût. Mais il s'y conduisit en homme combattu de diverses[a] passions : Car ayant et villes et forces en sa main, l'armée ennemie sous Antoine de Leve à trois pas de lui, et nous sans soupçon de son fait, il était en lui[b] de faire pis qu'il ne fit : Car pour sa trahison, nous ne perdîmes ni homme, ni ville que Fossan[1] : encore après l'avoir lontemps contestée[c].

Prudens futuri temporis exitum
Caliginosa nocte premit Deus,
Ridétque si mortalis ultra
Fas trepidat.
Ille potens sui
Laetúsque deget, cui licet in diem
Dixisse, vixi, cras vel atra
Nube polum pater occupato
Vel sole puro.
Laetus in praesens animus, quod ultra est,
Oderit curare[d2].

Et ceux qui croient ce mot au contraire le croient à tort. *Ista sic reciprocantur ut et si divinatio sit dii sint et si dii sint sit divinatio*[e3]. Beaucoup plus sagement Pacuvius :

Nam istis qui linguam avium intelligunt
Plusque ex alieno jecore sapiunt quam ex suo
Magis audiendum quam auscultandum censeo[f4].

a. contradictoires – *b.* il dépendait de lui – *c.* disputée – *d.* « Dans sa prudence, la divinité enveloppe d'une nuit ténébreuse l'issue future, et se rit du mortel qui porte ses inquiétudes plus loin qu'elle ne l'a permis. Celui-là passera son temps maître de soi et joyeux, à qui, jour après jour, il est permis de dire : "J'ai vécu". Que demain Jupiter remplisse le ciel d'une nuée noire ou d'un clair soleil. L'âme, contente du présent, aura en haine l'inquiétude de l'avenir. » – *e.* « Leur argumentation est réciproque : s'il y a une divination, il y a des dieux ; et s'il y a des dieux, il y a une divination. » – *f.* « Car de ceux qui

Cette tant célébrée art[a] de deviner des Toscans naquit ainsi[1]. Un laboureur perçant de son coutre[b] profondément la terre en vit sourdre Tages, demi-dieu d'un visage enfantin mais de sénile prudence[c]. Chacun y accourut et furent ses paroles et science recueillie et conservée à plusieurs siècles, contenant les principes et moyens de cette art. Naissance conforme à son progrès[d]. J'aimerais bien mieux régler mes affaires par le sort des dés que par ces songes. Et de vrai en toutes républiques on a toujours laissé bonne part d'autorité au sort. Platon[2] en la police qu'il forge à discrétion[e] lui attribue la décision de plusieurs effets d'importance. Et veut entre autres choses que les mariages se fassent par sort entre les bons et donne si grand poids à cette élection fortuite[f] que les enfants qui en naissent, il ordonne qu'ils soient nourris[g] au pays : ceux qui naissent des mauvais en soient mis hors : toutefois si quelqu'un de ces bannis venait par cas d'aventure à montrer en croissant quelque bonne espérance de soi, qu'on le puisse rappeler et exiler aussi celui d'entre les retenus qui montrera peu d'espérance de son adolescence. J'en vois qui étudient et glosent leurs Almanachs, et nous en allèguent l'autorité aux choses qui se passent. À tant dire, il faut qu'ils disent, et la vérité et le mensonge : *Quis est enim qui totum diem jaculans non aliquando conlineet*[h][3]*?* Je ne les estime de rien mieux, pour les voir tomber[i] en quelque rencontre : Ce serait plus de certitude, s'il y avait règle et vérité à mentir toujours. Joint que [personne ne tient registre de leurs mécomptes[j], d'autant qu'ils sont ordinaires et infinis] et fait-on valoir leurs divinitations de ce qu'elles sont rares, incroyables et prodigieuses. Ainsi répondit Dia-

---

comprennent la langue des oiseaux, et qui cherchent la connaissance dans le foie d'un autre animal plutôt que dans leurs propres entrailles, je pense qu'il vaut mieux les entendre que les écouter. » – *a.* cet art tant célébré – *b.* couteau – *c.* mais avec la sagesse d'un vieillard – *d.* développement – *e.* dans le système politique qu'il imagine librement – *f.* choix du hasard – *g.* élevés – *h.* « À tirer tout le jour, on atteint tôt ou tard le but. » – *i.* tomber juste – *j.* erreurs

goras[1] qui fut surnommé l'Athée, étant en la Samothrage, à celui qui en lui montrant au temple force vœux et tableaux[a] de ceux qui avaient échappé le naufrage lui dit : Eh bien, vous qui pensez que les dieux mettent à nonchaloir[b] les choses humaines, que dites-vous de tant d'hommes sauvés par leur grâce. Il se fait ainsi répondit-il : ceux-là ne sont pas peints qui sont demeurés noyés, en bien plus grand nombre. Cicero dit[2] que le seul Xenophanes Colophonius, entre tous les philosophes qui ont avoué[c] les dieux, a essayé de déraciner toute sorte de divination. D'autant est-il moins de merveille[d] si nous avons vu parfois à leur dommage, aucunes[e] de nos âmes principesques[f] s'arrêter à ces vanités. Je voudrais bien avoir reconnu de mes yeux ces deux merveilles : du livre [de] Joachim[3], abbé calabrais, qui prédisait tous [les] papes futurs, leurs noms et formes : et celui de Leon l'Empereur[4] qui prédisait les Empereurs [et] Patriarches de Græce. Ceci ai-je reconnu de mes yeux, qu'ès confusions publiques les hommes étonnés [de] leur fortune, se vont rejetant comme à toute superstition à rechercher au ciel les causes et menaces anciennes de leur malheur. Et [y] sont si étrangement heureux de mon temps, qu'ils m'ont persuadé, qu'ainsi que c'est un amusement d'esprits aigus et oisifs, ceux qui sont duits[g] à cette subtilité, de les replier et dénouer, seraient en tous écrits capables de trouver tout ce qu'ils y demandent. Mais surtout leur prête beau jeu le parler obscur, ambigu et fantastique [du] jargon prophétique : auquel leurs auteurs [ne] donnent aucun sens clair, afin que la postérité [y] en puisse appliquer de tels qu'il lui plaira. Le démon de Socrate[5] était à l'aventure[h] certaine impulsion de volonté, qui se présentait à lui, sans attendre le conseil de son discours[i]. En une âme bien épurée, comme la sienne, et préparée par continuel exercice de sagesse et de vertu, il est vraisemblable que ces inclinations, quoique téméraires et indigestes[j], étaient toujours importantes et dignes

a. ex-voto – *b.* négligent – *c.* admis – *d.* est-il moins étonnant – *e.* certaines – *f.* des princes – *g.* exercés – *h.* peut-être – *i.* l'appréciation de sa raison – *j.* sans forme

d'être suivies. Chacun sent en soi, quelque image de telles agitations d'une opinion prompte, véhémente et fortuite : C'est à moi de leur donner quelque autorité, qui en donne si peu à notre prudence. Et en ai eu de pareillement faibles en raison et violentes en persuasion : ou en dissuasion, qui étaient plus ordinaires en Socrates : auxquelles je me laissai emporter si utilement et heureusement, qu'elles pourraient être jugées tenir quelque chose d'inspiration divine.

De la constance

CHAP. XII

La loi de la résolution et de la constance, ne porte[a] pas que nous ne nous devions couvrir, autant qu'il est en notre puissance, des maux et inconvénients qui nous menacent. Ni par conséquent d'avoir peur qu'ils nous surprennent. Au rebours[b], tous moyens honnêtes de se garantir des maux, sont non seulement permis, mais louables. Et le jeu de la constance se joue principalement à porter[c] patiemment les inconvénients, où il n'y a point de remède. De manière qu'il n'y a souplesse de corps, ni mouvement aux armes de main, que nous trouvions mauvais, s'il sert à nous garantir du coup qu'on nous rue[d]. Plusieurs nations très belliqueuses se servaient en leurs faits d'armes de la fuite pour avantage principal [et] montraient le dos à l'ennemi plus dangereusement que leur visage : Les Turcs [en] retiennent quelque chose. Et Socrates en[e] Platon[1] se moquant de Lachez qui avait défini [la] fortitude[f] : se tenir ferme en son rang contre les ennemis. Quoi, fit-il, serait-ce donc lâcheté [de] les battre en leur faisant place ? Et lui allègue Homère[2] qui loue en Æneas la science de fuir. [Et] parce que Lachez se ravisant avoue cet usage aux Scythes et enfin généralement aux gens de cheval[g]. Il lui allègue encore l'exemple des gens

a. stipule – *b.* Au contraire – *c.* supporter – *d.* porte – *e.* chez – *f.* courage – *g.* cavaliers

de pied[a] Lacédémoniens, nation sur toutes duite[b] à combattre de pied ferme, qui en la journée de Platées[1] ne pouvant ouvrir la phalange persienne[c], s'avisèrent de s'écarter [et] sier arrière[d] pour par l'opinion de leur fuite[e] faire rompre et dissoudre cette masse en les poursuivant. Par où ils se donnèrent la victoire. Touchant les Scythes on dit d'eux[2] quand Darius alla pour [les] subjuguer qu'il manda à leur Roi force reproches pour le voir toujours reculant devant lui et gauchissant[f] la mêlée. [À] quoi Indathyrse, car ainsi se nommait-il, fit réponse que ce n'était pour avoir peur ni de lui ni d'homme vivant, mais que c'était la façon de marcher de sa nation, n'ayant ni terre cultivée ni ville ni maison à défendre et à craindre que l'ennemi en pût faire profit. Mais s'il avait si grand faim d'y mordre, qu'il approchât pour voir le lieu de leurs anciennes sépultures et que là il trouverait à qui parler. Toutefois aux canonnades, depuis qu'on leur est planté en butte[g], comme les occasions de la guerre portent souvent, il est messéant de s'ébranler pour la menace du coup[h] : D'autant que pour sa violence et vitesse nous le tenons inévitable. Et en y a maint un[i], qui pour avoir ou haussé la main, ou baissé la tête, en a pour le moins apprêté à rire à ses compagnons. Si est-ce qu'au voyage[j] que l'Empereur Charles cinquième fit contre nous en Provence[3], le Marquis de Guast étant allé reconnaître la Ville d'Arle, et s'étant jeté hors du couvert d'un moulin à vent, à la faveur duquel il s'était approché, fut aperçu par les Seigneurs de Bonneval et Sénéchal d'Agenais, qui se promenaient sur le théâtre aux arènes : Lesquels l'ayant montré au Seigneur de Villier Commissaire de l'artillerie, il braqua si à propos une couleuvrine[k], que sans ce que ledit Marquis

a. fantassins – *b.* plus que toutes exercée – *c.* perse – *d.* reculer – *e.* en faisant croire à leur fuite – *f.* esquivant – *g.* lorsque l'on s'y trouve exposé – *h.* il ne faut pas bouger sous la menace du tir – *i.* plus d'un – *j.* Pourtant lors de l'expédition – *k.* canon fin et long

voyant mettre le feu se lança à quartier[a], il fût tenu[b] qu'il en avait dans le corps. Et de même quelques années auparavant, Laurens de Medicis[1], Duc d'Urbin, père de la Reine, mère du Roi, assiégeant Mondolphe[2], place d'Italie, aux terres qu'on nomme du Vicariat, voyant mettre le feu à une pièce[c] qui le regardait, bien lui servit de faire la cane[d], Car autrement le coup, qui ne lui rasa que le dessus de la tête, lui donnait sans doute dans l'estomac. Pour en dire le vrai, je ne crois pas que ces mouvements se fissent avec discours[e] : Car quel jugement pouvez-vous faire de la mire haute ou basse en chose si soudaine ? Et est bien plus aisé à croire, que la fortune favorisa leur frayeur, et que ce serait moyen une autre fois aussi bien pour se jeter dans le coup, que pour l'éviter. Je ne me puis défendre, si le bruit éclatant d'une arquebusade vient à me frapper les oreilles à l'improuvu[f], en lieu où je ne le dusse pas attendre, que je n'en tressaille : Ce que j'ai vu encore advenir à d'autres qui valent mieux que moi. Ni n'entendent les Stoïciens[g][3] que l'âme de leur sage puisse résister aux premières visions et fantaisies[h] qui lui surviennent, ains[i] comme à une sujétion naturelle consentent qu'il cède au grand bruit du ciel[j] ou d'une ruine, pour exemple, jusques à la pâleur et contraction. Ainsi aux autres passions, Pourvu que son opinion [demeure] sauve et entière et que l'assiette de son discours[k] n'en souffre atteinte ni altération quelconque et qu'il ne prête nul consentement à son effroi et souffrance. De celui qui n'est pas sage il en va de même en la première partie. Mais tout autrement en la seconde. Car l'impression des passions ne demeure pas en lui superficielle, ains va pénétrant jusques au siège de sa raison, l'infectant et la corrompant.

a. à l'écart – *b.* on estima – *c.* un canon – *d.* plonger – *e.* volontairement – *f.* imprévu – *g.* Et les stoïciens ne pensent pas – *h.* imaginations – *i.* mais – *j.* au tonnerre – *k.* de sa raison

Il juge selon icelles[a] et [s'y] conforme. Voyez bien disertement[b] et pleinement l'état du sage Stoïque :

Mens immota manet lachrimæ volvuntur inanes[c] [1].

Le sage Péripatéticien ne s'exempte pas des [perturbations[d], mais il les modère].

a. celles-ci – *b.* éloquemment – *c.* « Son esprit reste inébranlable, ses larmes coulent en vain » – *d.* passions

Cérémonie de l'entrevue des Rois

CHAP. XIII

Il n'est sujet si vain, qui ne mérite un rang en cette rhapsodie. À nos règles communes, ce serait une notable discourtoisie et à l'endroit d'un pareil[a] et plus à l'endroit d'un grand, de faillir à vous trouver chez vous, quand il vous aurait averti d'y devoir venir. Voire ajoutait la Reine de Navarre Marguerite[1] à ce propos, que c'était incivilité à un Gentilhomme de partir de sa maison, comme il se fait le plus souvent, pour aller au-devant de celui qui le vient trouver, pour grand qu'il soit : Et qu'il est plus respectueux et civil de l'attendre, pour le recevoir, ne fût que de peur de faillir sa route[b] : Et qu'il suffit de l'accompagner à son partement[c]. Pour moi j'oublie souvent l'un et l'autre de ces vains offices[d] : Comme je retranche en ma maison toute cérémonie. Quelqu'un s'en offense : Qu'y ferais-je[e] ? Il vaut mieux que je l'offense, pour une fois, que à moi[f] tous les jours : Ce serait une sujétion continuelle. À quoi faire fuit-on[g] la servitude des cours, si on l'en traîne jusques en sa tanière. C'est aussi une règle commune en toutes assemblées, qu'il touche aux moindres[h] de se trouver

a. pair – *b*. de le manquer en chemin – *c*. départ – *d*. devoirs – *e*. Si l'on s'en offense, qu'y puis-je ? – *f*. plutôt que je m'offense moi-même – *g*. à quoi bon fuir – *h*. aux moins importants les premiers à l'assignation[a], d'autant qu'il est mieux dû[b] aux plus apparents[c] de se faire attendre. Toutefois à l'entrevue qui se dressa du Pape Clément, et du Roi François à Marseille[1], le Roi y ayant ordonné les apprêts nécessaires, s'éloigna de la ville, et donna loisir au Pape de deux ou trois jours pour son entrée et rafraîchissement[d], avant qu'il le vînt trouver. Et de même à l'entrée aussi du Pape et de l'Empereur à Bouloigne[2], l'Empereur donna moyen au Pape d'y être le premier, et y survint après lui. C'est, disent-ils[e], une cérémonie ordinaire aux abouchements[f] de tels Princes, que le plus grand soit avant les autres au lieu assigné. Voire avant celui chez qui se fait l'assemblée: Et le prennent de ce biais[g], Que c'est afin que cette apparence témoigne, que c'est le plus grand que les moindres vont trouver, et le recherchent, non pas lui eux. Non seulement chaque pays mais chaque cité a sa civilité particulière : et chaque vacation[h]. J'y ai été assez soigneusement dressé en mon enfance et ai vécu en assez bonne compagnie, pour n'ignorer pas les lois de la nôtre française, et en tiendrais école[i]. J'aime à les ensuivre : mais non pas si couardement que ma vie en demeure contrainte. Elles ont quelques formes pénibles, lesquelles pourvu qu'on oublie par discrétion[j], non par erreur, on n'en a pas moins de grâce. J'ai vu souvent des hommes incivils par trop de civilité : et importuns de courtoisie. C'est au demeurant une très utile science [que] la science de l'entregent[k]. Elle est comme la grâce et la beauté conciliatrice des premiers abords de la société et [familiarité] ; et par conséquent nous ouvre la porte à nous instruire par les exemples d'autrui : et à exploiter [et produire[l] notre exemple, s'il a quelque chose] d'instruisant et communicable.

a. convocation – *b.* dans la mesure où il est plus convenable – *c.* aux plus importants – *d.* repos – *e.* dit-on – *f.* entrevues – *g.* on l'interprète ainsi – *h.* profession – *i.* je pourrais l'enseigner – *j.* pourvu qu'on les omette par choix – *k.* politesse – *l.* montrer

Que le goût des biens et des maux dépend en bonne partie de l'opinion, que nous en avons

CHAP. XIV

Les hommes (dit une sentence Grecque ancienne) sont tourmentés par les opinions qu'ils ont des choses, non par les choses mêmes[1]. Il y aurait un grand point gagné pour le soulagement de notre misérable condition humaine, qui pourrait établir cette proposition vraie tout partout[a]. Car si les maux n'ont entrée en nous, que par notre jugement, il semble qu'il soit en notre pouvoir de les mépriser ou contourner à bien[b]. Si les choses se rendent à notre merci, pourquoi n'en chevirons-nous[c], ou ne les accommoderons-nous à notre avantage ? Si ce que nous appelons mal et tourment, n'est ni mal ni tourment de soi, ains seulement que notre fantaisie lui donne[d] cette qualité, il est en nous[e] de la changer : Et en ayant le choix, si nul ne nous force, nous sommes étrangement fols de nous bander pour le parti[f] qui nous est le plus ennuyeux[g] : Et de donner aux maladies, à l'indigence et au mépris un aigre et mauvais goût, si nous le leur pouvons donner bon. Et si[h] la fortune fournissant simplement de matière, c'est à nous de lui donner la forme. Or que ce que nous

a. universellement – *b.* tourner en bien – *c.* n'en serons-nous pas maîtres – *d.* mais que notre seule imagination lui donne – *e.* il dépend de nous – *f.* nous rallier au parti – *g.* pénible – *h.* Ainsi

appelons mal, ne le soit pas de soi, ou au moins tel qu'il soit, qu'il dépende de nous de lui donner autre saveur, et autre visage, car tout revient à un, voyons s'il se peut maintenir[a]. Si l'être originel de ces choses que nous craignons, avait crédit de se loger en nous de son autorité, il logerait pareil et semblable en tous : Car les hommes sont tous d'une espèce : et sauf le plus et le moins, se trouvent garnis de pareils outils et instruments pour concevoir et juger. Mais la diversité des opinions, que nous avons de ces choses-là, montre clairement qu'elles n'entrent en nous que par composition[b] : Tel à l'aventure, les loge chez soi en leur vrai être, mais mille autres leur donnent un être nouveau et contraire chez eux. Nous tenons la mort, la pauvreté et la douleur pour nos principales parties[c]. Or cette mort que les uns appellent des choses horribles la plus horrible, qui ne sait que d'autres la nomment l'unique port des tourments de cette vie ? le souverain bien de nature ? seul appui de notre liberté ? et commune et prompte recette[d] à tous maux ? et comme les uns l'attendent tremblants et effrayés, d'autres la supportent plus aisément que la vie. Celui-là se plaint de sa facilité,

Mors utinam pavidos vita subducere nolles,
Sed virtus te sola daret[e][1].

Or laissons ces glorieux courages : Theodorus répondit à Lysimachus menaçant de le tuer : Tu feras un grand coup d'arriver à la force d'une cantharide[2]. La plupart des philosophes se trouvent avoir ou prévenu par dessein ou hâté et secouru leur mort. Combien voit-on[3] de personnes populaires, conduites à la mort, et non à une mort simple, mais mêlée de honte et quelquefois de griefs[f] tourments, y apporter une telle

a. voyons s'il est possible de le soutenir – *b*. accommodement – *c*. ennemies – *d*. remède – *e*. « Ô mort, que ne refuses-tu de soustraire les lâches à la vie, que n'es-tu don de la seule vertu. » – *f*. graves assurance, qui par opiniâtreté, qui par simplesse naturelle, qu'on n'y aperçoit rien de changé de leur état ordinaire : Établissants leurs affaires domestiques, se recommandants à leurs amis, chantants, prêchants et entretenants le peuple : Voire y mêlants quelquefois des mots pour rire, et buvants à leurs connaissants[a], aussi bien que Socrates. Un[1] qu'on menait au gibet, disait que ce ne fût pas par telle rue, car il y avait danger qu'un marchand lui fît mettre la main sur le collet, à cause d'un vieux dette[b]. Un autre disait au bourreau qu'il ne le touchât pas à la gorge, de peur de le faire tressaillir de rire, tant il était chatouilleux : L'autre répondit à son confesseur, qui lui promettait qu'il souperait ce jour-là avec notre Seigneur, allez-vous-y-en vous, car de ma part je jeûne. Un autre ayant demandé à boire, et le bourreau ayant bu le premier, dit ne vouloir boire après lui, de peur de prendre la vérole. Chacun a ouï faire le conte du Picard, auquel étant à l'échelle on présenta une garce, et que (comme notre justice permet quelquefois) s'il la voulait épouser, on lui sauverait la vie, Lui, l'ayant un peu contemplée, et aperçu qu'elle boitait : Attache, Attache, dit-il, elle cloche[c]. Et on dit de même qu'en Dannemarc un homme condamné à avoir la tête tranchée, étant sur l'échafaud, comme on lui présenta une pareille condition, la refusa, parce que la fille, qu'on lui offrit, avait les joues avalées[d], et le nez trop pointu. Un valet à Thoulouse accusé d'hérésie, pour toute raison de sa créance se rapportait à celle de son maître, jeune écolier prisonnier avec lui. Et aima mieux mourir, que se laisser persuader que son maître pût faillir. Nous lisons[2] de ceux de la ville d'Arras,

a. à leurs personnes de connaissance – *b*. d'une vieille dette – *c*. elle boite – *d*. tombantes

lorsque le Roi Louis onzième la prit, qu'il s'en trouva bon nombre parmi le peuple qui se laissèrent pendre, plutôt que de dire, Vive le roi. Au royaume de Narsinque[1] encore aujourd'hui les femmes de leurs prêtres sont vives ensevelies avec leurs maris morts. Toutes autres femmes sont brûlées vives non constamment seulement[a], mais gaiement, aux funérailles de leurs maris. Et quand on brûle le corps de leur Roi trépassé toutes ses femmes et concubines, ses mignons et toute sorte d'officiers et serviteurs qui font un peuple accourent si allégrement à ce feu pour s'y jeter quant et[b] leur maître, qu'ils semblent tenir à honneur d'être compagnons de son trépas. Et de ces viles âmes de bouffons[2], il s'en est trouvé qui n'ont voulu abandonner leur gaudisserie[c] en la mort même : Celui à qui le bourreau donnait le branle[d], s'écria Vogue la gallée[e]. Qui était son refrain ordinaire. Et l'autre qu'on avait couché sur le point de rendre sa vie le long du foyer sur une paillasse, à qui le médecin demandant où le mal le tenait, Entre le banc et le feu, répondit-il : Et le prêtre, pour lui donner l'extrême-onction, cherchant ses pieds, qu'il avait resserrés et contraints par la maladie. Vous les trouverez, dit-il, au bout de mes jambes : À l'homme qui l'exhortait de se recommander à Dieu, Qui y va ? demanda-il : Et l'autre répondant, Ce sera tantôt vous-même, s'il lui plaît. Y fussé-je bien demain au soir, répliqua-il : Recommandez-vous seulement à lui, suivit l'autre, vous y serez bientôt. Il vaut donc mieux, ajouta-il, que je lui porte mes recommandations moi-même. Pendant nos dernières guerres de Milan et tant de prises et rescousses[f], le peuple impatient de si divers changements de fortune, prit telle résolution à la mort, que j'ai ouï dire à mon père, qu'il y vit tenir

a. non seulement avec constance – *b.* avec – *c.* propension à la raillerie – *d.* poussait pour qu'il pende au bout de la corde – *e.* galère – *f.* récupérations de ce qui a été pris

compte de bien vingt-cinq maîtres de maison, qui s'étaient défaits eux-mêmes[a] en une semaine : Accident approchant à celui de la ville des Xanthiens[1]. Lesquels assiégés par Brutus se précipitèrent pêle-mêle hommes, femmes, et enfants à un si furieux appétit de mourir, qu'on ne fait rien pour fuir la mort, que ceux-ci ne fissent pour fuir la vie : En manière qu'à peine put Brutus en sauver un bien petit nombre. Toute opinion est assez forte pour se faire épouser au prix de la vie. Le premier article[2] de ce beau serment que la Græce jura et maintint en la guerre Médoise[b] : ce fut que chacun changerait plutôt la mort à la vie, que les lois Persiennes aux leurs. Combien voit-on de monde, en la guerre des Turcs et des Grecs, accepter plutôt la mort très âpre, que de [se] décirconcire pour se baptiser. Exemple de quoi nulle sorte de religion n'est incapable. Les Rois de Castille[3] ayant banni [de] leurs terres les Juifs, le Roi Jan de Portugal leur vendit à huit écus pour tête la retraite aux siennes en condition que dans certain jour ils auraient à les vider : et lui, promettait leur fournir de vaisseaux à les trajecter[c] en Afrique. Le jour venu lequel passé il était dit que ceux qui n'auraient obéi demeureraient esclaves, les vaisseaux leur furent fournis escharsement[d] [et] ceux qui s'y embarquèrent rudement et vilainement traités par les passagers[e], qui outre plusieurs autres indignités les amusèrent[f] [sur] mer, tantôt avant tantôt arrière, jusques à ce qu'ils eussent consommé leurs victuailles et fussent contraints d'en acheter d'eux si chèrement et si longuement qu'ils fussent rendus à bord[g] après avoir [été] du tout mis en chemise[h]. La nouvelle de cette inhumanité rapportée à ceux qui étaient en terre, la plupart se résolurent à la servitude : aucuns firent contenance de changer de religion. Emanuel[4] venu à la couronne les mit premièrement en liberté : et changeant d'avis depuis leur donna temps de vider ses

a. suicidés – *b.* médique – *c.* pour les faire passer par la mer – *d.* parcimonieusement – *e.* l'équipage – *f.* firent perdre le temps – *g.* débarqués sur la rive – *h.* entièrement dépouillés

pays assignant trois ports à leur passage. Il espérait dit l'évêque Osorius, le meilleur historien latin de nos siècles, que la faveur [de] la liberté qu'il leur avait rendue ayant failli de les convertir au Christianisme, la difficulté de se commettre comme leurs compagnons à la volerie des mariniers, d'abandonner un pays où ils étaient habitués avec grandes richesses pour s'aller jeter en région inconnue et étrangère les y ramènerait. Mais se voyant déchu de son espérance et eux tous délibérés[a] au passage, il retrancha deux des ports qu'il leur avait promis afin que la longueur et incommodité du trajet en ravisât aucuns : ou pour les amonceler[b] tous à [un] lieu pour une plus grande commodité de l'exécution qu'il avait destinée. Ce fut qu'il ordonna qu'on arrachât [d']entre les mains des pères et des mères tous les enfants au-dessous de quatorze ans pour les transporter hors de leur vue et conversation[c] en lieu où ils fussent instruits à notre religion. Ils disent que cet effet produisit un horrible spectacle : la naturelle affection d'entre les pères et les enfants et de plus, le zèle à leur ancienne créance combattant [à l'encontre] de cette violente ordonnance. Il y fut vu communément des pères et mères se défaisant eux-mêmes et d'un [plus rude exemple encore précipitant par] amour et compassion leurs jeunes enfants dans des puits pour fuir à la loi. [Au demeurant, le terme qu'il leur avait préfix[d], expiré, par faute de moyens, ils se remirent en servitude. Quelques-uns se firent Chrétiens : de la foi desquels,] ou de leur race[e], encore aujourd'hui cent ans après peu de Portugais s'assurent quoique la coutume et la longueur du temps soient bien plus fortes conseillères que toute autre contrainte. *Quoties non modo ductores nostri*, dit Cicero, *sed universi, etiam exercitus ad non dubiam mortem concurrerunt*[f][1]. J'ai vu quelqu'un de mes intimes amis courre[g] la mort à force, d'une vraie affection, et enracinée en son cœur par divers visages de discours[h], que je ne lui sus rabattre : Et à

a. décidés – *b.* rassembler – *c.* fréquentation – *d.* fixé – *e.* famille – *f.* « Combien de fois non seulement nos chefs, mais encore nos armées tout entières se précipitèrent vers une mort qui ne faisait aucun doute ! » – *g.* courir à – *h.* par diverses sortes de raisonnement la première qui s'offrit coiffée d'un lustre d'honneur s'y précipiter hors de toute apparence[a], d'une faim âpre et ardente. Nous avons plusieurs exemples en notre temps, de ceux, jusques aux enfants, qui de crainte de quelque légère incommodité, se sont donnés à la mort. Et à ce propos, que ne craindrons-nous, dit un ancien[1], si nous craignons ce que la couardise même a choisi pour sa retraite ? D'enfiler ici un grand rôle[b] de ceux de tous sexes et conditions et de toutes sectes ès siècles plus heureux, qui ont ou attendu la mort constamment[c], ou recherchée volontairement : Et recherchée non seulement pour fuir les maux de cette vie, Mais aucuns pour fuir simplement la satiété de vivre, Et d'autres pour l'espérance d'une meilleure condition ailleurs, je n'aurais jamais fait : Et en est le nombre si infini, qu'à la vérité j'aurais meilleur marché de mettre en compte[d] ceux qui l'ont crainte. Ceci seulement. Pyrrho le Philosophe[2], se trouvant un jour de grande tourmente dans un bateau, montrait à ceux, qu'il voyait les plus effrayés autour de lui, et les encourageait par l'exemple d'un pourceau, qui y était, nullement soucieux de cet orage. Oserons-nous donc dire que cet avantage de la raison, de quoi nous faisons tant de fête, et pour le respect duquel nous nous tenons maîtres et empereurs du reste des créatures, ait été mis en nous, pour notre tourment[3] ? À quoi faire la connaissance des choses, si nous en perdons le repos et la tranquillité, où nous serions sans cela, Et si elle nous rend de pire condition que le pourceau de Pyrrho ? L'intelligence qui nous a été donnée pour notre plus grand bien, l'emploierons-

a. hors de toute raison – *b*. d'énumérer ici une grande liste – *c*. avec constance – *d*. tenir compte de

nous à notre ruine, combattants le dessein de nature, et l'universel ordre des choses, qui porte que chacun use de ses outils et moyens pour sa commodité? Bien, me dira l'on, votre règle serve à la mort[a], mais que direz-vous de l'indigence? Que direz-vous encore de la douleur, que Aristippus, Hieronimus[1] et la plupart des sages ont estimé le dernier mal: et ceux qui le niaient de parole, le confessaient par effet? Possidonius[2] étant extrêmement tourmenté d'une maladie aiguë et douloureuse, Pompeius le fut voir, et s'excusa d'avoir pris heure si importune pour l'ouïr deviser de la Philosophie: Jà à Dieu ne plaise, lui dit Possidonius, que la douleur gagne tant sur moi, qu'elle m'empêche d'en discourir et d'en parler: Et se jeta sur ce même propos du mépris de la douleur. Mais cependant elle jouait son rôle et le pressait incessamment: À quoi il s'écriait. Tu as beau faire, douleur, si ne dirai-je pas, que tu sois mal. Ce conte[b] qu'ils font tant valoir, que porte-il pour le mépris de la douleur? Il ne débat que du mot, et cependant si ces pointures[c] ne l'émeuvent, pourquoi en rompt-il son propos? Pourquoi pense-il faire beaucoup de ne l'appeler pas mal? Ici tout ne consiste pas en l'imagination. Nous opinons du reste[d], c'est ici la certaine science, qui joue son rôle: Nos sens même en sont juges,

Qui nisi sunt veri, ratio quoque falsa sit omnis[e][3].

Ferons-nous accroire à notre peau, que les coups d'étrivière la chatouillent? Et à notre goût que l'aloès soit du vin de graves. Le pourceau de Pyrrho est ici de notre écot[f]. Il est bien sans effroi à la mort, mais

a. Admettons que votre règle soit utile au moment de la mort – *b*. récit – *c*. douleurs – *d*. Le reste est du domaine de l'opinion – *e*. « S'ils [nos sens] ne sont pas véridiques, la raison tout entière devient fausse à son tour. » – *f*. appartient à notre société

si on le bat, il crie et se tourmente : Forcerons-nous la générale habitude de nature, qui se voit en tout ce qui est vivant sous le ciel, de trembler sous la douleur ? Les arbres mêmes semblent gémir aux offenses[a], qu'on leur fait. La mort ne se sent que par le discours, d'autant que c'est le mouvement d'un instant,

Aut fuit, aut veniet, nihil est præsentis in illa,
Morsque minus pœnæ, quam mora mortis habet[b][1].

Mille bêtes, mille hommes sont plus tôt morts, que menacés. Et à la vérité ce que nous disons craindre principalement en la mort, c'est la douleur son avant-coureuse coutumière. Toutefois s'il en faut croire un saint père, *Malam mortem non facit nisi quod sequitur mortem*[c][2]. Et je dirai encore plus vraisemblablement que [ni] ce qui va devant ni ce qui vient après n'est des appartenances [de] la mort. Nous nous excusons faussement. Et je trouve par expérience que c'est plutôt l'impatience[d] de l'imagination de la mort qui nous rend impatients de la douleur. Et que nous la sentons doublement griève[e] de ce qu'elle nous menace de mourir. Mais [la] raison accusant notre lâcheté de craindre chose [si] soudaine, si inévitable, si insensible, nous prenons cet autre prétexte plus excusable. Tous les maux qui n'ont autre danger que du mal, nous les disons sans danger : celui des dents ou de la goutte, pour grief qu'il soit, d'autant qu'il n'est pas homicide[f], qui le met en compte de maladie ? Or bien présupposons-le, qu'en la mort nous regardons principalement la douleur. [Comme] aussi la pauvreté n'a rien à craindre, que cela, qu'elle nous jette entre ses bras, par la soif, la faim, le froid, le chaud, les veilles, qu'elle nous fait souffrir. Ainsi n'ayons affaire qu'à la douleur. Je leur donne[g] que ce soit le pire accident de notre être, et volontiers : Car je suis l'homme du monde qui lui veux

a. blessures – *b.* « Ou elle a été, ou elle viendra, il n'est rien de présent en elle » ; « La mort est un moindre supplice que l'attente de la mort ». – *c.* « La mort ne devient un mal que par ce qui la suit. » – *d.* la difficulté à supporter – *e.* douloureuse – *f.* mortel – *g.* concède

autant de mal, et qui la fuis autant, pour jusques à présent n'avoir pas eu, Dieu merci, grand commerce avec elle, Mais il est en nous[a], sinon de l'anéantir, au moins de l'amoindrir par la patience : et quand bien le corps s'en émouvrait, de maintenir ce néanmoins l'âme et la raison en bonne trempe : Et s'il ne l'était, qui aurait mis en crédit parmi nous, la vertu, la vaillance, la force, la magnanimité et la résolution : Où joueraient-elles leur rôle, s'il n'y a plus de douleur à défier : *Avida est periculi virtus*[b1]. S'il ne faut coucher sur la dure. Soutenir armé de toutes pièces la chaleur du midi. Se paître[c] d'un cheval, ou d'un âne. Se voir détailler en pièces, et arracher une balle d'entre les os, Se souffrir recoudre, cautériser et sonder, par où s'acquerra l'avantage que nous voulons avoir sur le vulgaire ? C'est bien loin de fuir le mal et la douleur, ce que disent les Sages, que des actions également bonnes, celle-là est plus souhaitable à faire, où il y a plus de peine. *Non enim hilaritate nec lascivia nec risu aut joco comite levitatis sed sæpe etiam tristes firmitate et constantia sunt beati*[d2]. Et à cette cause il a été impossible de persuader à nos pères, que les conquêtes faites par vive force, au hasard de la guerre, ne fussent plus avantageuses, que celles qu'on fait en toute sûreté par pratiques et menées,

Lætius est, quoties magno sibi constat honestum[e3].

Davantage, cela nous doit consoler : Que naturellement, si la douleur est violente, elle est courte, si elle est longue, elle est légère. *Si gravis brevis, si longus*

a. il dépend de nous – *b.* « Le courage est avide de péril. » – *c.* se nourrir de – *d.* « Ce n'est, en effet, ni l'enjouement, ni les plaisirs, ni le rire ou le badinage, compagnon de la frivolité, qui les rendent heureux, mais souvent aussi, dans la tristesse, la fermeté et la constance. » – *e.* « La vertu a d'autant plus de charmes qu'elle coûte plus cher. »

levis[1]. Tu ne la sentiras guère longtemps, si tu la sens trop, Elle mettra fin à soi, ou à toi : L'un et l'autre revient à un. Si tu ne la portes, elle t'emportera. *Memineris maximos morte finiri : parvos multa habere intervalla requietis : mediocrium nos esse dominos : ut si tolerabiles sint feramus, sin minus e vita quum ea non placeat, tanquam e theatro exeamus*[a][2]. Ce qui nous fait souffrir avec tant d'impatience la douleur, c'est de n'être pas accoutumés de prendre notre principal contentement en l'âme, de ne nous attendre point assez à elle[b] : qui est seule et souveraine maîtresse de notre condition et conduite. Le corps n'a sauf le plus et le moins qu'un train et qu'un pli[c]. Elle est variable en toute sorte de formes. Et range à soi et à son état quel qu'il soit, les sentiments du corps, et tous autres accidents. Pourtant[d] la faut-il étudier et enquérir et éveiller en elle ses ressorts tout-puissants. Il n'y a raison ni prescription ni force, qui puisse contre son inclination et son choix. De tant de milliers de biais qu'elle a en sa disposition, donnons-lui-en un propre à notre repos et conservation, nous voilà non couverts seulement de toute offense, mais gratifiés même et flattés, si bon lui semble, des offenses et des maux. Elle fait son profit de tout indifféremment. L'erreur, les songes lui servent utilement comme une loyale matière à nous mettre à garant[e] et en contentement. Il est aisé à voir que [ce] qui aiguise en nous la douleur et la volupté, c'est la pointe de notre esprit. Les bêtes qui le tiennent sous boucle[f] laissent aux corps leurs sentiments libres et naïfs[g] : Et par conséquent uns à peu près, en chaque espèce : Comme nous voyons par la semblable application de leurs mouvements. Si nous ne troublions pas en nos membres, la juridiction qui leur appartient en cela : il est

a. « Souviens-toi que la mort met un terme aux plus grandes douleurs ; que, si les douleurs sont moindres, elles connaissent de nombreux moments de répit ; qu'enfin, si elles sont moyennes, nous en sommes maîtres ; de sorte que nous sommes maîtres de les supporter si elles sont tolérables, et sinon, de quitter, comme le théâtre, une vie qui ne nous plaît pas. » – *b*. espérer d'elle – *c*. qu'une façon et qu'une manière – *d*. C'est pourquoi – *e*. mettre à l'abri – *f*. tiennent enchaîné – *g*. naturels

à croire que nous en serions mieux. Et que nature leur a donné un juste et modéré tempérament envers la volupté [et] envers la douleur. Et ne peut faillir d'être juste, étant égal et commun. Mais puisque nous nous sommes émancipés de ses règles, pour nous abandonner à la vagabonde liberté de nos fantaisies : au moins aidons-nous à les plier du côté le plus agréable. Platon[1] craint notre engagement âpre à la douleur et à la volupté, d'autant qu'il oblige et attache par trop l'âme au corps. Moi plutôt au rebours d'autant qu'il l'en déprend et décloue[a]. Tout ainsi que l'ennemi se rend plus aigre à notre fuite, aussi s'enorgueillit la douleur, à nous voir trembler sous elle[2]. Elle se rendra de bien meilleure composition, à qui lui fera tête. Il se faut opposer et bander contre. En nous acculant et tirant arrière, nous appelons à nous et attirons la ruine, qui nous menace. Comme le corps est plus ferme à la charge en le raidissant aussi est l'âme[3]. Mais venons aux exemples, qui sont proprement du gibier des gens faibles de reins[b], comme moi : Où nous trouverons qu'il va de la douleur, comme des pierres qui prennent couleur, ou plus haute, ou plus morne[c], selon la feuille où l'on les couche, Et qu'elle ne tient qu'autant de place en nous, que nous lui en faisons. *Tantum doluerunt*, dit S. Augustin, *quantum doloribus se inseruerunt*[d4]. Nous sentons plus un coup de rasoir du Chirurgien, que dix coups d'épée en la chaleur du combat. Les douleurs de l'enfantement par les médecins, et par Dieu même estimées grandes[5], et que nous passons avec tant de cérémonies, il y a des nations entières, qui n'en font nul compte. Je laisse à part les femmes Lacédémoniennes[6] : mais aux Suisses parmi nos gens de pied, quel changement y trouvez-vous ? Sinon que trottant après leurs maris,

a. détache – *b.* manquant de force – *c.* ou plus éclatante ou plus terne – *d.* « Ils ont souffert dans la mesure où ils se sont livrés à la souffrance. »

vous leur voyez aujourd'hui porter au col l'enfant, qu'elles avaient hier au ventre : Et ces Égyptiennes contrefaites[a][1] ramassées d'entre nous, vont elles-mêmes laver les leurs, qui viennent de naître : et prennent leur bain en la plus prochaine rivière. Outre tant de garces [qui dérobent[b] tous les jours leurs enfants tant en la génération] qu'en la conception : cette honnête femme de Sabinus, patricien romain, pour l'intérêt d'autrui supporta le travail [de] l'enfantement de deux jumeaux seule, sans assistance, et sans voix et gémissement[2]. Un simple garçonnet de Lacedemone[3], ayant dérobé un renard (car ils craignaient encore plus la honte de leur sottise au larcin que nous ne craignons sa peine) et l'ayant mis sous sa cape, endura plutôt qu'il lui eût rongé le ventre, que de se découvrir. Et un autre[4] donnant de l'encens à un sacrifice, le charbon lui étant tombé dans la manche, se laissa brûler jusques à l'os, pour ne troubler le mystère. Et s'en est vu[5] un grand nombre pour le seul essai de vertu, suivant leur institution[c], qui ont souffert en l'âge de sept ans d'être fouettés jusques à la mort, sans altérer leur visage. Et Cicero les a vus se battre à troupes : de poings, de pieds et de dents, jusques à s'évanouir avant que d'avouer être vaincus. *Nunquam naturam mos vinceret : [est] enim ea semper invicta : sed nos umbris deliciis [otio] languore desidia animum infecimus : opinionibus maloque more delinitum mollivimus*[d][6]. Chacun sait l'histoire de Scevola[7] qui s'étant coulé dans le camp ennemi, pour en tuer le chef, et ayant failli d'atteinte[e], pour reprendre son effet[f] d'une plus étrange invention, et décharger sa patrie, confessa à Por-

a. déguisées – *b.* dissimulent – *c.* éducation – *d.* « Jamais la coutume ne vaincrait la nature : celle-ci reste en effet toujours invincible ; mais chez nous, vivant dans les apparences, les raffinements, l'oisiveté, l'indolence, la fainéantise ont corrompu les âmes, les préjugés et les mauvaises habitudes les ont séduites et amollies. » – *e.* ayant manqué le but – *f.* acte

senna, qui était le Roi qu'il voulait tuer, non seulement son dessein, mais ajouta qu'il avait en son camp un grand nombre de Romains complices de son entreprise tels que lui. Et pour montrer quel il était, s'étant fait apporter un brasier, vit et souffrit griller et rôtir son bras, jusques à ce que l'ennemi même en ayant horreur commandât ôter le brasier. Quoi, celui[1] qui ne daigna interrompre la lecture de son livre pendant qu'on l'incisait ? Et celui, qui s'obstina à se moquer et à rire à l'envi des maux, qu'on lui faisait : De façon que la cruauté irritée des bourreaux qui le tenaient, et toutes les inventions des tourments redoublés les uns sur les autres lui donnèrent gagné. Mais c'était un philosophe. Quoi ? un gladiateur de Cæsar[2], endura toujours riant qu'on lui sondât et détaillât ses plaies. *Quis mediocris gladiator ingemuit : quis vultum mutavit unquam ? Quis non modo stetit, verum etiam decubuit turpiter ? Quis, cum decubuisset, ferrum recipere jussus, collum contraxit*[a][3] ? Mêlons-y les femmes. Qui n'a ouï parler à Paris de celle, qui se fit écorcher pour seulement en acquérir le teint plus frais d'une nouvelle peau ? Il y en a qui se sont fait arracher des dents vives et saines, pour en former la voix plus molle, et plus grasse, ou pour les ranger en meilleur ordre. Combien d'exemples du mépris de la douleur avons-nous en ce genre ? Que ne peuvent-elles ? Que craignent-elles ? pour peu qu'il y ait d'agencement[b] à espérer en leur beauté,

Vellere queis cura est albos a stirpe capillos,
Et faciem dempta pelle referre novam[c][4].

a. « Est-il un gladiateur quelconque qui ait gémi ou changé de visage ? En est-il un qui se soit conduit lâchement, non seulement dans la lutte, mais tombé à terre ? qui, une fois à terre, ait rentré le cou, lorsqu'il avait reçu l'ordre de recevoir le coup ? » – *b.* embellissement – *c.* « Elles ont soin de s'arracher les cheveux blancs depuis la racine et de se

J'en ai vu engloutir du sable, de la cendre, et se travailler à point nommé de ruiner leur estomac, pour acquérir les pâles couleurs. Pour faire un corps bien espagnolé[a] quelle gêne[b] ne souffrent-elles, guindées et sanglées, à tout de grosses coches[c] sur les côtés, jusques à la chair vive ? Oui quelquefois à en mourir. Il est ordinaire à beaucoup de nations de notre temps de se blesser à escient[d] pour donner foi à leur parole et notre Roi[1] en récite des notables exemples de ce qu'il en a vu en Polouigne et en l'endroit de lui-même. Mais outre ce que je sais en avoir été imité en France par aucuns, j'ai vu une fille, pour témoigner l'ardeur de ses promesses et aussi sa constance, se donner du poinçon qu'elle portait en son poil[e] quatre ou cinq bons coups dans le bras qui lui faisaient craqueter la peau et la saignaient bien en bon escient[f]. Les Turcs[2] se font des grandes escarres pour leurs dames et, afin que la marque y demeure, ils portent soudain du feu sur la plaie et l'y tiennent un temps incroyable pour arrêter le sang et former la cicatrice. Gens qui l'ont vu, l'ont écrit et me l'ont juré. Mais pour dix aspres[g], il se trouve tous les jours entre eux qui se donnera une bien profonde taillade dans le bras ou dans les cuisses. Je suis bien aise que les témoins nous sont plus à main[h], où nous en avons plus affaire : car la Chrétienté nous en fournit à suffisance. Et après l'exemple de notre saint guide, il y en a eu force, qui par dévotion ont voulu porter la croix. Nous apprenons par témoin très digne de foi[3], que le Roi S. Loys porta la haire jusques à ce, que sur sa vieillesse, son confesseur l'en dispensât, et que tous les vendredis, il se faisait battre les épaules par son prêtre, de cinq chaînettes de fer, que pour cet effet il portait toujours dans une boîte. Guillaume[4] notre dernier Duc de

---

refaire un visage jeune en s'enlevant la peau. » – *a.* à la mode espagnole, mince – *b.* torture – *c.* avec de grosses plaies – *d.* à dessein, volontairement – *e.* aiguille plantée dans la chevelure – *f.* véritablement – *g.* petite monnaie turque – *h.* sont plus à notre portée

Guyenne, père de cette Alienor, qui transmit ce Duché aux maisons de France et d'Angleterre, porta les dix ou douze derniers ans de sa vie, continuellement un corps de cuirasse, sous un habit de religieux, par pénitence. Foulques Comte d'Anjou[1] alla jusques en Ierusalem, pour là se faire fouetter à deux de ses valets, la corde au col, devant le Sépulcre de notre Seigneur. Mais ne voit-on encore tous les jours le Vendredi S.[a] en divers lieux un grand nombre d'hommes et femmes se battre jusques à se déchirer la chair et percer jusques aux os ? Cela ai-je vu souvent et sans enchantement[b] : Et disait-on (car ils vont masqués) qu'il y en avait, qui pour de l'argent entreprenaient en cela de garantir[c] la religion d'autrui. Par un mépris de la douleur, d'autant plus grand, que plus peuvent les aiguillons de la dévotion, que de l'avarice. Q. Maximus enterra son fils consulaire [M. Cato le sien préteur désigné] et L. Paulus, les siens deux en peu de jours, d'un visage rassis et ne portant aucun témoignage de deuil[2]. Je disais en mes jours de quelqu'un en gaussant[d] qu'il avait choué[e] la divine justice car la mort violente de trois grands enfants lui ayant été envoyée en un jour pour un âpre coup de verge, comme il est à croire : peu s'en fallut qu'il ne la prît à gratification. Et j'en ai perdu, mais en nourrice, deux ou trois sinon sans regret, au moins sans fâcherie[f]. [Si] n'est-il guère accident qui touche plus au vif les hommes. Je vois assez d'autres communes occasions d'affliction qu'à peine sentirais-[je] si elles me venaient et en ai méprisé quand elles me sont venues, de celles auxquelles le monde donne une si atroce figure, que je n'oserais m'en vanter au peuple sans rougir. *Ex quo intelligitur non in natura sed in opinione esse œgritudinem*[g3]. L'opinion est une puissante partie, hardie, et sans

a. Vendredi saint – *b.* sans être sous l'emprise d'un enchantement – *c.* protéger – *d.* en plaisantant – *e.* trompé – *f.* peine profonde – *g.* « D'où l'on voit que le chagrin n'est pas le fait de la nature mais celui de l'opinion. »

mesure. Qui rechercha jamais de telle faim la sûreté et le repos, qu'Alexandre et Cæsar ont fait l'inquiétude et les difficultés. Terez[1] le Père de Sitalcez soulait[a] dire que quand il ne faisait point la guerre, il lui était avis qu'il n'y avait point différence entre lui et son palefrenier. Caton consul pour s'assurer d'aucunes[b] villes en espaigne, ayant seulement interdit aux habitants d'icelles de porter les armes, grand nombre se tuèrent : *ferox gens nullam vitam rati sine armis esse*[c][2]. Combien en savons-nous qui ont fui la douceur d'une vie tranquille, en leurs maisons, parmi leurs cognaissants[d], pour suivre l'horreur des déserts inhabitables : et qui se sont jetés à l'abjection, vilité, et mépris du monde, et s'y sont plu jusques à l'affectation. Le Cardinal Borromé qui mourut dernièrement à Milan[3], au milieu de la débauche, à quoi le conviait et sa noblesse, et ses grandes richesses, et l'air de l'Italie, et sa jeunesse, se maintint en une forme de vie si austère, que la même robe qui lui servait en été, lui servait en hiver. N'avait pour son coucher que la paille : Et les heures qui lui restaient des occupations de sa charge, il les passait étudiant continuellement, planté sur ses genoux, ayant un peu d'eau et de pain à côté de son livre : Qui était toute la provision de ses repas, et tout le temps qu'il y employait. J'en sais qui à leur escient ont tiré et profit et avancement du cocuage, de quoi le seul nom effraye tant de gens. Si la vue n'est le plus nécessaire de nos sens, il est au moins le plus plaisant : Mais et les plus plaisants et utiles de nos membres, semblent être ceux qui servent à nous engendrer. Toutefois assez de gens les ont pris en haine mortelle. Pour cela seulement, qu'ils étaient

a. avait l'habitude de – *b.* certaines – *c.* « nation farouche pour qui on ne peut vivre sans armes » – *d.* parents trop aimables. Et les ont rejetés à cause de leur prix et valeur : Autant en opina[a] des yeux, celui qui se les creva[1]. La plus commune et plus saine part des hommes tient à grand heur[b] l'abondance des enfants, moi et quelques autres, à pareil heur le défaut[c]. Et quand on demande à Thales pourquoi il ne se marie point : il répond qu'il n'aime point à laisser lignée de soi[2]. Que notre opinion donne prix aux choses, il se voit par celles en grand nombre auxquelles nous ne regardons pas seulement pour les estimer, ains[d] à nous, et ne considérons ni leurs qualités ni leurs utilités mais seulement notre coût à les recouvrer : comme si c'était quelque pièce de leur substance et appelons valeur en elles non ce qu'elles apportent mais ce que nous y apportons. Sur quoi je m'avise que nous sommes grands ménagers de notre mise[e]. Selon qu'elle pèse elle sert de ce même qu'elle pèse. Notre opinion ne la laisse jamais courir à faux fret[f]. L'achat donne titre[g] au diamant et la difficulté à la vertu et la douleur à la dévotion et l'âpreté à la médecine. Tel[3] pour arriver à la pauvreté jeta ses écus en cette même mer, que tant d'autres fouillent de toutes parts pour y pêcher des richesses. Epicurus[4] dit que l'être riche n'est pas soulagement, mais changement d'affaires. De vrai, ce n'est pas la disette, c'est plutôt l'abondance qui produit l'avarice. Je veux dire mon expérience autour de ce sujet. J'ai vécu en trois sortes de condition, depuis être sorti de l'enfance. Le premier temps, qui a duré près de vingt années, je le passai, n'ayant autres moyens, que fortuites[h]. Et dépendant de l'ordonnance et secours d'autrui, sans état certain et sans prescription[i]. Ma dépense se faisait d'autant plus allégrement et avec moins de soin, qu'elle était toute en la témérité de la fortune. Je ne fus jamais mieux. Il ne m'est oncques advenu

a. estima – *b*. pour un grand bonheur – *c*. manque – *d*. mais – *e*. gestionnaires de notre mise – *f*. sans qu'elle soit lestée de sa charge. – *g*. valeur – *h*. fortuits – *i*. sans compte établi ni règle

de trouver la bourse de mes amis close. M'étant enjoint au-delà de toute autre nécessité, la nécessité de ne faillir au terme que j'avais pris à m'acquitter. Lequel ils m'ont mille fois allongé, voyant l'effort que je me faisais pour leur satisfaire : En manière que j'en rendais une loyauté ménagère et aucunement piperesse[a]. Je sens naturellement quelque volupté à payer. Comme si je déchargeais mes épaules d'un ennuyeux poids, et de cette image de servitude : Aussi qu'il y a quelque contentement qui me chatouille à faire une action juste, et contenter autrui. J'excepte les paiements où il faut venir à marchander et compter, car si je ne trouve à qui en commettre la charge, je les éloigne honteusement et injurieusement[b] tant que je puis. De peur de cette altercation, à laquelle et mon humeur et ma forme de parler est du tout incompatible. Il n'est rien que je haïsse comme à marchander : C'est un pur commerce de trichoterie et d'impudence : Après une heure de débat et de barguignage[c], l'un et l'autre abandonne sa parole et ses serments pour cinq sous d'amendement. Et si[d] empruntais avec désavantage : Car n'ayant point le cœur de requérir en présence, j'en renvoyais le hasard sur le papier[e], Qui ne fait guère d'effort, et qui prête grandement la main au refuser. Je me remettais de la conduite de mon besoin plus gaiement aux astres, et plus librement, que je n'ai fait depuis à ma providence[f] et à mon sens. La plupart des ménagers[g] estiment horrible, de vivre ainsi en incertitude. Et ne s'avisent pas, premièrement que la plupart du monde vit ainsi. Combien

a. économe et quelque peu trompeuse – *b.* injustement – *c.* marchandage – *d.* aussi – *e.* je remettais au hasard d'une lettre le soin de ma requête – *f.* prudence – *g.* administrateurs

d'honnêtes hommes ont rejeté tout leur certain à l'abandon, et le font tous les jours, pour chercher le vent de la faveur des Rois et de la fortune ? Cæsar[1] s'endetta d'un million d'or outre son vaillant[a], pour devenir Cæsar. Et combien de marchands commencent leur trafic par la vente de leur métairie, qu'ils envoient aux Indes

Tot per impotentia freta[b2] ?

En une si grande siccité[c] de dévotion, nous avons mille et mille collèges, qui la passent commodément[d], attendant tous les jours de la libéralité du ciel, ce qu'il faut à leur dîner. Secondement, ils ne s'avisent pas, que cette certitude sur laquelle ils se fondent, n'est guère moins incertaine et hasardeuse que le hasard même. Je vois d'aussi près la misère, au-delà de deux mille écus de rente, que si elle était tout contre moi. Car outre ce que le sort a de quoi ouvrir cent brèches à la pauvreté au travers de nos richesses, N'y ayant souvent nul moyen[e] entre la suprême et infime fortune :

Fortuna vitrea est tunc cum splendet frangitur[f3] :

Et envoyer cul sur pointe toutes nos défenses et levées[g], je trouve que par diverses causes l'indigence se voit autant ordinairement logée chez ceux qui ont des biens, que chez ceux qui n'en ont point : Et qu'à l'aventure elle est aucunement[h] moins incommode, quand elle est seule, que quand elle se rencontre en compagnie des richesses : Elles viennent plus de l'ordre que de la recette : *Faber est suæ quisque fortunæ*[i4]. Et me semble plus misérable un riche malaisé, nécessiteux, affaireux[j], que celui

a. sa fortune personnelle – *b.* « À travers tant de flots déchaînés » – *c.* sécheresse (pénurie) – *d.* mille et mille couvents qui passent leur vie confortablement – *e.* milieu – *f.* « La fortune est de verre : au moment où elle brille, elle se brise. » – *g.* sens dessus dessous tous nos moyens de protection – *h.* un peu – *i.* « Chacun est l'artisan de sa fortune. » – *j.* appauvri, qui se trouve dans le besoin et dans les embarras financiers

qui est simplement pauvre. *In divitiis inopes, quod genus egestatis gravissimum est*[a] [1]. Les plus grands princes et plus riches sont par pauvreté et disette poussés ordinairement à l'extrême nécessité. Car en est-il de plus extrême que d'en devenir tyrans et injustes usurpateurs des biens de leurs sujets. Ma seconde forme[b], ç'a été d'avoir de l'argent. À quoi m'étant pris, j'en fis bientôt des réserves notables selon ma condition. N'estimant que ce fût avoir, sinon autant qu'on possède outre sa dépense ordinaire. Ni qu'on se puisse fier du bien qui est encore en espérance de recette, pour claire qu'elle soit. Car quoi disais-je, si j'étais surpris d'un tel, ou d'un tel accident ? Et à la suite de ces vaines et vicieuses imaginations, j'allais faisant l'ingénieux à prouvoir par cette superflue réserve à tous inconvénients : Et savais encore répondre à celui qui m'alléguait que le nombre des inconvénients était trop infini : que si ce n'était à tous, c'était à aucuns et plusieurs. Cela ne se passait pas sans pénible sollicitude. J'en faisais un secret : [et] moi qui ose tant dire de moi : ne parlais de mon argent qu'en mensonge : comme font les autres : qui s'appauvrissent riches, s'enrichissent pauvres : et dispensent leur conscience de jamais témoigner sincèrement de ce qu'ils ont : Ridicule et honteuse prudence. Allais-je en voyage, il ne me semblait être jamais suffisamment prouvu. Et plus je m'étais chargé de monnaie, plus aussi je m'étais chargé de crainte. Tantôt de la sûreté des chemins, Tantôt de la fidélité de ceux qui conduisaient mon bagage : duquel comme d'autres que je connais, je ne m'assurais jamais assez si je ne l'avais devant mes yeux. Laissais-je ma boîte[c] chez moi, combien de soupçons et pensements[d] épineux : et qui pis est incommunicables. J'avais toujours l'esprit de

a. « Indigents parmi les richesses, ce qui est la plus accablante des pauvretés. » – *b.* mon second état – *c.* coffre – *d.* pensées

ce côté. Tout compté, il y a plus de peine à garder l'argent qu'à l'acquérir. Si je n'en faisais du tout tant que j'en dis, au moins il me coûtait à m'empêcher de le faire. De commodité, j'en tirais peu ou rien: pour avoir plus de moyen de dépense elle ne m'en pesait pas moins. Car comme disait Bion[1], autant se fâche le chevelu comme le chauve, qu'on lui arrache le poil. Et depuis que vous êtes accoutumé et avez planté votre fantaisie sur certain monceau, il n'est plus à votre service, vous n'oseriez l'écorner : C'est un bâtiment qui comme il vous semble, croulera tout, si vous y touchez. Il faut que la nécessité vous prenne à la gorge pour l'entamer: Et auparavant j'engageais mes hardes, et vendais un cheval, avec bien moins de contrainte et moins envis[a], que lors je ne faisais brèche à cette bourse favorie, que je tenais à part. Mais le danger était, que mal aisément peut-on établir bornes certaines à ce désir (elles sont difficiles à trouver ès choses qu'on croit bonnes) et arrêter un point à l'épargne: On va toujours grossissant cet amas et l'augmentant, d'un nombre à autre, jusques à se priver vilainement de la jouissance de ses propres biens. Et l'établir toute en la garde, et à n'en user point. Selon cette espèce d'usage, ce sont les plus riches gens de monnaie, ceux qui ont charge de la garde des portes et murs d'une bonne ville. Tout homme pécunieux[b] est avaricieux à mon gré. Platon[2] range ainsi les biens corporels ou humains : la santé, la beauté, la force, la richesse. Et la richesse dit-il n'est pas aveugle mais très clairvoyante quand elle est illuminée par [la] prudence. Dionisius le fils[3], eut sur ce propos bonne grâce. On l'avertit que l'un de ses Syracusains avait caché dans terre un trésor. Il lui manda de le lui apporter. Ce qu'il fit, s'en réservant à la dérobée

a. moins difficilement – *b*. riche

quelque partie. Avec laquelle il s'en alla en une autre ville, où ayant perdu cet appétit de thésauriser, il se mit à vivre plus libéralement. Ce qu'entendant Dionysius lui fit rendre le demeurant[a] de son trésor, Disant que puisqu'il avait appris à en savoir user, il le lui rendait volontiers. Je fus quelques années[1] en ce point. Je ne sais quel bon démon m'en jeta hors très utilement, comme le Syracusain, Et m'envoya toute cette conserve[b] à l'abandon, Le plaisir de certain voyage de grande dépense, ayant mis au pied[c] cette sotte imagination. Par où je suis retombé à une tierce sorte de vie (je dis ce que j'en sens) certes plus plaisante beaucoup et plus réglée : C'est que je fais courir ma dépense quand et ma recette, Tantôt l'une devance, tantôt l'autre. Mais c'est de peu qu'elles s'abandonnent. Je vis du jour à la journée. Et me contente d'avoir de quoi suffire aux besoins présents et ordinaires : Aux extraordinaires toutes les provisions du monde n'y sauraient baster[d]. Et est folie de s'attendre que fortune elle-même nous arme jamais suffisamment contre soi. C'est de nos armes qu'il la faut combattre. Les fortuites nous trahiront au bon du fait[e]. Si j'amasse, ce n'est que pour l'espérance de quelque voisine emplette ; non pour acheter des terres, de quoi je n'ai que faire, mais pour acheter du plaisir. *Non esse cupidum pecunia est, non esse emacem vectigal est*[f][2]. Je n'ai ni guère peur que bien me faille, ni nul désir qu'il m'augmente. *Divitiarum fructus est in copia, copiam declarat satietas*[g][3]. Et me gratifie singulièrement que cette correction me soit arrivée en un âge naturellement enclin à l'avarice : et que je me vois défait de cette maladie si commune aux vieux,

a. le reste – *b.* épargne – *c.* ayant triomphé de – *d.* suffire - *e.* au fort de l'action – *f.* « C'est une richesse de ne pas être avide et c'est un revenu de n'être pas dépensier. » – *g.* « Le fruit des richesses est l'abondance et la satiété signale l'abondance. »

et la plus ridicule de toutes les humaines folies. Feraulez[1] qui avait passé par les deux fortunes et trouvé que l'accroît de chevance[a] n'était pas accroît d'appétit au boire, manger, dormir et embrasser sa femme. Et qui d'autre part sentait peser sur ses épaules l'importunité de l'économie, ainsi qu'elle fait à moi : délibéra[b] de contenter un jeune homme pauvre, son fidèle ami, aboyant après les richesses. Et lui fit présent de toutes les siennes grandes et excessives, et de celles encore qu'il était en train d'accumuler tous les jours par la libéralité de Cyrus son bon maître, et par la guerre : moyennant qu'il prît la charge de l'entretenir et nourrir honnêtement comme son hôte et son ami. Ils vécurent ainsi depuis très heureusement et également contents du changement de leur condition. Voilà un tour que j'imiterais de grand courage[c]. Et loue grandement la fortune d'un vieil prélat que je vois s'être si purement démis de sa bourse de sa recette [et de sa mise, tantôt à un serviteur choisi tantôt à un autre], qu'il a coulé un long espace d'années autant ignorant cette sorte [d'affaires de son ménage comme un étranger. La fiance de la bonté d'autrui[d] est un non léger témoignage de la bonté propre: partant la favorise Dieu volontiers. Et, pour son regard[e], je ne vois point d'ordre de maison ni plus dignement ni plus] constamment conduit que le sien. Heureux qui ait réglé à si juste mesure son besoin que ses richesses y puissent suffire sans son soin et empêchement et sans que leur dispensation ou assemblage interrompe d'autres occupations qu'il suit plus sortables, tranquilles et selon son cœur. L'aisance donc et l'indigence dépendent de l'opinion d'un chacun. Et non plus la richesse, que la gloire, que la santé, n'ont qu'autant de beauté et de plaisir, que leur en prête celui qui les possède. Chacun est bien ou mal selon qu'il s'en trouve. Non de quoi on [le] croit, mais qui le croit de soi, [est] content. Et en cela seul la créance se donne essence et vérité. La fortune ne nous fait ni bien ni mal : elle nous en offre seulement la matière [et] la semence, laquelle notre

a. l'accumulation des biens – *b*. décida – *c*. avec zèle – *d*. la confiance en la bonté d'autrui – *e*. pour ce qui le concerne

âme plus puissante qu'elle, tourne et applique comme il lui plaît : seule cause et maîtresse de sa condition heureuse ou malheureuse. Les accessions[a] externes prennent saveur et couleur de l'interne constitution. Comme les accoutrements nous échauffent, non de leur chaleur, mais de la nôtre. Laquelle ils sont propres à couver et nourrir : Qui en abrierait[b] un corps froid, il en tirerait même service pour la froideur : Ainsi se conserve[c] la neige et la glace. Certes tout en la manière qu'à un fainéant[1] l'étude sert de tourment. À un ivrogne l'abstinence du vin. La frugalité est supplice au luxurieux, Et l'exercice gêne à un homme délicat et oisif : Ainsi est-il du reste. Les choses ne sont pas si douloureuses, ni difficiles d'elles-mêmes : mais notre faiblesse et lâcheté les fait telles. Pour juger des choses grandes et hautes, il faut une âme de même : autrement nous leur attribuons le vice, qui est le nôtre. Un aviron droit semble courbe en l'eau. Il n'importe pas seulement qu'on voie la chose, mais comment on la voit. Or sus, pourquoi de tant de discours, qui persuadent diversement les hommes de mépriser la mort, et de porter la douleur, n'en trouvons-nous quelqu'un qui fasse pour nous[d] ? Et de tant d'espèces d'imaginations, qui l'ont persuadé à autrui, que chacun n'en applique-il à soi une le plus selon son humeur ? S'il ne peut digérer la drogue forte et abstersive[e], pour déraciner le mal, au moins qu'il la prenne lénitive[f], pour le soulager. *Opinio est quædam effeminata ac levis : nec in dolore magis quam eadem in voluptate : qua cum liquescimus fluimusque mollitia, apis aculeum sine clamore ferre non possumus. Totum in eo est ut tibi imperes*[g2]. Au demeurant, on n'échappe pas à la

a. ajouts – *b.* abriterait – *c.* se conservent – *d.* qui soit efficace pour nous – *e.* nettoyante – *f.* apaisante – *g.* « Il existe une opinion efféminée et inconsistante, dont l'action n'est pas moindre dans le plaisir que dans la douleur ; elle produit en nous un effet dissolvant et nous amollit

philosophie, pour faire valoir outre mesure l'âpreté des douleurs et l'humaine faiblesse. Car on la contraint de se rejeter à ces invincibles répliques. S'il est mauvais de vivre en nécessité, au moins de vivre en nécessité, il n'est aucune nécessité. Nul n'est mal longtemps qu'à sa faute. Qui n'a le cœur de souffrir ni la mort ni la vie, qui [ne] veut ni résister ni fuir, que lui ferait-on ?

---

au point que nous ne pouvons souffrir sans crier la piqûre d'une abeille. Tout consiste à savoir se commander. »

On est puni pour s'opiniâtrer à une place sans raison

CHAP. XV

La vaillance a ses limites, comme les autres vertus : lesquels franchis, on se trouve dans le train du vice : En manière que par chez elle on se peut rendre à la témérité, obstination et folie, qui n'en sait bien[a] les bornes : malaisées en vérité à choisir[b] sur leurs confins. De cette considération est née la coutume, que nous avons aux guerres, de punir, voire de mort, ceux qui s'opiniâtrent à défendre une place, qui par les règles militaires ne peut être soutenue. Autrement sous l'espérance de l'impunité il n'y aurait pouillier[c], qui n'arrêtât une armée. Monsieur le Connétable de Mommorency[1] au siège de Pavie, ayant été commis pour passer le Tesin, et se loger aux faubourgs S. Antoine, étant empêché d'une tour au bout du pont, qui s'opiniâtra jusques à se faire battre, fit pendre tout ce qui était dedans : Et encore depuis accompagnant Monsieur le Dauphin au voyage delà les monts, ayant pris par force le château de Villane, et tout ce qui était dedans ayant été mis en pièces par la furie des soldats, hormis le Capitaine et l'enseigne, il les fit pendre et étrangler, pour cette même raison : Comme fit aussi le Capitaine Martin du Bellay lors gouverneur

a. si l'on en méconnaît – *b*. distinguer – *c*. bicoque

de Turin en cette même contrée, le Capitaine de S. Bony : le reste de ses gens ayant été massacré à la prise de la place. Mais d'autant que le jugement de la valeur et faiblesse du lieu, se prend par l'estimation et contrepoids[a] des forces qui l'assaillent : car tel s'opiniâtrerait justement contre deux couleuvrines[b], qui ferait l'enragé d'attendre trente canons : où se met encore en compte la grandeur du prince conquérant, sa réputation, le respect qu'on lui doit, il y a danger qu'on presse un peu la balance de ce côté-là. Et en advient par ces mêmes termes, que tels ont si grande opinion d'eux et de leurs moyens, que ne leur semblant point raisonnable qu'il y ait rien digne de leur faire tête, passent le couteau partout, où ils trouvent résistance, autant que fortune leur dure : Comme il se voit par les formes de sommation et défi, que les princes d'Orient, et leurs successeurs, qui sont encore, ont en usage, fière, hautaine et pleine[c] d'un commandement barbaresque. Et au quartier par [où] les Portugalois[1] écornèrent les Indes, ils trouvèrent des États avec cette loi universelle et inviolable que tout ennemi vaincu du Roi en présence [ou] de son lieutenant est hors de composition[d] de rançon [et] de merci. Ainsi sur tout il se faut garder qui peut[e], de tomber entre les mains d'un Juge ennemi, victorieux et armé.

a. évaluation comparative – *b.* canons fins et minces – *c.* adjectifs qualifiant le substantif « sommation » – *d.* exclu de tout compromis – *e.* si l'on peut

De la punition de la couardise

Chap. XVI

J'ouïs autrefois tenir[a] à un Prince et très grand Capitaine, que pour lâcheté de cœur un soldat ne pouvait être condamné à mort : lui étant à table fait récit du procès du seigneur de Vervins, qui fut condamné à mort pour avoir rendu[b] Boulogne[1]. À la vérité c'est raison qu'on fasse grande différence entre les fautes qui viennent de notre faiblesse, et celles qui viennent de notre malice[c]. Car en celles ici[d] nous nous sommes bandés à notre escient[e] contre les règles de la raison, que nature a empreintes en nous : Et en celles-là, il semble que nous puissions appeler à garant[f] cette même nature, pour nous avoir laissé en telle imperfection et défaillance : De manière que prou[g] de gens ont pensé qu'on ne se pouvait prendre à nous, que de ce que nous faisons contre notre conscience : Et sur cette règle est en partie fondée l'opinion de ceux qui condamnent les punitions capitales aux hérétiques et mécréants : Et celle qui établit qu'un avocat et un juge ne puissent être tenus[h] de ce que par ignorance ils ont failli en leur charge. Mais quant à la couardise, il est certain, que

a. dire – *b.* perdu – *c.* méchanceté – *d.* en ces dernières – *e.* consciemment – *f.* comme excuse – *g.* beaucoup – *h.* tenus responsables

la plus commune façon est de la châtier par honte et ignominie. Et tient-on[a] que cette règle a été premièrement mise en usage par le législateur Charondas[1] : et qu'avant lui les lois de Grece punissaient de mort ceux qui s'en étaient fuis d'une bataille. Là où il ordonna seulement qu'ils fussent par trois jours assis emmi[b] la place publique, vêtus de robe de femme, espérant encore s'en pouvoir servir, leur ayant fait revenir le courage par cette honte. *Suffundere malis hominis sanguinem quam effundere*[c][2]. Il semble aussi que les lois romaines condamnaient anciennement à mort, ceux qui avaient fui. Car Ammianus Marcellinus raconte, que l'empereur Julien condamna dix de ses soldats, qui avaient tourné le dos en une charge contre les Parthes, à être dégradés, et après à souffrir mort, suivant, dit-il, les lois anciennes[3]. Toutefois ailleurs pour une pareille faute il en condamne d'autres, seulement à se tenir parmi les prisonniers sous l'enseigne du bagage[4]. L'âpre condamnation du peuple Romain contre les soldats échappés de Cannes et en cette même guerre contre ceux qui accompagnèrent Cn. Fulvius en sa défaite ne vint pas à[d] la mort[5]. Si[e] est-il à craindre que la honte les désespère et [les] rende non froids seulement mais ennemis. Du temps de nos Pères le Seigneur de Franget jadis Lieutenant de la compagnie de Monsieur le Maréchal de Chastillon, ayant été mis[f] par Monsieur le Maréchal de Chabanes, Gouverneur de Fontarrabie au lieu de Monsieur du Lude, et l'ayant rendue aux[g] Espagnols, fut condamné à être dégradé de noblesse, et tant lui que sa postérité déclaré roturier, taillable, et incapable de porter armes : Et fut cette rude sentence exécutée

a. on croit – *b*. au milieu de – *c*. « Plutôt faire monter le sang au visage d'un homme que le faire couler. » – *d*. n'alla pas jusqu'à – *e*. Cependant – *f*. nommé – *g*. perdue au profit des

à Lyon[1]. Depuis souffrirent pareille punition tous les gentilshommes qui se trouvèrent dans Guyse, lorsque le comte de Nansau[2] y entra : et autres encore depuis. Toutefois quand il y aurait une si grossière et apparente ou ignorance ou couardise, qu'elle surpassât toutes les ordinaires, ce serait raison de la prendre pour suffisante preuve de méchanceté et de malice, et de la châtier pour telle.

Un trait de quelques Ambassadeurs

Chap. XVII

J'observe en mes voyages cette pratique, pour apprendre toujours quelque chose, par la communication d'autrui (qui est une des plus belles écoles qui puisse être) de ramener toujours ceux, avec qui je confère, aux propos des choses, qu'ils savent le mieux.

Basti al nocchiero ragionar de' venti,
Al bifolco dei tori, e le sue piaghe
Conti'l guerrier, conti'l pastor gli armenti[a][1].

Car il advient le plus souvent au rebours, que chacun choisit plutôt à discourir du métier d'un autre que du sien. Estimant que c'est autant de nouvelle réputation acquise. Témoin le reproche qu'Archidamus fit à Periander, qu'il quittait la gloire de bon médecin, pour acquérir celle de mauvais poète[2]. Voyez combien Cesar se déploie largement à nous faire entendre ses inventions à bâtir ponts et engins[3]. Et combien au prix[b] il va se serrant, où il parle des offices[c] de sa profession, de sa vaillance et conduite de sa milice[d]. Ses exploits le vérifient[e] assez, capitaine excellent : il se veut faire connaître excellent ingénieur : qualité

a. « Qu'il suffise au marin de raisonner des vents, au paysan des taureaux, et qu'il suffise au guerrier de dénombrer ses blessures, et au berger de compter ses troupeaux. » – *b.* en comparaison – *c.* devoirs – *d.* armée – *e.* prouvent

aucunement étrangère[a]. Un homme de vacation[b] juridique, mené ces jours passés voir une étude fournie de toutes sortes de livres de son métier et de toute autre sorte, n'y trouva nulle occasion de s'entretenir : mais il s'arrête à gloser rudement et magistralement une barricade logée sur la vis[c] de l'étude que cent capitaines et soldats rencontrent tous les jours sans remarque et sans offense. Le vieil Dionisius était très grand chef de guerre[1], comme il convenait à sa fortune : mais il se travaillait à donner principale recommandation de soi par la poésie, et si[d] n'y savait rien.

Optat ephippia bos piger, optat arare caballus[e2].

Par ce train[f] vous ne faites jamais rien qui vaille. Ainsi, il faut rejeter toujours l'architecte, le peintre, le cordonnier, et ainsi du reste, chacun à son gibier. Et à ce propos, à la lecture des histoires, qui est le sujet de toutes gens, j'ai accoutumé de considérer, qui en sont les écrivains : Si ce sont personnes, qui ne fassent autre profession que de lettres, j'en apprends principalement le style et le langage : Si ce sont médecins, je les crois plus volontiers, en ce qu'ils nous disent de la température de l'air, de la santé et complexion des Princes, des blessures et maladies : Si Jurisconsultes, il en faut prendre les controverses des droits, les lois, l'établissement des polices et choses pareilles : Si Théologiens, les affaires de l'Église, censures Ecclésiastiques, dispenses et mariages : Si courtisans, les mœurs et les cérémonies : Si gens de guerre, ce qui est de leur charge, et principalement les déductions[g] des exploits, où ils se sont trouvés en personne : Si Ambassadeurs, les menées, intelligences, et pratiques, et manière de les conduire. À cette cause[h] ce que j'eusse passé à un autre, sans m'y arrêter, je l'ai

a. quelque peu étrangère à son métier – *b*. profession – *c*. escalier – *d*. toutefois – *e*. « Le bœuf paresseux souhaiterait porter la selle, le cheval voudrait labourer. » – *f*. De cette façon – *g*. narrations – *h*. c'est pourquoi

pesé et remarqué en l'histoire du Seigneur de Langey[1], très entendu en telles choses. C'est qu'après avoir conté ces belles remontrances de l'Empereur Charles cinquième, faites au consistoire à Rome, présent[a] l'évêque de Mascon et le seigneur du Velly nos Ambassadeurs, où il avait mêlé plusieurs paroles outrageuses contre nous, Et entre autres, que si ses Capitaines, soldats, et sujets n'étaient d'autre fidélité et suffisance[b] en l'art militaire, que ceux du Roi, tout sur l'heure il s'attacherait la corde au col, pour lui aller demander miséricorde. Et de ceci il semble qu'il en crut quelque chose, car deux ou trois fois en sa vie depuis il lui advint de redire ces mêmes mots. Aussi qu'il défia le Roi de le combattre en chemise avec l'épée et le poignard, dans un bateau. Ledit seigneur de Langey suivant son histoire, ajoute que lesdits Ambassadeurs faisant une dépêche au Roi de ces choses, lui en dissimulèrent la plus grande partie, même lui celèrent les deux articles précédents[2]. Or j'ai trouvé bien étrange, qu'il fût en la puissance d'un Ambassadeur de dispenser[c] sur les avertissements qu'il doit faire à son maître : même[d] de telle conséquence, venant de telle personne, et dites en si grande assemblée. Et m'eût semblé l'office du serviteur être de fidèlement représenter les choses en leur entier, comme elles sont advenues : afin que la liberté d'ordonner, juger, et choisir demeurât au maître. Car de lui altérer ou cacher la vérité, de peur qu'il ne la prenne autrement qu'il ne doit, et que cela ne le pousse à quelque mauvais parti : et cependant[e] le laisser ignorant de ses affaires : cela m'eût semblé appartenir à celui, qui donne la loi, non à

a. en présence de – *b.* compétence – *c.* faire un choix – *d.* surtout – *e.* en même temps

celui qui la reçoit, au curateur et maître d'école, non à celui qui se doit penser inférieur, non en autorité seulement, mais aussi en prudence et bon conseil. Quoi qu'il en soit, je ne voudrais pas être servi de cette façon, en mon petit fait. Nous nous soustrayons [si] volontiers du commandement[a] sous quelque prétexte, et usurpons sur [la] maîtrise : Chacun aspire si naturellement [à] la liberté et autorité, qu'au supérieur nulle utilité ne doit être si chère, venant de ceux qui le servent, comme lui doit être chère leur naïve et simple obéissance. On corrompt l'office du commander[b] quand [on] y obéit par discrétion[c], non par sujétion. Et P. Crassus[1], celui que les Romains estimèrent cinq fois heureux, lorsqu'il était en Asie consul, ayant mandé à un ingénieur Grec de lui faire mener [le] plus grand des deux mâts de navire qu'il avait vu[d] à Athenes pour quelque engin de batterie qu'il [en] voulait faire : cettui-ci sous titre[e] de sa science se donna loi[f] de choisir autrement, [et] mena le plus petit, et selon la raison de son art le plus commode : Crassus ayant patiemment ouï ses raisons, lui fit très bien donner le fouet : estimant l'intérêt de la discipline plus que l'intérêt de l'ouvrage. D'autre part pourtant on pourrait aussi considérer que cette obéissance si contrainte n'appartient qu'aux commandements précis et préfix[g]. Les ambassadeurs ont une charge plus libre, qui en plusieurs parties dépend souverainement de leur disposition : ils n'exécutent pas simplement, mais forment aussi et dressent par leur conseil la volonté du maître. J'ai vu en mon temps des personnes de commandement repris[h] d'avoir plutôt obéi aux paroles des lettres du Roi qu'à l'occasion des affaires qui étaient près d'eux. Les hommes d'entendement accusent encore l'usage des Rois de Perse de tailler les morceaux si courts[i] à leurs agents et lieutenants qu'aux moindres choses ils eussent à recourir à leur ordonnance[j]. Ce délai en une si longue étendue de domination[k] ayant souvent apporté des [notables dommages] à

a. de l'obéissance – *b.* le commandement – *c.* choix – *d.* vus – *e.* au nom – *f.* s'autorisa – *g.* prédéterminés – *h.* reprises – *i.* de donner si peu de marge – *j.* leurs ordres – *k.* en un si vaste empire leurs affaires. Et Crassus, écrivant à un homme du métier et lui donnant avis de l'usage auquel il destinait ce mât, semblait-il pas entrer en conférence de sa délibération et le convier à interposer son décret[a].

a. vouloir confronter son opinion à la sienne et solliciter son avis ?

De la peur

Chap. XVIII

Obstupui, steterúntque comæ, et vox faucibus hæsit[a][1]. Je ne suis pas bon naturaliste (qu'ils disent[b]) et ne sais guère par quels ressorts la peur agit en nous, mais tant y a[c] que c'est une étrange passion : Et disent les médecins qu'il n'en est aucune, qui emporte plus tôt notre jugement hors de sa due assiette[d]. De vrai, j'ai vu beaucoup de gens devenus insensés de peur, et aux plus rassis, il est certain pendant que son accès dure, qu'elle engendre de terribles éblouissements. Je laisse à part le vulgaire, à qui elle représente[e] tantôt les bisaïeux sortis du tombeau enveloppés en leur suaire, tantôt des Loups-garous, des Lutins, et des chimères. Mais parmi les soldats même, où elle devrait trouver moins de place, combien de fois a-elle changé un troupeau de brebis en escadron de corselets[f] ? des roseaux et des cannes en gens d'armes et lanciers ? nos amis en nos ennemis ? et la croix blanche à la rouge[2] ? Lorsque Monsieur de Bourbon prit Rome[3], un porte-enseigne, qui était à la garde du bourg saint-Pierre, fut saisi de tel effroi à la pre-

a. « Je demeurai frappé de stupeur, mes cheveux se dressèrent, et ma voix s'arrêta dans ma gorge. » – *b.* comme on dit – *c.* toujours est-il – *d.* de son équilibre ordinaire – *e.* fait voir – *f.* cuirassiers

mière alarme, que par le trou d'une ruine il se jeta, l'enseigne au point, hors la ville droit aux ennemis, pensant tirer[a] vers le dedans de la ville, Et à peine enfin voyant la troupe de Monsieur de Bourbon se ranger pour le soutenir, estimant[b] que ce fut une sortie, que ceux de la ville fissent, il se reconnut[c], et tournant tête rentra par ce même trou, par lequel il était sorti, plus de trois cents pas avant en la campagne. Il n'en advint pas du tout si heureusement à l'enseigne du Capitaine Juille, lorsque S. Pol fut pris sur nous par le comte de Bures et Monsieur du Reu : car étant si fort éperdu de la frayeur, que de se jeter à tout[d] son enseigne hors de la ville, par une canonnière[e], il fut mis en pièces par les assaillants. Et au même siège fut mémorable la peur, qui serra, saisit, et glaça si fort le cœur d'un gentilhomme, qu'il en tomba raide mort par terre à la brèche, sans aucune blessure. Pareille peur saisit parfois toute une multitude. En l'une des rencontres[f] de Germanicus contre les Allemands, deux grosses troupes prirent d'effroi[g] deux routes opposites, l'une fuyait d'où l'autre partait[1]. Tantôt elle nous donne des ailes aux talons, comme aux deux premiers, Tantôt elle nous cloue les pieds et les entrave, Comme on lit de l'Empereur Theophile, lequel en une bataille, qu'il perdit contre les Agarenes, devint si étonné[h] et si transi, qu'il ne pouvait prendre parti de s'enfuir, *adeò pavor etiam auxilia formidat*[i][2] : jusques à ce que Manuel l'un des principaux chefs de son armée, l'ayant tirassé et secoué, comme pour l'éveiller d'un profond somme, lui dit. Si vous ne me suivez je vous tuerai,

a. aller – *b*. car ils estimaient – *c*. il revint à lui – *d*. avec – *e*. meurtrière – *f*. batailles – *g*. par peur – *h*. frappé de stupeur – *i*. « tant la peur redoute même ce qui peut lui porter secours » car il vaut mieux que vous perdiez la vie, que si étant prisonnier, vous veniez à perdre l'Empire[1]. Lors exprime-elle sa dernière force[a], quand pour son service elle nous rejette à[b] la vaillance qu'elle a soustrait à notre devoir et à notre honneur. En la première juste bataille[c] que les Romains perdirent contre Annibal sous le consul Sempronius, une troupe de bien dix mille hommes de pied ayant pris l'épouvante, ne voyant ailleurs par où faire passage à sa lâcheté, s'alla jeter au travers le gros des ennemis lequel elle perça d'un merveilleux effort[d] avec grand meurtre de Carthaginois, achetant une honteuse fuite au même prix qu'elle eût eu d'une glorieuse victoire[2]. C'est ce de quoi j'ai le plus de peur que la peur. Aussi surmonte-elle en aigreur tous autres accidents. [Quelle affection[e] peut être plus âpre et plus juste, que celle des amis de Pompeius, qui étaient en son navire, spectateurs de cet horrible massacre ? Si est-ce que[f] la peur des voiles Égyptiennes, qui commençaient à les approcher, l'étouffa de manière, qu'on a remarqué, qu'ils ne s'amusèrent[g] qu'à hâter les mariniers de diligenter, et de se sauver à coups d'aviron ; jusques à ce qu'arrivés à Tyr, libres de crainte, ils eurent loi[h] de tourner leur pensée à la perte qu'ils venaient de faire, et lâcher la bride aux lamentations et aux larmes, que cette autre plus forte passion avait suspendues[3].

Tum pavor sapientiam omnem mihi ex animo expectorat[i][4].]
Ceux qui auront été bien frottés en quelque estour[j] [de] guerre tout blessés encore et ensanglantés, on les ramène bien lendemain à [la] charge : mais ceux qui ont conçu quelque bonne peur des ennemis vous ne les leur feriez pas seulement regarder en face. Ceux qui sont en pressante crainte de perdre leur bien, d'être exilés, d'être subjugués[k], vivant en continuelle angoisse en perdant le boire, le manger et le repos : là où les pauvres, les bannis, les serfs vivent souvent aussi joyeusement que les autres. Et tant de gens qui de l'impatience des pointures[l] de [la] peur se sont pendus, noyés et

a. la peur exprime le mieux sa puissance – *b*. vers – *c*. bataille régulière – *d*. avec une force étonnante – *e*. émotion – *f*. Toujours est-il que – *g*. ne s'occupèrent que de – *h*. purent – *i*. « Alors la peur chasse toute sagesse de mon cœur. » – *j*. combat – *k*. réduits en esclavage – *l*. de ne

précipités nous ont bien appris qu'elle est encore plus importune et insupportable que la mort. Les Grecs[1] en reconnaissent une autre espèce qui est outre l'erreur de notre discours[a], venant disent-ils sans cause apparente et d'une impulsion céleste. Des peuples entiers s'en voient souvent saisis et des armées entières. Telle fut celle qui apporta à Carthage une merveilleuse[b] désolation. On n'y oyait que cris et voix effrayées. On voyait [les] habitants sortir de leurs maisons comme à l'alarme[c], et se charger, blesser et entretuer [les] uns les autres comme [si] ce fussent ennemis qui vinssent à occuper leur ville. Tout y était en désordre et en tumulte : jusques à ce que par oraisons et sacrifices ils eussent apaisé l'ire des Dieux. Ils nomment cela terreurs Paniques.

---

pouvoir supporter les piqûres – *a*. qui dépasse l'erreur de notre raison – *b*. étonnante – *c*. lorsque retentit l'alarme

Qu'il ne faut juger de notre heur, qu'après la mort

CHAP. XIX

Scilicet ultima semper
Expectanda dies homini est, dicique beatus
Ante obitum nemo, supremáque funera debet[a][1].

Les enfants savent le conte du roi Crœsus[2] à ce propos : Lequel ayant été pris par Cyrus, et condamné à la mort, sur le point de l'exécution, il s'écria. Ô Solon, Solon : Cela rapporté à Cyrus, et s'étant enquis que c'était à dire[b], il lui fit entendre, qu'il vérifiait lors à ses dépens l'avertissement qu'autrefois lui avait donné Solon, Que les hommes, quelque beau visage que fortune leur fasse, ne se peuvent appeler heureux, jusques à ce qu'on leur ait vu passer le dernier jour de leur vie. Pour[c] l'incertitude et variété des choses humaines, qui d'un bien léger mouvement se changent d'un état en autre tout divers. Et pourtant[d] Agesilaus, à quelqu'un qui disait heureux le Roi de Perse, de ce qu'il était venu fort jeune à un si puissant état. Oui mais, dit-il, Priam en tel âge ne fut pas malheureux[3]. Tantôt des Rois de Macédoine, successeurs de ce grand Alexandre, il s'en fait des

a. « Certes il faut toujours attendre le dernier jour d'un homme, et personne ne doit être appelé heureux avant sa mort et ses funérailles. » – *b*. qui lui demanda ce qu'il voulait dire – *c*. À cause de – *d*. c'est pourquoi

menuisiers et greffiers à Rome[1] : Des tyrans de Sicile, des pedantes[a] à Corinthe[2] : D'un conquérant de la moitié du monde, et Empereur de tant d'armées, il s'en fait un misérable suppliant des bélîtres officiers d'un Roi d'Egypte. Tant coûta à ce grand Pompeius la prolongation de cinq ou six mois de vie[3]. Et du temps de nos pères ce Ludovic Sforce[4] dixième Duc de Milan, sous qui avait si longtemps branlé[b] toute l'Italie, on l'a vu mourir prisonnier à Loches : Mais après y avoir vécu dix ans, qui[c] est le pis de son marché. La plus belle reine, veuve du plus grand Roi de la Chrétienté vient-elle pas de mourir par main de bourreau[5] ? Et mille tels exemples. Car il semble que comme les orages et tempêtes se piquent contre l'orgueil et hautaineté de nos bâtiments, il y ait aussi là-haut des esprits envieux des grandeurs de çà-bas,

> *Usque adeo res humanas vis abdita quædam*
> *Obterit, et pulchros fasces sævásque secures*
> *Proculcare, ac ludibrio sibi habere videtur*[d6].

Et semble que la fortune quelquefois guette à point nommé le dernier jour de notre vie, pour montrer sa puissance de renverser en un moment, ce qu'elle avait bâti en longues années[7], Et nous fait crier après Laberius. *Nimirum hac die una plus vixi, mihi quam vivendum fuit*[e8]. Ainsi se peut prendre avec raison[f], ce bon avis de Solon. Mais d'autant que c'est un philosophe, à l'endroit desquels[g] les faveurs et disgrâces de la fortune ne tiennent rang, ni d'heur ni de malheur : Et sont les grandeurs et puissances accidents de qualité à peu près indifférente, je trouve

a. maîtres d'école – *b.* été secouée – *c.* ce qui – *d.* « Tant il est vrai qu'une puissance cachée broie les choses humaines et semble fouler les faisceaux orgueilleux et les haches cruelles, et prendre plaisir à s'en jouer. » – *e.* « Assurément j'ai trop vécu d'un jour. » – *f.* est fondé – *g.* gens pour qui

vraisemblable, qu'il ait regardé plus avant, et voulu dire que ce même bonheur de notre vie, qui dépend de la tranquillité et contentement d'un esprit bien né[a], et de la résolution et assurance d'une âme réglée ne se doive jamais attribuer à l'homme, qu'on ne lui ait vu jouer le dernier acte de sa comédie, et sans doute[b] le plus difficile. En tout le reste il y peut avoir du masque : Ou ces beaux discours de la Philosophie ne sont en nous que par contenance. Ou les accidents ne nous essayant[c] pas jusques au vif, nous donnent loisir de maintenir toujours notre visage rassis[d]. Mais à ce dernier rôle de la mort et de nous, il n'y a plus que[e] feindre, il faut parler Français, il faut montrer ce qu'il y a de bon et de net dans le fond du pot,

Nam veræ voces tum demum pectore ab imo
Ejiciuntur, et eripitur persona, manet res[f][1].

Voilà pourquoi se doivent à ce dernier trait toucher et éprouver[g] toutes les autres actions de notre vie. C'est le maître jour, c'est le jour juge de tous les autres : c'est le jour, dit un ancien[2], qui doit juger de toutes mes années passées. Je remets à la mort l'essai du fruit de mes études[h]. Nous verrons là si mes discours me partent de la bouche, ou du cœur. J'ai vu plusieurs donner par leur mort réputation en bien ou en mal, à toute leur vie. Scipion[3] beau-père de Pompeius rhabilla[i] en bien mourant la mauvaise opinion qu'on avait eu[j] de lui jusques lors. Epaminondas[4] interrogé lequel des trois il estimait le plus, ou Chabrias, ou Iphicrates, ou soi-même. Il nous faut

a. noble – *b.* assurément – *c.* ne nous mettant pas à l'épreuve – *d.* calme – *e.* à – *f.* « Car alors enfin des paroles sincères jaillissent du fond du cœur, et le masque est arraché, la réalité demeure. » – *g.* se doivent évaluer à cette pierre de touche – *h.* la vérification de ce que j'ai appris dans les livres – *i.* transforma – *j.* eue

voir mourir, fit-il, avant que d'en pouvoir résoudre. De vrai on déroberait beaucoup à celui-là, qui le pèserait[a] sans l'honneur et grandeur de sa fin. Dieu l'a voulu comme il lui a plu : mais en mon temps trois les plus exécrables personnes, que je connusse en toute abomination de vie, et les plus infâmes, ont eu des morts réglées et en toute circonstance composées jusques à la perfection. Il est des morts braves [et] fortunées. Je lui ai vu trancher le [fil] d'un progrès de merveilleux avancement : [et] dans la fleur de son croît à quelqu'un : d'une fin si pompeuse[b], qu'à mon avis [ses] ambitieux et courageux desseins n'avaient rien de si haut que fut leur interruption. Il arriva sans y aller où il prétendait : plus grandement et glorieusement que ne portait son désir et espérance. Et devança par sa chute le pouvoir et le nom[c] où il aspirait [par] sa course[1]. Au jugement de[d] la vie d'autrui, je regarde toujours comment s'en est porté le bout, et des principaux études de la mienne[e], c'est qu'il se porte bien, c'est-à-dire quiètement et sourdement[f].

a. à Épaminondas, si on le pesait – *b.* J'ai vu interrompre une jeune vie dans la fleur de son accroissement par une fin si magnifique – *c.* renom – *d.* pour juger – *e.* ce à quoi je veille surtout pour la mienne – *f.* doucement et sans bruit

Que Philosopher, c'est apprendre à mourir

Chap. XX

Cicero dit que Philosopher ce n'est autre chose que s'apprêter à la mort[1]. C'est d'autant que[a] l'étude et la contemplation retirent aucunement[b] notre âme hors de nous, et l'embesognent[c] à part du corps, qui[d] est quelque apprentissage et ressemblance de la mort[2] : Ou bien, c'est que toute la sagesse et discours du monde se résout enfin à ce point, de nous apprendre à ne craindre point à mourir. De vrai, ou la raison se moque, ou elle ne doit viser qu'à notre contentement, et tout son travail tendre en somme à nous faire bien vivre, et à notre aise, comme dit la Sainte écriture[3]. Toutes les opinions du monde en sont là, que le plaisir est notre but : quoiqu'elles en prennent divers moyens, autrement on les chasserait d'arrivée[e] : car qui écouterait celui, qui pour sa fin établirait notre peine et mésaise[f] ? Les dissensions [des sectes philosophiques, en ce cas, sont verbales.] *Transcurramus solertissimas nugas*[g][4]. Il y a plus d'opiniâtreté et de picoterie[h] qu'il n'appartient à une si sainte profession. Mais quelque personnage[i] que l'homme entreprenne il joue toujours le sien parmi. Quoi qu'ils disent, en la vertu même le dernier but de notre visée c'est la

a. dans la mesure où – *b.* quelque peu – *c.* l'occupent – *d.* ce qui – *e.* d'emblée – *f.* déplaisir – *g.* « Passons ces ingénieuses bagatelles. » – *h.* minutie excessive – *i.* rôle

volupté. Il me plaît de battre leurs oreilles de ce mot qui leur est si fort à contrecœur. Et s'il signifie quelque suprême plaisir et excessif contentement, il est mieux dû à l'assistance[a] de la vertu qu'à nulle autre assistance. Cette volupté pour être plus gaillarde, nerveuse, robuste, virile, n'en est que plus sérieusement voluptueuse. Et lui devions[b] donner le nom du plaisir, plus favorable, plus doux et naturel : non celui de la vigueur duquel nous l'avons dénommée[1]. Cette autre volupté plus basse, si elle méritait ce beau nom, ce devait être en concurrence, non par privilège. Je la trouve moins pure d'incommodités et de traverses que n'est la vertu. Outre que son goût est plus momentanée, fluide et caduque, elle a ses veillées, ses jeûnes et ses travaux[c], et la sueur et le sang. Et en outre particulièrement ses passions tranchantes[d] de tant de sortes et à son côté une satiété si lourde qu'elle équipolle[e] à pénitence. Nous avons grand tort d'estimer que ces incommodités lui servent d'aiguillon et de condiment à sa douceur : comme en nature le contraire se vivifie par son contraire[2]. Et de dire quand nous venons à la vertu que pareilles suites et difficultés l'accablent, la rendent austère et inaccessible. Là où beaucoup plus proprement qu'à la volupté elles anoblissent, aiguisent et rehaussent le plaisir divin et parfait qu'elle nous moyenne[f]. Celui-là est certes bien indigne de son accointance[g] qui contrepèse[h] son coût à son fruit. Et n'en connaît ni les grâces ni l'usage. Ceux qui nous vont instruisant que sa quête est scabreuse[i] et laborieuse, sa jouissance agréable, que nous disent-ils par là sinon qu'elle est toujours désagréable. Car quel moyen humain arriva jamais à sa jouissance ? Les plus parfaits se sont bien contentés d'y aspirer et de l'approcher sans la posséder. Mais ils se trompent : vu que de tous les plaisirs que nous connaissons, la poursuite même en est plaisante. L'entreprise se sent de la qualité de la chose qu'elle regarde, car c'est une bonne portion de l'effet[j] et consubstantielle. L'heur et la béatitude qui reluit en la vertu remplit[k] toutes ses appar-

a. il convient mieux pour accompagner – *b.* aurions dû – *c.* souffrances – *d.* douloureuses – *e.* équivaut – *f.* procure – *g.* sa fréquentation – *h.* compare – *i.* difficile – *j.* du résultat – *k.* remplissent

tenances et avenues[a] jusques à la première entrée et extrême barrière. Or des principaux bienfaits de la vertu est le mépris de la mort, moyen qui fournit notre vie d'une molle[b] tranquillité, nous en donne le goût pur et aimable, sans qui toute autre volupté est éteinte. Voilà pourquoi toutes les règles se rencontrent et conviennent à[c] cet article. Et bien qu'elles nous conduisent aussi toutes d'un commun accord, à mépriser la douleur, la pauvreté, et autres accidents, à quoi la vie humaine est sujette, ce n'est pas d'un pareil soin[1]. Tant parce que ces accidents ne sont pas de telle nécessité, La plupart des hommes passent leur vie sans goûter de la pauvreté, et tels encore sans sentiment de douleur et de maladie, Comme Xenophilus le Musicien[2], qui vécut cent et six ans d'une entière santé : Qu'aussi d'autant qu'au pis aller, la mort peut mettre fin, quand il nous plaira, et couper broche[d] à tous autres inconvénients. Mais quant à la mort, elle est inévitable,

> *Omnes eodem cogimur, omnium*
> *Versatur urna, serius ocius*
> *Sors exitura et nos in æter-*
> *Num exitium impositura cymbæ*[e][3].

Et par conséquent, si elle nous fait peur, c'est un sujet continuel de tourment, et qui ne se peut aucunement soulager. Il n'est lieu d'où elle ne nous vienne. Nous pouvons tourner sans cesse la tête çà et là comme en pays suspect[4] : *quæ quasi saxum Tantalo semper impendet*[f][5]. Nos parlements renvoient souvent exécuter les criminels au lieu où le crime est commis : Durant le chemin, promenez-

a. ses dépendances et les chemins qui mènent à elle – *b.* douce – *c.* convergent vers – *d.* couper court – *e.* « Nous sommes tous poussés vers le même point, l'urne tourne pour tous, tôt ou tard notre sort sera tiré et nous fera monter dans la barque vers la fin éternelle. » – *f.* « elle est toujours suspendue au-dessus de nous comme le rocher de Tantale. »

les par des belles maisons, faites-leur tant de bonne chère, qu'il vous plaira,

non Siculæ dapes
Dulcem elaborabunt saporem,
Non avium, cytharæque cantus
Somnum reducent[a][1],

Pensez-vous qu'ils s'en puissent réjouir, et que la finale intention[b] de leur voyage leur étant ordinairement devant les yeux, ne leur ait altéré et affadi le goût à toutes ces commodités[c] ?

Audit iter, numerátque dies, spacióque viarum
Metitur vitam, torquetur peste futura[d][2].

Le but de notre carrière[e] c'est la mort, c'est l'objet nécessaire de notre visée[3] : Si elle nous effraie, comme[f] est-il possible d'aller un pas avant, sans fièvre ? Le remède du vulgaire c'est de n'y penser pas. Mais de quelle brutale stupidité lui peut venir un si grossier aveuglement ? Il lui faut faire brider l'âne par la queue,

Qui capite ipse suo instituit vestigia retro[g][4].

Ce n'est pas de merveille[h] s'il est si souvent pris au piège. On fait peur à nos gens, seulement de nommer la mort, et la plupart s'en signent, comme du nom du diable. Et parce qu'il s'en fait mention aux testaments, ne vous attendez pas qu'ils y mettent la main, que le médecin ne leur ait donné l'extrême sentence : Et Dieu sait lors entre la douleur et la frayeur de quel bon jugement ils vous le pâtissent[i]. Parce que cette syllabe frappait trop rudement leurs oreilles, et

a. « les festins siciliens n'auront plus la même douce saveur, le chant des oiseaux ou celui de la cithare ne leur rendront plus le sommeil » – *b*. destination – *c*. raffinements – *d*. « Il s'enquiert du chemin, il compte les jours, il mesure sa vie à la longueur de la route, il est tourmenté par le mal à venir. » – *e*. course – *f*. comment – *g*. « Lui qui a décidé d'avancer la tête tournée vers l'arrière. » – *h*. pas étonnant – *i*. l'accommodent

que cette voix[a] leur semblait malencontreuse, les Romains avaient appris de l'amollir ou de l'étendre en périphrases[1] : Au lieu de dire il est mort, il a cessé de vivre, disent-ils, il a vécu : pourvu que ce soit vie, soit-elle passée, ils se consolent. Nous en avons emprunté, notre, feu[2] Maître-Jehan. À l'aventure[b] est-ce, que comme on dit, le terme vaut l'argent[c]. Je naquis entre onze heures et midi le dernier jour de Février, mil cinq cent trente-trois, comme nous comptons à cette heure[d], commençant l'an en Janvier[3]. Il n'y a justement que quinze jours que j'ai franchi trente-neuf ans, il m'en faut pour le moins encore autant : cependant s'empêcher du pensement[e] de chose si éloignée, ce serait folie. Mais quoi, les jeunes et les vieux laissent la vie de même condition : Nul n'en sort autrement que comme si tout présentement il y entrait. Joint qu'il n'est homme si décrépit tant qu'il voit Mathusalem devant[f], qui ne pense avoir encore vingt ans dans le corps. Davantage, pauvre fol que tu es, qui t'a établi les termes de ta vie ? Tu te fondes sur les contes des Médecins. Regarde plutôt l'effet[g] et l'expérience. Par le commun train des choses, tu vis pieça[h] par faveur extraordinaire. Tu as passé les termes accoutumés de vivre : Et qu'il soit ainsi[i], compte de tes connaissants[j], combien il en est mort avant ton âge, plus qu'il n'en y a qui l'aient atteint : Et de ceux même qui ont anobli leur vie par renommée, fais-en registre, et j'entrerai en gageure, d'en trouver plus, qui sont morts, avant, qu'après trente-cinq ans. Il est plein de raison, et de piété, de prendre exemple de l'humanité même de Jésus-Christ : or il finit sa vie à

a. ce mot – *b*. Peut-être – *c*. le délai vaut bien l'argent dû – *d*. maintenant – *e*. s'embarrasser à penser – *f*. tant qu'il est moins vieux que le patriarche Mathusalem – *g*. la réalité – *h*. depuis longtemps – *i*. à preuve qu'il en est ainsi – *j*. parmi tes connaissances

trente et trois ans. Le plus grand homme, simplement homme, Alexandre, mourut aussi à ce terme. Combien a la mort de façons de surprise[a] ?

Quid quisque vitet, nunquam homini satis
Cautum est in horas[b][1].

Je laisse à part les fièvres et les pleurésies. Qui eût jamais pensé qu'un duc de Bretaigne[2] dût être étouffé de la presse[c], comme fut celui-là à l'entrée du Pape Clement mon voisin[3], à Lyon ? N'as-tu pas vu tuer un de nos rois en se jouant[d][4] : Et un de ses ancêtres mourut-il pas choqué[e] par un pourceau[5]. Æschilus[6] menacé de la chute d'une maison, a beau se tenir à l'airte[f], le voilà assommé d'un toit[g] de tortue, qui échappa des pattes d'un Aigle en l'air : L'autre[7] mourut d'un grain de raisin : Un Empereur de l'égratignure d'un peigne en se testonnant[h] : Æmilius Lepidus pour avoir heurté du pied contre le seuil de son huis[i] : Et Aufidius, pour avoir choqué en entrant contre la porte de la chambre du conseil. Et entre les cuisses des femmes Cornelius Gallus préteur, Tigillinus Capitaine du guet à Rome, Ludovic fils de Guy de Gonsague, Marquis de Mantoue. Et d'un encore pire exemple, Speusippus Philosophe Platonicien, et l'un de nos papes[8]. Le pauvre Bebius juge, cependant qu'il donne délai de huitaine à une partie, le voilà saisi, le sien[j] de vivre étant expiré : Et Caius Julius médecin graissant les yeux d'un patient, voilà la mort qui clôt les siens. Et s'il m'y faut mêler : un mien frère le Capitaine S. Martin[9], âgé de vingt et trois ans, qui avait déjà fait assez bonne preuve de sa valeur, jouant à la paume, reçut un coup d'esteuf[k],

a. pour nous surprendre – *b*. « L'homme ne se garde jamais assez du danger à éviter à chaque heure. » – *c*. foule – *d*. en se divertissant – *e*. heurté – *f*. en alerte – *g*. d'une carapace – *h*. se coiffant – *i*. porte – *j*. son propre délai – *k*. balle du jeu de paume

qui l'assena un peu au-dessus de l'oreille droite, sans aucune apparence de contusion, ni de blessure. Il ne s'en assit, ni reposa, mais cinq ou six heures après il mourut d'une Apoplexie que ce coup lui causa. Ces exemples si fréquents et si ordinaires nous passant devant les yeux, comme est-il possible qu'on se puisse défaire du pensement de la mort, et qu'à chaque instant il ne nous semble qu'elle nous tient au collet ? Qu'importe-il, me direz-vous, comment que ce soit, pourvu qu'on ne s'en donne point de peine ? Je suis de cet avis, et en quelque manière qu'on se puisse mettre à l'abri des coups, fût-ce sous la peau d'un veau[1], je ne suis pas homme qui y reculasse : Car il me suffit de passer à mon aise : et le meilleur jeu que je me puisse donner je le prends, si peu glorieux au reste et exemplaire que vous voudrez,

prætulerim delirus inérsque videri,
Dum mea delectent mala me, vel denique fallant,
Quam sapere et ringi[a][2].

Mais c'est folie d'y penser arriver par là. Ils vont, ils viennent, ils trottent, ils dansent, de mort nulles nouvelles. Tout cela est beau : Mais aussi quand elle arrive, ou à eux, ou à leurs femmes, enfants et amis, les surprenant en dessoude[b] et à découvert, quels tourments, quels cris, quelle rage et quel désespoir les accable ? Vîtes-vous jamais rien si rabaissé, si changé, si confus ? Il y faut pourvoir de meilleure heure : Et cette nonchalance bestiale, quand elle pourrait loger en la tête d'un homme d'entendement, ce que je trouve entièrement impossible, nous vend trop cher

a. « je préférerais passer pour un fou et un incapable, du moment que mes maux me plaisent, ou du moins qu'ils m'échappent, plutôt que d'être sage et d'enrager. » – *b.* à l'improviste

ses denrées. Si c'était ennemi qui se pût éviter, je conseillerais d'emprunter les armes de la couardise. Mais puisqu'il ne se peut, puisqu'il vous attrape fuyant et poltron aussi bien qu'honnête homme,

Nempe et fugacem persequitur virum,
Nec parcit imbellis juventæ
Poplitibus, timidóque tergo[a][1],

et que nulle trempe de cuirasse vous couvre,

Ille licet ferro cautus se condat ære,
Mors tamen inclusum protrahet inde caput[b][2],

apprenons à le soutenir de pied ferme, et à le combattre. Et pour commencer à lui ôter son plus grand avantage contre nous, prenons voie toute contraire à la commune, ôtons-lui l'étrangeté, pratiquons-le, accoutumons-le, N'ayons rien si souvent en la tête que la mort: À tous instants représentons-la à notre imagination et en tous visages: Au broncher d'un cheval, à la chute d'une tuile, à la moindre piqûre d'épingle, remâchons soudain[c]. Eh bien quand ce serait la mort même? et là-dessus, raidissons-nous, et efforçons-nous. Parmi les fêtes et la joie, ayons toujours ce refrain de la souvenance de notre condition, et ne nous laissons pas si fort emporter au plaisir, que parfois il ne nous repasse en la mémoire, en combien de sortes cette nôtre allégresse, est en butte à la mort, et de combien de prises elle la menace. Ainsi faisaient les Égyptiens[3], qui au milieu de leurs festins, et parmi leur meilleure chère, faisaient apporter l'Anatomie sèche[d] d'un corps d'homme mort, pour servir d'avertissement aux conviés.

a. « Certes il poursuit aussi le fuyard et n'épargne pas les jarrets et le dos craintif d'une lâche jeunesse » – *b*. « Il a beau, se défiant du fer, se cacher sous l'airain, la mort ira chercher sa tête derrière ces protections » – *c*. répétons aussitôt – *d*. squelette

Omnem crede diem tibi diluxisse supremum.
Grata superveniet, quæ non sperabitur hora[a][1].

Il est incertain où la mort nous attende, attendons-la partout. La préméditation[b] de la mort, est préméditation de la liberté. Qui a appris à mourir, il a désappris à servir[2]. Le savoir mourir, nous affranchit de toute sujétion et contrainte. Il n'y a rien de mal en [la] vie pour celui qui a bien compris que la privation [de] la vie n'est pas mal. Paulus Æmilius répondit à celui, que ce misérable Roi de Macedoine son prisonnier lui envoyait, pour le prier de ne le mener pas en son triomphe, Qu'il en fasse la requête à soi-même[3]. À la vérité en toutes choses si nature ne prête un peu, il est malaisé que l'art et l'industrie aillent guère avant. Je suis de moi-même non mélancolique, mais songe-creux. Il n'est rien de quoi je me sois dès toujours plus entretenu que des imaginations de la mort: Voire en la saison la plus licencieuse de mon âge,

Jucundum cum ætas florida ver ageret[c][4],

Parmi les dames et les jeux, tel me pensait empêché[d] à digérer à part moi quelque jalousie, ou l'incertitude de quelque espérance, cependant que je m'entretenais de je ne sais qui surpris les jours précédents d'une fièvre chaude et de sa fin, au partir[e] d'une fête pareille, et la tête pleine d'oisiveté, d'amour et de bon temps, comme moi, et qu'autant m'en pendait à l'oreille[f]:

Jam fuerit, nec post unquam revocare licebit[g][5].

Je ne ridais non plus le front de ce pensement-là, que d'un autre. Il est impossible que d'arrivée[h] nous

a. «Considère que chaque jour qui luit est le dernier pour toi. Tu accueilleras avec reconnaissance l'heure qui viendra sans avoir été espérée.» – *b.* méditation préalable – *c.* «Quand mon âge en fleurs vivait son doux printemps» – *d.* occupé – *e.* en sortant – *f.* me menaçait – *g.* «Bientôt cela aura été, et jamais plus on ne pourra le rappeler.» – *h.* de prime abord

ne sentions des piqûres de telles imaginations. Mais en les maniant et repassant, au long aller[a], on les apprivoise sans doute[b]: Autrement de ma part je fusse en continuelle frayeur et frénésie: Car jamais homme ne se défia tant de sa vie, jamais homme ne fit moins d'état de sa durée. Ni la santé, que j'ai joui jusques à présent très vigoureuse et peu souvent interrompue, ne m'en allonge l'espérance, ni les maladies ne me l'accourcissent. À chaque minute il me semble que je m'échappe. Et me rechante sans cesse : Tout ce qui peut être fait un autre jour le peut être aujourd'hui. De vrai les hasards et dangers nous approchent peu ou rien de notre fin: Et si nous pensons, combien il en reste, sans cet accident qui semble nous menacer le plus, de millions d'autres sur nos têtes, nous trouverons que gaillards et fiévreux, en la mer et en nos maisons, en la bataille et en repos, elle nous est également près[1]. *Nemo altero fragilior est : nemo in crastinum sui certior*[c][2]. Ce que j'ai affaire avant mourir, pour l'achever tout loisir me semble court, fût-ce d'une heure. Quelqu'un feuilletant l'autre jour mes tablettes, trouva un mémoire de quelque chose, que je voulais être faite après ma mort. Je lui dis, comme il était vrai, que n'étant qu'à une lieue de ma maison et sain et gaillard, je m'étais hâté de l'écrire là, pour ne m'assurer point[d] d'arriver jusque chez moi. Comme celui qui[e] continuellement me couvre de mes pensées et les couche en moi, je suis à toute heure préparé environ ce que [je] le puis être. Et ne m'avertira de rien de nouveau la survenance de la mort. Il faut être toujours botté et prêt à partir, en tant qu'en nous est[f]: Et surtout se garder qu'on n'ait lors affaire qu'à soi :

a. à la longue – *b.* à coup sûr – *c.* « Nul n'est plus fragile qu'un autre, nul n'est plus assuré du lendemain. » – *d.* parce que je n'étais pas sûr – *e.* en homme qui – *f.* autant qu'il est en notre pouvoir

Quid brevi fortes jaculamur œvo
Multa[a1] ?

Car nous y aurons assez de besogne, sans autre surcroît. L'un se plaint plus que de la mort, de quoi elle[b] lui rompt le train d'une belle victoire : L'autre qu'il lui faut déloger avant qu'avoir marié sa fille, ou contrerôlé l'institution[c] de ses enfants : L'un plaint[d] la compagnie de sa femme, l'autre de son fils, comme commodités principales de son être. Je suis pour cette heure en tel état, dieu merci, que je puis déloger quand il lui plaira sans regret de chose quelconque : si ce [n'est] de la vie, si sa perte vient à me peser. Je me dénoue partout : mes adieux sont à demi pris de chacun, sauf de moi. Jamais homme ne se prépara [à] quitter le monde plus purement et pleinement, et ne s'en déprit plus universellement que je m'attends de[e] faire[2] :

miser ô miser aiunt, omnia ademit
Una dies infesta mihi tot præmia vitæ[f3].

Et le bâtisseur,

manent (dit-il) *opera interrupta, minæque*
Murorum ingentes[g4].

Il ne faut rien dessiner[h] de si longue haleine, ou au moins avec telle intention de se passionner pour n'en voir la fin[i]. Nous sommes nés pour agir :

Cum moriar, medium solvar et inter opus[j5].

Je veux qu'on agisse et qu'on allonge les offices[k] de la vie tant qu'on peut : et que la mort me trouve plantant mes choux : mais nonchalant[l] d'elle, et encore plus de mon jardin imparfait. J'en vis mourir un, qui étant à l'extrémité, se plaignait incessamment, de quoi sa

a. « Pourquoi visons-nous bravement tant de buts, alors que notre vie est brève ? » – *b*. de ce qu'elle – *c*. l'éducation – *d*. regrette – *e*. m'applique à – *f*. « malheureux ! Ô malheureux que je suis ! disent-ils, un seul jour funeste m'enlève tous les bienfaits de la vie. » – *g*. « les travaux restent interrompus, et les murailles immenses et redoutables. » – *h*. projeter – *i*. d'être affecté si l'on n'en voit la fin – *j*. « Puissé-je mourir au milieu de mon travail. » – *k*. engagements – *l*. sans souci

destinée coupait le fil de l'histoire qu'il avait en main, sur le quinzième ou seizième de nos Rois.

Illud in his rebus non addunt, nec tibi earum
Jam desiderium rerum super insidet una[a1].

Il faut se décharger de ces humeurs vulgaires et nuisibles. Tout ainsi qu'on a planté nos cimetières joignant les Églises, et aux lieux les plus fréquentés de la ville, pour accoutumer, disait Lycurgus[2], le bas populaire, les femmes et les enfants à ne s'effaroucher point de voir un homme mort : Et afin que ce continuel spectacle d'ossements, de tombeaux, et de convois nous avertisse de notre condition :

Quin etiam exhilarare viris convivia cæde
Mos olim, et miscere epulis spectacula dira
Certantum ferro, sæpe et super ipsa cadentum
Pocula respersis non parco sanguine mensis[b3].

Et comme les Égyptiens après leurs festins faisaient présenter aux assistants une grande image de la mort par [un] qui leur criait : Bois et [t'éjouis] car mort tu seras tel[4]. Aussi ai-je pris en coutume, d'avoir non seulement en l'imagination, mais continuellement la mort en la bouche : et n'est rien de quoi je m'informe si volontiers, que de la mort des hommes : quelle parole, quel visage, quelle contenance ils y ont eu[c], ni endroit des histoires, que je remarque si attentivement. Il y paraît[d] à la farcissure de mes exemples : et que j'ai en particulière affection cette matière. Si j'étais faiseur de livres, [je] ferais un registre commenté, des morts diverses. Qui apprendrait les hommes [à] mourir leur apprendrait à vivre. Dicaearchus en fit un [de] pareil titre, mais d'autre et moins

a. « Sur ces matières, ils n'ajoutent pas que le regret de ces biens ne te survivra pas. » – *b.* « Bien plus, c'était la coutume autrefois d'égayer les banquets par des meurtres, et de mêler aux festins le cruel spectacle d'hommes combattant à l'épée, qui souvent tombaient au milieu des coupes et inondaient les tables de leur sang. » – *c.* eus – *d.* cela est visible

utile [fin][1]. On me dira, que l'effet surmonte[a] de si loin l'imagination, qu'il n'y a si belle escrime, qui ne se perde[b], quand on en vient là : Laissez-les dire, le préméditer donne sans doute[c] grand avantage : Et puis n'est-ce rien, d'aller au moins jusque-là sans altération et sans fièvre. Il y a plus : Nature même nous prête la main, et nous donne courage. Si c'est une mort courte et violente, nous n'avons pas loisir de la craindre : Si elle est autre, je m'aperçois qu'à mesure que je m'engage dans la maladie, j'entre naturellement en quelque dédain de la vie. Je trouve que j'ai bien plus affaire à digérer cette résolution de mourir, quand je suis en santé, que quand je suis en fièvre. D'autant que je ne tiens plus si fort aux commodités de la vie, à raison[d] que je commence à en perdre l'usage et le plaisir, j'en vois la mort d'une vue beaucoup moins effrayée. Cela me fait espérer, que plus je m'éloignerai de celle-là, et approcherai de cette-ci, plus aisément j'entrerai en composition de leur échange[e]. Tout ainsi que j'ai essayé[f] en plusieurs autres occurrences, ce que dit Cesar[2], que les choses nous paraissent souvent plus grandes de loin que de près, j'ai trouvé que sain j'avais eu les maladies beaucoup plus en horreur, que lorsque je les ai senties : L'allégresse où je suis, le plaisir et la force, me font paraître l'autre état si disproportionné à celui-là, que par imagination je grossis ces incommodités de moitié, et les conçois plus pesantes, que je ne les trouve, quand je les ai sur les épaules. J'espère qu'il m'en adviendra ainsi de la mort. Voyons à ces mutations et déclinaisons[g] ordinaires que nous souffrons, comme nature nous dérobe le goût de notre perte et

a. la réalité dépasse – *b.* que tout combat est inutile – *c.* la préparation mentale donne assurément – *d.* à mesure – *e.* je me résoudrai à échanger l'une contre l'autre – *f.* vérifié – *g* déclins empirement. Que reste-il à un vieillard de la vigueur de sa jeunesse, et de sa vie passée,

Heu senibus vitæ portio quanta manet[a][1].

Cesar à un soldat de sa garde recru et cassé, qui vint en la rue lui demander congé[b] de se faire mourir : regardant son maintien décrépit, répondit plaisamment : Tu penses donc être en vie[2]. Qui y tomberait tout à un coup[c], je ne crois pas que nous fussions capables de porter[d] un tel changement. Mais conduits par sa main, d'une douce pente et comme insensible, peu à peu, de degré en degré, elle nous roule dans ce misérable état, et nous y apprivoise. Si que[e] nous ne sentons aucune secousse, quand la jeunesse meurt en nous : qui[f] est en essence et en vérité, une mort plus dure, que n'est la mort entière d'une vie languissante, et que n'est la mort de la vieillesse. D'autant que le saut n'est pas si lourd du mal-être au non-être, comme il est d'un être doux et fleurissant, à un être pénible et douloureux. Le corps courbe et plié, a moins de force à soutenir un faix, aussi[g] a notre âme : il la faut dresser et élever contre l'effort de cet adversaire. Car comme il est impossible, qu'elle se mette en repos, pendant qu'elle le craint : si elle s'en assure aussi, elle se peut vanter, qui est chose comme surpassant l'humaine condition, qu'il est impossible que l'inquiétude, le tourment, la peur, non le moindre déplaisir loge en elle,

Non vultus instantis tyranni
Mente quatit solida, neque Auster
Dux inquieti turbidus Adriæ,
Nec fulminantis magna Jovis manus[h][3].

a. « Hélas, quelle part de vie reste-t-il aux vieillards. » – *b.* l'autorisation – *c.* Si nous y tombions d'un seul coup – *d.* supporter – *e.* de telle sorte que – *f.* ce qui – *g.* de même – *h.* « Rien n'ébranle sa fermeté d'âme, ni le visage menaçant du tyran, ni l'Auster qui trouble et agite l'Adriatique, ni la grande main de Jupiter lançant la foudre. »

Elle est rendue maîtresse de ses passions et concupiscences : maîtresse de l'indigence, de la honte, de la pauvreté, et de toutes autres injures de fortune. Gagnons cet avantage qui pourra[a] : C'est ici la vraie et souveraine liberté, qui nous donne de quoi faire la figue à[b] la force, et à l'injustice, et nous moquer des prisons et des fers[1],

in manicis, et
Compedibus, sævo te sub custode tenebo.
Ipse Deus simul atque volam, me solvet : opinor,
Hoc sentit, moriar. Mors ultima linea rerum est[c][2].

Notre religion n'a point eu de plus assuré fondement humain, que le mépris de la vie. Non seulement le discours de la raison nous y appelle, Car pourquoi craindrions-nous de perdre une chose, laquelle perdue ne peut être regrettée : Et puisque nous sommes menacés de tant de façons de mort[d], n'y a-il pas plus de mal à les craindre toutes, qu'à en soutenir[e] une[3] ? Que chaut-il quand ce soit, [puisqu'elle] est inévitable ? À celui qui disait à Socrates : Les trente [tyrans] t'ont condamné à la mort : et nature à eux[f], répondit-il[4]. Quelle sottise de nous peiner sur le point [du] passage à l'exemption de toute peine ! Comme notre naissance nous apporta la naissance de toutes choses, aussi fera la mort de toutes choses, notre mort[g]. Par quoi[h] c'est pareille folie de pleurer de ce que d'ici à cent ans nous [ne] vivrons pas, que de pleurer de ce que nous ne vivions pas il y a cent ans[5]. La mort est origine d'une autre vie. Ainsi pleurâmes-nous : ainsi nous coûta-il d'entrer en cette-ci : ainsi nous dépouillâmes-nous de notre ancien voile, en y entrant. Rien ne peut être grief[i], qui n'est qu'une fois. Est-ce raison

a. si l'on peut – *b.* mépriser – *c.* « je te tiendrai les pieds et les mains entravés, sous la surveillance d'un cruel geôlier. Un dieu me délivrera dès que je le voudrai. Cet homme veut dire, je crois, qu'il mourra. La mort est le dernier terme des choses. » – *d.* de mourir – *e.* affronter – *f.* a fait de même pour eux – *g.* de même notre mort nous apportera celle de toutes choses – *h.* c'est pourquoi – *i.* pénible de craindre si longtemps chose de si bref temps. Le longtemps vivre [et] le peu de temps vivre est rendu tout un[a] par la mort. Car le long et le court n'est point aux choses qui ne sont plus. Aristote[1] dit qu'il y a des petites bêtes sur la rivière de Hypanis qui ne vivent qu'un jour. Celle qui meurt à huit heures du matin, elle meurt en jeunesse, celle qui meurt à cinq heures du soir meurt en sa décrépitude. Qui de nous ne se moque de voir mettre en considération d'heur ou de malheur ce moment de durée : Le plus et le moins en la [nôtre, si nous la comparons] à l'éternité, ou encore à la durée des montagnes, des rivières, des étoiles, des [arbres et même d'aucuns animaux, n'est pas moins ridicule.] Mais[b] nature nous y force[2]. Sortez, dit-elle, de ce monde, comme vous y êtes entrés. Le même passage que vous fîtes de la mort à la vie, sans passion et sans frayeur, refaites-le de la vie à la mort. Votre mort est une des pièces de l'ordre de l'univers, C'est une pièce de la vie du monde,

inter se mortales mutua vivunt
Et quasi cursores vitaï lampada tradunt[c][3].

Changerai-je pas pour vous cette belle contexture des choses ? C'est la condition de votre création, c'est une partie de vous que la mort : vous vous fuyez vous-mêmes. Cettui vôtre être, que vous jouissez, est également parti[d] à la mort et à la vie. Le premier jour de votre naissance vous achemine à mourir comme à vivre,

Prima, quæ vitam dedit, hora, carpsit[e][4].
Nascentes morimur, finisque ab origine pendet[f][5].

Tout ce que vous vivez, vous le dérobez à la vie, c'est à ses dépens. Le continuel ouvrage de votre [vie], c'est bâtir la mort. Vous êtes en

a. semblable – *b*. Mais non seulement la raison, mais encore la – *c*. « les mortels s'échangent la vie entre eux et, comme des coureurs, ils se transmettent le flambeau de la vie. » – *d*. cet être qui est le vôtre, dont vous jouissez, a également part – *e*. « La première heure, qui nous a donné la vie, l'a entamée » – *f*. « En naissant nous mourrons, et notre fin est la conséquence de notre commencement. »

la mort pendant que vous êtes en vie. Car vous êtes après la mort quand vous n'êtes plus en vie. Ou si vous aimez mieux ainsi, vous êtes mort après la vie : mais pendant la vie vous êtes mourant, et la mort touche bien plus rudement le mourant que le mort, [et] plus vivement et essentiellement. Si vous avez fait votre profit de la vie, vous en êtes repu, allez-vous-en satisfait,

Cur non ut plenus vitæ conviva recedis[a][1] ?

Si vous n'en avez su user, si elle vous était inutile, que vous chaut-il de l'avoir perdue, à quoi faire la voulez-vous encore ?

Cur amplius addere quæris
Rursum quod pereat male, et ingratum occidat omne[b][2] ?

La vie n'est de soi ni bien ni mal : c'est la place du bien et du mal selon que vous [la] leur faites. Et si vous avez vécu un jour, vous avez tout vu. Un jour est égal à tous jours. Il n'y a point d'autre lumière, ni d'autre nuit. Ce Soleil, cette Lune, ces Étoiles, cette disposition, c'est celle même, que vos aïeux ont jouie, et qui entretiendra vos arrière-neveux :

Non alium videres patres : aliumve nepotes
Aspicient[c][3].

Et au pis-aller la distribution et variété de tous les actes de ma comédie, se parfournit[d] en un an. Si vous avez pris garde au branle[e] de mes quatre saisons, elles embrassent, l'enfance, l'adolescence, la virilité, et la vieillesse du monde. Il a joué son jeu. Il n'y sait autre finesse, que de recommencer, Ce sera toujours cela même,

versamur ibidem, atque insumus usque[f][4],
Atque in se sua per vestigia volvitur annus[g][5].

a. « Pourquoi ne pas te retirer de la vie en convive rassasié ? » – *b.* « Pourquoi demandes-tu un temps supplémentaire, qui se perdra à nouveau misérablement et mourra entièrement, sans profit ? » – *c.* « Vos pères n'en ont pas vu d'autre, et vos descendants n'en contempleront pas d'autre. » – *d.* s'accomplit – *e.* mouvement – *f.* « nous tournons dans un même cercle et nous y restons toujours enfermés » – *g.* « Et l'année revient

Je ne suis pas délibérée de[a] vous forger autres nouveaux passe-temps,

Nam tibi præterea quod machiner, inveniámque
Quod placeat, nihil est, eadem sunt omnia semper[b1].

Faites place aux autres, comme d'autres vous l'ont faite. L'équalité est la première pièce de l'équité[2] : Qui se peut plaindre d'être compris, où tous sont compris. Aussi avez-vous beau vivre, vous n'en rabattrez rien du temps, que vous avez à être mort : C'est pour néant : Aussi longtemps serez-vous en cet état-là, que vous craignez, comme[c] si vous étiez mort en nourrice,

licet, quod vis, vivendo vincere secla,
Mors æterna tamen, nihilominus illa manebit[d3].

Et si vous mettrai en tel point[e], auquel vous n'aurez aucun mécontentement,

In vera nescis nullum fore morte alium te,
Qui possit vivus tibi te lugere peremptum,
Stánsque jacentem[f4].

Ni ne désirerez la vie que vous plaignez tant,

Nec sibi enim quisquam tum se vitámque requirit
Nec desiderium nostri nos afficit ullum[g5].

La mort est moins à craindre que rien, s'il y avait quelque chose de moins,

multo mortem minus ad nos esse putandum
Si minus esse potest quam quod nihil esse videmus[h6].

---

sur elle-même suivant ses propres traces. » – *a.* décidée à – *b.* « Car je ne peux plus rien fabriquer et inventer pour te plaire : tout est toujours le même. » – *c.* que – *d.* « tu peux bien vaincre les siècles en vivant autant que tu veux, la mort, cependant, n'en restera pas moins éternelle. » – *e.* Aussi vous mettrai-je en un état – *f.* « Ignores-tu que dans la vraie mort, il n'y aura pas d'autre toi-même qui puisse, vivant, te pleurer mort, et debout, te pleurer gisant ? » – *g.* « Personne ne s'inquiète alors ni de la vie, ni de soi-même, et aucun regret de nous-même ne nous affecte plus. » – *h.* « il faut penser que la mort est bien moins encore pour nous, s'il peut exister quelque chose de moins que ce qui semble n'être rien. »

Elle [ne] vous concerne ni mort ni vif. Vif, parce que vous êtes : mort, parce que vous n'êtes plus. Nul ne meurt avant son heure. Ce que vous laissez de temps, n'était non plus vôtre, que celui qui s'est passé avant votre naissance : et ne vous touche non plus,

Respice enim quam nil ad nos ante acta vetustas
Temporis æterni fuerit[a][1].

Où que votre vie finisse, elle y est toute. L'utilité du vivre n'est pas en l'espace, elle est en l'usage : tel a vécu longtemps qui a peu vécu[2] : attendez-vous-[y][b] pendant que vous y êtes. Il gît[c] en votre volonté, non au nombre des ans, que vous ayez assez vécu. Pensiez-vous jamais n'arriver là, où vous alliez sans cesse : encore n'y a-il chemin qui n'ait son issue. Et si la compagnie vous peut soulager : le monde ne va-il pas même train que vous allez[3] ?

omnia te vita perfuncta sequentur[d][4].

Tout ne branle-il[e] pas votre branle ? y a-il chose qui ne vieillisse quant et[f] vous ? mille hommes, mille animaux et mille autres créatures meurent en ce même instant, que vous mourez :

Nam nox nulla diem, neque noctem aurora sequuta est,
Quæ non audierit mistos vagitibus ægris
Ploratus mortis comites et funeris atri[g][5].

À quoi faire y reculez-vous, si vous ne pouvez tirer arrière. Vous en avez assez vu qui se sont bien trouvés de mourir, eschevant[h] par là des grandes misères. Mais quelqu'un qui s'en soit mal trouvé, en avez-vous vu ? Si[i] est-ce grande simplesse[j] de condamner chose que vous n'avez éprouvée ni par vous ni par autre. Pourquoi te plains-tu

a. « Considère en effet combien l'éternité qui nous a précédés n'est rien pour nous. » – *b.* soyez-y attentifs – *c.* réside – *d.* « toutes choses te suivront dans la mort. » – *e.* ne change-t-il pas – *f.* avec – *g.* « Car jamais la nuit n'a succédé au jour, ni l'aurore à la nuit, sans qu'on n'entendît mêlés aux vagissements plaintifs du nouveau-né, les pleurs accompagnant la mort et les noires funérailles. » – *h.* échappant à – *i.* Aussi – *j.* naïveté

de moi et de la destinée ? te faisons-nous tort ? Est-ce à toi de nous gouverner, ou nous à toi ? Encore que ton âge ne soit pas achevé, ta vie l'est. Un petit homme est homme entier, comme un grand : Ni les hommes ni leurs vies ne se mesurent à l'aune. Chiron[1] refusa l'immortalité, informé des conditions d'icelle par le Dieu même du temps et de la durée, Saturne son père. Imaginez de vrai combien serait une vie perdurable moins supportable à l'homme et plus pénible que n'est la vie que je lui ai donnée. Si vous n'aviez la mort, vous me maudiriez sans cesse de vous en avoir privé. J'y ai à escient[a] mêlé quelque peu d'amertume pour vous empêcher, voyant la commodité de son usage, de l'embrasser trop avidement et indiscrètement[b]. Pour vous loger en cette modération, ni de fuir la vie ni de refuir à la mort, que je demande de vous, j'ai tempéré l'une et l'autre entre la douceur et l'aigreur. J'appris à Thalès[2], le premier de vos sages, que le vivre et le mourir était indifférent. Par où, à celui qui lui demanda pourquoi donc il ne mourait, il répondit très sagement : parce qu'il est indifférent. L'eau, la terre, le feu et autres membres de ce mien bâtiment[c] ne sont non plus instruments de ta vie qu'instruments de ta mort[3]. Pourquoi crains-tu ton dernier jour ? il ne confère[d] non plus à ta mort que chacun des autres. Le dernier pas ne fait pas la lassitude : il la déclare. Tous les jours vont à la mort, le dernier y arrive[4]. Voilà les bons avertissements de notre mère nature. Or j'ai pensé souvent d'où venait cela, qu'aux guerres le visage de la mort, soit que nous la voyons en nous ou en autrui, nous semble sans comparaison moins effroyable qu'en nos maisons : autrement ce serait une armée de médecins et de pleurards : Et elle étant toujours une, qu'il y ait toutefois beaucoup plus d'assurance parmi les gens de village et de basse condition qu'ès autres. Je crois à la vérité que ce sont ces mines et appareils effroyables, de quoi nous l'entournons, qui nous font plus de peur qu'elle : Une toute nouvelle forme de

a. volontairement – *b*. sans réflexion – *c*. corps – *d*. rapproche

vivre : les cris des mères, des femmes et des enfants : la visitation de personnes étonnées[a], et transies : l'assistance d'un nombre de valets pâles et éplorés : une chambre sans jour : des cierges allumés : notre chevet assiégé de médecins et de prêcheurs : somme tout horreur et tout effroi autour de nous. Nous voilà déjà ensevelis et enterrés. Les enfants ont peur de leurs amis mêmes quand ils les voient masqués, aussi avons-nous. Il faut ôter le masque aussi bien des choses, que des personnes : ôté qu'il sera, nous ne trouverons au-dessous, que cette même mort, qu'un valet ou simple chambrière passèrent dernièrement sans peur[1]. Heureuse la mort qui ôte le loisir aux apprêts de tel équipage.

a. ébranlées

De la force de l'imagination

CHAP. XXI

Fortis imaginatio generat casum[a][1], disent les clercs. Je suis de ceux, qui sentent très grand effort[b] de l'imagination[2]. Chacun en est heurté, mais aucuns[c] en sont renversés[3]. Son impression me perce. Et mon art est de lui échapper, non pas de lui résister. Je vivrais de la seule assistance[d] de personnes saines [et] gaies. La vue des angoisses d'autrui m'angoisse matériellement[e], et a mon sentiment souvent usurpé le sentiment d'un tiers. Un tousseur continuel irrite mon poumon et mon gosier. [Je] visite plus mal volontiers [les] malades auxquels le devoir m'intéresse[f], que ceux auxquels [je] m'attends moins[g] et que je considère moins. [Je saisis] le mal que j'étudie et le couche en moi. [Je] ne trouve pas étrange qu'elle[h] donne et les fièvres et [la] mort à ceux qui la laissent faire et qui lui applaudissent. [Simon] Thomas était un grand médecin de son temps[4]. Il me souvient que, me rencontrant [un] jour chez un riche vieillard pulmonique[i] et traitant avec [lui] des moyens de sa guérison, [il] lui dit que c'en était l'un [de] me donner occasion de me plaire [en] sa compagnie et que, fichant ses [yeux] sur la fraîcheur de mon visage et sa pensée sur cette allégresse et vigueur qui regorgeait [de] mon adolescence, et remplissant tous ses sens de cet état fleurissant en quoi j'étais,

a. « Une forte imagination produit l'événement » – *b.* qui ressentent intensément la force – *c.* certains – *d.* présence – *e.* concrètement, physiquement – *f.* me lie – *g.* je prête moins attention – *h.* que la vue des angoisses d'autrui – *i.* poitrinaire son habitude[a] s'en pourrait amender. Mais il oubliait à dire que la mienne s'en pourrait empirer aussi. Gallus Vibius[1] banda si bien son âme, à comprendre l'essence et les mouvements de la folie, qu'il emporta son jugement hors de son siège, si qu'onques puis[b] il ne l'y put remettre : Et se pouvait vanter d'être devenu fol par sagesse. Il y en a, qui de frayeur anticipent la main du bourreau. Et celui qu'on débandait[c] pour lui lire sa grâce, se trouva raide mort sur l'échafaud du seul coup de son imagination. Nous tressuons[d], nous tremblons, nous pâlissons, et rougissons aux secousses de nos imaginations, Et renversés dans la plume sentons notre corps agité à leur branle, quelquefois jusques à en expirer. Et la jeunesse bouillante s'échauffe si avant en son harnois[e] tout endormie, qu'elle assouvit en songe ses amoureux désirs,

Ut quasi transactis sæpe omnibus rebus profundant
Fluminis ingentes fluctus, vestémque cruentent[f][2].

Et encore qu'il ne soit pas nouveau de voir croître la nuit des cornes à tel, qui ne les avait pas en se couchant : toutefois l'événement de Cyppus Roi d'Italie est mémorable[3]. Lequel pour avoir assisté le jour avec grande affection[g] au combat des taureaux, et avoir eu en songe toute la nuit des cornes en la tête, les produisit en son front par la force de l'imagination. La passion donna au fils de Crœsus la voix, que nature lui avait refusée[4]. Et Antiochus[5] prit la fièvre de la beauté de Stratonicé trop vivement empreinte en son âme[6]. Pline dit avoir vu Lucius Cossitius, de femme changé en homme le jour de ses noces[7]. Pontanus et d'autres, racontent pareilles métamor-

a. état – *b*. si bien que jamais plus – *c*. déliait – *d*. suons à grosses gouttes – *e*. s'excite tant – *f*. « Si bien que souvent, comme si l'acte avait été accompli, ils répandent les flots abondants d'un fleuve et souillent leur vêtement. » – *g*. passion

phoses advenues en Italie ces siècles passés[1] : et par véhément désir de lui et de sa mère,

Vota puer solvit, quæ fœmina voverat Iphis[a][2].

Passant à Victry le Françoys[3], je pus voir un homme que l'Évêque de Soissons avait nommé Germain, en confirmation[4], lequel tous les habitants de là ont connu, et vu fille, jusques à l'âge de vingt-deux ans, nommée Marie. Il était à cette heure-là fort barbu, et vieil, et point marié. Faisant, dit-il, quelque effort en sautant, ses membres virils se produisirent[b] : et est encore en usage entre les filles de là, une chanson, par laquelle elles s'entravertissent de ne faire point de grandes enjambées, de peur de devenir garçons, comme Marie Germain. Ce n'est pas tant de merveille[c] que cette sorte d'accident se rencontre fréquent[d] : Car si l'imagination peut en telles choses, elle est si continuellement et si vigoureusement attachée à ce sujet, que pour n'avoir si souvent à rechoir en même pensée et âpreté de désir, elle a meilleur compte d'incorporer, une fois pour toutes, cette virile partie aux filles. Les uns attribuent à la force de l'imagination, les cicatrices du Roi Dagobert et de Saint François[5]. On dit que les corps s'en enlèvent telle fois de leur place. Et Celsus récite d'un Prêtre, qui ravissait son âme en telle extase, que le corps en demeurait longue espace[e] sans respiration et sans sentiment[6]. Saint Augustin en nomme un autre[7] à qui il ne fallait que faire ouïr des cris lamentables et plaintifs, soudain il défaillait et s'emportait si vivement hors de soi, qu'on avait beau le tempêter[f] et hurler et le pincer et le griller, jusques à ce qu'il fût ressuscité : lors il disait avoir ouï des voix, mais comme venant de loin : et s'apercevait de ses échaudures[g] et meurtrissures. Et que ce ne fût une

a. « C'est en garçon qu'Iphis acquitta les vœux que, fille, il avait formulés. » – *b*. apparurent – *c*. Il n'est pas si étonnant – *d*. fréquemment – *e*. longtemps – *f*. lui crier dessus – *g*. brûlures

obstination apostée contre[a] son sentiment, cela le montrait, qu'il n'avait cependant[b] ni pouls ni haleine. Il est vraisemblable, que le principal crédit des miracles, des visions, des enchantements, et de tels effets extraordinaires, vienne de la puissance de l'imagination agissant principalement contre les âmes du vulgaire[c], plus molles : On leur a si fort saisi la créance, qu'ils pensent voir ce qu'ils ne voient pas. Je suis encore de cette opinion, que ces plaisantes liaisons, de quoi notre monde se voit si entravé[1], qu'il ne se parle d'autre chose, ce sont volontiers des impressions de l'appréhension et de la crainte. Car je sais par expérience, que tel de qui je puis répondre, comme de moi-même, en qui il pouvait choir soupçon aucune[d] de faiblesse, et aussi peu d'enchantement, ayant ouï faire le conte à un sien compagnon, d'une défaillance extraordinaire, en quoi il était tombé sur le point, qu'[e]il en avait le moins de besoin, se trouvant en pareille occasion : l'horreur de ce conte lui vint à coup[f] si rudement frapper l'imagination, qu'il en encourut une fortune pareille : Et de là en hors[g] fut sujet à y rechoir[h] : ce vilain souvenir de son inconvénient le gourmandant[i] et tyrannisant. Il trouva quelque remède à cette rêverie par une autre rêverie. C'est que, avouant lui-même [et] prêchant avant la main cette sienne sujétion, la contention[j] [de] son âme se soulageait sur ce, qu'apportant ce mal comme attendu, son obligation en amoindrissait[k] et lui en pesait moins. Quand il [a] eu loi[l], à son choix, [sa] pensée débrouillée [et] débandée[m], son corps [se] trouvant en son dû, [de] le faire lors premièrement tenter, saisir et surprendre à la connaissance d'autrui : il s'est guéri tout net à l'endroit de ce sujet. [À] qui on a été[n] une fois capable, on n'est plus incapable, sinon par juste faiblesse. Ce

a. éloignée de – *b*. pendant ce laps de temps – *c*. du peuple – *d*. aucun – *e*. au moment où – *f*. tout à coup – *g*. dès lors – *h*. retomber – *i*. tourmentant – *j*. annonçant à l'avance cette servitude qui était la sienne, l'effort – *k*. en diminuait – *l*. possibilité – *m*. détendue – *n*. Si on a été

malheur n'est à craindre qu'aux entreprises, où notre âme se trouve outre mesure tendue de désir et de respect, et notamment si les commodités se rencontrent improuvues[a] et pressantes : On n'a pas moyen de se ravoir[b] de ce trouble. J'en sais, à qui il a servi d'y apporter le corps même commencé à rassasier d'ailleurs[c], pour endormir l'ardeur de cette fureur, et qui par l'âge se trouve moins impuissant de ce qu'il est moins puissant. Et tel autre à qui il a servi aussi qu'un ami l'ait assuré d'être fourni d'une contre-batterie d'enchantements certains à le préserver. Il vaut mieux que je die[d] comment ce fut. Un comte[1] de très bon lieu[e], de qui j'étais fort privé[f], se mariant avec une belle dame qui avait été poursuivie de tel qui assistait à la fête, mettait en grand peine ses amis et nommément[g] une vieille dame sa parente qui présidait à ces noces et les faisait chez elle, craintive de ces sorcelleries : ce qu'elle me fit entendre. Je la priai s'en reposer sur moi. J'avais de fortune[h] en mes coffres certaine petite pièce d'or plate où étaient gravées quelques figures célestes contre le coup du soleil et ôter[i] la douleur de tête : la logeant à point sur la couture du test[j] : et, pour l'y tenir elle était cousue à un ruban propre à rattacher sous le menton. Rêverie germaine[k] à celle de quoi nous parlons. Jacques Peletier[2] m'avait fait ce présent singulier. J'avisai d'en tirer quelque usage. Et dis au comte qu'il pourrait courre[l] fortune comme les autres : y ayant là des hommes pour lui en vouloir prêter d'une[m]. Mais que hardiment il s'allât coucher. Que je lui ferais un tour d'ami : et n'épargnerais à son besoin un miracle qui était en ma puissance, pourvu que sur son honneur il me promît de le tenir très fidèlement secret. Seulement, comme sur la nuit on irait lui porter le réveillon[n], s'il lui était mal allé, il me fit un [tel] signe. Il avait eu l'âme et les oreilles si battues[o], qu'il se trouva lié du trouble de son imagination et me fit son signe. Je lui dis lors qu'il se levât sous couleur de nous chasser et prît en

a. imprévues – *b*. se remettre – *c*. d'une autre relation sexuelle – *d*. dise – *e*. de très haute naissance – *f*. intime – *g*. particulièrement – *h*. par chance – *i*. pour ôter – *j*. la suture du crâne – *k*. de même famille – *l*. courir – *m*. causer une infortune – *n*. souper – *o*. fatiguées

se jouant la robe de nuit que j'avais sur moi : nous étions de taille fort voisine : et s'en vêtît : tant qu'il[a] aurait exécuté mon ordonnance. Qui fut : Quand nous serions sortis, qu'il se retirât à tomber de l'eau[b]. Dît trois fois telles oraisons et fit tels mouvements. Qu'à chacune de ces trois fois il ceignît le ruban que je lui mettais en main et couchât bien soigneusement la médaille qui y était attachée sur ses rognons[c] : la figure en telle posture[d]. Cela fait, ayant bien étreint ce ruban pour qu'il ne se pût ni dénouer ni mouvoir de sa place, que en toute assurance il s'en retournât à son prix fait et n'oubliât de rejeter ma robe sur son lit en manière qu'elle les abriât[e] tous deux. Ces singeries sont le principal de l'effet. Notre pensée ne se pouvant démêler que[f] moyens si étranges ne viennent de quelqu'abstruse science. Leur inanité leur donne poids et révérence. Somme[g], il fut certain que mes caractères se trouvèrent plus Vénériens que Solaires : plus en action qu'en prohibition[h]. Ce fut une humeur prompte et [curieuse[i], qui me] convia à tel effet, éloigné de ma nature. Je suis ennemi des actions subtiles et feintes, [et hais la finesse, en mes mains, non seulement récréative, mais aussi] profitable. Si l'action [n'est vicieuse, la route l'est. Amasis Roi d'Ægypte, épousa Laodice très belle fille Grecque[1] : et lui, qui se] montrait gentil compagnon partout ailleurs, se trouva court à jouir d'elle et menaça de la tuer, estimant que ce fut quelque sorcerie[j]. Comme ès choses qui consistent en fantaisie[k], elle le rejeta à la dévotion et ayant fait ses vœux et promesses à Vénus il se trouva divinement remis dès la première nuit d'emprès ses oblations[l] et sacrifices. Or, elles ont fort de nous recueillir de ces contenances mineuses[m], querelleuses et fuyardes, qui nous éteignent en nous allumant. La bru de Pythagoras disait que la femme qui se couche avec un homme doit avec la cotte[n] laisser aussi la honte : et la reprendre avec le cotillon[2]. L'âme[3] de l'assaillant troublée

a. jusqu'à ce qu'il eût – *b.* uriner – *c.* testicules – *d.* position – *e.* protégeât – *f.* ne pouvant se défaire de l'idée que – *g.* Enfin – *h.* mes figures magiques se trouvèrent plus efficaces sur Vénus que sur le Soleil, plus agissantes que protectrices – *i.* dévouée – *j.* sorcellerie – *k.* imagination – *l.* offrandes – *m.* affectées – *n.* son jupon (comme « cotillon »)

de plusieurs diverses alarmes, se perd aisément : Et à qui[a] l'imagination a fait une fois souffrir cette honte (et elle ne le fait souffrir qu'aux premières accointances[b], d'autant qu'elles sont plus bouillantes et âpres : et aussi qu'en cette première connaissance, on[1] craint beaucoup plus de faillir) ayant mal commencé, il entre en fièvre et dépit de cet accident, qui lui dure aux occasions suivantes. Les mariés, le temps étant tout leur, ne doivent ni presser, ni tâter[c] leur entreprise s'ils ne sont prêts : Et vaut mieux faillir indécemment[d] à étrenner la couche nuptiale pleine d'agitation et de fièvre : attendant une et une autre commodité[e] plus privée et moins alarmée, que de tomber en une perpétuelle misère, pour s'être étonné[f] et désespéré du premier refus. Avant la possession prise le patient se doit à saillies et divers temps légèrement essayer et offrir, sans se piquer et opiniâtrer à se convaincre[g] définitivement soi-même. Ceux qui savent leurs membres de nature dociles, qu'ils se soignent seulement de contre-piper leur fantaisie[h]. On a raison de remarquer l'indocile liberté de ce membre s'ingérant si importunément lorsque nous n'en avons que faire, et défaillant si importunément lorsque nous en avons [le plus affaire[i] : et contestant] de l'autorité si impérieusement avec notre volonté, refusant avec tant de fierté et d'obstination nos sollicitations et mentales et manuelles. Si toutefois en ce qu'on gourmande[j] sa [rébellion, et qu'on en tire preuve de sa condamnation, il m'avait payé pour plaider sa cause à l'aventure[k]] mettrais-je en soupçon nos autres membres ses compagnons, de lui être allé dresser par belle envie de l'importance et douceur de son usage cette querelle apostée[l], et avoir par complot armé le monde à l'encontre de lui : le chargeant malignement[m] seul de leur faute commune. Car je vous donne à penser, s'il y a une seule des parties de notre corps qui ne refuse à notre volonté souvent son opération et qui souvent ne s'exerce contre

a. celui dont – *b*. relations sexuelles – *c*. expérimenter – *d*. contre les convenances – *e*. occasion favorable – *f*. terrorisé – *g*. prouver sa culpabilité – *h*. tromper par contrecoup leur imagination – *i*. besoin – *j*. qu'on lui reproche vivement – *k*. peut-être – *l*. supposée – *m*. par malveillance

notre volonté : Elles ont chacune des passions propres, qui les éveillent et endorment sans notre congé[a]. À quant de fois[b] témoignent les mouvements forcés de notre visage les pensées que nous tenions secrètes, et nous trahissent aux assistants. Cette même cause qui anime ce membre, anime aussi sans notre su[c] le cœur, le poumon, et le pouls, la vue d'un objet agréable répandant imperceptiblement en nous la flamme d'une émotion fiévreuse : N'y a-il que ces muscles et ces veines qui s'élèvent et se couchent sans l'aveu non seulement de notre volonté mais aussi de notre pensée ? Nous ne commandons pas à nos cheveux de se hérisser, et à notre peau de frémir de désir ou de crainte. La main se porte souvent où nous ne l'envoyons pas. La langue se transit et la voix se fige à son heure. Lors même que n'ayant de quoi frire[d] nous le lui défendrions volontiers, l'appétit de manger et de boire ne laisse pas d'émouvoir les parties qui lui sont sujettes, ni plus ni moins que cet autre appétit : et nous abandonne de même, hors de propos quand bon lui semble. Les outils[e] qui servent à décharger le ventre ont leurs propres dilatations et compressions outre et contre notre avis, comme ceux-ci destinés à décharger nos rognons. Et ce que pour autoriser la toute-puissance de notre volonté Saint Augustin allègue avoir vu quelqu'un qui commandait à son derrière autant de pets qu'il en voulait[1], et que Vives son glossateur enchérit d'un autre exemple de son temps, de pets organisés suivant le ton des vers qu'on leur prononçait[2], ne suppose non plus pure l'obéissance de ces membres : car en est-il ordinairement de plus indiscret et tumultuaire[f] ? Joint que[g] j'en sais un si turbulent et revêche qu'il y a quarante [ans, qu'il tient son maître à péter d'une haleine et d'une obligation constante et irrémittente[h],] et le mène ainsi à la mort[3]. Mais[4] notre volonté pour les droits de qui[i] nous mettons en avant ce reproche, combien plus vraisemblablement la pouvons [-nous marquer[j]] de rébellion et sédition par son dérèglement et désobéissance ! Veut-elle toujours ce que nous voudrions qu'elle voulsît ? Ne veut-elle pas souvent ce que

a. permission – *b.* Combien de fois – *c.* à notre insu – *d.* cuire (c.à.d. manger) – *e.* organes – *f.* qui provoque du désordre – *g.* Outre que – *h.* sans rémission – *i.* de laquelle – *j.* accuser

nous lui prohibons de vouloir : et à notre évident dommage ? Se laisse-elle non plus mener aux conclusions de notre raison ? Enfin je dirais pour monsieur ma partie[a][1], que plaise à considérer qu'en ce fait, sa cause étant inséparablement conjointe à un consort[b] et indistinctement, on ne s'adresse pourtant qu'à lui, et par des arguments et charges telles, vu la condition des parties, qu'elles ne peuvent aucunement appartenir ni concerner sondit consort. Partant[c] se voit l'animosité et illégalité manifeste des accusateurs. Quoi qu'il en soit, protestant que les avocats et juges ont beau quereller et sentencier, nature tirera[d] cependant son train : qui n'aurait fait que raison quand elle aurait doué ce membre de quelque particulier privilège, auteur du seul ouvrage immortel des mortels. Pour tant[e] est à Socrates action divine que la génération, et amour désir d'immortalité, et Démon immortel lui-même[2]. Tel à l'aventure[f][3] par cet effet de l'imagination, laisse ici les écrouelles, que son compagnon rapporte en Espaigne[4]. Voilà pourquoi en telles choses, l'on a accoutumé de demander une âme préparée. Pourquoi pratiquent les médecins avant main[g], la créance de leur patient, avec tant de fausses promesses de sa guérison : si ce n'est afin que l'effet de l'imagination supplisse[h] l'imposture de leur aposème[i] ? Ils savent qu'un des maîtres de ce métier leur a laissé par écrit, qu'il s'est trouvé des hommes à qui la seule vue de la Médecine[j] faisait l'opération[5] : Et tout ce caprice m'est tombé présentement en main, sur le conte que me faisait un domestique[k] apothicaire de feu mon père[6], homme simple et Suisse, nation peu vaine et mensongère : D'avoir connu longtemps un marchand à Toulouse maladif et sujet à la pierre[l], qui avait souvent besoin de clystères et se les faisait diversement ordonner

a. en faveur de monsieur mon client – *b.* un comparse – *c.* En conséquence de quoi – *d.* ira – *e.* Pour cette raison – *f.* par hasard – *g.* au préalable – *h.* supplée – *i.* décoction – *j.* médication – *k.* familier – *l.* gravelle (affection produisant des calculs rénaux)

aux médecins, selon l'occurrence de son mal : Apportés qu'ils étaient, il n'y avait rien omis des formes accoutumées : Souvent il tâtait s'ils étaient trop chauds. Le voilà couché, renversé et toutes les approches faites, sauf qu'il ne s'y faisait aucune injection. L'apothicaire retiré après cette cérémonie, le patient accommodé[a], comme s'il avait véritablement pris le clystère, il en sentait pareil effet à ceux qui les prennent. Et si le médecin n'en trouvait l'opération[b] suffisante, il lui en redonnait deux ou trois autres, de même forme. Mon témoin jure, que pour épargner la dépense (car il les payait, comme s'il les eût reçus) la femme de ce malade ayant quelquefois essayé d'y faire seulement mettre de l'eau tiède, l'effet en découvrit la fourbe[c], et pour avoir trouvé ceux-là inutiles, qu'il fausit[d] revenir à la première façon. Une femme, pensant avoir avalé une épingle avec son pain, criait et se tourmentait comme ayant une douleur insupportable au gosier, où elle pensait la sentir arrêtée : mais parce qu'il n'y avait ni enflure ni altération par le dehors, un habile homme ayant jugé que ce n'était que fantaisie[e] et opinion, prise de quelque morceau de pain qui l'avait piquée en passant, la fit vomir et jeta à la dérobée dans ce qu'elle rendit, une épingle tortue[f]. Cette femme cuidant[g] l'avoir rendue, se sentit soudain déchargée de sa douleur. Je sais qu'un gentilhomme ayant traité[h] chez lui une bonne compagnie, se vanta trois ou quatre jours après par manière de jeu (car il n'en était rien) de leur avoir fait manger un chat en pâte : de quoi une demoiselle de la troupe prit telle horreur, qu'en étant tombée en un grand dévoiement d'estomac[i] et fièvre, il fut

a. installé – *b.* l'effet – *c.* tromperie – *d.* fallut – *e.* représentation imaginaire – *f.* tordue – *g.* pensant – *h.* reçu à manger – *i.* indigestion

impossible de la sauver. Les bêtes mêmes, se voient comme nous, sujettes à la force de l'imagination. Témoin, les chiens, qui se laissent mourir de deuil de la perte de leurs maîtres[1]. Nous les voyons aussi japper et trémousser en songe, hennir les chevaux et se débattre[2]. Mais tout ceci se peut rapporter à l'étroite couture de l'esprit et du corps s'entre-communiquant leurs fortunes. C'est autre chose. Que l'imagination agisse quelquefois, non contre son corps seulement, mais contre le corps d'autrui[3]: Et tout ainsi qu'un corps rejette son mal à son voisin, comme il se voit en la peste, en la vérole, et au mal des yeux qui se chargent[a] de l'un à l'autre :

Dum spectant oculi læsos, læduntur et ipsi :
Multaque corporibus transitione nocent[b4].

Pareillement l'imagination ébranlée avec véhémence, élance des traits, qui puissent offenser l'objet étranger. L'ancienneté[c5] a tenu de certaines femmes en Scythie, qu'animées et courroucées contre quelqu'un, elles le tuaient du seul regard. Les tortues[6], et les autruches couvent leurs œufs de la seule vue : signe qu'ils y ont quelque vertu éjaculatrice[d]. Et quant aux sorciers on les dit avoir des yeux offensifs et nuisants,

Nescio quis teneros oculus mihi fascinat agnos[e7].

Ce sont pour moi mauvais répondants[f] que magiciens. Tant y a que nous voyons par expérience, les femmes envoyer aux corps des enfants, qu'elles portent au ventre, des marques de leurs fantaisies[g], Témoin celle qui engendra le maure. Et il fut présenté à Charles Roi de Boheme et Empereur une fille d'auprès[h] de

a. transmettent – *b.* « En regardant les blessés, les yeux sont également blessés eux-mêmes, et de nombreux maux affectent les corps par contagion. » – *c.* L'Antiquité – *d.* fécondante – *e.* « Je ne sais quel mauvais œil jette un sort à mes tendres agneaux. » – *f.* garants – *g.* images mentales – *h.* des environs

Pise toute velue et hérissée, que sa mère disait avoir été ainsi conçue, à cause d'une image de Saint Jean-Baptiste pendue en son lit. Des animaux il en est de même. Témoin les brebis de Jacob[1], et les perdrix et les lièvres, que la neige blanchit aux montagnes. On vit dernièrement chez moi[2] un chat guettant un oiseau au haut d'un arbre, et s'étant fichés la vue ferme l'un contre l'autre quelque espace de temps, l'oiseau s'être laissé choir comme mort entre les pattes du chat, ou enivré par sa propre imagination, ou attiré par quelque force attractive du chat. Ceux qui aiment la volerie ont ouï faire le conte du fauconnier, qui arrêtant obstinément sa vue contre un milan en l'air, gageait[a] de la seule force de sa vue le ramener contre-bas : et le faisait, à ce qu'on dit. Car les Histoires que j'emprunte, je les renvoie sur la conscience de ceux, de qui je les prends[3]. Les discours sont à moi et se tiennent par la preuve de la raison, non de l'expérience : Chacun y peut joindre ses exemples : Et qui n'en a point qu'il ne laisse pas de croire qu'il en est, vu le nombre et variété des accidents. Si je ne comme[b] bien, qu'un autre comme pour moi : Aussi en l'étude que je traite de nos mœurs et mouvements : les témoignages fabuleux[c] pourvu qu'ils soient possibles y servent comme les vrais. Advenu ou non advenu, à Paris ou à Rome, à Jan ou à Pierre, c'est toujours un tour de l'humaine capacité, duquel je suis utilement avisé par ce récit. Je le vois et en fais mon profit également en ombre que en corps. Et aux diverses leçons[d] qu'ont souvent les histoires je prends à[e] me servir de celle qui est la plus rare et mémorable. Il y [a] des auteurs desquels la fin c'est dire les événements. La mienne si j'y savais advenir serait dire sur ce qui peut advenir. Il est justement permis aux écoles de supposer des simili-

a. pariait – *b.* si je ne produis pas des exemples comparables – *c.* fictifs – *d.* variantes – *e.* m'attache à

tudes quand ils n'en ont point. Je n'en fais pas ainsi pourtant et surpasse de ce côté-là en religion superstitieuse toute foi historiale[a]. Aux exemples que [je] tire céans[b] de ce que j'ai ouï, fait ou dit, je me suis défendu d'oser altérer jusques aux plus légères et inutiles circonstances. Ma conscience ne falsifie pas un iota, ma science, je ne sais. Sur ce propos, j'entre parfois en pensée qu'il puisse assez bien convenir à un Théologien, à un philosophe et telles gens d'exquise et exacte conscience et prudence, d'écrire l'histoire. Comment peuvent-ils engager leur foi sur une foi populaire ; Comment répondre des pensées de personnes inconnues et donner pour argent comptant leurs conjectures ? Des actions à divers membres[c], qui se passent en leur présence, ils refuseraient d'en rendre témoignage, assermentés par[d] un juge : Et n'ont homme si familier, des intentions duquel ils entreprennent de pleinement répondre. Je tiens moins hasardeux d'écrire les choses passées que présentes : d'autant que l'écrivain n'a à rendre compte que d'une vérité empruntée. Aucuns[e] me convient d'écrire les affaires de mon temps, estimant que je les vois d'une vue moins blessée de passion qu'un autre, et de plus près, pour l'accès que fortune m'a donné aux chefs de divers partis[1]. Mais ils ne disent pas que pour la gloire de Salluste je n'en prendrais pas la peine : ennemi juré d'obligation, d'assiduité, de constance. Qu'il n'est rien si contraire à mon style qu'une narration étendue. Je me recoupe[f][2] si souvent à faute d'haleine. Je n'ai ni composition, ni explication qui vaille. Ignorant au-delà d'un enfant [des] phrases et vocables qui servent aux choses plus communes. Pourtant ai-je pris à[g] dire ce que je sais dire : accommodant la matière à ma force. Si j'en prenais[h] qui me guidât : ma mesure pourrait faillir à la sienne. Que[i] ma liberté étant si libre, j'eusse publié des jugements à mon gré même et selon raison illégitimes et punissables. Plutarque nous dirait volontiers de ce qu'il en a fait, que c'est l'ouvrage d'autrui que ses exemples [soient en tout

a. fidélité historique – *b.* ici, dans l'espace de ce livre – *c.* complexes – *d.* ayant prêté serment devant – *e.* Certains – *f.* J'introduis des coupures [en mon style] – *g.* Pour cette raison, j'ai entrepris de – *h.* si je prenais une matière – *i.* [Ils ne disent pas] que

et partout véritables : qu'ils soient utiles à la postérité, et présentés d'un lustre[a], qui nous éclaire à la vertu, que c'est son ouvrage[1]. Il n'est pas dangereux, comme en une drogue médicinale, en un conte ancien, qu'il soit ainsi ou ainsi.]

a. sous une lumière

Le profit de l'un est dommage de l'autre[1]

Chap. XXII

Demades[2] Athénien condamna un homme de sa ville, qui faisait métier de vendre les choses nécessaires aux enterrements, sous titre de ce[a] qu'il en demandait trop de profit, et que ce profit ne lui pouvait venir sans la mort de beaucoup de gens. Ce jugement semble être mal pris[b], d'autant[c] qu'il ne se fait aucun profit qu'au dommage d'autrui, et qu'à ce compte il faudrait condamner toute sorte de gain. Le marchand ne fait bien ses affaires, qu'à[d] la débauche de la jeunesse : le laboureur à la cherté des blés : l'architecte à la ruine des maisons : les officiers de la justice[e] aux procès et querelles des hommes : l'honneur même et pratique des ministres de la religion[f] se tire de notre mort et de nos vices. Nul médecin ne prend plaisir à la santé de ses amis mêmes, dit l'ancien Comique Grec[3], ni soldat à la paix de sa ville : ainsi du reste. Et qui pis est, que chacun se sonde au-dedans, il trouvera que nos souhaits intérieurs pour la plupart naissent et se nourrissent aux dépens d'autrui. Ce que considérant, il m'est venu en fantaisie, comme[g] nature ne se dément

a. au motif – *b.* rendu – *c.* dans la mesure où – *d.* que grâce à – *e.* magistrats – *f.* prêtres – *g.* j'ai pensé que

point en cela de sa générale police[a] : Car les physiciens tiennent, que la naissance, nourrissement, et augmentation de chaque chose, est l'altération et corruption d'une autre,

Nam quodcunque suis mutatum finibus exit,
Continuo hoc mors est illius, quod fuit ante[b][1].

a. son ordre universel – *b.* « Car tout changement qui fait sortir un corps de ses limites entraîne aussitôt la mort de ce qu'il était auparavant. »

De la coutume[a] et de ne changer aisément une loi reçue

CHAP. XXIII

Celui me semble avoir très bien conçu la force de la coutume, qui premier forgea ce conte, qu'une femme de village ayant appris de caresser et porter entre ses bras un veau dès l'heure de sa naissance, et continuant toujours à ce faire, gagna cela par l'accoutumance, que tout grand bœuf qu'il était, elle le portait encore[1]. Car c'est à la vérité une violente et traîtresse maîtresse d'école, que la coutume. Elle établit en nous, peu à peu, à la dérobée, le pied de son autorité : mais par ce doux et humble commencement, l'ayant rassis et planté avec l'aide du temps, elle nous découvre tantôt[b] un furieux et tyrannique visage, contre lequel nous n'avons plus la liberté de hausser seulement les yeux. Nous lui voyons forcer tous les coups[c] les règles de nature. *Usus efficacissimus rerum omnium magister*[d][2]. J'en crois l'antre[e] de Platon en sa République[3] et crois les médecins, qui quittent[f], si souvent à son autorité les raisons de leur art : Et ce Roi[4] qui par son moyen rangea[g] son estomac à se nourrir de poison : Et la fille qu'Albert[5] récite[h] s'être accoutumée à vivre d'araignées : Et en ce monde des Indes

a. l'habitude – *b.* bientôt – *c.* à chaque fois – *d.* « En toutes choses l'usage est le plus puissant des maîtres. » – *e.* la caverne – *f.* cèdent – *g.* contraignit – *h.* raconte

nouvelles[a][1] on trouva des grands peuples, et en fort divers climats, qui en vivaient, en faisaient provision, et les appâtaient[b] : comme aussi des sauterelles, fourmis, lézards, chauves-souris, et fut un crapaud vendu six écus en une nécessité de vivres[c] : ils les cuisent et apprêtent à diverses sauces. Il en fut trouvé d'autres auxquels nos chairs et nos viandes[d] étaient mortelles et venimeuses[e][2]. *Consuetudinis magna vis est. Pernoctant venatores in nive ; in montibus uri se patiuntur. Pugiles cæstibus contusi ne ingemiscunt quidem*[f][3]. Ces exemples étrangers ne sont pas étranges si nous considérons ce que nous essayons[g] ordinairement, combien l'accoutumance hébète nos sens. Il ne nous faut pas aller chercher ce qu'on dit des voisins des cataractes du Nile et ce que les philosophes estiment de la musique céleste, que les corps de ces cercles étant solides et venant à se lécher et frotter l'un à l'autre en roulant ne peuvent faillir de produire une merveilleuse harmonie, aux coupures et nuances[h] de laquelle se manient les contours et changements des caroles[i] des astres : mais qu'universellement les ouïes des créatures endormies comme celles des Ægiptiens par la continuation de ce son ne le peuvent apercevoir[j], pour grand qu'il soit[4]. Les maréchaux, meuniers, armuriers ne sauraient durer au bruit qui les frappe, s'ils s'en étonnaient[k] comme nous. Mon collet de fleur[l] sert à mon nez mais après que je m'en suis vêtu trois jours de suite, il ne sert qu'aux nez assistants[m]. Ceci est plus étrange que nonobstant des longs intervalles et intermissions, l'accoutumance puisse joindre et établir l'effet de son impression sur nos sens : comme essayent les voisins des clochers. Je loge chez moi en une tour où à la diane et à la retraite[n] une fort grosse cloche sonne tous les jours l'*Ave Maria*. Ce tinta-

a. l'Amérique – *b*. élevaient – *c*. disette – *d*. nos viandes et nos aliments – *e*. empoisonnées – *f*. « Grande est la force de l'accoutumance. Les chasseurs veillent dans la neige ; ils supportent la brûlure du soleil des montagnes. Les athlètes ne gémissent même pas sous le ceste. » – *g*. ce que nous expérimentons – *h*. cadences et modulations – *i*. danses – *j*. percevoir – *k*. s'ils en étaient étourdis – *l*. parfumé – *m*. voisins – *n*. à l'aube et au crépuscule

marre effraie ma tour même : et aux premiers jours me semblant insupportable, en peu de temps m'apprivoise, de manière que [je] l'ouïs sans offense[a] et souvent sans m'en éveiller. Platon tança un enfant qui jouait aux noix. Il lui répondit : Tu me tances de peu de chose : L'accoutumance, répliqua Platon, n'est pas chose de peu[1]. Je trouve que nos plus grands vices prennent leur pli de notre plus tendre enfance et que notre principal gouvernement[b] est entre les mains des nourrices. C'est passe-temps aux mères de voir un enfant tordre le col à un poulet et s'ébattre à blesser un chien et un chat, et tel père est si sot de prendre à bon augure d'une âme martiale quand il voit son fils gourmer injurieusement[c] un paysan ou un laquais qui ne se défend point, et à gentillesse[d] quand il le voit affiner[e] son compagnon par quelque malicieuse déloyauté et tromperie. Ce sont pourtant les vraies semences et racines de la cruauté, de la tyrannie, de la trahison : elles se germent là et s'élèvent après gaillardement et profitent à force[f] entre les mains de la coutume. Et est une très dangereuse institution[g] d'excuser ces vilaines inclinations par la faiblesse de l'âge et légèreté du sujet. Premièrement c'est nature qui parle, de qui la voix est lors plus pure et plus forte qu'elle est plus grêle. Secondement la laideur de la piperie[h] ne dépend pas de la différence des écus aux épingles[i]. Elle dépend de [soi. Je trouve bien plus juste de conclure ainsi : Pourquoi ne tromperait-il] aux écus, puisqu'il trompe aux épingles ? que, comme [ils font, Ce n'est qu'aux épingles : il n'aurait garde de le faire aux écus. Il faut apprendre soigneusement aux] enfants de haïr les vices de leur propre contexture[j] et leur en faut apprendre la naturelle difformité[k] à ce qu'ils[l] les fuient non en leur action seulement mais surtout en leur cœur : que la pensée même leur en soit odieuse, quelque masque qu'ils portent. Je sais bien que pour m'être duit en ma puérilité de marcher toujours mon grand et plein chemin[m] et avoir eu à contrecœur de mêler ni trichoterie ni finesse à mes jeux

a. sans mal – *b.* éducation – *c.* frapper injustement – *d.* comme un signe de finesse – *e.* abuser – *f.* se fortifient – *g.* éducation – *h.* tromperie – *i.* entre l'argent et les jetons – *j.* en eux-mêmes – *k.* laideur – *l.* pour qu'ils – *m.* pour m'être habitué en mon enfance à marcher droit

enfantins, comme de vrai il faut noter que les jeux des enfants ne sont pas jeux et les faut juger en eux comme leurs plus sérieuses actions, il n'est passe-temps si léger où je n'apporte du dedans et d'une propension naturelle et sans étude, une extrême contradiction[a] à tromper. Je manie les cartes pour les doubles[b] et tiens compte, comme pour les doubles doublons[c] : lorsque le gagner et le perdre contre ma femme et ma fille m'est indifférent, comme lorsqu'il y va de bon. En tout et partout il y a assez de mes yeux à me tenir en office[d] : il n'y en a point qui me veillent de si près, ni que je respecte plus. Je viens de voir chez moi un petit homme natif de Nantes[1], né sans bras, qui a si bien façonné ses pieds, au service que lui devaient les mains, qu'ils en ont à la vérité à demi oublié leur office naturel. Au demeurant il les nomme ses mains, il tranche, il charge un pistolet et le lâche[e], il enfile son aiguille, il coud, il écrit, il tire le bonnet, il se peigne, il joue aux cartes et aux dés, et les remue avec autant de dextérité que saurait faire quelqu'autre : l'argent que je lui ai donné (car il gagne sa vie à se faire voir) il l'a emporté en son pied, comme nous faisons en notre main. J'en vis un autre étant enfant, qui maniait une épée à deux mains, et une hallebarde, du pli du col[f], à faute de mains, les jetait en l'air et les reprenait, lançait une dague, et faisait craqueter un fouet aussi bien que charretier de France[2]. Mais on découvre bien mieux ses effets[g] aux étranges impressions, qu'elle fait en nos âmes, où elle ne trouve pas tant de résistance. Que ne peut-elle en nos jugements et en nos créances[h] ? Y a-il opinion si bizarre (je laisse à part la grossière imposture des religions, de quoi tant de grandes nations, et tant de suffisants personnages[i]

a. réticence – *b.* pièces en cuivre – *c.* pièces en or – *d.* pour surveiller que je reste dans le devoir – *e.* il tire – *f.* avec le cou – *g.* les effets de la coutume – *h.* croyances – *i.* desquelles tant de grandes nations et de personnes de valeur se sont vus enivrés : car cette partie étant hors de nos raisons humaines, il est plus excusable de s'y perdre, à qui n'y est extraordinairement éclairé par faveur divine) mais d'autres opinions y en a-il de si étranges, qu'elle n'ait planté et établi[a] par lois ès régions que bon lui a semblé. Et est très juste cette ancienne exclamation. *Non pudet physicum id est speculatorem venatoremque naturæ ab animis consuetudine imbutis quærere testimonium veritatis*[b][1]. J'estime qu'il ne tombe en l'imagination humaine aucune fantaisie si forcenée qui ne rencontre l'exemple de quelque usage public, et par conséquent que notre discours[2] n'étaye et ne fonde. Il est des peuples[3] où on tourne le dos à celui qu'on salue, et ne regarde l'on[c] jamais celui qu'on veut honorer. Il en est où quand le Roi crache, la plus favorite des dames de sa Cour tend la main : et en autre nation les plus apparents qui sont autour de lui se baissent à terre, pour amasser en du linge son ordure. Dérobons ici la place d'un conte. Un gentilhomme français[4] se mouchait toujours de sa main : chose très ennemie de notre usage. Défendant là-dessus son fait : et était fameux en bons rencontres[d] : il me demanda quel privilège avait ce sale excrément que nous allassions lui apprêtant [un] beau linge délicat à [le] recevoir et puis qui plus est, à l'empaqueter et serrer soigneusement sur nous. Que cela devait faire plus d'horreur et de mal au cœur, que de le voir verser [où] que ce fût : comme nous faisons tous autres excréments. Je trouvai qu'il ne parlait pas du tout sans raison : et m'avait la coutume ôté l'apercevance[e] [de] cette étrangeté : laquelle pourtant nous trouvons si hideuse, quand elle est récitée[f] d'un autre pays. Les miracles[g] sont selon l'ignorance en

a. plantées et établies – *b.* « N'est-il pas honteux pour un physicien, c'est-à-dire un observateur à l'affût de la nature, de demander à des esprits imbus de la coutume un témoignage sur la vérité ? » – *c.* et où l'on ne regarde – *d.* en bons mots – *e.* la perception – *f.* racontée – *g.* choses surprenantes

quoi nous sommes de la nature, non selon l'être de la nature. L'assuéfaction[a] endort la vue de notre jugement. Les barbares ne nous sont de rien plus merveilleux[b] que nous sommes à eux, ni avec plus d'occasion[c] : comme chacun avouerait, si chacun savait après s'être promené [par] ces nouveaux exemples, se coucher sur les propres[d], et [les] conférer[e] sainement. La raison humaine est une teinture infuse environ de pareil poids à toutes nos opinions et mœurs de quelque forme qu'elles soient[f] : infinie [en] matière, infinie en diversité. Je m'en retourne. Il est des peuples[1] où sauf sa femme et ses enfants aucun ne parle au Roi que par sarbatane[g]. En une même nation et les Vierges montrent à découvert leurs parties honteuses, et les mariées les couvrent et cachent soigneusement : à quoi cette autre coutume qui est ailleurs, a quelque relation : la chasteté n'y est en prix que pour le service du mariage : car les filles se peuvent abandonner à leur poste[h], et engrossées se faire avorter par médicaments propres, au vu d'un chacun[i]. Et ailleurs, si c'est un marchand qui se marie, tous les marchands conviés à la noce, couchent avec l'épousée avant lui : et plus il y en a plus a-elle d'honneur et de recommandation[j] de fermeté et de capacité : si un officier se marie, il en va de même, de même si c'est un noble, et ainsi des autres, sauf si c'est un laboureur ou quelqu'un du bas peuple : car lors c'est au Seigneur à faire : et si[k] on ne laisse pas d'y recommander étroitement la loyauté, pendant le mariage. Il en est, où il se voit des bordeaux[l] publics de mâles, voire et[m] des mariages : où les femmes vont à la guerre quant et[n] leurs maris, et ont rang[o], non au

a. accoutumance – *b*. étonnants – *c*. de raison – *d*. se tourner vers ses propres exemples – *e*. comparer – *f*. la raison imprègne également toutes les croyances les plus diverses – *g*. sarbacane – *h*. offrir librement – *i*. de tous – *j*. réputation – *k*. pourtant – *l*. bordels – *m*. et même – *n*. avec – *o*. ont leur place

combat seulement, mais aussi au commandement. Où non seulement les bagues se portent au nez, aux lèvres, aux joues, et aux orteils des pieds : mais des verges d'or bien pesantes au travers des tétins et des fesses. Où en mangeant on s'essuie les doigts aux cuisses et à la bourse des génitoires et à la plante des pieds. Où les enfants ne sont pas héritiers, ce sont les frères et neveux : et ailleurs les neveux seulement, sauf en la succession du Prince. Où pour régler la communauté des biens, qui s'y observe, certains Magistrats souverains ont charge universelle[a] de la culture des terres, et de la distribution des fruits, selon le besoin d'un chacun. Où l'on pleure la mort des enfants, et festoie l'on celle des vieillards. Où ils couchent en des lits dix ou douze ensemble avec leurs femmes. Où les femmes qui perdent leurs maris, par mort violente, se peuvent remarier, les autres non. Où l'on estime si mal de la condition des femmes, qu'on y tue les femelles qui y naissent, et achète l'on des voisins, des femmes pour le besoin. Où les maris peuvent répudier sans alléguer aucune cause, les femmes non pour cause quelconque[b]. Où les maris ont loi[c] de les vendre, si elles sont stériles. Où ils font cuire le corps du trépassé, et puis piler, jusques à ce qu'il se forme comme en bouillie, laquelle ils mêlent à leur vin et la boivent. Où la plus désirable sépulture est d'être mangé des chiens, ailleurs des oiseaux[1]. Où l'on croit que les âmes heureuses vivent en toute liberté, en des champs plaisants, fournis de toutes commodités : et que ce sont elles qui font cet écho que nous oyons. Où ils combattent en l'eau, et tirent sûrement de leurs arcs en nageant. Où pour signe de sujétion il faut hausser

a. la responsabilité générale – *b*. en aucun cas – *c*. ont le droit

les épaules, et baisser la tête : et déchausser ses souliers quand on entre au logis du Roi. Où les Eunuques qui ont les femmes religieuses en garde, ont encore le nez et lèvres à dire[a], pour ne pouvoir être aimés : et les prêtres se crèvent les yeux pour accointer[b] leurs démons, et prendre les oracles. Où chacun fait un Dieu de ce qui lui plaît, le chasseur d'un lion ou d'un renard, le pêcheur de certain poisson : et des Idoles de chaque action ou passion humaine : le soleil, la lune, et la terre, sont les dieux principaux : la forme de jurer c'est toucher la terre regardant le soleil : et y mange l'on la chair et le poisson cru. Où le grand serment, c'est jurer le nom de quelque homme trépassé qui a été en bonne réputation au pays : touchant de la main sa tombe[1]. Où les étrennes annuelles que le Roi envoie aux princes ses vassaux, c'est du feu[2]. L'ambassadeur qui l'apporte arrivant, l'ancien feu est éteint tout partout en la maison. Et de ce feu nouveau, le peuple dépendant de ce prince en doit venir prendre chacun pour soi, sur[c] peine de crime de lèse-majesté. Où quand le Roi pour s'adonner du [tout][d] à la dévotion (comme ils font souvent) se retire de sa charge, son premier successeur est obligé d'en faire autant, et passe le droit du Royaume au troisième successeur. Où l'on diversifie la forme de la police[e] selon que les affaires le requièrent. On dépose le Roi quand il semble bon, et substitue l'on des anciens à prendre le gouvernement [de l'État : et le laisse l'on parfois aussi ès mains de la commune[f].] Où hommes et femmes sont circoncis et [pareillement baptisés. Où le soldat, qui en un ou divers combats, est arrivé à présenter à son roi sept têtes d'ennemis, est fait noble.] Où l'on vit sous cette opinion si rare et incivile de la mortalité des âmes[3]. Où les femmes s'accouchent sans plainte et sans effroi. Où les femmes en l'une [et] l'autre jambe portent des grèves[g] de cuivre : et si un pou [les] mord, sont tenues par devoir

a. en moins – *b*. entrer en relation avec – *c*. sous – *d*. entièrement – *e*. des institutions – *f*. du peuple – *g*. jambières

[de] magnanimité de le remordre : [et] n'osent épouser qu'elles n'aient offert à leur Roi s'il [veut] de leur pucelage[1]. Où l'on salue mettant le doigt à terre, et puis le haussant vers le ciel. Où les hommes portent les charges sur la tête, les femmes sur les épaules : elles pissent debout, les hommes accroupis[2]. Où ils envoient de leur sang en signe d'amitié, et encensent comme les Dieux, les hommes qu'ils veulent honorer. Où non seulement jusques au quatrième degré, mais en aucun plus éloigné, la parenté n'est soufferte aux mariages. Où les enfants sont quatre ans en nourrice, et souvent douze : et là même, il est estimé mortel de donner à l'enfant à téter tout le premier jour. Où les pères ont charge du châtiment des mâles, et les mères à part, des femelles : et est le châtiment de les fumer pendus par les pieds[3]. Où on fait circoncire les femmes. Où l'on mange toute sorte d'herbes, sans autre discrétion[a], que de refuser celles qui leur semblent avoir mauvaise senteur. Où tout est ouvert, et les maisons pour belles et riches qu'elles soient, sans porte, sans fenêtre, sans coffre qui ferme : et sont les larrons doublement punis qu'ailleurs. Où ils tuent les poux avec les dents comme les Magots[b], et trouvent horrible de les voir escacher[c] sous les ongles. Où l'on ne coupe en toute la vie ni poil ni ongle : ailleurs où l'on ne coupe que les ongles de la droite, celles de la gauche se nourrissent par gentillesse[d]. Où ils nourrissent tout [le] poil du corps du côté droit tant qu'il peut croître et tiennent ras le poil de l'autre côté. Et en voisines provinces celle ici nourrit [le] poil de devant, cette-là le poil de derrière, et rasent l'opposite[e4]. Où les pères prêtent leurs enfants, les maris leurs femmes, à jouir aux hôtes, en payant[5]. Où on peut

a. choix – *b.* singes – *c.* écraser – *d.* on laisse pousser les ongles de la main gauche par élégance – *e.* le côté opposé

honnêtement faire des enfants à sa mère, les pères se mêler[a] à leurs filles, et à leurs fils[1]. Où aux assemblées des festins ils s'entreprêtent les enfants les uns aux autres. Ici on vit de chair humaine[2] : là c'est office de piété de tuer son père en certain âge[3] : ailleurs les pères ordonnent des enfants encore au ventre des mères, ceux qu'ils veulent être nourris et conservés, et ceux qu'ils veulent être abandonnés et tués : ailleurs les vieux maris prêtent leurs femmes à la jeunesse pour s'en servir[4] : et ailleurs elles sont communes sans péché : voire en tel pays portent pour marque d'honneur autant de belles houppes frangées au bord de leurs robes, qu'elles ont accointé[b] de mâles[5]. N'a pas fait la coutume encore une chose publique[c] de femmes à part[6] ? leur a-elle pas mis les armes à la main ? fait dresser des armées, et livrer des batailles ? Et ce que toute la philosophie ne peut planter en la tête des plus sages, ne l'apprend-elle pas de sa seule ordonnance au plus grossier vulgaire ? car nous savons des nations entières, où non seulement la mort était méprisée : mais festoyée[7] : où les enfants de sept ans souffraient à être fouettés jusques à la mort, sans changer de visage[8] : où la richesse était en tel mépris, que le plus chétif[d] citoyen de la ville, n'eût daigné baisser le bras pour amasser[e] une bourse d'écus. Et savons des régions très fertiles en toutes façons de vivres, où toutefois les plus ordinaires mets et les plus savoureux, c'étaient du pain, du nasitort[f] et de l'eau[9]. Fit-elle[g] pas encore ce miracle en Cio, qu'il s'y passa sept cents ans, sans mémoire que femme ni fille y eût fait faute à son honneur[10] ? Et somme, à ma fantaisie, il n'est rien qu'elle ne fasse, ou qu'elle ne

a. s'unir – *b.* fréquenté – *c.* une république – *d.* pauvre – *e.* ramasser – *f.* cresson – *g.* la coutume

puisse : et avec raison l'appelle Pindarus, à ce qu'on m'a dit, la Reine et Emperière du monde[1]. Celui qu'on rencontra battant son père répondit que c'était la coutume de sa maison, que son père avait ainsi battu son aïeul, son aïeul, son bisaïeul : et montrant son fils, Et cettui-ci me battra quand il sera venu au terme de l'âge où je suis. Et le père que le fils tirassait et saboulait emmi[a] la rue, lui commanda de s'arrêter à certain huis[b], car lui n'avait traîné son père que jusque-là : que c'était la borne des injurieux traitements héréditaires que les enfants avaient en usage faire aux pères en leur famille[2]. Par coutume, dit Aristote, aussi souvent que par maladie, des femmes s'arrachent le poil, rongent leurs ongles, mangent des charbons et de la terre. Et autant par coutume que par nature, les mâles se mêlent[c] aux mâles[3]. Les lois de la conscience, que nous disons naître de nature, naissent de la coutume : chacun ayant en vénération interne les opinions et mœurs approuvées et reçues autour de lui, ne s'en peut déprendre sans remords, ni s'y appliquer sans applaudissement[d]. Quand ceux de Crete voulaient au temps passé maudire quelqu'un, ils priaient les dieux de l'engager en quelque mauvaise coutume[4]. Mais le principal effet de sa puissance, c'est de nous saisir et empiéter[e] de telle sorte, qu'à peine soit-il en nous, de nous ravoir[f] de sa prise, et de rentrer en nous, pour discourir et raisonner de ses ordonnances. De vrai, parce que nous les humons[g] avec le lait de notre naissance, et que le visage du monde se présente en cet état à notre première vue, il semble que nous soyons nés à la condition de[h] suivre ce train. Et les communes imaginations, que nous trouvons en crédit autour de nous, et infuses en notre âme par la semence de nos pères, il semble que ce soient les générales et natu-

a. secouait en pleine rue – *b.* à une certaine porte – *c.* s'unissent – *d.* sans s'applaudir – *e.* prendre dans ses serres – *f.* nous libérer – *g.* buvons – *h.* par naissance conditionnés à

relles. Par où [il advient, que ce qui est hors des gonds de la coutume, on le croit] hors des gonds de raison : Dieu sait combien déraisonnablement, le plus souvent : Si comme nous qui nous étudions, avons appris de faire, chacun qui ouït une juste sentence, regardait incontinent[a] par où elle lui appartient en son propre[b], chacun trouverait que cette-ci n'est pas tant un bon mot qu'un bon coup de fouet à la bêtise ordinaire de son jugement. Mais on reçoit [les] avis de la vérité et ses préceptes comme adressés au peuple, non jamais à soi : [et] au lieu de les coucher sur ses mœurs, chacun les couche en [sa] mémoire[c], très sottement et [très] inutilement. Revenons à l'empire de la coutume. Les peuples nourris[d] à la liberté et à se commander [eux-]mêmes estiment toute autre forme de police[e] monstrueuse [et] contre nature. Ceux qui sont duits[f] à la monarchie [en] font de même. Et quelque facilité que leur prête fortune au changement[g], [lors] même qu'ils se sont avec grandes difficultés défaits de l'importunité d'un maître, ils courent à [en] replanter un nouveau avec pareilles difficultés, pour ne se pouvoir résoudre de prendre en haine la maîtrise[h][1]. Darius demandait à quelques Grecs, pour combien ils voudraient prendre la coutume des Indes, de manger leurs pères trépassés (car c'était leur forme[i], estimant ne leur pouvoir donner plus favorable sépulture, que dans eux-mêmes) ils lui répondirent que pour chose du monde ils ne le feraient : mais s'étant aussi essayé de persuader aux Indiens de laisser leur façon et prendre celle de Grece, qui était de brûler les corps de leurs pères, il leur fit encore plus d'horreur[2]. Chacun en fait ainsi, d'autant que l'usage nous dérobe le vrai visage des choses,

Nil adeo magnum, nec tam mirabile quicquam
Principio, quod non minuant mirarier omnes
Paulatim[j][3].

a. aussitôt – *b.* elle concerne sa personne – *c.* au lieu de les appliquer à ses mœurs, chacun les range dans sa mémoire – *d.* éduqués – *e.* de régime – *f.* habitués – *g.* pour changer de gouvernement – *h.* la domination – *i.* coutume – *j.* « Rien n'est si grand ni si étonnant au début que

Autrefois ayant à faire valoir quelqu'une de nos observations[a], et reçue avec résolue autorité bien loin autour de nous, et ne voulant point, comme il se fait, l'établir seulement par la force des lois et des exemples, mais quêtant toujours jusques à son origine, j'y trouvai le fondement si faible, qu'à peine que je ne m'en dégoûtasse[b] moi, qui avais à la confirmer en autrui. C'est cette recette de quoi Platon[1] entreprend [de] chasser les amours dénaturées de son temps qu'il estime souveraine et principale. À savoir que l'opinion publique les condamne, que les poètes, que chacun en fasse des mauvais contes[c]. Recette par le moyen de laquelle les plus belles filles n'attirent plus l'amour des pères, ni [les] frères plus excellents en beauté l'amour [des] sœurs. Les fables mêmes de Thyestes, d'Œdippus, de Macareus ayant avec [le] plaisir de leur chant infus cette utile créance[d] en la tendre cervelle des enfants. [De] vrai la pudicité est une belle vertu et de laquelle l'utilité est assez connue : mais de la traiter [et] faire valoir selon nature, il est autant malaisé [comme] il est aisé de la faire valoir selon l'usage, les lois et les préceptes. Les premières et universelles raisons sont de difficile perscrutation[e]. Et les passent nos maîtres en écumant[f] ou, ne les osant pas seulement tâter, se jettent d'abordée dans la franchise de[g] la coutume où ils s'enflent et triomphent à bon compte. Ceux qui ne se veulent laisser tirer hors de cette originelle source faillent encore plus et s'obligent à des opinions sauvages, comme Chrysippus qui sema en tant de lieux de ses écrits le peu de compte en quoi il tenait [les] conjonctions[h] incestueuses, quelles qu'elles fussent[2]. Qui voudra se défaire de ce violent préjudice[i] de la coutume, il trouvera plusieurs choses reçues d'une résolution indubitable, qui n'ont appui qu'en la barbe chenue et rides de l'usage, qui les accompagne : mais ce masque arra-

---

peu à peu on ne se mette à moins s'en étonner. » – *a*. coutumes – *b*. je m'en dégoûtai presque – *c*. des récits réprobateurs – *d*. versé cette utile croyance – *e*. difficiles à examiner – *f*. en les effleurant – *g*. trouvent d'emblée refuge dans – *h*. unions – *i*. préjugé

ché, rapportant les choses à la vérité et à la raison, il sentira son jugement, comme tout bouleversé, et remis pourtant en bien plus sûr état. Pour exemple, je lui demanderai lors, quelle chose peut être plus étrange, que de voir un peuple[1] obligé à suivre des lois, qu'il n'entendit onques[a] : attaché en tous[b] ses affaires domestiques, mariages, donations, testaments, ventes, et achats, à des règles, qu'il ne peut savoir, n'étant écrites ni publiées en sa langue, et desquelles par nécessité il lui faille[c] acheter l'interprétation et l'usage. Non selon l'ingénieuse opinion d'Isocrates[2] qui conseille à son Roi de rendre les trafics[d] et négociations de ses sujets libres, franches et lucratives, et leurs débats et querelles onéreuses, les chargeant de pesants subsides[e]. Mais selon une opinion monstrueuse[f], de mettre en trafic la raison même et donner aux lois cours [de] marchandise. Je sais bon gré à la fortune, de quoi, comme disent nos historiens[3], ce fut un Gentilhomme Gascon et de mon pays, qui le premier s'opposa à Charlemaigne, nous voulant[g] donner les lois Latines et Impériales. Qu'est-il plus farouche que de voir une nation, où par légitime coutume la charge de juger se vende, et les jugements soient payés à purs deniers comptants, et où légitimement la justice soit refusée à qui n'a de quoi la payer, et ait cette marchandise[h] si grand crédit, qu'il se fasse en une police[i] un quatrième état[4], de gens maniants les procès, pour le joindre aux trois anciens, de l'Église, de la Noblesse, et du Peuple. Lequel état[j], ayant la charge des lois et souveraine autorité des biens et des vies, fasse un corps à part de celui de la noblesse : d'où il advienne qu'il y ait doubles lois,

a. ne comprit jamais – *b.* toutes – *c.* il lui faut nécessairement – *d.* affaires – *e.* impôts – *f.* étrange – *g.* qui voulait – *h.* et que cette marchandise ait – *i.* en une société – *j.* Quoi de plus farouche que cet état

celles de l'honneur, et celles de la justice, en plusieurs choses fort contraires[a] : aussi rigoureusement condamnent celles-là un démenti souffert, comme celles ici un démenti revanché[b] : par[c] le devoir des armes, celui-là soit dégradé d'honneur et de noblesse, qui souffre une injure, et par le devoir civil, celui qui s'en venge, encoure une peine capitale : qui s'adresse aux lois pour avoir raison d'une offense faite à son honneur, il se déshonore, et qui ne s'y adresse, il en est puni et châtié par les lois[1]. Et de ces deux pièces si diverses[d], se rapportant toutefois à un seul chef[e], ceux-là aient la paix, ceux-ci la guerre en charge : ceux-là aient le gain, ceux-ci l'honneur : ceux-là le savoir, ceux-ci la vertu : ceux-là la parole, ceux-ci l'action : ceux-là la justice, ceux-ci la vaillance : ceux-là la raison, ceux-ci la force : ceux-là la robe longue[f], ceux-ci la courte[g] en partage. Quant aux choses indifférentes, comme[h] vêtements, qui les voudra ramener à leur vraie fin, qui est le service et commodité du corps, d'où dépend leur grâce et bienséance originelle, pour les plus monstrueux à mon gré qui se puissent imaginer, je lui donnerai[i] entre autres, nos bonnets carrés[j] : cette longue queue de velours plissé, qui pend aux têtes de nos femmes, avec son attirail bigarré : et ce vain modèle et inutile, d'un membre, que nous ne pouvons seulement honnêtement nommer, duquel toutefois nous faisons montre et parade en public[k2]. Ces considérations ne détour-

a. contradictoires – *b*. les lois de l'honneur condamnent autant celui qui subit passivement l'accusation de mensonge que les lois de la justice condamnent celui qui s'en venge (par la violence) – *c*. quoi de plus farouche que, par – *d*. quoi de plus farouche que, de ces deux états si différents – *e*. à un seul roi – *f*. la robe des juges – *g*. la tunique des guerriers – *h*. comme les – *i*. je lui soumettrai comme les cas selon moi les plus étranges – *j*. coiffes de magistrats – *k*. la braguette

nent pourtant pas un homme d'entendement de suivre le style[a] commun : ains au rebours[b] il me semble, que toutes façons écartées et particulières[c] partent plutôt de folie ou d'affectation ambitieuse, que de vraie raison : et que le sage doit au-dedans retirer son âme de la presse[d], et la tenir en liberté et puissance de juger librement des choses : mais quant au-dehors qu'il doit suivre entièrement les façons et formes reçues. La société publique n'a que faire de nos pensées : mais le demeurant, comme nos actions, notre travail, nos fortunes et notre vie propre, il la faut prêter et abandonner à son service, et aux opinions communes. Comme ce bon et grand Socrates refusa de sauver sa vie, par la désobéissance du magistrat, voire[e] d'un magistrat très injuste et très inique[1]. Car c'est la règle des règles, et générale loi des lois, que chacun observe celles du lieu où il est,

νόμοις ἕπεσθαι τοῖσιν ἐγχώροις καλόν[f][2].

En voici d'une autre cuvée. Il y a grand doute, s'il se peut trouver si évident profit au changement d'une loi reçue, telle[g] qu'elle soit, qu'il y a de mal à la remuer[h] : d'autant qu'une police[i], c'est comme un bâtiment de diverses pièces jointes ensemble, d'une telle liaison, qu'il est impossible d'en ébranler une, que tout le corps ne s'en sente. Le législateur des Thuriens[3] ordonna, que quiconque voudrait ou abolir une des vieilles lois, ou en établir une nouvelle, se présenterait au peuple la corde au col : afin que si la nouvelleté n'était approuvée d'un chacun, il fût incontinent étranglé. Et celui de Lacedemone[4] employa sa

a. l'usage – *b*. mais à l'inverse – *c*. tous les comportements écartés de la coutume et individuels – *d*. foule – *e*. en désobéissant au magistrat, même s'il s'agissait – *f*. « Il est beau d'obéir aux lois de son pays. » – *g*. quelle – *h*. qu'il y a d'inconvénients à l'ébranler – *i*. un ordre social réglé par des lois

vie pour tirer de ses citoyens une promesse assurée, de n'enfreindre aucune de ses ordonnances. L'éphore[a] qui coupa si rudement les deux cordes que Phrinys avait ajoutées à la musique, ne s'esmaie[b] pas, si elle en vaut mieux, ou si les accords en sont mieux remplis : il lui suffit pour les condamner, que ce soit une altération de la vieille façon[1]. C'est ce que signifiait cette épée rouillée de la justice de Marseille[2]. Je suis dégoûté de la nouvelleté[c] quelque visage qu'elle porte : et ai raison, car j'en ai vu des effets très dommageables. Celle qui nous presse depuis tant d'ans[3], elle n'a pas tout exploité[d], mais on peut dire avec apparence[e], que par accident elle a tout produit et engendré : voire et[f] les maux et ruines, qui se font depuis sans elle, et contre elle : c'est à elle à s'en prendre au nez[g],

Heu patior telis vulnera facta meis[h][4].

Ceux qui donnent le branle à un état[i], sont volontiers les premiers absorbés[j] en sa ruine. Le fruit du trouble ne demeure guère à celui qui l'a ému, il bat, et brouille l'eau, pour d'autres pêcheurs. La liaison et contexture de cette monarchie et ce grand bâtiment[k], ayant été démis et dissous[l], notamment sur ses vieux ans, par elle, donne tant qu'on veut d'ouverture, et d'entrée à pareilles injures[m]. La majesté Royale, dit un ancien[5], s'avale[n] plus difficilement du sommet au milieu [qu'elle] ne se précipite du milieu [à][o] fond. Mais si les inventeurs sont plus dommageables[p], les imitateurs sont plus vicieux, de se jeter en des exemples, desquels ils ont senti et puni l'horreur et le mal[6]. Et s'il y a quelque degré d'honneur même [au] mal faire, ceux-ci doivent aux autres la

a. le magistrat – *b.* ne se met pas en peine de savoir – *c.* nouveauté – *d.* accompli – *e.* évidence – *f.* même – *g.* à s'en prendre à soi – *h.* « Hélas ! Je souffre de blessures causées par mes propres flèches ! » – *i.* ceux qui ébranlent un État – *j.* enveloppés – *k.* corps – *l.* rompues et dissoutes – *m.* injustices – *n.* s'effondre – *o.* au – *p.* nuisibles

gloire de l'invention et le courage du premier effort. Toutes sortes de nouvelle débauche puisent heureusement[a] en cette première et féconde source, les images et patrons à troubler notre police[b]. On lit en nos lois mêmes, faites pour le remède de ce premier mal, l'apprentissage et l'excuse de toute sorte de mauvaises entreprises : Et nous advient, ce que Thucidides dit des guerres civiles de son temps, qu'en faveur des vices publics, on les baptisait de mots nouveaux plus doux, pour leur excuse, abâtardissant et amollissant[c] leurs vrais titres[1]. C'est pourtant[d], pour réformer nos consciences et nos créances. *Honesta oratio est*[e2]. Mais le meilleur prétexte de nouvelleté est très dangereux : *adeo nihil motum ex antiquo probabile est*[f3]. Si[g] me semble-il, à le dire franchement, qu'il y a grand amour de soi et présomption, d'estimer ses opinions jusque-là, que pour les établir, il faille renverser une paix publique, et introduire tant de maux inévitables, et une si horrible corruption de mœurs que les guerres civiles apportent, et les mutations d'état[h], en chose de tel poids : et les introduire en son pays propre. Est-ce pas mal ménagé[i] d'avancer tant de vices certains et connus, pour combattre des erreurs[j] contestées et débattables. Est-il quelque pire espèce de vices, que ceux qui choquent la propre conscience, et naturelle connaissance[4] ? Le Sénat osa donner en paiement cette défaite[k] sur le différend d'entre lui et le peuple, pour le ministère[l] de leur religion. *[Ad] deos id magis quam ad se pertinere, [ipsos] visuros ne sacra sua polluantur*[m5], conformément

a. avec bonheur (pour les fauteurs de troubles) – *b*. pour troubler notre ordre politique – *c*. adoucissant par euphémisme – *d*. pour cela – *e*. « Le prétexte est honnête. » – *f*. « tant il est vrai qu'on ne peut approuver aucun changement apporté à l'usage antique. » – *g*. Aussi – *h*. comme les changements de régime – *i*. mal agir – *j*. hérésies – *k*. faire cette réponse – *l*. pour assurer le culte – *m*. « Que cette demande concernait davantage les dieux que le Sénat, et que c'était à eux de veiller à empêcher la profanation de leurs temples » à ce que répondit l'oracle [à] ceux de Delphes en la guerre médoise[a]. Craignant l'invasion des Perses, ils demandèrent au Dieu[b], ce qu'ils avaient [à] faire des trésors sacrés de son temple, ou les cacher, ou les emporter. [Il] leur répondit qu'ils ne bougeassent rien, qu'ils se soignassent[c] d'eux : qu'il était suffisant pour pourvoir à ce qui lui était propre[1]. La religion Chrétienne a toutes les marques d'extrême justice et utilité : mais nulle plus apparente, que l'exacte recommandation de l'obéissance du[d] Magistrat, et manutention des polices[e2]. Quel merveilleux exemple nous en a laissé la sapience[f] divine, qui pour établir le salut du genre humain, et conduire cette sienne glorieuse victoire contre la mort et le péché, ne l'a voulu faire qu'à la merci de notre ordre politique : et a soumis son progrès, et la conduite d'un si haut effet et si salutaire, à l'aveuglement et injustice de nos observations et usances : y laissant courir[g] le sang innocent, de tant d'élus ses favoris[h], et souffrant une longue perte d'années à mûrir ce fruit inestimable. Il y a grand à dire[i], entre la cause de celui qui suit les formes et les lois de son pays, et celui qui entreprend de les régenter et changer. Celui-là allègue pour son excuse la simplicité, l'obéissance et l'exemple : quoi qu'il fasse, ce ne peut être malice, c'est pour le plus[j] malheur. *Quis est enim quem non moveat clarissimis monumentis testata consignataque antiquitas*[k3]. Outre[l] ce que dit Isocrates[4], que la défectuosité[m] a plus de part à la modération que n'a l'excès. L'autre[n] est en bien plus rude parti. Car qui se mêle de choisir et de changer usurpe l'autorité de juger, et se doit faire fort de voir la faute [de] ce qu'il

a. médique – *b.* Apollon – *c.* souciassent – *d.* au – *e.* maintien des institutions – *f.* sagesse – *g.* couler – *h.* de tant de martyrs – *i.* grande différence – *j.* tout au plus – *k.* « Qui en effet ne serait ému par une antiquité attestée et consignée par les plus éclatants témoignages. » – *l.* À ceci s'ajoute – *m.* la retenue – *n.* celui qui entreprend de changer les lois

chasse et le bien de ce qu'il introduit. Cette si vulgaire[a] considération m'a fermi[b] [en] mon siège : et tenu ma jeunesse même, plus téméraire, en bride : de ne charger mes épaules d'un [si] lourd faix, que de me rendre répondant d'une science [de] telle importance[c] et oser en cette-ci [ce] qu'en sain jugement je [ne] pourrais oser en la plus facile de celles auxquelles [on] m'avait instruit et auxquelles la témérité de juger est de nul préjudice. Me semblant très inique [de] vouloir soumettre les constitutions et observances publiques et immobiles[d] à l'instabilité d'une privée fantaisie. La raison privée n'a qu'une juridiction privée. Et entreprendre sur les lois divines ce que nulle police ne supporterait aux civiles[e]. Auxquelles encore que l'humaine raison ait beaucoup plus de commerce, si sont-elles souverainement juges de leurs juges[f], et l'extrême suffisance[g] sert à expliquer et étendre l'usage qui en est reçu, non à le détourner et innover. Si quelquefois la providence divine a passé par-dessus les règles auxquelles elle nous a nécessairement astreints, ce n'est pas pour nous en dispenser. [Ce] sont coups de sa main divine qu'il nous faut non pas imiter mais admirer : et exemples extraordinaires, marqués d'un exprès et particulier aveu[h]. Du genre des miracles : qu'elle nous offre, pour témoignage de sa toute-puissance au-dessus de nos ordres et de nos forces : qu'il est folie et impiété d'essayer à représenter[i] et que nous ne devons pas suivre mais contempler avec étonnement. Actes [de] son personnage, non pas du nôtre. Cotta proteste bien opportunément. *Quum de religione agitur [T. Coruncanum, P. Scipionem, P.] Scævolam, pontifices maximos, non Zenonem aut Cleanthem aut Chrysippum sequor*[j][1]. Dieu le sache, en notre présente querelle[k], où il y a cent articles à ôter et remettre, grands et profonds

a. commune – *b*. affermi – *c*. la théologie – *d*. immuables – *e*. ce que nul gouvernement ne supporterait pour les lois civiles – *f*. lesquelles lois civiles, bien qu'elles aient plus à voir avec la raison, lui imposent pourtant leur autorité souveraine – *g*. la meilleure compétence juridique – *h*. signalés expressément comme des cas particuliers – *i*. imiter – *j*. « Lorsqu'il s'agit de religion, je suis les grands pontifes T. Coruncanus, P. Scipion, P. Scaevola, et non Zénon, Cléanthe ou Chrysippe. » – *k*. entre les protestants et les catholiques

articles, combien ils sont, qui se puissent vanter d'avoir exactement reconnu les raisons et fondements de l'un et l'autre parti. C'est un nombre, si c'est nombre, qui n'aurait pas grand moyen de nous troubler. Mais toute cette autre presse[a] où va-elle ? sous quelle enseigne se jette-elle à quartier[b] ? Il advient de la leur[c], comme des autres médecines faibles et mal appliquées : les humeurs qu'elle voulait purger en nous, elle les a échauffées, exaspérées et aigries par le conflit, et si[d] nous est demeurée dans le corps. Elle n'a su nous purger par[e] sa faiblesse, et nous a cependant affaiblis, en manière que nous ne la pouvons vider[f] non plus, et ne recevons de son opération que des douleurs longues et intestines. Si est-ce que[g] la fortune réservant toujours son autorité au-dessus de nos discours, nous présente aucune fois[h] la nécessité si urgente, qu'il est besoin que les lois lui fassent quelque place : Et quand on résiste à l'accroissance d'une innovation qui vient par violence à s'introduire, de se tenir en tout et partout, en bride et en règle, contre ceux qui ont la clef des champs[i], auxquels tout cela est loisible qui peut avancer leur dessein, qui n'ont ni loi ni ordre, que de suivre leur avantage, c'est une dangereuse obligation et inéqualité[j] :

Aditum nocendi perfido præstat fides[k][1].

D'autant que la discipline ordinaire d'un État qui est en sa santé, ne pourvoit pas à ces accidents extraordinaires : elle présuppose un corps qui se tient en ses principaux membres et offices, et un commun

a. foule – *b.* se divise-t-elle – *c.* du remède des partisans du changement – *d.* toutefois – *e.* à cause de – *f.* évacuer – *g.* toujours est-il que – *h.* quelquefois – *i.* ceux qui s'affranchissent des lois – *j.* contrainte et désavantage – *k.* « Respecter la foi jurée ménage au perfide un moyen de nuire. »

consentement à son observation et obéissance. L'aller[a] légitime est un aller froid, pesant et contraint. Et n'est pas pour tenir bon[b] à un aller licencieux et effréné. On sait qu'il est encore reproché à ces deux grands personnages Octavius et Caton[1], aux guerres civiles l'un de[c] Sylla, l'autre de Cesar, d'avoir plutôt laissé encourir toutes extrémités à leur patrie, que de la secourir aux dépens de ses lois, et que de rien remuer[d]. Car à la vérité en ces dernières nécessités, où il n'y a plus que tenir[e], il serait à l'aventure[f] plus sagement fait, de baisser la tête, et prêter un peu au coup, que s'ahurtant outre la possibilité[g] à ne rien relâcher, donner occasion à la violence de fouler tout aux pieds : et vaudrait mieux faire vouloir aux lois ce qu'elles peuvent, puisqu'elles ne peuvent ce qu'elles veulent. Ainsi fit celui qui ordonna qu'elles dormissent vingt et quatre heures[2] : Et celui qui remua pour cette fois un jour du calendrier[3] : Et cet autre qui du mois de Juin fit le second Mai[4]. Les Lacédémoniens mêmes, tant religieux[h] observateurs des ordonnances de leur pays, étant pressés de[i] leur loi, qui défendait d'élire par deux fois Amiral, un même personnage, et de l'autre part leurs affaires requérant de toute nécessité, que Lysander prît derechef cette charge, ils firent bien un Aracus Amiral, mais Lysander surintendant de la marine[5]. Et de[j] même subtilité, un de leurs ambassadeurs, étant envoyé vers les Athéniens, pour obtenir le changement de quelque ordonnance, et Péricles lui alléguant qu'il était défendu d'ôter le tableau, où une loi était une fois posée, lui conseilla de le tourner seulement, d'autant

a. l'allure – *b*. ne peut résister – *c*. partisan de – *d*. changer – *e*. où il est impossible de résister – *f*. peut-être – *g*. s'obstinant au-delà du possible – *h*. scrupuleux – *i*. contraints par – *j*. par

que[a] cela n'était pas défendu[1]. C'est ce de quoi Plutarque loue Philopœmen, qu'étant né pour commander, il savait non seulement commander selon les lois, mais aux lois même, quand la nécessité publique le requérait[2].

a. puisque

Divers événements de même conseil[a]

CHAP. XXIV

Jaques Amyot[1], grand Aumônier de France, me récita[b] un jour cette Histoire à l'honneur d'un Prince[2] des nôtres (et nôtre était-il à très bonnes enseignes[c], encore que son origine fût étrangère) que durant nos premiers troubles[d] au siège de Rouen[3], ce Prince ayant été averti par la Reine mère du Roi d'une entreprise, qu'on faisait sur sa vie[e], et instruit particulièrement par ses lettres de celui qui la devait conduire à chef[f], qui était un gentilhomme Angevin ou Manceau, fréquentant lors ordinairement pour cet effet la maison de ce Prince : il ne communiqua à personne cet avertissement : mais se promenant lendemain au mont Sainte-Catherine, d'où se faisait notre batterie[g] à Rouen (car c'était au temps que nous la tenions assiégée) ayant à ses côtés ledit Seigneur grand Aumônier et un autre Évêque, il aperçut ce gentilhomme, qui lui avait été remarqué[h], et le fit appeler. Comme il fut en sa présence, il lui dit ainsi, le voyant déjà pâlir et frémir des alarmes de sa conscience : Monsieur de tel lieu, vous vous doutez bien de ce que je vous veux, et votre visage le montre, vous

a. Les effets contraires d'une même décision – *b*. raconta – *c*. à très juste titre – *d*. la première guerre de Religion – *e*. d'une tentative d'assassinat – *f*. à terme – *g*. où se trouvaient nos canons – *h*. signalé

n'avez rien à me cacher, car je suis instruit de votre affaire si avant, que vous ne feriez qu'empirer votre marché d'essayer à le couvrir[a]. Vous savez bien telle chose et telle (qui étaient les tenants et aboutissants des plus secrètes pièces de cette menée) ne faillez sur votre vie à me confesser la vérité de tout ce dessein. Quand ce pauvre homme se trouva pris et convaincu (car le tout avait été découvert à la Reine par l'un des complices) il n'eut qu'à joindre les mains et requérir la grâce et miséricorde de ce Prince, aux pieds duquel il se voulut jeter, mais il l'en garda, suivant[b] ainsi son propos : Venez çà, vous ai-je autrefois fait déplaisir ? ai-je offensé quelqu'un des vôtres par haine particulière ? Il n'y a pas trois semaines que je vous connais, quelle raison vous a pu mouvoir à entreprendre ma mort ? Le gentilhomme répondit à cela d'une voix tremblante, que ce n'était aucune occasion[c] particulière qu'il en eût, mais l'intérêt de la cause générale de son parti : et qu'aucuns[d] lui avaient persuadé que ce serait une exécution pleine de piété, d'extirper en quelque manière que ce fût, un si puissant ennemi de leur religion. Or suivit ce Prince, je vous veux montrer, combien la religion que je tiens est plus douce, que celle de quoi vous faites profession. La vôtre vous a conseillé de me tuer sans m'ouïr, n'ayant reçu de moi aucune offense, et la mienne me commande, que je vous pardonne, tout convaincu que vous êtes de m'avoir voulu homicider sans raison, Allez-vous-en, retirez-vous, que je ne vous voie plus ici, et si vous êtes sage, prenez dorénavant en vos entreprises des conseillers plus gens de bien que ceux-là. L'Empereur Auguste[1] étant

a. la dissimuler – *b*. celui-ci l'en empêcha, poursuivant – *c*. raison – *d*. certains

en la Gaule reçut certain avertissement d'une conjuration que lui brassait[a] Lucius Cinna : il délibéra de s'en venger, et manda[b] pour cet effet au lendemain le Conseil de ses amis : mais la nuit d'entre-deux il la passa avec grande inquiétude, considérant qu'il avait à faire mourir un jeune homme de bonne maison[c], et neveu du grand Pompeius : et produisit en se plaignant plusieurs divers discours. Quoi donc, faisait-il, sera-il dit que je demeurerai en crainte et en alarme, et que je lairrai[d] mon meurtrier se promener cependant à son aise ? S'en ira-il quitte ayant assailli ma tête, que j'ai sauvée de tant de guerres civiles, de tant de batailles, par mer et par terre ? et après avoir établi la paix universelle du monde, sera-il absous ayant délibéré non de me meurtrir[e] seulement, mais de me sacrifier ? Car la conjuration était faite[f] de le tuer, comme il ferait quelque sacrifice. Après cela s'étant tenu coi quelque espace de temps, il recommençait d'une voix plus forte, et s'en prenait à soi-même. Pourquoi vis-tu, s'il importe à tant de gens que tu meures ? n'y aura-il point de fin à tes vengeances et à tes cruautés ? Ta vie vaut-elle que tant de dommage se fasse pour la conserver ? Livia sa femme le sentant en ces angoisses : Et les conseils des femmes y seront-ils reçus[g], lui fit-elle ? fais ce que font les médecins, quand les recettes accoutumées ne peuvent servir, ils en essaient de contraires. Par sévérité tu n'as jusques à cette heure rien profité[h] : Lepidus a suivi Salvidienus, Murena Lepidus, Cæpio Murena, Egnatius Cæpio[1] : commence à expérimenter comment te succéderont[i] la douceur et la

a. préparait – *b*. convoqua – *c*. famille – *d*. laisserai – *e*. tuer – *f*. avait décidé – *g*. seront-ils entendus en ces matières ? – *h*. obtenu – *i*. réussiront

clémence : Cinna est convaincu[a], pardonne-lui : de te nuire désormais il ne pourra, et profitera à ta gloire. Auguste fut bien aise d'avoir trouvé un Avocat de son humeur, et ayant remercié sa femme et contremandé[b] ses amis, qu'il avait assignés au Conseil, commanda qu'on fît venir à lui Cinna tout seul : et ayant fait sortir tout le monde de sa chambre et fait donner un siège à Cinna, il lui parla en cette manière. En premier lieu je te demande Cinna, paisible audience. N'interromps pas mon parler, je te donnerai temps et loisir d'y répondre. Tu sais Cinna que t'ayant pris au camp de mes ennemis, non seulement t'étant fait mon ennemi, mais étant né tel, je te sauvai, je te mis entre mains tous tes biens, et t'ai enfin rendu si accommodé[c] et si aisé, que les victorieux sont envieux de la condition du vaincu : l'office du sacerdoce que tu me demandas, je te l'octroyai, l'ayant refusé à d'autres, desquels les pères avaient toujours combattu avec moi : t'ayant si fort obligé tu as entrepris de me tuer. À quoi Cinna s'étant écrié, qu'il était bien éloigné d'une si méchante pensée. Tu ne me tiens pas Cinna ce que tu m'avais promis, suivit Auguste, tu m'avais assuré que je ne serais pas interrompu : oui tu as entrepris de me tuer, en tel lieu, tel jour, en telle compagnie, et de telle façon : et le voyant transi de ces nouvelles[d], et en silence, non plus pour tenir le marché de se taire, mais de la presse de[e] sa conscience : Pourquoi ajouta-il, le fais-tu ? Est-ce pour être Empereur ? Vraiment il va bien mal à la chose publique[f], s'il n'y a que moi, qui t'empêche d'arriver à l'Empire. Tu ne peux pas seulement[g] défendre ta maison, et perdis dernièrement

a. confondu – *b.* décommandé – *c.* riche – *d.* par ces révélations – *e.* accablé par – *f.* l'État va bien mal – *g.* tu ne peux même pas

un procès par la faveur d'un simple libertin[a]. Quoi, n'as-tu moyen ni pouvoir en autre chose, qu'à entreprendre[b] Cæsar? Je le quitte[c], s'il n'y a que moi qui empêche tes espérances. Penses-tu, que Paulus, que Fabius, que les Cosséens, et Serviliens[1] te souffrent[d]? et une si grande troupe de nobles, non seulement nobles de nom, mais qui par leur vertu honorent leur noblesse? Après plusieurs autres propos (car il parla à lui plus de deux heures entières) or va, lui dit-il, je te donne, Cinna, la vie, à[e] traître et à parricide, que je te donnai autrefois à ennemi: que l'amitié commence de ce jourd'hui entre nous: essayons qui de nous deux de meilleure foi, moi t'aie donné ta vie: ou tu l'aies reçue[f]. Et se départit d'avec lui[g] en cette manière. Quelque temps après il lui donna le consulat, se plaignant de quoi il ne le lui avait osé demander. Il l'eut depuis pour fort ami, et fut seul fait par lui héritier de ses biens. Or depuis cet accident, qui advint à Auguste au quarantième an de son âge, il n'y eut jamais de conjuration ni d'entreprise contre lui, et reçut une juste récompense de cette sienne clémence. Mais il n'en advint pas de même au nôtre[h]: car sa douceur ne le sut garantir, qu'il ne chût depuis aux lacs[i] de pareille trahison[2]. Tant c'est chose vaine et frivole que l'humaine prudence: et au travers de tous nos projets, de nos conseils et précautions, la fortune maintient toujours la possession[j] des événements. Nous appelons les médecins heureux, quand ils arrivent à quelque bonne fin[k]: comme s'il n'y avait que leur art[l], qui ne se pût maintenir d'elle-même, et qui eût les fondements trop frêles, pour

a. affranchi – *b.* t'attaquer à – *c.* j'abandonne – *d.* te laissent faire – *e.* comme – *f.* qui de meilleure foi a donné ou reçu la vie – *g.* il le quitta – *h.* à François de Guise – *i.* au piège – *j.* la maîtrise – *k.* bon résultat – *l.* leur discipline (fém.)

s'appuyer de[a] sa propre force : et comme s'il n'y avait qu'elle, qui ait besoin que la fortune prête la main à ses opérations. Je crois d'elle tout le pis ou le mieux qu'on voudra. Car nous n'avons, Dieu merci, nul commerce ensemble : je suis au rebours[b] des autres, car je la méprise bien toujours, mais quand je suis malade, au lieu d'entrer en composition[c], je commence encore à la haïr et à la craindre : et réponds à ceux, qui me pressent de prendre médecine, qu'ils attendent au moins que je sois rendu à mes forces et à ma santé, pour avoir plus de moyen de soutenir l'effort[d] et le hasard de leur breuvage. Je laisse faire nature[1], et présuppose qu'elle se soit pourvue de dents et de griffes, pour se défendre des assauts qui lui viennent, et pour maintenir cette contexture[e], de quoi elle fuit la dissolution : je crains au lieu de l'aller secourir ainsi comme elle[f] est aux prises bien étroites et bien jointes avec la maladie, qu'on secoure son adversaire au lieu d'elle, et qu'on la recharge de nouveaux affaires[g]. Or je dis que non en la médecine, seulement : mais en plusieurs arts plus certaines la fortune y a bonne part. Les saillies poétiques[h], qui emportent leur auteur et le ravissent hors de soi, pourquoi ne les attribuerons-nous à son bonheur ? puisqu'il confesse lui-même qu'elles surpassent sa suffisance[i] et ses forces, et les reconnaît venir d'ailleurs que de soi, et ne les avoir aucunement en sa puissance : non plus que les orateurs ne disent avoir en la leur ces mouvements et agitations extraordinaires, qui les poussent au-delà de leur dessein. Il en est de même en la peinture, qu'il échappe parfois

a. sur – *b.* au contraire – *c.* de composer avec elle – *d.* la force – *e.* l'organisme – *f.* alors qu'elle – *g.* qu'on lui impose des difficultés supplémentaires – *h.* les élans de l'inspiration – *i.* capacité des traits de la main du peintre surpassants sa conception et sa science, qui le tirent lui-même en admiration, et qui l'étonnent. Mais la fortune montre bien encore plus évidemment, la part qu'elle a en tous ces ouvrages, par les grâces et beautés qui s'y trouvent, non seulement sans l'intention, mais sans la connaissance même de l'ouvrier. Un suffisant[a] lecteur découvre souvent ès[b] écrits d'autrui des perfections autres, que celles que l'auteur y a mises et aperçues, et y prête des sens et des visages plus riches. Quant aux entreprises militaires, chacun voit comment la fortune y a bonne part : en nos conseils[c] mêmes et en nos délibérations, il faut certes qu'il y ait du sort et du bonheur mêlé parmi : car tout ce que notre sagesse peut, ce n'est pas grand-chose : plus elle est aiguë et vive, plus elle trouve en soi de faiblesse, et se défie d'autant plus d'elle-même. Je suis de l'avis de Sylla[1] : et quand je me prends garde[d] de près aux plus glorieux exploits de la guerre, je vois, ce me semble, que ceux qui les conduisent n'y emploient la délibération et le conseil, que par acquit[e], et que la meilleure part de l'entreprise ils l'abandonnent à la fortune, et sur la fiance[f] qu'ils ont à[g] son secours, passent à tous les coups au-delà des bornes de tout discours[h] : il survient des allégresses fortuites et des fureurs[i] étrangères parmi leurs délibérations, qui les poussent le plus souvent à prendre le parti le moins fondé en apparence, et qui grossissent leur courage au-dessus de la raison. D'où il est advenu à plusieurs grands Capitaines anciens, pour donner crédit à ces conseils[j] téméraires, d'alléguer à leurs gens, qu'ils y étaient conviés par quelque inspiration,

a. bon – *b*. dans les – *c*. décisions – *d*. je considère – *e*. pour la forme – *f*. confiance – *g*. en – *h*. de toute raison – *i*. inspirations – *j*. décisions

par quelque signe et pronostic[a]. Voilà pourquoi en cette incertitude et perplexité, que nous apporte l'impuissance de voir et choisir ce qui est le plus commode, pour les[b] difficultés que les divers accidents et circonstances de chaque chose tirent[c], le plus sûr, quand[d] autre considération ne nous y convierait, est à mon avis de se rejeter au parti, où il y a plus d'honnêteté et de justice : et puisqu'on est en doute du plus court chemin, tenir toujours le droit. Comme en ces deux exemples, que je viens de proposer, il n'y a point de doute, qu'il ne fut plus beau et plus généreux à celui qui avait reçu l'offense de la pardonner, que s'il eût fait autrement. S'il en est mésadvenu[e] au premier, il ne s'en faut pas prendre à ce sien bon dessein, et ne sait-on, quand il eût pris le parti contraire, s'il eût échappé la fin, à laquelle son destin l'appelait, et si[f] eût perdu la gloire d'une si notable bonté. Il se voit dans les histoires, force gens en cette crainte, d'où la plupart ont suivi le chemin de courir au-devant des conjurations, qu'on faisait contre eux, par vengeance et par supplices : mais j'en vois fort peu auxquels ce remède ait servi, témoin tant d'Empereurs Romains. Celui, qui se trouve en ce danger, ne doit pas beaucoup espérer ni de sa force, ni de sa vigilance. Car combien est-il malaisé de se garantir d'un ennemi, qui est couvert du visage du plus officieux[g] ami que nous ayons ? et de connaître les volontés et pensements intérieurs de ceux, qui nous assistent ? Il a beau employer des nations étrangères[1] pour sa garde, et être toujours ceint d'une haie d'hommes armés : quiconque aura sa vie à mépris, se rendra toujours maître de celle

a. prémonitions – *b.* à cause des – *c.* entraînent – *d.* quand bien même – *e.* si cela a mal réussi – *f.* toutefois il – *g.* dévoué

d'autrui[1]. Et puis ce continuel soupçon, qui met le Prince en doute de tout le monde, lui doit servir d'un merveilleux[a] tourment. Pourtant[b] Dion[2] étant averti que Callipus épiait les moyens de le faire mourir, n'eut jamais le cœur d'en informer, disant qu'il aimait mieux mourir que vivre en cette misère, d'avoir à se garder non de ses ennemis seulement, mais aussi de ses amis. Ce qu'Alexandre[3] représenta[c] bien plus vivement par effet[d], et plus roidement, quand ayant eu avis par une lettre de Parmenion, que Philippus son plus cher médecin était corrompu par l'argent de Darius pour l'empoisonner, en même temps qu'il donnait à lire sa lettre à Philippus, il avala le breuvage qu'il lui avait présenté. Fut-ce pas exprimer cette résolution, que si des amis le voulaient tuer, il consentait qu'ils le pussent faire ? Ce prince est le souverain patron[e] des actes hasardeux : mais je ne sais s'il y a trait en sa vie, qui ait plus de fermeté que celui-ci, ni une beauté illustre par tant de visages[f]. Ceux qui prêchent aux princes la défiance si attentive, sous couleur de leur prêcher leur sûreté, leur prêchent leur ruine et leur honte. Rien de noble ne se fait sans hasard. J'en sais[g] un[4], de courage très martial de sa complexion, et entreprenant, de qui tous les jours on corrompt la bonne fortune par telles persuasions : Qu'il se resserre entre les siens, qu'il n'entende à[h] aucune réconciliation de ses anciens ennemis, se tienne à part, et ne se commette[i] entre mains plus fortes, quelque promesse qu'on lui fasse, quelque utilité qu'il y voie. J'en sais un autre[5], qui a inespérément avancé sa fortune, pour avoir pris conseil[j] tout contraire. La hardiesse, de quoi ils cherchent si avidement la gloire, se repré-

a. causer un étonnant – *b.* C'est pourquoi – *c.* exprima – *d.* en acte – *e.* modèle – *f.* d'aspects – *g.* connais – *h.* accepte – *i.* confie – *j.* décision

sente quand il est besoin, aussi magnifiquement en pourpoint qu'en armes, en un cabinet qu'en un camp, le bras pendant que le bras levé[1]. La prudence si tendre et circonspecte, est mortelle ennemie de hautes exécutions. Scipion sut[2] pour pratiquer[a] la volonté de Syphax, quittant son armée, et abandonnant l'Hespaigne douteuse encore sous sa nouvelle conquête[b], passer en Aphrique dans deux simples vaisseaux pour se commettre[c] en terre ennemie, à la puissance d'un Roi barbare, à une foi inconnue, sans obligation, sans otage, sous la seule sûreté de la grandeur de son propre courage, de son bonheur, et de la promesse de ses hautes espérances : *habita fides ipsam plerumque fidem obligat*[d3]. À[e] une vie ambitieuse et fameuse, il faut au rebours, prêter peu, et porter la bride courte aux soupçons[f] : la crainte et la défiance attirent l'offense et la convient. Le plus défiant de nos Rois[4], établit ses affaires, principalement pour avoir volontairement abandonné et commis[g] sa vie, et sa liberté, entre les mains de ses ennemis, montrant avoir entière fiance[h] d'eux, afin qu'ils la prissent de lui. À ses légions mutinées et armées contre lui, Cæsar opposait seulement l'autorité de son visage, et la fierté de ses paroles : et se fiait tant à soi et à sa fortune, qu'il ne craignait point de l'abandonner et commettre à une armée séditieuse et rebelle.

[Stetit aggere fulti]
Cespitis, intrepidus vultu, meruitque timeri
Nil metuens[i5].

Mais il est bien vrai, que cette forte assurance, ne se peut représenter[j] bien entière, et naïve[k], que par ceux auxquels l'imagination de la mort, et du pis qui

a. circonvenir – *b.* fraîchement conquise et encore mal contrôlée – *c.* se confier – *d.* « Le plus souvent, la confiance oblige à la confiance. » – *e.* Pour – *f.* ne pas être trop soupçonneux – *g.* confié – *h.* confiance – *i.* « Il demeura droit sur un tertre de gazon, le visage intrépide et, ne craignant rien, il mérita d'être craint. » – *j.* montrer – *k.* naturelle

peut advenir après tout, ne donne point d'effroi : car de la présenter tremblante, encore douteuse et incertaine, pour le service d'une importante réconciliation, ce n'est rien faire qui vaille. C'est un excellent moyen de gagner le cœur et volonté d'autrui, de s'y aller soumettre et fier, pourvu que ce soit librement, et sans contrainte d'aucune nécessité, et que ce soit en condition, qu'on y porte[a] une fiance pure et nette, le front au moins déchargé de tout scrupule[b]. Je vis en mon enfance, un Gentilhomme commandant à une grande ville, empressé à l'émotion[c] d'un peuple furieux[1] : Pour éteindre ce commencement de trouble, il prit parti de sortir d'un lieu très assuré où il était, et se rendre à cette tourbe[d] mutine : d'où mal lui prit, et y fut misérablement tué. Mais il ne me semble pas que sa faute fut tant, d'être sorti, ainsi qu'ordinairement on le reproche à sa mémoire, comme ce fut, d'avoir pris une voie de soumission, et de mollesse : et d'avoir voulu endormir cette rage, plutôt en suivant qu'en guidant, et en requérant plutôt qu'en remontrant : et estime qu'une gracieuse sévérité, avec un commandement militaire plein de sécurité[e], de confiance, convenable à son rang, et à la dignité de sa charge, lui eût mieux succédé[f], au moins avec plus d'honneur, et de bienséance. Il n'est rien moins espérable de ce monstre[g] ainsi agité, que l'humanité et la douceur, il recevra[h] bien plutôt la révérence et la crainte. Je lui reprocherais aussi, qu'ayant pris une résolution, plutôt brave, à mon gré, que téméraire, de se jeter faible et en pourpoint, emmi[i] cette mer tempétueuse d'hommes insensés, il la devait avaler toute[j], et n'abandonner ce

a. apporte – *b.* méfiance – *c.* confronté à l'émeute – *d.* foule – *e.* d'assurance – *f.* réussi – *g.* la foule révoltée – *h.* éprouvera – *i.* sans armure parmi – *j.* poursuivre jusqu'au bout

personnage[a] : Là où il lui advint après avoir reconnu le danger de près, de saigner du nez[b] : et d'altérer encore [depuis] cette contenance démise et flatteuse, qu'il avait entreprise[c], en une contenance effrayée : chargeant sa voix et ses yeux d'étonnement et de pénitence. Cherchant à conniller[d] et se dérober, il les enflamma et appela sur soi. On délibérait de faire une montre[e] générale de diverses troupes en armes[1] (c'est le lieu des vengeances secrètes, et n'est point[f] où en plus grande sûreté on les puisse exercer). Il y avait publiques et notoires apparences, qu'il n'y faisait pas fort bon pour aucuns[g], auxquels touchait la principale et nécessaire charge de les reconnaître[h]. Il s'y proposa divers conseils[i], comme en[j] chose difficile, et qui avait beaucoup de poids et de suite[k] : le mien fut, qu'on évitât surtout de donner aucun témoignage de ce doute, et qu'on s'y trouvât et mêlât parmi les files, la tête droite, et le visage ouvert, et qu'au lieu d'en retrancher aucune chose[l] (à quoi les autres opinions visaient le plus) qu'au contraire, on sollicitât les capitaines d'avertir les soldats de faire leurs salves belles et gaillardes en l'honneur des assistants, et n'épargner leur poudre. Cela servit de gratification envers ces troupes suspectes, et engendra dès lors en avant[m] une mutuelle et utile confiance. La voie qu'y tint Julius Cæsar, je trouve que c'est la plus belle, qu'on y puisse prendre[2]. Premièrement il essaya par clémence et douceur, à se faire aimer de ses ennemis mêmes, se contentant aux conjurations, qui lui étaient découvertes, de déclarer simplement qu'il en était averti : cela fait, il prit une très noble résolution, d'attendre sans effroi et sans sollicitude[n],

a. cette attitude – *b*. faiblir – *c*. cette attitude rabaissée et obséquieuse qu'il avait adoptée – *d*. fuir comme un lapin – *e*. revue – *f*. il n'y a pas d'endroit – *g*. certains – *h*. de les inspecter – *i*. avis – *j*. car c'était une – *k*. conséquences – *l*. d'abréger le protocole – *m*. dorénavant – *n*. souci

ce qui lui en pourrait advenir, s'abandonnant et se remettant à la garde des dieux et de la fortune : car certainement c'est l'état où il était quand il fut tué. Un étranger[1] ayant dit et publié partout, qu'il pourrait instruire Dionysius Tyran de Syracuse, d'un moyen de sentir et découvrir en toute certitude, les parties[a] que ses sujets machineraient contre lui, s'il lui voulait donner une bonne pièce d'argent, Dionysius en étant averti, le fit appeler à soi, pour l'éclaircir d'un art si nécessaire à sa conservation : cet étranger, lui dit, qu'il n'y avait pas d'autre art, sinon qu'il lui fît délivrer un talent, et se vantât d'avoir appris de lui un singulier secret. Dionysius trouva cette invention bonne, et lui fit compter six cents écus. Il n'était pas vraisemblable, qu'il eût donné si grande somme à un homme inconnu, qu'en[b] récompense d'un très utile apprentissage, et servait cette réputation[c] à tenir ses ennemis en crainte. Pourtant[d] les Princes sagement publient les avis qu'ils reçoivent des menées qu'on dresse contre leur vie, pour faire croire qu'ils sont bien avertis, et qu'il ne se peut rien entreprendre de quoi ils ne sentent le vent. [Le] duc d'Athènes fit plusieurs sottises en l'établissement de sa fraîche[e] tyrannie sur Florence : mais cette-ci la plus notable, qu'ayant reçu le premier avis des monopoles[f] que [ce] peuple dressait contre [lui], par Matteo di Morozo complice d'icelles[g], il le fit mourir pour supprimer cet avertissement et ne faire sentir qu'aucun[h] en la ville se pût ennuyer de son juste gouvernement[2]. Il me souvient avoir lu autrefois l'histoire de quelque Romain[3], personnage de dignité, lequel fuyant la tyrannie du Triumvirat, avait échappé mille fois les[i] mains de

a. complots – *b*. sinon en – *c*. cette opinion servait – *d*. C'est pourquoi – *e*. récente – *f*. complots – *g*. de ces menées – *h*. qu'on ne sache pas que quelqu'un – *i*. aux

ceux, qui le poursuivaient, par la subtilité de ses inventions[a] : Il advint un jour, qu'une troupe de gens de cheval[b], qui avait charge de le prendre, passa tout joignant[c] un hallier, où il s'était tapi, et faillit de le découvrir : mais lui sur ce point-là[d], considérant la peine et les difficultés, auxquelles il avait déjà si longtemps duré[e], pour se sauver des continuelles et curieuses[f] recherches, qu'on faisait de lui partout, le peu de plaisir qu'il pouvait espérer d'une telle vie, et combien il lui valait mieux passer une fois le pas, que demeurer toujours en cette transe, lui-même les rappela et leur trahit sa cachette, s'abandonnant volontairement à leur cruauté, pour ôter eux et lui d'une plus longue peine. D'appeler les mains ennemies, c'est un conseil[g] un peu gaillard, si[h] crois-je, qu'encore vaudrait-il mieux le prendre, que de demeurer en la fièvre continuelle d'un accident, qui n'a point de remède. Mais puisque les provisions[i] qu'on y peut apporter sont pleines d'inquiétude, et d'incertitude, il vaut mieux d'une belle assurance se préparer à tout ce qui en pourra advenir, et tirer quelque consolation de ce qu'on n'est pas assuré qu'il advienne.

a. ruses – *b.* cavaliers – *c.* à côté d'un – *d.* à ce moment-là – *e.* résisté – *f.* soigneuses – *g.* un parti – *h.* cependant – *i.* précautions

Du pédantisme

CHAP. XXV

Je me suis souvent dépité en mon enfance, de voir ès[a] comédies Italiennes[1], toujours un pedante pour badin[b], Et le surnom de magister[c], n'avait guère plus honorable signification parmi nous. Car leur étant donné en gouvernement et en garde, que pouvais-je moins faire[d] que d'être jaloux de leur réputation ? Je cherchais bien de les excuser par[e] la disconvenance naturelle qu'il y a entre le vulgaire, et les personnes rares et excellentes en jugement, et en savoir : D'autant qu'ils vont un train entièrement contraire les uns des autres. Mais en ceci perdais-je mon latin, que les plus galants hommes[f] c'étaient ceux qui les avaient le plus à mépris[g], témoin notre bon du Bellay.

Mais je hais par sur tout un savoir pédantesque[2].

Et est cette coutume ancienne : Car Plutarque dit que Grec et écolier, étaient mots de reproche entre les Romains, et de mépris[3]. Depuis avec l'âge j'ai trouvé qu'on avait une grandissime raison, et que *magis magnos clericos, non sunt magis magnos sapientes*[h][4].

a. dans les – *b*. un professeur tourné en ridicule – *c*. le nom de maître – *d*. faire de moins – *e*. à les défendre en alléguant – *f*. les esprits les plus distingués – *g*. qui les méprisaient le plus – *h*. « les plus grands clercs ne sont pas les plus grands sages. »

Mais d'où il puisse advenir qu'une âme riche de la connaissance de tant de choses, n'en devienne pas plus vive, et plus éveillée, Et qu'un esprit grossier et vulgaire puisse loger en soi, sans s'amender, les discours et les jugements des plus excellents esprits, que le monde ait porté, j'en suis encore en doute[a]. À recevoir tant de cervelles étrangères, et si fortes, et si grandes, il est nécessaire (me disait une fille[b], la première de nos Princesses[1], parlant de quelqu'un) que la sienne se foule, se contraigne et rapetisse, pour faire place aux autres. Je dirais volontiers, que comme les plantes s'étouffent de trop d'humeur[c] et les lampes de trop d'huile, aussi[d] l'action de l'esprit par trop d'étude et de matière. Lequel saisi et embarrassé d'une grande diversité de choses, perde[e] le moyen de se démêler. Et que cette charge le tienne courbe et croupi[f]. Mais il en va autrement, car notre âme s'élargit d'autant plus qu'elle se remplit, Et aux exemples des vieux temps, il se voit tout au rebours, des suffisants hommes aux maniements des choses publiques[g], des grands capitaines, et grands conseillers aux affaires d'État, avoir été ensemble[h] très savants. Et quant aux philosophes retirés de toute occupation publique, ils ont été aussi quelquefois à la vérité méprisés, par la liberté Comique[i] de leur temps[2][, leurs opinions et façons les rendant ridicules]. Les voulez-vous faire juges des droits d'un procès, des actions d'un homme ? Ils en sont bien prêts. Ils cherchent encore s'il y a vie, s'il y a mouvement, si l'homme est autre chose qu'un [bœuf], que[j] c'est qu'agir et souffrir. Quelles bêtes ce sont que lois et justice. Parlent-ils du magistrat ou parlent-ils à lui ? C'est d'une liberté irrévérente et incivile[k]. Oient-ils louer leur

a. je l'ignore toujours – *b.* une jeune fille – *c.* d'eau – *d.* de même s'étouffe – *e.* perd – *f.* le tient courbé et recroquevillé – *g.* des responsables politiques capables – *h.* aussi – *i.* des auteurs comiques – *j.* ce que – *k.* sur un ton insolent

prince ou un roi, c'est un pâtre pour eux. Oisif comme un pâtre : occupé à pressurer[a] et tondre ses bêtes, mais bien plus rudement qu'un pâtre[1]. En estimez-vous quelqu'un plus grand pour posséder deux mille arpents de terre ? eux s'en moquent, accoutumés d'embrasser tout le monde comme leur possession. Vous vantez-vous de votre noblesse pour compter sept aïeux riches : ils vous estiment de peu : ne concevant l'image universelle de nature[b] : et combien chacun [de] nous a eu de prédécesseurs[c] : riches, pauvres, rois, valets, grecs et barbares. Et quand vous seriez cinquantième descendant de Hercules, ils vous trouvent vain de faire valoir ce présent de la fortune. Ainsi les dédaignait le vulgaire comme ignorants[d] les premières choses[e] et communes, [et] comme présomptueux et insolents. Mais cette peinture platonique[f2] est bien éloignée de celle qu'il faut [à] nos gens[g]. On enviait ceux-là[h], comme étants[i] au-dessus de la commune façon, comme méprisants les actions publiques, comme ayants dressé une vie particulière et inimitable, réglée à[j] certains discours hautains et hors d'usage : Ceux-ci[k] on les dédaigne, comme étants au-dessous de la commune façon, comme incapables des charges publiques, comme traînants une vie et des mœurs basses et viles après le vulgaire.

Odi homines ignava opera, philosopha sententia[l3].

Quant à ces philosophes[m], dis-je, comme ils étaient grands en science, ils étaient encore plus grands en toute action. Et tout ainsi qu'on dit de ce Geometrien de Siracuse[4], lequel ayant été détourné de sa contemplation, pour en mettre quelque chose en pratique, à[n] la défense de son pays, qu'il mit soudain en train

a. traire – *b.* ils vous méprisent, parce que vous ne concevez pas l'univers dans son ensemble – *c.* d'ancêtres – *d.* parce qu'ils ignoraient – *e.* les choses élémentaires – *f.* la description qui précède, tirée de Platon – *g.* à nos contemporains – *h.* les pédants du passé – *i.* parce qu'ils étaient – *j.* selon – *k.* les pédants d'aujourd'hui – *l.* « Je hais les hommes qui sont lâches dans leurs actes et philosophes en paroles. » – *m.* les savants de l'Antiquité – *n.* pour

des engins épouvantables, et des effets surpassant toute créance[a] humaine : dédaignant toutefois lui-même toute cette sienne manufacture[b] : et pensant en cela avoir corrompu la dignité de son art, de laquelle ses ouvrages n'étaient que l'apprentissage et le jouet. Aussi eux[c], si quelquefois on les a mis à la preuve[d] de l'action, on les a vu voler d'une aile si haute, qu'il paraissait bien leur cœur, et leur âme[e], s'être merveilleusement grossie et enrichie[f] par l'intelligence des choses. Mais aucuns[g] voyant la place du gouvernement politique saisie par hommes incapables s'en sont reculés[h], et celui qui demanda à Crates jusques à quand il faudrait philosopher en reçut cette réponse : jusques à tant que ce ne soient plus des âniers qui conduisent nos armées[1]. Heraclytus résigna[i] la royauté à son frère : Et aux Ephésiens qui lui reprochaient à quoi il passait son temps à jouer avec les enfants devant le temple : vaut-il pas mieux faire ceci que gouverner [les] affaires en votre compagnie[2] ? D'autres ayant leur imagination logée au-dessus de la fortune et du monde, trouvèrent les sièges de la justice, et les trônes mêmes des Rois, bas et vils. Et refusa Empedocles[j] la Royauté que les Agrigentins lui offrirent[3]. Thales, accusant quelquefois le soin du ménage et de s'enrichir[k], on lui reprocha que c'était à la mode du renard[4], pour n'y pouvoir advenir[l]. Il lui prit envie par passe-temps d'en montrer l'expérience[m] : et ayant pour ce coup ravalé son savoir au service du profit et du gain, dressa une trafic, qui dans un an[n] rapporta telles richesses, qu'à peine en toute leur vie, les plus expérimentés de ce métier-là, en pouvaient faire de

a. croyance – *b.* ses réalisations techniques – *c.* ces philosophes antiques – *d.* à l'épreuve – *e.* que leur cœur et leur âme paraissaient bien – *f.* grandis et enrichis – *g.* certains – *h.* éloignés – *i.* renonça à – *j.* Empédocle refusa – *k.* critiquant une fois le souci des affaires et de l'enrichissement – *l.* parvenir – *m.* d'en faire publiquement l'essai – *n.* un commerce, qui en un an

pareilles[1]. Ce qu'Aristote[2] récite d'aucuns[a] qui appelaient et celui-là et Anaxagoras et leurs semblables sages et non prudents, pour n'avoir assez de soin des choses plus utiles, outre ce que je ne digère[b] [pas] bien cette différence de [mots], cela ne sert point d'excuse [à] mes gens[c] : et à voir la basse et nécessiteuse fortune de quoi ils se payent[d], nous aurions plutôt occasion [de] prononcer tous les deux[e], qu'ils sont et non sages et non prudents. Je quitte cette première raison[f], et crois qu'il vaut mieux dire, que ce mal vienne[g] de leur mauvaise façon de se prendre aux sciences : Et qu'à la mode de quoi[h] nous sommes instruits, il n'est pas merveille[i], si ni les écoliers, ni les maîtres n'en deviennent pas plus habiles, quoiqu'ils s'y fassent plus doctes. De vrai le soin et la dépense de nos pères, ne vise qu'à nous meubler la tête de science : du jugement et de la vertu, peu de nouvelles. Criez d'un passant à notre peuple. Ô le savant homme. Et d'un autre. Ô le bon homme. Il ne faudra[j] pas de tourner les yeux et son respect vers le premier[3]. Il y faudrait un tiers crieur[k]. Ô les lourdes têtes. Nous nous enquérons volontiers, sait-il du Grec ou du Latin ? écrit-il en vers ou en prose ? mais s'il est devenu meilleur ou plus avisé, c'était le principal, et c'est ce qui demeure derrière[l]. Il fallait s'enquérir qui est mieux savant, non qui est plus savant[4]. Nous ne travaillons qu'à remplir la mémoire, et laissons l'entendement et la conscience vide. Tout ainsi que les oiseaux vont quelquefois à la quête du grain, et le portent au bec sans le tâter[m], pour en faire becquée à leurs petits[5] : ainsi nos pedantes vont pillotant[n] la science dans les livres, et ne la logent

a. raconte à propos de certains – *b.* je ne saisis – *c.* aux pédants dépourvus d'esprit pratique – *d.* dont ils se satisfont – *e.* nous aurions raison de dire à la fois – *f.* cette première explication possible de la sottise des pédants – *g.* vient – *h.* étant donné la façon dont – *i.* pas étonnant – *j.* manquera – *k.* il faudrait qu'un troisième leur crie – *l.* au second plan – *m.* goûter – *n.* de même nos pédants vont picorant

qu'au bout de leurs lèvres, pour la dégorger seulement, et mettre au vent[a]. C'est merveille combien proprement la sottise se loge sur mon exemple[b]. Est-ce pas faire de même, ce que je fais en la plupart de cette composition[c] ? Je m'en vais écorniflant par-ci par-là des livres les sentences[d] qui me plaisent, non pour les garder, car je n'ai point de gardoires[e], mais pour les transporter en cettui-ci, où à vrai dire, elles ne sont non plus[f] miennes qu'en leur première place. Nous ne sommes, ce crois-je savants que de la science présente : non de la passée : aussi peu que de la future. Mais qui pis est, leurs écoliers et leurs petits[g], ne s'en nourrissent et alimentent non plus : ains elle[h] passe de main en main, pour cette seule fin, d'en faire parade, d'en entretenir autrui, et d'en faire des contes : comme une vaine monnaie inutile à tout autre usage et emploi, qu'à compter et jeter[i 1]. *Apud alios loqui didicerunt, non ipsi secum*[j 2]. *Non est loquendum, sed gubernandum*[k 3]. Nature, pour montrer qu'il n'y a rien de sauvage, en ce qui est conduit par elle, fait naître ès nations moins cultivées par art[l], des productions d'esprit souvent [qui] luttent[m] les plus artistes productions[4]. Comme sur mon propos, le proverbe Gascon [est]-il délicat[n] : Bouha prou bouha, mas a remuda lous dits qu'em. Souffler prou souffler : mais nous en sommes [à] remuer les doigts[o], tiré d'une chalemie[p]. Nous savons dire, Cicero dit ainsi, voilà les mœurs de Platon, ce sont les mots mêmes d'Aristote : mais nous que disons-nous nous-mêmes ? que jugeons-

a. la recracher et la disperser – *b.* cet exemple témoigne admirablement de ma propre sottise – *c.* ce que je fais dans la majeure partie de cet ouvrage – *d.* pillant çà et là dans les livres les formules qui me plaisent – *e.* répertoires – *f.* pas plus – *g.* les élèves des pédants – *h.* mais la science – *i.* comptabiliser à l'aide de jetons – *j.* « Ils ont appris à parler pour les autres et non à s'entretenir avec eux-mêmes. » – *k.* « Il ne s'agit pas de parler, mais de tenir le gouvernail. » – *l.* chez les peuples sauvages – *m.* rivalisent – *n.* le proverbe gascon est particulièrement pertinent pour mon propos – *o.* nous soufflons beaucoup, mais il s'agit de remuer les doigts pour bien jouer du chalumeau – *p.* chanson rustique

nous, que faisons-nous ? Autant en dirait bien un perroquet. Cette façon me fait souvenir de ce riche Romain[1], qui avait été soigneux à fort grande dépense de recouvrer des hommes suffisants[a] en tout genre de sciences, qu'il tenait continuellement autour de lui, afin que quand il écherrait[b] entre ses amis quelque occasion de parler d'une chose ou d'autre, ils supplissent[c] sa place, et fussent tous prêts à lui fournir, qui d'un discours, qui d'un vers d'Homère, chacun selon son gibier[d] : et pensait ce savoir être sien, parce qu'il était en la tête de ses gens : et comme font aussi ceux, desquels la suffisance[e] loge en leurs somptueuses librairies[f]. J'en connais à qui[g] quand je demande ce qu'il sait, il me demande un livre pour me le montrer : et n'oserait me dire qu'il a le derrière galeux, s'il [ne] va sur-le-champ étudier en [son] lexicon[h] que c'est que galeux et que c'est que derrière. Nous prenons en garde[i] les opinions et le savoir d'autrui, et puis c'est tout. Il les faut faire nôtres. Nous semblons[j] proprement celui, qui ayant besoin de feu, en irait querir chez son voisin, et y en ayant trouvé un beau et grand, s'arrêterait là à se chauffer, sans plus se souvenir d'en rapporter chez soi[2]. Que nous sert-il d'avoir la panse pleine de viande[k], si elle ne se digère, si elle ne se transforme en nous ? si elle ne nous augmente et fortifie ? Pensons-nous que Lucullus[3], que les lettres rendirent et formèrent si grand capitaine sans l'expérience[l], les eût prises à notre mode[m] ? Nous nous laissons si fort aller sur les bras d'autrui, que nous anéantissons nos forces. Me veux-je armer contre la crainte de la mort : c'est aux dépens de[n] Seneca. Veux-je tirer de la conso-

a. compétents – *b.* surviendrait – *c.* prissent ? – *d.* sa spécialité – *e.* compétence – *f.* bibliothèques – *g.* un à qui – *h.* dictionnaire – *i.* accumulons – *j.* nous ressemblons proprement à – *k.* nourriture – *l.* sans le secours de l'expérience – *m.* apprises à notre façon – *n.* en empruntant à

lation pour moi, ou pour un autre, je l'emprunte de Cicero. Je l'eusse prise en moi-même, si on m'y eût exercé. Je n'aime point cette suffisance relative[a] et mendiée. Quand bien[b] nous pourrions être savants du savoir d'autrui, au moins sages ne pouvons-nous être que de notre propre sagesse,

Μίσῶ σοφιστὴν, ὅστις οὐχ αὑτῷ σοφός[c][1].

Ex quo Ennius. Nequicquam sapere sapientem qui ipse sibi prodesse non quiret[d][2],

si cupidus, si
Vanus et Euganea quamtumvis vilior agna[e][3].

Non enim paranda nobis solum, sed fruenda sapientia est[f][4]. Dionisius se moquait des grammairiens qui ont soin de s'enquérir des maux d'Ulysse, et ignorent les propres[g] : des musiciens qui accordent [leurs] flûtes et n'accordent pas leurs mœurs : des orateurs qui étudient à dire justice : [non] à la faire[5]. Si notre âme n'en va un meilleur branle[h], si nous n'en avons le jugement plus sain, j'aimerais aussi cher[i] que mon écolier eût passé le temps à jouer à la paume, au moins le corps en serait plus allègre. Voyez-le revenir de là, après quinze ou seize ans employés, il n'est rien si malpropre à mettre en besogne, Tout ce que vous y reconnaissez d'avantage[j], c'est que son Latin et son Grec l'ont rendu plus fier et plus outrecuidé, qu'il n'était parti de la maison. Il en devait rapporter l'âme pleine, il ne l'en rapporte que bouffie. [Et] l'a seulement enflée [en] lieu de la grossir. Ces maîtres ici[k], comme Platon dit des sophistes, leurs germains[l], sont de tous les hommes ceux qui promettent d'être les plus utiles aux hommes, et seuls entre tous les hommes,

a. cette compétence dépendante – *b.* Quand bien même – *c.* « Je hais le sage qui n'est pas sage pour soi-même. » – *d.* « D'où le mot d'Ennius : un sage qui ne saurait être utile à lui-même serait sage pour rien » – *e.* « s'il est cupide, s'il est vain, et plus vil qu'une agnelle d'Euganée. » – *f.* « car il nous faut non seulement acquérir la sagesse, mais aussi en profiter. » – *g.* les leurs – *h.* mouvement – *i.* autant – *j.* comme avantage – *k.* ces professeurs-là – *l.* frères

qui non seulement n'amendent point ce qu'on leur commet[a] comme fait un charpentier et un maçon, mais l'empirent et se font payer de l'avoir empiré[1]. Si la loi que Protagoras proposait à ses disciples était suivie[2] : ou qu'ils le payassent selon son mot[b], ou qu'ils jurassent au temple combien ils estimaient le profit qu'ils avaient reçu de [ses] disciplines[c], et selon icelui[d] satisfissent sa peine, mes pédagogues se trouveraient choués[e], s'étant remis au serment de mon expérience[f]. Mon vulgaire Périgourdin[g] appelle fort plaisamment *Lettreférits* ces savanteaux, comme si vous disiez lettre-férus[h], auxquels les lettres ont donné un coup de marteau, comme on dit. De vrai le plus souvent ils semblent être ravalés, même du sens commun[i]. Car le paysan et le cordonnier vous leur voyez aller simplement et naïvement leur train, parlant de ce qu'ils savent : ceux-ci pour se vouloir élever et gendarmer[j] de ce savoir, qui nage en la superficie de leur cervelle, vont s'embarrassant, et empêtrant sans cesse. Il leur échappe de belles paroles, mais qu'un autre les accommode[k] : Ils connaissent bien Galien[3], mais nullement le malade. Ils vous ont déjà rempli la tête de lois, et si[l] n'ont encore conçu le nœud de la cause[m]. Ils savent la théorique[n] de toutes choses, cherchez qui la mette en pratique. J'ai vu chez moi un mien ami, par manière de passe-temps, ayant affaire à un de ceux-ci[o], contrefaire un jargon de galimatias, propos sans suite, tissu de pièces rapportées, sauf qu'il était souvent entrelardé de mots propres à leur dispute, amuser[p] ainsi tout un jour ce sot à débattre, pensant toujours répondre

a. n'améliorent pas le matériau qu'on leur confie – *b.* au prix qu'il avait fixé – *c.* de son enseignement – *d.* selon celui-ci – *e.* floués – *f.* si j'avais dû prêter serment sur mon expérience – *g.* le parler du Périgord – *h.* frappés, tapés par les lettres – *i.* ils semblent avoir perdu jusqu'au sens commun – *j.* faire les braves – *k.* les adapte à la circonstance – *l.* pourtant – *m.* saisi le nœud du problème – *n.* théorie – *o.* un pédant – *p.* tenir occupé

aux objections, qu'on lui faisait, Et si[a] était homme de lettres et de réputation, et qui avait une belle robe[b] :

Vos ô patritius sanguis quos vivere par est
Occipiti cæco, posticæ occurrite sannæ[c 1].

Qui regardera de bien près à ce genre de gens, qui s'étend bien loin, il trouvera comme moi, que le plus souvent ils ne s'entendent[d], ni autrui, et qu'ils ont la souvenance[e] assez pleine, mais le jugement entièrement creux : sinon que leur nature d'elle-même le leur ait autrement façonné. Comme j'ai vu Adrianus Turnebus[2], qui n'ayant fait autre profession que des lettres, en laquelle c'était à mon opinion, le plus grand homme, qui fut il y a[f] mille ans, n'avait toutefois rien de pédantesque que le port de sa robe, et quelque façon externe, qui pouvait n'être pas civilisée à la courtisane : qui sont choses de néant[g] : Et hais nos gens[h] qui supportent plus malaisément une robe qu'une âme de travers, et regardent à sa révérence[i], à son maintien et à ses bottes, quel homme il est. Car au-dedans c'était l'âme la plus polie du monde. Je l'ai souvent à mon escient[j] jeté en propos éloignés de son usage : il y voyait si clair, d'une appréhension[k] si prompte, d'un jugement si sain, qu'il semblait, qu'il n'eût jamais fait autre métier que la guerre, et affaires d'État. Ce sont natures belles et fortes,

queis arte benigna
Et meliore luto finxit præcordia Titan[l 3] :

a. pourtant – *b*. tenue des professeurs – *c*. « Ô vous, nobles patriciens, à qui il est égal de ne pas avoir d'yeux derrière la tête, ayez pourtant à l'esprit les grimaces qu'on fait dans votre dos. » – *d*. ne se comprennent pas eux-mêmes – *e*. la mémoire – *f*. depuis – *g*. c'est-à-dire rien d'important – *h*. nos contemporains – *i*. à sa manière de saluer – *j*. à dessein – *k*. conception – *l*. « dont le Titan a façonné la poitrine d'un art généreux et avec la meilleure argile »

qui se maintiennent au travers d'une mauvaise institution. Or ce n'est pas assez que notre institution ne nous gâte pas, il faut qu'elle nous change en mieux. Il y a aucuns[a] de nos Parlements, quand ils ont à recevoir des officiers[b], qui les examinent seulement sur la science : les autres y ajoutent encore l'essai du sens[c], en leur présentant le jugement de quelque cause. Ceux-ci me semblent avoir un beaucoup meilleur style[d] : Et encore que ces deux pièces[e] soient nécessaires, et qu'il faille qu'elles s'y trouvent toutes deux : si est-ce[f] qu'à la vérité celle du savoir est moins prisable[g], que celle du jugement. Cette-ci[h] se peut passer de l'autre, et non l'autre de cette-ci. Car comme dit ce vers Grec,

ὡς οὐδὲν ἡ μάθησις ἢν μὴ νοῦς παρῇ[i1].

À quoi faire la science, si l'entendement n'y est ? Plût à Dieu que pour le bien de notre justice, ces compagnies-là[j] se trouvassent aussi bien fournies d'entendement et de conscience, comme elles sont encore de science. *Non vitæ sed scholæ discimus*[k2]. Or il ne faut pas attacher le savoir à l'âme, il l'y faut incorporer : il ne l'en faut pas arroser, il l'en faut teindre[l3] : et s'il ne la change[m], et méliore son état imparfait, certainement il vaut beaucoup mieux le laisser là. C'est un dangereux glaive, et qui empêche et offense[n] son maître, s'il est en main faible, et qui n'en sache l'usage, *ut fuerit melius non didicisse*[o4]. À l'aventure[p] est-ce la cause, que et nous, et la Théologie ne requérons

a. certains – *b*. des magistrats – *c*. l'évaluation du raisonnement – *d*. une bien meilleure procédure – *e*. éléments – *f*. toujours est-il – *g*. estimable – *h*. Ce dernier – *i*. « Le savoir n'est rien si l'esprit ne l'accompagne. » – *j*. les parlements – *k*. « Nous n'apprenons pas pour la vie mais pour l'école. » – *l*. pas arroser en surface, mais teindre en profondeur – *m*. si le savoir ne change pas l'âme – *n*. qui embarrasse et blesse – *o*. « de telle sorte qu'il aurait mieux valu ne rien avoir appris. » – *p*. Peut-être

pas beaucoup de science aux femmes : Et que François Duc de Bretaigne fils de Jean cinquième, comme on lui parla de son mariage avec Isabeau fille d'Escosse, et qu'on lui ajouta qu'elle avait été nourrie[a] simplement et sans aucune instruction de lettres[b] : répondit, qu'il l'en aimait mieux : et qu'une femme était assez savante, quand elle savait mettre différence[c] entre la chemise et le pourpoint de son mari[1]. Aussi, ce n'est pas si grande merveille, comme on crie[d], que nos ancêtres n'aient pas fait grand état[e] des lettres : et qu'encore aujourd'hui elles ne se trouvent que par rencontre[f] aux principaux conseils de nos Rois : Et si cette fin de s'en enrichir, qui seule nous est aujourd'hui proposée, par le moyen de la Jurisprudence, de la Médecine, du pédantisme[g], et de la Théologie encore, ne les tenait en crédit, vous les verriez sans doute aussi marmiteuses qu'elles furent onques[h]. Quel dommage[i], si elles ne nous apprennent ni à bien penser, ni à bien faire ? *Postquam docti prodierunt, boni desunt*[j][2]. Toute autre science est dommageable à celui qui n'a la science de la bonté. Mais la raison[k] que je cherchais tantôt, serait-elle pas aussi de là[l] : que notre étude[m] en France n'ayant quasi autre but que le profit, [moins][n] de ceux que nature a fait naître à plus généreux offices que lucratifs[o], s'adonnant aux lettres, ou si courtement[p] : retirés avant que d'en avoir pris le goût à[q] une profession qui n'a rien de commun avec les livres, il ne reste plus ordinairement pour s'engager tout à fait à l'étude que les gens de basse fortune qui y quêtent des moyens à[r] vivre[3]. Et de ces

a. éduquée – *b.* sans lui apprendre les disciplines intellectuelles – *c.* pourvu qu'elle sache faire la différence – *d.* ce n'est pas si étonnant que l'on proclame – *e.* grand cas – *f.* par hasard – *g.* de l'enseignement – *h.* aussi misérables que jamais – *i.* qu'importe – *j.* « Depuis qu'il y a des doctes, il n'y a plus de gens de bien. » – *k.* l'explication du discrédit des savants – *l.* ne vient-elle pas de là – *m.* nos érudits – *n.* et que peu – *o.* pour des fonctions plus généreuses que lucratives (le métier des armes, réservé à la noblesse) – *p.* brièvement – *q.* dans – *r.* de

gens-là les âmes, étant et par nature et par domestique institution et exemple[a] du plus bas aloi[b], rapportent faussement le[c] fruit de la science. Car elle n'est pas pour donner jour à l'âme qui n'en a point[d] : ni pour faire voir un aveugle : son métier est non de lui fournir de vue[e] mais de la lui dresser : de lui régler ses allures pourvu qu'elle ait de soi les pieds et les jambes droites et capables. C'est une bonne drogue[f] que la science : mais nulle drogue n'est assez forte pour se préserver sans altération et corruption, selon le vice du vase qui l'estuie[g][1]. Tel a la vue claire, qui ne l'a pas droite : et par conséquent voit le bien et ne le suit pas : et voit la science et ne s'en sert pas. La principale ordonnance de Platon en sa *République*, c'est donner à ses citoyens selon leur nature, [leur charge[2]. Nature peut tout, et fait tout.] Les boiteux sont mal propres aux exercices du corps, [et aux exercices de l'esprit les âmes boiteuses. Les bâtardes et vulgaires sont indignes de la philosophie]. Quand nous voyons un homme mal chaussé, nous disons que ce n'est pas merveille, s'il est chaussetier[h]. De même il semble que l'expérience nous offre souvent un médecin plus mal médeciné, un théologien moins réformé, un savant moins suffisant[i] que tout autre. Aristo Chius avait anciennement raison de dire que les philosophes nuisaient aux auditeurs, d'autant que[j] la plupart des âmes ne se trouvent propres à faire leur profit de telle instruction : qui si elle ne se met[k] à bien se met à mal. *Asotos ex Aristippi, acerbos ex Zenonis schola exire*[l][3]. En cette belle institution[m] que Xenophon prête aux Perses, nous trouvons qu'ils apprenaient la vertu à leurs enfants, comme les autres nations font[n] les lettres[4]. Platon dit que [le fils aîné en leur succession royale, était ainsi nourri[o]. Après sa naissance, on le] donnait non à

a. par l'éducation et l'exemple qu'ils reçurent chez eux – *b.* de la plus faible valeur – *c.* donnent une fausse idée du – *d.* pour éclairer l'âme qui ne l'est pas – *e.* de lui donner la vue – *f.* un bon médicament – *g.* si le vase qui la recueille est vicié – *h.* ce n'est pas étonnant, s'il est fabricant de chausses – *i.* moins compétent – *j.* à ceux qui les écoutaient, dans la mesure où – *k.* s'utilise – *l.* « il sort des débauchés de l'école d'Aristippe, et des sauvages de celle de Zénon. » – *m.* éducation – *n.* leur apprennent – *o.* éduqué

des femmes mais à des Eunuques, de la première[a] autorité autour des Rois à cause de leur vertu. Ceux-ci prenaient charge de lui rendre le corps beau et sain et après sept ans le duisaient[b] à monter [à] cheval et aller à la chasse. Quand il était arrivé au quatorzième, ils le déposaient entre les mains de quatre : le plus sage, le plus juste, le plus tempérant, le plus vaillant de la nation. Le premier lui apprenait la religion. Le second à être toujours véritable[c]. Le tiers à se rendre maître des cupidités[d]. Le quart[e] à ne rien craindre[1]. C'est chose digne de très grande considération, qu'en cette excellente police[f] de Licurgus[2], et à la vérité monstrueuse[g] par sa perfection, si soigneuse pourtant de la nourriture[h] des enfants, comme de sa principale charge, et au gîte[i] même des Muses, il s'y fasse si peu de mention de la doctrine[j] : comme si cette généreuse jeunesse dédaignant tout autre joug que de la vertu, on lui ait dû fournir, au lieu de nos maîtres de science, seulement des maîtres de vaillance, prudence, et justice, exemple que Platon[3] en ses *Lois* a suivi. La façon de leur discipline[k], c'était leur faire des questions sur le jugement des hommes, et de leurs actions : et s'ils condamnaient et louaient, ou ce personnage, ou ce fait, il fallait raisonner leur dire, et par ce moyen ils aiguisaient ensemble leur entendement, et apprenaient le droit[4]. Astiages en[l] Xenophon, demande à Cyrus conte de sa dernière leçon : C'est dit-il, qu'en notre école un grand garçon ayant un petit saye[m], le donna à un de ses compagnons de plus petite taille, et lui ôta son saye, qui était plus grand : notre précepteur m'ayant fait juge de ce différend, je jugeai qu'il fallait laisser les choses en cet état, et que l'un et l'autre semblait être mieux accommodé en ce

a. de grande – *b.* l'habituaient – *c.* sincère – *d.* de ses désirs – *e.* quatrième – *f.* organisation politique – *g.* exceptionnelle – *h.* éducation – *i.* au pays – *j.* la science – *k.* leur façon d'enseigner – *l.* chez – *m.* manteau

point[a] : sur quoi il me remontra que j'avais mal fait, car je m'étais arrêté à considérer la bienséance[b], et il fallait premièrement avoir pourvu à la justice, qui voulait que nul ne fût forcé en ce qui lui appartenait[1]. Et dit qu'il en fut fouetté, tout ainsi que nous sommes en nos villages, pour avoir oublié le premier Aoriste de τύπτω[c]. Mon régent me ferait une belle harangue *in genere Demonstrativo*[d], avant qu'il me persuadât que son école vaut cette-là. Ils ont voulu couper chemin[e] : et puisqu'il est ainsi que les sciences, lors même qu'on les prend de droit fil[f], ne peuvent que nous enseigner la prudence, la prudhomie[g] et la résolution, ils ont voulu d'arrivée[h] mettre leurs enfants au propre des effets[i], et les instruire non par ouï-dire, mais par l'essai de l'action, en les formant et moulant vivement[j], non seulement de préceptes et paroles, mais principalement d'exemples et d'œuvres : afin que ce ne fût pas une science en leur âme, mais sa complexion et habitude : que ce ne fût pas un acquêt[k], mais une naturelle possession. À ce propos, on demandait à Agesilaus ce qu'il serait d'avis, que les enfants apprissent : ce qu'ils doivent faire étant hommes, répondit-il[2]. Ce n'est pas merveille, si une telle institution[l] a produit des effets si admirables. On allait, dit-on, aux autres Villes de Grece chercher des Rhétoriciens, des peintres et des Musiciens : mais en Lacedemone des législateurs, des magistrats, et empereurs d'armée : À Athenes on apprenait à bien dire, et ici à bien faire : là à se démêler d'un argument sophistique, et à rabattre l'imposture des mots cap-

a. ainsi – *b.* convenance – *c.* verbe grec signifiant « frapper », modèle de conjugaison – *d.* « en style démonstratif » (en forme d'éloge) – *e.* couper au plus court – *f.* même lorsqu'on les apprend dans l'ordre – *g.* l'honnêteté – *h.* d'emblée – *i.* aux prises avec la réalité – *j.* sur le vif – *k.* un acquis – *l.* Ce n'est pas étonnant si une telle éducation

tieusement entrelacés, ici à se démêler des appâts de la volupté, et à rabattre d'un grand courage[a] les menaces de la fortune et de la mort : ceux-là s'embesognaient[b] après les paroles, ceux-ci après les choses : là c'était une continuelle exercitation[c] de la langue, ici une continuelle exercitation de l'âme. Par quoi il n'est pas étrange, si Antipater leur demandant cinquante enfants pour otages, ils répondirent, tout au rebours[d] de ce que nous ferions, qu'ils aimaient mieux donner deux fois autant d'hommes faits, tant ils estimaient la perte de l'éducation de leur pays[1]. Quand Agesilaus convie Xenophon d'envoyer nourrir[e] ses enfants à Sparte, ce n'est pas pour y apprendre la Rhétorique, ou Dialectique : mais pour apprendre (ce dit-il) la plus belle science qui soit : à savoir la science d'obéir et de commander[2]. Il est très plaisant de voir Socrates, à sa mode[f], se moquant de Hippias[3] qui lui récite[g] comment il a gagné spécialement en certaines petites villettes de la Sicile bonne somme d'argent à régenter[h]. Et qu'à Sparte il n'a gagné pas un sol. Que ce sont gens idiots qui ne savent ni mesurer ni compter, ne font état[i] ni de grammaire ni de rythme. S'amusant seulement à savoir la suite des Rois, établissements et décadences des États, et tels fatras de contes. Et au bout de cela Socrates lui faisant avouer par le menu l'excellence de leur forme de gouvernement public, l'heur et vertu de leur vie, lui laisse deviner la conclusion de l'inutilité de ses arts. Les exemples nous apprennent, et en cette martiale police[j] et en toutes ses semblables, que l'étude des sciences amollit et efféminé les courages[k] plus qu'il ne les fermit et aguerrit. Le plus fort État qui paraisse pour le présent au monde est celui des Turcs : peuples également duits à l'estimation des armes et mépris[l] des lettres. Je trouve Rome plus vaillante avant qu'elle fût savante. Les plus belliqueuses nations en nos jours sont

a. cœur – *b.* s'affairaient – *c.* un entraînement – *d.* au contraire – *e.* éduquer – *f.* façon – *g.* raconte – *h.* enseigner – *i.* cas – *j.* sociétés – *k.* cœurs – *l.* habitués à l'estime des armes et au mépris

les plus grossières et ignorantes. Les Scithes, les Parthes, Tamburlan[1] nous servent à cette preuve[a]. Quand les Gots ravagèrent la Grece, ce qui sauva toutes les librairies[b] d'être passées au feu, ce fut un d'entre eux qui sema cette opinion, qu'il fallait laisser ce meuble entier aux ennemis, propre à les détourner de l'exercice militaire et amuser[c] à des occupations sédentaires et oisives. Quand notre Roi Charles huitième, sans tirer l'épée du fourreau, se vit maître du Royaume de Naples et d'une bonne partie de la Thoscane, les seigneurs de sa suite attribuèrent cette inespérée facilité de conquête à ce que les princes et la noblesse d'Italie s'amusaient plus à se rendre ingénieux et savants que vigoureux et guerriers[2].

a. à le prouver – *b*. bibliothèques – *c*. et à leur faire perdre du temps

De l'institution[a] des enfants, à Madame Diane de Foix, Comtesse de Gurson[1]

CHAP. XXVI

Je ne vis jamais père, pour teigneux ou bossé que fût son fils, qui laissât de l'avouer[b]. Non pourtant, s'il n'est du tout[c] enivré de cette affection, qu'il ne s'aperçoive de sa défaillance : mais tant y a[d] qu'il est sien. Aussi moi, je vois mieux que tout autre, que ce ne sont ici que rêveries d'homme, qui n'a goûté des sciences que la croûte première en son enfance, et n'en a retenu qu'un général et informe visage : un peu de chaque chose et rien du tout[e], à la Française. Car en somme, je sais qu'il y a une Médecine, une Jurisprudence, quatre parties en la Mathématique, et grossièrement ce à quoi elles visent : Et à l'aventure[f] encore sais-je la prétention des sciences en général au service de notre vie : mais d'y enfoncer plus avant, de m'être rongé les ongles[2] à l'étude d'Aristote, monarque de la doctrine[g] moderne, ou opiniâtré après quelque science, je ne l'ai jamais fait : ni n'est art de quoi je susse peindre seulement les premiers linéaments. Et n'est enfant des classes moyennes[h] qui ne se puisse dire plus savant que moi. Qui n'ai seulement pas de quoi l'examiner sur sa première leçon : au moins selon icelle[i]. Et si l'on m'y force :

a. éducation – *b*. qui cessât pour autant de le reconnaître pour sien – *c*. entièrement – *d*. toujours est-il – *e*. rien intégralement – *f*. peut-être – *g*. science – *h*. des classes intermédiaires du collège – *i*. au moins selon les principes de la discipline

je suis contraint, assez ineptement, d'en tirer quelque matière de propos universel, sur quoi[a] j'examine son jugement naturel. Leçon qui leur est autant inconnue, comme à moi, la leur. Je n'ai dressé commerce avec aucun livre solide, sinon Plutarque et Seneque, où je puise comme les Danaïdes[1], remplissant et versant sans cesse. J'en attache quelque chose à ce papier : à moi, si peu que rien. L'Histoire c'est plus mon gibier, ou la poésie, que j'aime d'une particulière inclination : Car, comme disait Cleantes, tout ainsi que[b] la voix contrainte dans l'étroit canal d'une trompette sort plus aiguë et plus forte, ainsi me semble-il que la sentence pressée aux pieds nombreux[c] de la poésie s'élance bien plus brusquement, et me fiert[d] d'une plus vive secousse. Quant aux facultés naturelles qui sont en moi, de quoi[e] c'est ici l'essai, je les sens fléchir sous la charge : Mes conceptions et mon jugement ne marche[f] qu'à tâtons, chancelant, bronchant et choppant[g] : Et quand je suis allé le plus avant que je puis, si[h] ne me suis-je aucunement satisfait : Je vois encore du pays au-delà : mais d'une vue trouble, et en[i] nuage, que je ne puis démêler : Et entreprenant de parler indifféremment de tout ce qui se présente à ma fantaisie[j], et n'y employant que mes propres et naturels moyens, s'il m'advient, comme il fait souvent, de rencontrer de fortune[k] dans les bons auteurs ces mêmes lieux[l], que j'ai entrepris de traiter, comme je viens de faire chez Plutarque tout présentement, son discours de la force de l'imagination[2] : à me reconnaître au prix de[m] ces gens-là, si faible et si chétif, si pesant et si endormi, je me fais pitié, ou dédain à moi-même. Si[n] me gratifié-je de ceci, que mes opinions ont cet

a. sur lequel – *b.* comme – *c.* rythmés – *d.* frappe – *e.* desquelles – *f.* marchent – *g.* trébuchant – *h.* encore – *i.* dans un – *j.* imagination – *k.* par hasard – *l.* lieux communs, thèmes – *m.* en comparaison avec – *n.* Pourtant

honneur de rencontrer souvent aux[a] leurs, et que je vais au moins de loin après, disant que voire[b]. Aussi que[c] j'ai cela, qu'un chacun[d] n'a pas, de connaître l'extrême différence d'entre eux et moi: Et laisse ce néanmoins[e] courir mes inventions ainsi faibles et basses, comme je les ai produites, sans en replâtrer et recoudre les défauts que cette comparaison m'y a découvert[1]: Il faut avoir les reins bien fermes pour entreprendre de marcher front à front avec[f] ces gens-là. Les écrivains indiscrets[g] de notre siècle, qui parmi leurs ouvrages de néant, vont semant des lieux entiers des anciens auteurs, pour se faire honneur, font le contraire[h]: Car cette infinie dissemblance de lustres rend[i] un visage si pâle, si terni, et si laid à ce qui est leur, qu'ils y perdent beaucoup plus qu'ils n'y gagnent. C'était deux contraires fantaisies[j]. Le philosophe Chrysippus mêlait à ses livres, non les passages seulement mais des ouvrages entiers d'autres auteurs, et en un, la *Médée* d'Euripides : et disait Apollodorus que qui en retrancherait[k] ce qu'il y avait d'étranger, son papier demeurerait en blanc[2]. Epicurus au rebours en trois cents volumes qu'il laissa n'avait pas semé une seule allégation étrangère[l][3]. Il m'advint l'autre jour de tomber sur un tel passage. J'avais traîné languissant après des paroles Françaises, si exsangues, si décharnées, et si vides de matière et de sens, que ce n'étaient vraiment que paroles Françaises: au bout d'un long et ennuyeux chemin, je vins à rencontrer une pièce haute, riche et élevée jusques aux nues: Si j'eusse trouvé la pente douce et la montée un peu allongée, cela eût été excusable: C'était un précipice si droit et si coupé que des six premières paroles[m] je connus que je m'envolais en l'autre monde: De là je décou-

a. les – *b.* en les approuvant – *c.* de ce que – *d.* que chacun – *e.* malgré cela – *f.* de front contre – *g.* sans discernement – *h.* s'attirent de la honte – *i.* cette différence d'éclat donne – *j.* deux idées contraires – *k.* si l'on en ôtait – *l.* une seule citation – *m.* dès les premiers mots

vris la fondrière d'où je venais, si basse et si profonde, que je n'eus onques plus[a] le cœur de m'y ravaler[b]. Si j'étoffais l'un de mes discours de ces riches dépouilles[c], il éclairerait par trop la bêtise des autres[d]. Reprendre en autrui mes propres fautes ne me semble non plus incompatible que de reprendre comme je fais souvent celles d'autrui en moi. Il les faut accuser[e] partout et leur ôter tout lieu de franchise[f]. Si[g] sais-je bien combien audacieusement j'entreprends moi-même à tous coups de m'égaler à mes larcins, d'aller pair à pair quant et eux[h], non sans une téméraire espérance que je puisse tromper les yeux des juges à les discerner[i]. Mais c'est autant par le bénéfice de mon application[j] que par le bénéfice de mon invention et de ma force. Et puis je ne lutte point en gros[k] ces vieux champions-là[l] : et corps à corps : c'est[m] par reprises, menues et légères atteintes. Je ne m'y aheurte[n] pas, je ne fais que les tâter : et ne vais point tant, comme je marchande d'aller[o]. Si je leur pouvais tenir palot[p] je serais honnête homme[q], car je ne les [entreprends[r]] que par où ils sont les plus raides. De faire ce que j'ai découvert d'aucuns[s], Se couvrir [des armes d'autrui, jusques à ne montrer pas seulement] le bout de ses doigts, conduire son dessein[t], comme il est aisé aux savants[u] [en une matière commune, sous les inventions anciennes, rapiécées par ci par là : à ceux qui les veulent cacher et faire propres[v], c'est premièrement injustice et lâcheté, que n'ayant rien en leur vaillant, par où se produire[w], ils cherchent à se présenter par une] valeur étrangère : et puis grande sottise se contentant par piperie[x] de s'acquérir l'ignorante approbation du vulgaire, se décrier[y] envers les

a. plus jamais – *b.* d'y redescendre – *c.* de citations remarquables des Anciens – *d.* des autres développements – *e.* il faut dénoncer les fautes – *f.* tolérance – *g.* Aussi – *h.* de faire jeu égal avec eux – *i.* à déceler mes emprunts – *j.* Grâce à ma façon d'intégrer ces emprunts – *k.* frontalement avec – *l.* les auteurs antiques – *m.* je les attaque plutôt – *n.* heurte – *o.* je ne m'engage pas autant que je le voudrais – *p.* tenir tête – *q.* un homme accompli – *r.* défie – *s.* chez certains auteurs – *t.* son propos – *u.* pour les érudits – *v.* quant à ceux qui veulent dissimuler leurs emprunts et les faire passer pour leurs inventions – *w.* n'ayant rien à eux pour se faire valoir – *x.* tromperie – *y.* de se déconsidérer

gens d'entendement qui hochent du nez notre incrustation empruntée[a], desquels seuls la louange a du poids. De[b] ma part il n'est rien que je veuille moins faire. [Je ne dis les autres, sinon pour d'autant plus me dire.] Ceci ne touche pas les centons qui se publient pour centons[c] : et j'en ai vu [de très ingénieux en mon temps : entre autres un, sous le nom de Capilupus : outre les anciens[1].] Ce sont des esprits qui se font voir [et par ailleurs et par là, comme Lipse en ce docte et laborieux[d] tissu de ses *Politiques*[2].] Quoi qu'il en soit, veux-je dire, et quelles que soient ces inepties[e], je n'ai pas délibéré[f] de les cacher, non plus qu'un mien portrait chauve et grisonnant, où le peintre aurait mis non un visage parfait, mais le mien. Car aussi ce sont ici mes humeurs et opinions: Je les donne, pour ce qui est en ma créance[g], non pour ce qui est à croire. Je ne vise ici qu'à découvrir moi-même, qui serai par aventure[h] autre demain, si nouveau apprentissage me change. Je n'ai point l'autorité d'être cru, ni ne le désire, me sentant trop mal instruit pour instruire autrui. Quelqu'un donc ayant vu l'article[i] précédent, me disait chez moi l'autre jour, que je me devais être un peu étendu sur le discours de l'institution[j] des enfants. Or Madame, si j'avais quelque suffisance[k] en ce sujet, je ne pourrais la mieux employer que d'en faire un présent à ce petit homme, qui vous menace de faire tantôt une belle sortie de chez vous (vous êtes trop généreuse[l] pour commencer autrement que par un mâle[3]). Car ayant eu tant de part à la conduite de votre mariage[4], j'ai quelque droit et intérêt à la grandeur et prospérité de tout ce qui en viendra: Outre ce que l'ancienne possession que vous avez sur ma servitude,

a. qui dénoncent notre emprunt d'un mouvement de tête – *b*. Pour – *c*. en tant que tels – *d*. élaboré – *e*. pour ineptes que soient ces considérations – *f*. choisi – *g*. pour ce que je crois – *h*. peut-être – *i*. le chapitre – *j*. sur le sujet de l'éducation – *k*. compétence – *l*. noble

m'oblige assez à désirer honneur, bien et avantage à tout ce qui vous touche[1]. Mais à la vérité, je n'y entends sinon cela, que la plus grande difficulté et importante de l'humaine science semble être en cet endroit, où il se traite de la nourriture et institution[a] des enfants. Tout ainsi qu'en[b] l'agriculture les façons[c] qui vont[d] avant le planter sont certaines et aisées, et le planter même. Mais depuis que[e] ce qui est planté vient à prendre vie : [à] l'élever il y a une grande variété de façons et difficulté. Pareillement aux hommes [il] y a peu d'industrie à[g] les planter mais depuis qu'ils sont nés on se charge d'un soin divers[h], plein d'embesognement et de crainte, à[i] les dresser et nourrir[j]. La montre[k] de leurs inclinations est si tendre en ce bas âge et si obscure : les promesses si incertaines et fausses, qu'il est malaisé d'y établir[l] aucun solide jugement. Voyez Cimon, voyez Themistocles et mille autres, combien ils se sont disconvenus[m] à eux-mêmes[2]. Les petits des ours, des chiens, montrent leur inclination naturelle, mais les hommes se jetant incontinent en des accoutumances, en des opinions, en des lois, se changent ou se déguisent facilement[3]. Si[n] est-il difficile de forcer les propensions naturelles : D'où il advient que par faute d'avoir bien choisi leur route, pour néant[o] se travaille-on souvent et emploie l'on beaucoup d'âge, à dresser des enfants aux choses, auxquelles ils ne peuvent prendre pied. Toutefois en cette difficulté, mon opinion est, de les acheminer toujours aux meilleurs choses et plus profitables, et qu'on se doit peu appliquer[p] à ces légères[q] divinations, et pronostics, que nous prenons des mouvements de leur enfance. Platon

a. l'éducation et instruction – *b*. Tout comme en – *c*. gestes – *d*. viennent – *e*. après que – *f*. pour – *g*. il faut peu d'effort pour – *h*. tout différent – *i*. pour – *j*. éduquer – *k*. manifestation – *l*. de formuler sur ces enfants – *m*. révélés autres – *n*. Toutefois – *o*. en vain – *p*. on ne doit pas prêter attention – *q*. inconsidérés

même en sa *République*[1] me semble leur donner beaucoup[a] d'autorité. Madame c'est un grand ornement que la science, et un outil de merveilleux service, notamment aux personnes élevées en tel degré de fortune, comme vous êtes. À la vérité elle n'a point son vrai usage en mains viles et basses. Elle est bien plus fière, de prêter ses moyens à conduire une guerre : à commander un peuple : à pratiquer l'amitié d'un prince, ou d'une nation étrangère, qu'à dresser un argument dialectique : où à plaider un appel : ou ordonner une masse de pilules. Ainsi Madame, parce que je crois que vous n'oublierez pas cette partie[b] en l'institution[c] des vôtres, vous qui en avez savouré la douceur, et qui êtes d'une race lettrée : Car nous avons encore les écrits de ces anciens Comtes de Foix[2], d'où monsieur le Comte votre mari et vous, êtes descendus : Et François monsieur de Candale[3], votre oncle en fait naître tous les jours d'autres, qui étendront la connaissance de cette qualité de votre famille, à plusieurs siècles. Je vous veux dire là-dessus une seule fantaisie, que j'ai contraire au commun usage : C'est tout ce que je puis conférer[d] à votre service en cela. La charge du gouverneur, que vous lui donnerez, du choix duquel dépend tout l'effet de son institution[e], elle a plusieurs autres grandes parties, mais je n'y touche point, pour n'y savoir rien apporter qui vaille : et de cet article, sur lequel je me mêle de lui donner avis, il m'en croira autant qu'il y verra d'apparence[f]. À un enfant de maison[g], qui recherche les lettres, non pour le gain (car une fin si abjecte, est indigne de la grâce et faveur des Muses, et puis elle regarde et dépend d'autrui) ni tant pour les commodités

a. trop – *b*. le savoir – *c*. l'éducation – *d*. apporter – *e*. éducation – *f*. qu'il y trouvera de raison – *g*. un enfant noble

externes[a], que pour les siennes propres, et pour s'en enrichir et parer au-dedans, ayant plutôt envie d'en tirer un habile homme, qu'un homme savant, je voudrais aussi qu'on fût soigneux de lui choisir un conducteur[b], qui eût plutôt la tête bien faite, que bien pleine, et qu'on y requît tous les deux, mais plus les mœurs et l'entendement que la science. Et qu'il se conduisît en sa charge d'une nouvelle manière. On ne cesse de criailler à nos oreilles, comme qui verserait[c] dans un entonnoir, et notre charge ce n'est que redire ce qu'on nous a dit. Je voudrais qu'il corrigeât cette partie : et que de belle arrivée[d], selon la portée de l'âme, qu'il a en main, il commençât à la mettre sur la montre[e], lui faisant goûter les choses, les choisir, et discerner d'elle-même. Quelquefois lui ouvrant chemin, quelquefois le lui laissant ouvrir. Je ne veux pas qu'il invente, et parle seul, je veux qu'il écoute son disciple parler à son tour. Socrates et depuis Archesilas faisaient premièrement parler leurs disciples et puis ils parlaient à eux[1]. *Obest plerumque iis qui discere volunt auctoritas eorum [qui] docent*[f][2]. Il est bon qu'il le fasse trotter devant lui pour juger de son train et juger jusques à quel point il se doit ravaler[g] pour s'accommoder à sa force. À faute de cette proportion[h] nous gâtons tout, et de la savoir choisir et s'y conduire bien mesurément, [c'est] l'une des plus ardues besognes que je sache : et est l'effet d'une haute âme [et] bien forte, savoir condescendre à ses allures puériles[i] [et] les guider. Je marche plus sûr [et] plus ferme à mont qu'à val[j]. Ceux [qui] comme porte notre usage, entreprennent d'une même leçon, et pareille mesure de conduite, régenter[k] plusieurs esprits [de] si diverses mesures et formes, [ce] n'est pas merveille[l]

a. pour les avantages extérieurs – *b.* guide – *c.* comme si l'on versait – *d.* d'emblée – *e.* la piste où l'on examine les chevaux – *f.* « Bien souvent l'autorité de ceux qui enseignent nuit à ceux qui veulent apprendre. » – *g.* baisser – *h.* Sans cette adaptation – *i.* à ses mouvements d'enfant – *j.* en montant qu'en descendant – *k.* de faire cours à – *l.* pas étonnant

si [en] tout un peuple d'enfants, ils en rencontrent à peine deux ou trois qui rapportent quelque juste fruit de leur discipline[a]. Qu'il ne lui demande pas seulement compte des mots de sa leçon, mais du sens et de la substance, et qu'il juge du profit qu'il aura fait, non par le témoignage de sa mémoire, mais de sa vie. Que ce qu'il viendra d'apprendre il le lui fasse mettre en cent visages, et accommoder à autant de divers sujets, pour voir s'il l'a encore bien pris et bien fait sien. Prenant l'instruction de son progrès des pédagogismes[b] de Platon. C'est témoignage[c] de crudité et indigestion que de regorger la viande[d] comme on l'a avalée : L'estomac n'a pas fait son opération, s'il n'a fait changer la façon et la forme, à ce qu'on lui avait donné à cuire[e]. Notre âme ne branle qu'à crédit[f] : liée et contrainte à l'appétit[g] des fantaisies d'autrui, serve et captivée[h] sous l'autorité de leur leçon. On nous a tant assujettis aux cordes[i], que nous n'avons plus de franches[j] allures : Notre vigueur et liberté est éteinte. *Nunquam tutelæ suæ fiunt*[k][1]. Je vis privément[l] à Pise un honnête homme, mais si Aristotélicien, que le plus général de ses dogmes est, que la touche[m] et règle de toutes imaginations[n] solides, et de toute vérité, c'est la conformité à la doctrine d'Aristote, que hors de là, ce ne sont que chimères et inanité : qu'il a tout vu et tout dit. Cette proposition, pour avoir été un peu trop largement et iniquement interprétée, le mit autrefois et tint longtemps en grand accessoire[o] à l'inquisition à Rome[2]. Qu'il lui fasse tout passer par l'étamine[p], et ne loge rien en sa tête par

a. enseignement – *b.* réglant la progression de ses leçons sur la pédagogie – *c.* symptôme – *d.* rendre la nourriture – *e.* digérer – *f.* ne bouge qu'en se fiant à autrui – *g.* au désir – *h.* captive – *i.* bridés – *j.* libres – *k.* « Ils ne deviennent jamais leur propre tuteur » – *l.* en privé – *m.* pierre de touche – *n.* idées – *o.* péril – *p.* Que le gouverneur soumette tout au filtre du jugement de son élève

simple autorité, et à crédit[a]. Les principes d'Aristote, ne lui soient principes[b], non plus que ceux des Stoïciens ou Épicuriens : Qu'on lui propose cette diversité de jugements : il choisira s'il peut : sinon il en demeurera en doute, Il n'y a que les fols[c] certains et résolus.

Che non men che saper dubbiar m'aggrada[d1].

Car s'il embrasse les opinions de Xenophon et de Platon, par son propre discours[e], ce ne seront plus les leurs, ce seront les siennes. Qui suit un autre, il ne suit rien. Il ne trouve rien, voire [il] ne cherche rien. *Non sumus sub rege, sibi quisque se vindicet*[f2]. Qu'il sache qu'il sait, au moins. Il faut qu'il emboive[g] leurs humeurs, non qu'il apprenne leurs préceptes : Et qu'il oublie hardiment s'il veut, d'où il les tient mais qu'il se les sache approprier. La vérité et la raison sont communes à un chacun[h], et ne sont non plus à qui les a dites premièrement[i], qu'à qui les dit après. Ce n'est non plus selon Platon que selon moi, puisque lui et moi l'entendons et voyons de même. Les abeilles pillotent[j] deçà delà les fleurs, mais elles en font après le miel, qui est tout leur, ce n'est plus thym, ni marjolaine[3] : Ainsi les pièces empruntées d'autrui, il les transformera et confondra[k], pour en faire un ouvrage tout sien : à savoir son jugement : Son institution[l], son travail et étude ne vise qu'à le former. Qu'il cèle[m] tout ce de quoi il a été secouru et ne produise[n] que ce qu'il en a fait. Les pilleurs, les emprunteurs mettent en parade leurs bâtiments, leurs achats, non pas ce qu'ils tirent d'autrui. Vous ne voyez pas les épices[o] d'un homme de parlement, vous voyez les alliances qu'il a gagnées et honneurs à ses enfants. Nul ne met

a. en se fiant à autrui – *b.* ne soient pas admis sans démonstration – *c.* que les sots qui soient – *d.* « Douter ne me plaît pas moins que savoir » – *e.* raisonnement – *f.* « Nous ne sommes pas en royauté, que chacun se revendique pour soi » – *g.* qu'il s'imbibe de – *h.* à tous – *i.* pas plus à qui les a énoncées d'abord – *j.* butinent – *k.* fusionnera – *l.* éducation – *m.* cache – *n.* montre – *o.* sommes traditionnellement versées par les parties aux juges

en compte public sa recette : chacun y met son acquêt[a]. Le gain de notre étude c'est en être devenu meilleur et plus sage. C'est disait Epicharmus l'entendement qui voit et qui ouït, c'est l'entendement qui approfite[b] tout, qui dispose tout, qui agit, qui domine et qui règne : toutes autres choses sont aveugles, sourdes et sans âme[1]. Certes nous le rendons servile et couard, pour ne lui laisser la liberté de rien faire de soi[c]. Qui demanda jamais à son disciple ce qu'il lui semble de la Rhétorique et de la Grammaire, de telle ou telle sentence de Ciceron ? On nous les plaque en la mémoire tout empennées[d], comme des oracles, où les lettres et les syllabes sont de la substance de la chose. Savoir par cœur n'est pas savoir : c'est tenir ce qu'on a donné en garde à sa mémoire. Ce qu'on sait droitement, on en dispose, sans regarder au patron, sans tourner les yeux vers son livre[2]. Fâcheuse suffisance[e], qu'une suffisance pure livresque ! Je m'attends[f] qu'elle serve d'ornement, non de fondement. Suivant l'avis de Platon : qui dit la fermeté, la foi, la sincérité être la vraie philosophie, les autres sciences et qui visent ailleurs, n'être que fard[3]. Je voudrais que le Paluël ou Pompée[4] ces beaux danseurs de mon temps, apprissent des cabrioles à les voir seulement faire, sans nous bouger de nos places, comme ceux-ci veulent instruire notre entendement, sans l'ébranler[g], ou qu'on nous apprît à manier un cheval ou une pique ou un luth ou la voix sans nous y exercer, comme ceux-ci nous veulent apprendre à bien juger et à bien parler sans nous exercer ni à parler ni à juger[5]. Or à cet apprentissage, tout ce qui se présente à nos yeux sert de livre suffisant : La malice[h] d'un page, la sottise d'un valet, un propos de table, ce sont autant de nouvelles matières[6]. À cette cause[i] le commerce

a. gain – *b*. fait son profit de – *c*. en ne lui laissant aucune liberté – *d*. comme des flèches – *e*. compétence – *f*. demande – *g*. le mettre en mouvement – *h*. méchanceté – *i*. Pour cela

des hommes y est merveilleusement propre, et la visite des pays étrangers. Non pour en rapporter seulement, à la mode de notre noblesse Française, combien de pas a[a] *Santa rotonda*[1], ou la richesse des caleçons de la *Signora Livia*[2], ou comme d'autres, combien le visage de Neron, de quelque vieille ruine de là, est plus long ou plus large, que celui de quelque pareille médaille. Mais pour en rapporter principalement les humeurs de ces nations et leurs façons, et pour frotter et limer notre cervelle contre celle d'autrui. Je voudrais qu'on commençât à le[b] promener dès sa tendre enfance : Et premièrement pour faire d'une pierre deux coups, par les nations voisines, où le langage est plus éloigné du nôtre, et auquel si vous ne la formez de bonne heure la langue ne se peut plier. Aussi bien est-ce une opinion reçue d'un chacun[c], que ce n'est pas raison de nourrir[d] un enfant au giron de ses parents : Cette amour naturelle les attendrit trop, et relâche, voire[e] les plus sages. Ils ne sont capables ni de châtier ses fautes, ni de le voir nourri grossièrement[f] comme il faut, et hasardeusement[g]. Ils ne le sauraient souffrir revenir[h] suant et poudreux de son exercice, boire chaud, boire froid, ni le voir sur un cheval rebours[i] : ni contre un rude tireur le fleuret au poing, ni la première arquebuse[j]. Car il n'y a remède, qui[k] en veut faire un homme de bien, sans doute[l] il ne le faut épargner en cette jeunesse : et[m] souvent choquer les règles de la médecine,

Vitamque sub dio et trepidis agat
In rebus[n][3].

a. mesure – *b.* mon élève – *c.* acceptée de tous – *d.* ce n'est pas bon d'éduquer – *e.* même – *f.* élevé durement – *g.* en prenant des risques – *h.* ils ne supporteraient pas qu'il revienne – *i.* rétif – *j.* manier l'arquebuse pour la première fois – *k.* si on – *l.* assurément – *m.* et il faut – *n.* « Qu'il passe ses jours en plein air et dans l'agitation. »

[Ce n'est pas assez de lui roidir l'âme ; il lui faut aussi roidir les muscles. Elle est] trop pressée si elle n'est secondée[a] et a trop à faire, de seule fournir[b] à deux offices. Je sais combien ahanne la mienne en compagnie d'un corps si tendre, si sensible, qui se laisse si fort aller sur elle. Et aperçois souvent en ma leçon[c], qu'en leurs écrits mes maîtres font valoir pour[d] magnanimité et force de courage des exemples qui tiennent volontiers plus de l'épaississure de la peau et dureté des os. J'ai vu des hommes, des femmes et des enfants ainsi nés qu'une bastonnade leur est moins qu'à moi une chiquenaude : qui ne remuent ni langue ni sourcil aux coups qu'on leur donne. Quand les Athlètes contrefont les philosophes en patience[e], c'est plutôt vigueur de nerfs[f] que de cœur. Or, l'accoutumance à porter le travail[g] est accoutumance à porter la douleur, *labor callum obducit dolori*[h][1]. Il le faut rompre à la peine et âpreté des exercices, pour le dresser à la peine et âpreté de la desloueure[i], de la colique, du cautère et de la geôle et de la torture. Car de ces dernières-ci encore peut-il être en prise : qui[j] regardent les bons selon le temps comme les méchants. Nous en sommes à l'épreuve[k]. Quiconque combat les lois menace les plus gens de bien d'escourgées et de la corde[l]. Et puis, l'autorité du gouverneur, qui doit être souveraine sur lui[m], s'interrompt et s'empêche[n] par la présence des parents. Joint[o] que ce respect que la famille lui porte, la connaissance des moyens et grandeurs de sa maison, ce ne sont à mon opinion pas légères incommodités en cet âge. En cette école du commerce des hommes, j'ai souvent remarqué ce vice, Qu'au lieu de prendre connaissance d'autrui, nous ne travaillons qu'à la donner de nous : et sommes plus en peine d'emploi-

a. si elle n'est aidée par le corps – *b.* faire face – *c.* en lisant – *d.* pour preuve de – *e.* endurance – *f.* muscles – *g.* à supporter la peine – *h.* « la peine endurcit la peau contre la douleur » – *i.* dislocation – *j.* Car à ces dernières aussi mon élève peut être exposé, car elles – *k.* Nous en faisons l'expérience. – *l.* le fouet et la pendaison – *m.* sur l'élève – *n.* est interrompue et entravée – *o.* Outre

ter[a] notre marchandise, que d'en acquérir de nouvelle. Le silence et la modestie, sont qualités très commodes à la conversation. On dressera cet enfant à être épargnant et ménager de sa suffisance[b], quand il l'aura acquise : À ne se formaliser point des sottises et fables qui se diront en sa présence. Car c'est une incivile importunité de choquer[c] tout ce qui n'est pas de notre appétit[d]. Qu'il se contente de se corriger soi-même, Et ne semble pas reprocher à autrui tout ce qu'il refuse à faire, ni contraster[e] aux mœurs publiques. *Licet sapere sine pompa, sine invidia*[f][1]. Fuie ces images[g] régenteuses et inciviles : et cette puérile ambition de vouloir paraître plus fin pour être autre, et tirer nom par répréhensions et nouvelletés[h]. Comme il n'affiert[i] qu'aux grands poètes d'user des licences de l'art, aussi [n'est-il] supportable qu'aux grandes âmes et illustres de se privilégier[j] au-dessus de la [coutume]. *Si quid Socrates et Aristippus contra morem et consuetudinem fecerint, idem sibi ne arbitretur licere : magnis enim illi et divinis bonis hanc licentiam assequebantur*[k][2]. On lui apprendra de n'entrer en discours et contestation, que où il verra un champion digne de sa lutte : Et là même à n'employer pas tous les tours qui lui peuvent servir, mais ceux-là seulement qui lui peuvent le plus servir. Qu'on le rende délicat[l] au choix et triage de ses raisons, et aimant la pertinence, et par conséquent la brièveté. Qu'on l'instruise surtout à se rendre, et à quitter[m] les armes à la vérité, tout aussitôt qu'il l'apercevra : Soit qu'elle naisse ès mains de son

a. de caser – *b.* science – *c.* critiquer – *d.* goût – *e.* s'opposer – *f.* « On peut être sage sans ostentation, sans être odieux » – *g.* Qu'il fuie cette apparence – *h.* se faire une réputation par la critique et la réforme – *i.* il ne convient – *j.* s'octroyer des privilèges – *k.* « Si Socrate ou Aristippe ont fait quelque chose contre les usages et contre la coutume, qu'il ne se croie pas autorisé à faire de même : cette licence leur était donnée en raison de leurs qualités extraordinaires et divines » – *l.* exigeant – *m.* rendre

adversaire, soit qu'elle naisse en lui-même par quelque ravisement[a]. Car il ne sera pas mis en chaise[b] pour dire un rôle prescrit. Il n'est engagé à aucune cause, que parce qu'il l'approuve. Ni ne sera du métier[c], où se vend à purs deniers comptants, la liberté de se pouvoir repentir et reconnaître[d]. *Neque ut omnia quæ præscripta et imperata sint defendat necessitate ulla cogitur*[e][1]. Si son gouverneur tient de mon humeur, il lui formera la volonté à être très loyal serviteur de son prince et très affectionné et très courageux, mais il lui refroidira l'envie de s'y attacher autrement que par un devoir public. Outre plusieurs autres inconvénients qui blessent notre franchise[f] par ces obligations particulières, le jugement d'un homme gagé et acheté, ou il est moins entier et moins libre ou il est taché et d'imprudence et d'ingratitude. Un courtisan ne peut avoir ni loi, ni volonté de dire et penser que favorablement d'un maître qui parmi tant de milliers d'autres sujets, l'a choisi pour le nourrir et élever de sa main. Cette faveur et utilité corrompent non sans quelque raison sa franchise et l'éblouissent. Pourtant[g] voit-on coutumièrement le langage de ces gens-là divers à tout autre [langage] d'un état[h], et de peu de foi[i] en telle matière. Que sa conscience et sa vertu, reluisent[j] en son parler et n'aient que la raison pour guide. Qu'on lui fasse entendre que de confesser la faute qu'il découvrira en son propre discours, encore qu'elle ne soit aperçue que par lui, c'est un effet de jugement et de sincérité, qui sont les principales parties[k] qu'il cherche. Que l'opiniâtrer et contester[l] sont qualités communes, plus apparentes aux[m] plus basses âmes : que se raviser [et] se corriger, abandonner [un] mauvais parti sur le cours [de] son

a. s'il change d'opinion – *b.* chaire – *c.* le métier d'avocat – *d.* de pouvoir se ressaisir et changer d'avis – *e.* « Aucune nécessité ne le contraint à défendre tout ce qui a été prescrit et ordonné » – *f.* liberté – *g.* C'est pourquoi – *h.* différent des langages des autres conditions sociales – *i.* peu fiable – *j.* apparaissent – *k.* qualités – *l.* le goût obstiné de la contestation – *m.* qui se voient davantage dans les

ardeur[a], ce sont qualités rares, fortes et philosophiques. On l'avertira, étant en compagnie, d'avoir les yeux partout : Car je trouve que les premiers sièges sont communément saisis par les hommes moins capables, et que les grandeurs de fortune ne se trouvent guère mêlées à la suffisance[b]. J'ai vu cependant qu'on s'entretenait au haut bout[c] d'une table, de la beauté d'une tapisserie, ou du goût de la malvoisie, se perdre beaucoup de beaux traits à l'autre bout. Il sondera la portée d'un chacun : un bouvier, un maçon, un passant : il faut tout mettre en besogne[d], et emprunter[e] chacun selon sa marchandise : car tout sert en ménage[f] : La sottise même, et faiblesse d'autrui lui sera instruction. À contrerôler[g] les grâces et façons d'un chacun, il s'engendrera[h] envie des bonnes, et mépris des mauvaises. Qu'on lui mette en fantaisie[i] une honnête curiosité de s'enquérir de toutes choses. Tout ce qu'il y aura de singulier autour de lui, il le verra. Un bâtiment, une fontaine, un homme, le lieu d'une bataille ancienne, le passage de Cæsar ou de Charlemaigne,

Quæ tellus sit lenta gelu, quæ putris ab æstu,
Ventus in Italiam quis bene vela ferat[j][1].

Il s'enquerra des mœurs, des moyens et des alliances de ce Prince, et de celui-là. Ce sont choses très plaisantes à apprendre, et très utiles à savoir. En cette pratique[k] des hommes, j'entends y comprendre et principalement, ceux qui ne vivent qu'en la mémoire des livres. Il pratiquera par le moyen des histoires,

a. dans le feu de la discussion – *b.* compétence – *c.* aux places d'honneur – *d.* utiliser – *e.* acheter à – *f.* dans une maison – *g.* enregistrer – *h.* il lui viendra – *i.* dans l'esprit – *j.* « Quelle terre est engourdie par le gel, quelle terre est réduite en poudre par la chaleur, quel vent pousse favorablement la voile vers l'Italie. » – *k.* fréquentation

ces grandes âmes des meilleurs siècles. C'est un vain étude qui veut[a] : mais qui veut aussi c'est un étude de fruit inestimable. Et le seul étude, comme dit Platon[1], que les Lacédémoniens eussent réservé à leur part[b]. Quel profit ne fera-il en cette part-là, à[c] la lecture des *Vies* de notre Plutarque[2] ? Mais que mon guide se souvienne où vise sa charge. Et qu'il n'imprime pas tant à son disciple la date de la ruine de Carthage que les mœurs de Hannibal et [de] Scipion : ni tant où mourut Marcellus, que pourquoi il fut indigne de son devoir, qu'il mourût là[3] : Qu'il ne lui apprenne pas tant les histoires, qu'à en juger. C'est à mon gré[d] entre toutes, la matière à laquelle nos esprits s'appliquent de plus diverse mesure[e]. [J'ai] lu en Tite Live cent choses que tel n'y a pas lu. Plutarque en y a lu cent, outre ce que j'y ai su lire : et à l'aventure[f] outre ce que l'auteur y avait mis. À d'aucuns[g] c'est un pur étude grammairien : à d'autres l'anatomie de la philosophie, en[h] laquelle les plus abstruses parties de notre nature se pénètrent[i]. Il y a dans Plutarque beaucoup de discours étendus, très dignes d'être sus, car à mon gré c'est le maître ouvrier de telle besogne. Mais il y en a mille qu'il n'a que touché simplement. Il guigne[j] seulement du doigt par où nous irons, s'il nous plaît : et se contente quelquefois de ne donner qu'une atteinte dans[k] le plus vif d'un propos. Il les faut arracher de là, et mettre en place marchande[l]. Comme ce sien mot, que les habitants d'Asie, servaient à un seul[m], pour ne savoir[n] prononcer une seule syllabe, qui est, non[4], donna peut-être, la matière, et l'occasion à la Boitie, de sa *Servitude Volontaire*. Cela même de lui

a. une vaine étude, si l'on veut – *b.* se soient réservé – *c.* en cette partie-là, de – *d.* selon moi – *e.* à des degrés variables – *f.* peut-être – *g.* Pour les uns – *h.* par – *i.* se comprennent – *j.* montre – *k.* d'effleurer – *l.* bien en vue – *m.* étaient esclaves d'un tyran seul – *n.* parce qu'ils ne savaient voir trier[a] une légère action en la vie d'un homme, ou un mot, qui semble ne porter pas: cela, c'est un discours. C'est dommage que les gens d'entendement, aiment tant la brièveté: sans doute leur réputation en vaut mieux, mais nous en valons moins: Plutarque aime mieux que nous le vantions de son jugement que de son savoir: il aime mieux nous laisser désir de soi que satiété. Il savait qu'ès[b] choses bonnes mêmes on peut trop dire: et que Alexandridas reprocha justement, à celui qui tenait aux Éphores[c] des bons propos, mais trop longs: Ô étranger, tu dis ce qu'il faut, autrement qu'il ne faut[1]. Ceux qui ont le corps grêle le grossissent d'embourrures[d]: ceux qui ont la matière exile[e], l'enflent de paroles. Il se tire une merveilleuse clarté pour le jugement humain de la fréquentation du monde. Nous sommes tous contraints[f] et amoncelés en nous, et avons la vue raccourcie à la longueur de notre nez. On demandait à Socrates d'où il était, il ne répondit pas d'Athenes, mais du monde[2]. Lui qui avait son imagination plus pleine et plus étendue, embrassait l'univers, comme sa ville: jetait ses connaissances, sa société et ses affections à tout le genre humain: Non pas comme nous, qui ne regardons que sous nous. Quand les vignes gèlent en mon village, mon prêtre en argumente[g] l'ire de Dieu sur la race humaine, et juge que la pépie en tienne déjà les Cannibales[h]. À voir nos guerres civiles, qui ne crie que cette machine[i] se bouleverse, et que le jour du jugement nous prend au collet: Sans s'aviser que plusieurs pires choses se sont vues, et que les dix mille parts[j] du monde ne laissent pas de galler le[k] bon temps cependant. Moi,

a. choisir – *b.* que dans les – *c.* magistrats de Sparte – *d.* avec de la bourre – *e.* grêle – *f.* serrés – *g.* y voit le signe de – *h.* que les Indiens du Brésil ont déjà soif – *i.* le monde – *j.* les autres parties – *k.* passer du

selon[a] leur licence et impunité, admire[b] de les voir si douces et molles. À qui il grêle sur la tête, tout l'hémisphère semble être en tempête et orage : Et disait le Savoyard[1], que si ce sot de Roi de France, eût su bien conduire sa fortune, il était homme pour devenir maître d'hôtel de son Duc. Son imagination ne concevait autre plus élevée grandeur, que celle de son maître. Nous sommes insensiblement tous en cette erreur, erreur de grande suite[c] [et] préjudice. Mais qui se présente[d] comme dans un tableau, cette grande image de notre mère nature en son entière majesté : qui lit en son visage, une si générale et constante variété : qui se remarque là-dedans, et non soi, mais tout un royaume, comme un trait d'une pointe très délicate : celui-là seul estime les choses selon leur juste grandeur. Ce grand monde, que les uns multiplient encore comme espèces sous un genre[2], c'est le miroir, où il nous faut regarder, pour nous connaître de bon biais[e]. Somme[f] je veux que ce soit le livre de mon écolier. Tant d'humeurs, de sectes, de jugements, d'opinions, de lois et de coutumes nous apprennent à juger sainement des nôtres : et apprennent[g] notre jugement à reconnaître son imperfection et sa naturelle faiblesse : qui[h] n'est pas un léger apprentissage. Tant de remuements d'état[i], et changements de fortune publique, nous instruisent à ne faire pas grand miracle[j] de la nôtre. Tant de noms, tant de victoires et conquêtes ensevelies sous l'oubliance[k], rendent ridicule l'espérance d'éterniser notre nom par la prise de dix argolets[l], et d'un pouillier[m], qui n'est connu que de sa chute. L'orgueil et la fierté de tant de pompes étran-

a. à voir – *b*. je m'étonne – *c*. conséquence – *d*. se représente – *e*. sous le bon angle – *f*. Bref – *g*. apprennent à – *h*. ce qui – *i*. révolutions – *j*. à ne pas nous étonner – *k*. dans l'oubli – *l*. archers – *m*. poulailler

gères, la majesté si enflée de tant de cours et de grandeurs, nous fermit[a] et assure la vue, à soutenir l'éclat des nôtres, sans ciller les yeux. Tant de milliasses[b] d'hommes enterrés avant nous, nous encouragent à ne craindre d'aller trouver si bonne compagnie en l'autre monde : Ainsi du reste. Notre vie, disait Pythagoras, retire[c] à la grande et populeuse[d] assemblée des jeux Olympiques. Les uns s'y exercent le corps pour en acquérir la gloire des jeux : d'autres y portent des marchandises à vendre pour le gain. Il en est, et qui ne sont pas les pires, lesquels ne cherchent autre fruit que de regarder comment et pourquoi chaque chose se fait, et être spectateurs de la vie des autres hommes, pour en juger et régler la leur[1]. Aux exemples, se pourront proprement assortir tous les plus profitables discours de la philosophie, à laquelle se doivent toucher[e] les actions humaines, comme à leur règle. On lui dira,

quid fas optare, quid asper
Utile nummus habet : patriæ charisque propinquis
Quantum elargiri deceat, quem te Deus esse
Jussit, et humana qua parte locatus es in re,
Quid sumus, aut quidnam victuri gignimur[f][2] :

Que[g] c'est que savoir et ignorer, qui[h] doit être le but de l'étude : Que c'est que vaillance, tempérance, et justice : Ce qu'il y a à dire[i] entre l'ambition et l'avarice, la servitude et la sujétion, la licence et la liberté : À quelles marques on connaît le vrai et solide contentement. Jusques où il faut craindre la mort, la douleur et la honte :

a. affermit – *b*. milliards – *c*. ressemble – *d*. nombreuse – *e*. évaluer – *f*. « ce qu'il est permis de souhaiter, ce que vaut une pièce neuve, combien il convient de donner à sa patrie et à ses proches, ce que Dieu t'a ordonné d'être, et quelle place il t'a donnée dans la société, ce que nous sommes, ou pour quelle vie nous sommes venus au monde » – *g*. ce que – *h*. ce qui – *i*. la différence

Et quo quemque modo fugiatque feratque laborem[a][1] :
Quels ressorts nous meuvent, et le moyen de tant divers branles[b] en nous. Car il me semble que les premiers discours, de quoi on lui doit abreuver l'entendement, ce doivent être ceux, qui règlent ses mœurs et son sens. Qui lui apprendront à se connaître, et à savoir bien mourir et bien vivre. Entre les arts libéraux[c] commençons par l'art qui nous fait libres[2]. Elles servent toutes aucunement[d] à l'instruction de notre vie et à son usage : comme toutes autres choses y servent aucunement. Mais choisissons celle qui y sert directement et professoirement[e]. Si nous savions restreindre les appartenances[f] [de] notre vie à leurs justes et naturels[g] limites, nous trouverions que la meilleure part des sciences qui sont en usage est hors de notre usage. Et en celles mêmes qui le sont, qu'il y a des étendues et enfonçures[h] très inutiles que nous ferions mieux de laisser là : Et suivant l'institution[i] de Socrates, borner le cours de notre étude en icelles, où faut l'utilité[j][3].

Sapere aude,
Incipe, vivendi qui recte prorogat horam,
Rusticus expectat dum defluat amnis, at ille
Labitur, et labetur in omne volubilis ævum[k][4].

C'est une grande simplesse[l] d'apprendre à nos enfants,

Quid moveant pisces, animosàque signa leonis,
Lotus et Hesperia quid Capricornus aqua[m][5],

a. « et de quelle façon éviter ou supporter la peine » – *b.* mouvements – *c.* réservés aux citoyens libres – *d.* un peu – *e.* par profession – *f.* le domaine – *g.* naturelles – *h.* recoins – *i.* l'instruction – *j.* où cesse leur utilité – *k.* « Ose être sage, commence ; celui qui diffère l'heure de vivre avec droiture est un rustre qui attend pour franchir le fleuve que celui-ci cesse de couler : mais il coule, et coulera toujours, volubile et éternel » – *l.* sottise – *m.* « L'influence des Poissons, du Lion ardent, et celle du Capricorne qui se baigne dans la mer d'Hespérie »

la science des astres et le mouvement de la huitième sphère[a], avant que les leurs propres[b],

Τί Πλειάδεσσι κἀμοί
Τί δ'ἀστράσι βοώτεω[c][1].

[Anaximenes écrivant à Pythagoras : De quel sens] puis-je m'amuser[d] au secret des étoiles, ayant la mort ou la servitude toujours présente aux yeux ? (car lors les Rois de Perse préparaient la guerre contre son pays[2]). Chacun doit dire ainsi : Étant battu d'ambition, d'avarice, de témérité, de superstition, et ayant au-dedans tels autres ennemis de la vie, irai-je songer au branle[e] du monde ? Après qu'on lui[f] aura dit ce qui sert à le faire plus sage et meilleur, on l'entretiendra que[g] c'est que Logique, Physique, Géométrie, Rhétorique : Et la science qu'il choisira ayant déjà le jugement formé, il en viendra bientôt à bout. Sa leçon se fera tantôt par devis[h], tantôt par livre[i] : tantôt son gouverneur lui fournira de l'auteur même propre à cette fin de son institution[j] : tantôt il lui en donnera la moelle, et la substance toute mâchée. Et si de soi-même il n'est assez familier des livres, pour y trouver tant de beaux discours qui y sont, pour l'effet de son dessein, on lui pourra joindre quelque homme de lettres, qui à chaque besoin fournisse les munitions[k] qu'il faudra, pour les distribuer et dispenser à son nourrisson. Et que cette leçon ne soit plus aisée, et naturelle que celle de Gaza[3], qui y peut faire doute[l] ? Ce sont là préceptes épineux et mal plaisants, et des mots vains et décharnés, où il n'y a point de prise, rien qui vous éveille l'esprit : En cette-ci l'âme trouve où mordre, et où se paître[m]. Ce

a. la sphère des étoiles fixes – *b.* les sciences qui les concernent – *c.* « Que m'importent les Pléiades, et les étoiles du Bouvier ? » – *d.* Est-il sensé que je perde mon temps – *e.* mouvement – *f.* à mon élève – *g.* de ce que – *h.* dialogue – *i.* lecture – *j.* cette partie de son éducation – *k.* matériaux – *l.* en peut douter – *m.* se nourrir

fruit est plus grand sans comparaison, et si[a] sera plus tôt mûri. C'est grand cas[b] que les choses en soient là en notre siècle, que la philosophie ce soit jusques aux gens d'entendement, un nom vain et fantastique, qui se trouve de nul usage, et de nul prix, et par opinion et par effet[c]. Je crois que ces ergotismes[d] en sont cause, qui ont saisi ses avenues[e]. On a grand tort de la peindre inaccessible aux enfants, et d'un visage renfrogné, sourcilleux et terrible : Qui me l'a masquée de ce faux visage pâle et hideux ? Il n'est rien plus gai, plus gaillard, plus enjoué, et à peu que[f] je ne die folâtre. Elle ne prêche que fête et bon temps. Une mine triste et transie, montre, que ce n'est pas là son gîte. Demetrius le Grammairien rencontrant dans le temple de Delphes une troupe de philosophes assis ensemble, il leur dit, Ou je me trompe, ou à vous voir la contenance si paisible et si gaie, vous n'êtes pas en grand discours entre vous. À quoi l'un d'eux Heracleon le Mégarien, répondit : C'est à faire à ceux qui cherchent si le futur du verbe βάλλω[g] double λ, ou qui cherchent la dérivation des comparatifs χεῖϱον et βέλτιον[h], et des superlatifs χείϱιστον et βέλτιστον[i], qu'il faut rider le front s'entretenant de leur science. Mais quant aux discours de la philosophie, ils ont accoutumé d'égayer et réjouir ceux qui les traitent, non les renfrogner et contrister[1] :

Deprendas animi tormenta latentis in ægro
Corpore, deprendas et gaudia, sumit utrumque
Inde habitum facies[j][2].

a. pourtant – *b*. Il est singulier – *c*. dans les esprits et dans les faits – *d*. ergoteries – *e*. qui occupent ses accès – *f*. il s'en faut de peu que – *g*. « je lance » – *h*. « pire » et « mieux » – *i*. « le pis » et « le mieux » – *j*. « On peut saisir les tourments de l'âme dans un corps malade, mais aussi ses joies : le visage y puise l'une et l'autre expression »

L'âme qui loge la philosophie, doit par sa santé, rendre sain encore le corps : Elle doit faire luire[a] jusques au-dehors son repos, et son aise : Doit former à son moule le port extérieur, et l'armer par conséquent d'une gracieuse fierté, d'un maintien actif, et allègre, et d'une contenance contente et débonnaire. La plus expresse marque de la sagesse c'est une éjouissance constante : son état est comme des choses au-dessus de la Lune : toujours serein[1]. C'est *Baroco* et *Baralipton*[2], qui rendent leurs suppôts ainsi crottés et enfumés, Ce n'est pas elle : ils ne la connaissent que par ouï-dire. Comment ? elle fait état de sereiner[b] les tempêtes de l'âme, et d'apprendre la faim et les fièvres[c] à rire. Non par quelques Épicycles imaginaires[3], mais par raisons naturelles et palpables. Elle a pour son but [la] vertu, qui n'est pas comme dit l'école plantée à la tête d'un mont coupé, raboteux et inaccessible[4]. Ceux qui l'ont approchée, la tiennent au rebours[d] logée dans une belle plaine fertile et fleurissante, d'où elle voit bien sous soi toutes choses, mais si[e] peut-on y arriver, qui[f] en sait l'adresse, par des routes ombrageuses, gazonnées et doux fleurantes, plaisamment et d'une pente facile et polie comme est celle des voûtes célestes. Pour n'avoir hanté[g] cette vertu suprême, belle, triomphante, amoureuse, délicieuse pareillement et courageuse, ennemie professe[h] et irréconciliable d'aigreur, de déplaisir, de crainte et de contrainte, ayant pour guide nature, fortune et volupté pour compagnes : ils sont allés selon[i] leur faiblesse feindre[j] cette sotte image, triste, querelleuse, dépite, menaceuse, mineuse[k] et la placer sur un rocher à l'écart emmi[l] des ronces : fantôme à étonner[m] les gens. Mon gouverneur, qui connaît devoir remplir la volonté de son disciple autant ou plus d'affection que de révérence envers [la

a. briller – *b*. calmer – *c*. à ceux qui souffrent de la faim ou des fièvres – *d*. au contraire – *e*. toutefois – *f*. si l'on – *g*. fréquenté – *h*. déclarée – *i*. conformément à – *j*. fabriquer – *k*. dépitée, menaçante, renfrognée – *l*. au milieu – *m*. terrifier

vertu, lui saura dire, que les poètes suivent les humeurs communes[a] : et lui faire toucher au doigt, que les dieux ont mis plutôt la sueur aux avenues des cabinets de Venus que de Pallas[b]. Et quand il commencera de se sentir[c], lui présentant Bradamante ou Angelique[1], pour maîtresse à jouir : et d'une beauté naïve[d], active, généreuse, non hommasse, mais virile, au prix d'une[e] beauté molle, affétée, délicate, artificielle : l'une] travestie en garçon, coiffée d'un morion luisant : l'autre vêtue en garce[f], coiffée d'un attifet[g] emperlé : il jugera mâle son amour même, s'il choisit [tout] diversement à cet efféminé pasteur de Phrygie[h2]. Il[i] lui fera cette nouvelle leçon que le prix et hauteur de la vraie vertu est en la facilité, utilité et plaisir de son exercice. Si éloigné de difficulté que les enfants y peuvent[j] comme les hommes, les simples comme les subtils. Le règlement[k] c'est [son] outil, non pas la force. Socrates, son premier mignon[l], quitte à escient[m] sa force pour glisser en la naïveté et aisance de son progrès[n]. C'est la mère nourrice des plaisirs humains. En les rendant justes, elle les rend sûrs et purs. Les modérant, elle les tient en haleine et en goût. Retranchant ceux qu'elle refuse, elle nous aiguise envers ceux qu'elle nous laisse. Et nous laisse abondamment tous ceux que veut nature, et jusques à la satiété, maternellement, sinon jusques [à la] lasseté[o]. Si d'aventure nous ne voulons dire que le régime, qui arrête le buveur avant l'ivresse, le mangeur avant la crudité[p], le paillard avant la pelade[q], soit [ennemi] de nos plaisirs. Si la fortune commune lui faut[r], elle lui échappe ou elle s'en passe, et s'en forge une autre toute sienne, non plus flottante et roulante. [Elle] sait être riche et puissante et savante : et coucher dans des matelas musqués. Elle aime la vie, elle aime la beauté et la gloire et la santé. Mais son office propre et particulier,

a. de la foule – *b*. ont réservé la peine aux chemins de l'amour plutôt qu'aux chemins de la vertu – *c*. quand ses sens s'éveilleront – *d*. naturelle – *e*. en contraste avec – *f*. en fille – *g*. d'une parure – *h*. Pâris – *i*. Le gouverneur – *j*. en sont capables – *k*. Une vie réglée – *l*. le premier favori de la vertu – *m*. volontairement – *n*. de son mouvement – *o*. lassitude – *p*. indigestion – *q*. chute des cheveux (lié aux maladies vénériennes) – *r*. Si la chance lui fait défaut

c'est savoir user de ces biens-là réglément et les savoir perdre constamment[a]. Office bien plus noble qu'âpre. Sans lequel tout cours de vie [est] dénaturé, turbulent et difforme : et y peut-on justement attacher ces écueils, ces halliers et ces monstres. Si ce disciple se rencontre de si diverse condition[b] qu'il [aime] mieux ouïr une fable que la narration d'un beau voyage ou un sage propos quand il l'entendra : Qui au son du tambourin qui arme la jeune ardeur de ses compagnons, se détourne à un autre qui l'appelle au jeu des bateleurs : Qui par souhait[c] ne trouve plus plaisant et plus doux revenir[d] poudreux et victorieux d'un combat, que de la paume[e] ou du bal avec le prix de cet exercice : je n'y trouve autre remède sinon que de bonne heure son gouverneur l'étrangle, s'il est sans témoins, ou qu'on le mette pâtissier dans quelque bonne ville, fût-il fils d'un duc, suivant le précepte de Platon qu'il faut colloquer[f] les enfants non selon [les] facultés de leur père, mais selon les facultés de leur âme[1]. Puisque la philosophie est celle qui nous instruit à vivre, et que l'enfance y a sa leçon, comme les autres âges, pourquoi ne la lui communique l'on ?

Udum et molle lutum est, nunc nunc properandus,
et acri
Fingendus sine fine rota[g2].

On nous apprend à vivre, quand la vie est passée. Cent écoliers ont pris la vérole avant que d'être arrivés à leur leçon d'Aristote de la tempérance. Cicero disait que quand[h] [il] vivrait la vie de deux hommes, il ne prendrait pas le loisir d'étudier les poètes lyriques : Et je trouve ces ergotistes[i] plus tristement encore inutiles. Notre enfant [est] bien plus pressé : il ne doit [au] pédagogisme[j] que les premiers quinze

a. avec constance – *b.* dans une disposition si opposée – *c.* par inclination – *d.* de revenir – *e.* du jeu de paume – *f.* placer – *g.* « L'argile est molle et humide ; c'est maintenant, tout de suite, qu'il faut se hâter de la façonner sur la roue rapide qui tourne sans fin » – *h.* quand bien même – *i.* ergoteurs – *j.* à la pédagogie

ou seize ans de sa vie : le demeurant[a] est dû à l'action : Employons un temps si court aux instructions nécessaires. Ce sont abus, ôtez toutes ces subtilités épineuses de la Dialectique, de quoi[b] notre vie ne se peut amender, prenez les simples discours de la philosophie, sachez les choisir et traiter à point, ils sont plus aisés à concevoir qu'un conte de Boccace. Un enfant en est capable au partir de[c] la nourrice, beaucoup mieux que d'apprendre à lire ou écrire. La philosophie a des discours pour la naissance des hommes, comme pour la décrépitude. Je suis de l'avis de Plutarque[1], qu'Aristote n'amusa[d] pas tant son grand disciple[e] à l'artifice de composer syllogismes, ou aux Principes de Géométrie, comme à l'instruire des bons préceptes, touchant la vaillance, prouesse, la magnanimité et tempérance, et l'assurance de ne rien craindre : Et avec cette munition[f], il l'envoya encore enfant subjuguer l'Empire du monde à tout[g] seulement trente mille hommes de pied, quatre mille chevaux, et quarante-deux mille écus. Les autres arts et sciences, dit-il, Alexandre les honorait bien, et louait leur excellence et gentillesse[h], mais pour plaisir qu'il y prît, il n'était pas facile à se laisser surprendre à l'affection de les vouloir exercer.

petite hinc juvenésque senesque
Finem animo certum, miserisque viatica canis[i][2].

C'est ce que dit Epicurus au commencement de sa lettre à Meniceus : [Ni] le plus jeune refuie[j] [à] philosopher, ni le plus vieil s'y[k] lasse[3]. Qui fait autrement, [il] semble dire ou qu'il n'est pas encore saison d'heureusement vivre, [ou] qu'il n'en est plus saison. Pour tout

a. le reste – *b*. avec lesquelles – *c*. en quittant – *d*. n'occupa – *e*. Alexandre – *f*. ainsi pourvu – *g*. avec – *h*. noblesse – *i*. « Trouvez là, jeunes et vieux, une règle ferme pour votre esprit, et un viatique pour les misères de l'âge » – *j*. refuse – *k*. s'en

ceci, je ne veux pas qu'on emprisonne ce garçon : Je ne veux pas qu'on l'abandonne à l'humeur mélancolique d'un furieux maître d'école. Je ne veux pas corrompre son esprit, à le tenir à la géhenne[a] et au travail, à la mode des autres, quatorze ou quinze heures par jour, comme un portefaix. Ni ne trouverais bon quand par quelque complexion solitaire et mélancolique on le verrait adonné d'une application trop indiscrète [à] l'étude des livres, qu'on [la] lui nourrît[b]. Cela les rend ineptes à la conversation civile[c] et les détourne de meilleures occupations, et combien ai-je vu de mon temps d'hommes abêtis par téméraire avidité de science ? Carneades[1] s'en trouva si affolé qu'il n'eut plus le loisir de se faire le poil[d] et les ongles. Ni ne veux gâter ses mœurs généreuses par l'incivilité et barbarie d'autrui. La sagesse Française a été anciennement en proverbe, pour une sagesse qui prenait de bonne heure et n'avait guère de tenue[2]. À la vérité nous voyons encore qu'il n'est rien si gentil que les petits enfants en France : mais ordinairement ils trompent l'espérance qu'on en a conçue : et hommes faits, on n'y voit aucune excellence. J'ai ouï tenir[e] à gens d'entendement, que ces collèges où on les envoie, de quoi ils ont[f] foison, les abrutissent ainsi. Au nôtre, un cabinet, un jardin, la table, et le lit, la solitude, la compagnie, le matin et le vêpre[g], toutes heures lui seront unes[h] : toutes places lui seront étude : Car la philosophie, qui, comme formatrice des jugements et des mœurs, sera sa principale leçon, a ce privilège, de se mêler partout. Isocrates l'orateur étant prié en un festin de parler de son art, chacun trouve qu'il eut raison de répondre : Il n'est pas maintenant temps de ce que je sais faire, et ce de quoi il est maintenant temps, je ne le sais

a. torture – *b*. qu'on la favorisât – *c*. vie sociale – *d*. la barbe – *e*. dire – *f*. il y a – *g*. soir – *h*. égales

pas faire[1] : Car de présenter des harangues ou des disputes de rhétorique à une compagnie, assemblée pour rire et faire bonne chère, ce serait un mélange de trop mauvais accord. Et autant en pourrait-on dire de toutes les autres sciences. Mais quant à la philosophie, en la partie, où elle traite de l'homme et de ses devoirs et offices, ç'a été le jugement commun de tous les sages, que pour la douceur de sa conversation, elle ne devait être refusée, ni aux festins, ni aux jeux[2] : Et Platon l'ayant invitée à son convive[a], nous voyons comme elle entretient l'assistance d'une façon molle[b], et accommodée au temps et au lieu, quoique ce soit de ses plus hauts discours et plus salutaires :

Æque pauperibus prodest, locupletibus æque ;
Et neglecta æque pueris senibúsque nocebit[c][3].

Ainsi sans doute il[d] chômera moins, que les autres. Mais comme les pas que nous employons à nous promener dans une galerie, quoiqu'il y en ait trois fois autant, ne nous lassent pas, comme ceux que nous mettons à quelque chemin desseigné[e] : aussi notre leçon se passant comme par rencontre[f], sans obligation de temps et de lieu, et se mêlant à toutes nos actions, se coulera[g] sans se faire sentir. Les jeux mêmes, et les exercices seront une bonne partie de l'étude : La course, la lutte, la musique, la danse, la chasse, le maniement des chevaux et des armes. Je veux que la bienséance extérieure, et l'entregent[h] et la disposition[i] de la personne, se façonne quant et quant[j] l'âme. Ce n'est pas une âme, ce n'est pas un corps, qu'on dresse, c'est un homme, il n'en faut pas faire

a. banquet – *b.* agréable – *c.* « Elle est utile aussi bien aux pauvres qu'aux riches, et il nuira également aux jeunes et aux vieux de la négliger » – *d.* mon élève – *e.* fixé – *f.* par hasard – *g.* s'écoulera – *h.* la sociabilité – *i.* le maintien – *j.* avec

à deux[a]. Et comme dit Platon, il ne faut pas les dresser l'un sans l'autre, mais les conduire également[b], comme une couple de chevaux attelés à même timon[1] : Et à l'ouïr[c] semble-il pas prêter plus de temps et plus de sollicitude[d] aux exercices du corps, et estimer que l'esprit s'en exerce quant et quant[e], et non au rebours[f2]. Au demeurant, cette institution[g] se doit conduire par une sévère douceur, non comme il se fait : Au lieu de convier les enfants aux lettres, on ne leur présente à la vérité, qu'horreur et cruauté : Ôtez-moi la violence et la force, il n'est rien à mon avis qui abâtardisse et étourdisse si fort une nature bien née : Si vous avez envie qu'il craigne la honte et le châtiment ne l'y endurcissez pas : Endurcissez-le à la sueur et au froid, au vent, au soleil et aux hasards qu'il lui faut mépriser : Ôtez-lui toute mollesse et délicatesse au vêtir et coucher, au manger et au boire : accoutumez-le à tout : Que ce ne soit pas un beau garçon et dameret[h], mais un garçon vert et vigoureux. Enfant, homme, vieil, j'ai toujours cru et jugé de même. Mais entre autres choses, cette police[i] de la plupart de nos collèges m'a toujours déplu. On eût failli à l'aventure[j] moins dommageablement, s'inclinant vers l'indulgence. C'est une vraie geôle de jeunesse captive. On la rend débauchée, l'en punissant avant qu'elle le soit. Arrivez-y sur le point de leur office[k], vous n'oyez que cris et d'enfants suppliciés et de maîtres enivrés en leur colère. Quelle manière pour éveiller l'appétit envers leur leçon, à ces tendres âmes et craintives, de les y guider d'une trogne effroyable, les mains armées de fouets[3]. Inique et pernicieuse forme[l]. Joint ce que Quintilien en a très bien remarqué[4], que cette impérieuse autorité tire des suites[m] périlleuses : et nommément à notre façon de châtiment[n].

a. il ne faut pas séparer les deux – *b.* en même temps – *c.* à l'entendre – *d.* soin – *e.* aussi – *f.* et non l'inverse – *g.* éducation – *h.* efféminé – *i.* discipline – *j.* peut-être – *k.* au moment de la leçon – *l.* façon de faire – *m.* a des conséquences – *n.* et en particulier à cause du châtiment que nous pratiquons (les verges)

Combien leurs classes seraient plus décemment jonchées de fleurs et de feuilles que de tronçons d'osier sanglants. J'y ferais portraire[a] la joie, l'allégresse, et Flora et les Grâces[1], comme fit en son école le philosophe Speusippus[2] : Où est leur profit, que ce fût aussi leur ébat[b]. On doit ensucrer les viandes[c] salubres à l'enfant, et enfieller celles qui lui sont nuisibles. C'est merveille[d] combien Platon se montre soigneux en ses *Lois*[3] de la gaieté et passe-temps de la jeunesse de sa cité et combien il s'arrête à leurs courses, jeux, chansons, sauts et danses, desquelles il dit que l'Antiquité a donné la conduite et le patronage aux dieux mêmes : Apollon, les Muses et Minerve. Il s'étend à mille préceptes pour ses gymnases : pour les sciences lettrées[e], il s'y amuse[f] fort peu et semble ne recommander particulièrement la poésie que pour la musique. Toute étrangeté et particularité en nos mœurs et conditions est évitable, comme ennemie de communication et de société, et comme monstrueuse. Qui ne s'étonnerait de la complexion de Demophon, maître d'hôtel d'Alexandre, qui suait à l'ombre et tremblait au soleil[4] ? J'en ai vu fuir la senteur des pommes, plus que les arquebusades : d'autres s'effrayer pour une souris : d'autres rendre la gorge[g] à voir de la crème : d'autres à voir brasser un lit de plume : comme Germanicus ne pouvait souffrir ni la vue, ni le chant des coqs[5]. Il y peut avoir à l'aventure[h] à cela quelque propriété occulte, mais on l'éteindrait à mon avis, qui s'y prendrait[i] de bonne heure. L'institution[j] a gagné cela sur moi, il est vrai que ce n'a point été sans quelque soin, que sauf la bière, mon appétit est accommodable indifféremment à toutes choses, de quoi on se paît[k]. Le corps encore souple, on le doit à cette cause[l], plier à toutes façons et coutumes : Et pourvu qu'on puisse tenir l'appétit et la volonté

a. accrocher des portraits de – *b*. leur plaisir – *c*. nourritures – *d*. il est remarquable – *e*. livresques – *f*. il s'en occupe – *g*. vomir – *h*. peut-être – *i*. si l'on s'y prenait – *j*. l'éducation – *k*. se nourrit – *l*. pour cette raison

sous boucle[a], qu'on rende hardiment un jeune homme commode[b] à toutes nations et compagnies. Voire au dérèglement et aux excès, si besoin est. Son exercitation[c] suive l'usage. Qu'il puisse faire toutes choses, et n'aime à faire que les bonnes. Les philosophes mêmes ne trouvent pas louable en Calisthenes, d'avoir perdu la bonne grâce du grand Alexandre son maître, pour n'avoir voulu boire d'autant à lui[d]. Il rira, il folâtrera, il se débauchera avec son prince : Je veux qu'en la débauche même, il surpasse en vigueur et en fermeté ses compagnons : Et qu'il ne laisse[e] à faire le mal, ni à faute de force ni de science, mais à faute de volonté. *Multum interest utrum peccare aliquis nolit aut nesciat*[f][1]. Je pensais faire honneur à un seigneur aussi éloigné de ces débordements, qu'il en soit en France, de m'enquérir à lui en bonne compagnie, combien de fois en sa vie il s'était enivré, pour la nécessité des affaires du Roi en Allemagne. Il le prit de cette façon, et me répondit que c'était trois fois, lesquelles il récita[g]. J'en sais, qui à faute de cette faculté, se sont mis en grand-peine ayant à pratiquer cette nation. J'ai souvent remarqué avec grande admiration la merveilleuse[h] nature d'Alcibiades[2], de se transformer si aisément à façons si diverses, sans intérêt de[i] sa santé. Surpassant tantôt la somptuosité et pompe Persienne[j], tantôt l'austérité et frugalité Lacédémonienne : autant réformé[k] en Sparte, comme[l] voluptueux en Ionië,

Omnis Aristippum decuit color, et status, et res[m][3].

Tel voudrais-je former mon disciple,

a. en bride – *b.* adaptable – *c.* Que son exercice – *d.* pour n'avoir pas voulu rivaliser à boire avec lui – *e.* renonce – *f.* « Il y a une grande différence entre ne pas vouloir et ne pas savoir faire le mal » – *g.* raconta – *h.* l'étonnante – *i.* dommage pour – *j.* perse – *k.* repenti – *l.* que – *m.* « Toute apparence, toute condition, toute fortune convenait à Aristippe »

quem duplici panno patientia velat
Mirabor, vitæ via si conversa decebit,
Personamque feret non inconcinnus utramque[a][1].

Voici mes leçons. Celui-là y a mieux profité, qui les fait, que qui les sait. Si vous le voyez vous l'oyez : si vous l'oyez vous le voyez. Jà[b] [à] Dieu ne plaise dit quelqu'un en Platon[2] que philosopher ce soit apprendre plusieurs choses et traiter les arts. *Hanc amplissimam omnium artium bene vivendi disciplinam vita magis quam literis persequuti sunt*[c][3]. Leon prince des Phliasiens s'enquérant à Heraclides Ponticus de quelle science, de quel art il faisait profession, Je ne sais, dit-il, ni art ni science, mais je suis philosophe[4]. On reprochait à Diogenes comment étant ignorant il se mêlait de la philosophie : Je m'en mêle, dit-il, d'autant mieux à propos[5]. Hegesias le priait de lui lire quelque livre : Vous êtes [plaisant, lui répondit-il :] vous choisissez les figues vraies [et naturelles, non peintes[d] : que ne choisissez-vous aussi les exercitations[e] naturelles vraies, et non écrites[f][6] ?] Il ne dira pas tant sa leçon comme il la fera. Il la répétera en ses actions. On verra s'il y a de la prudence en ses entreprises, s'il a de la bonté et de la justice en ses déportements[g], s'il a du jugement et de la grâce en son parler, de la vigueur en ses maladies, de la modestie en ses jeux, de la tempérance en ses voluptés, de l'indifférence en son goût, soit chair[h], poisson, vin ou eau, de l'ordre en son économie[i] : *Qui disciplinam suam non ostentationem scientiæ sed legem vitæ putet, quique obtemperet [ipse sibi] et decretis pareat*[j][7]. Le vrai miroir de nos discours, est le cours de nos vies. Zeuxidamus répondit à un[k], qui lui demanda pourquoi les Lacédémoniens ne rédigeaient

a. « J'admirerai celui qui se contente d'un haillon replié en deux pour tout vêtement, s'il s'accommode d'un tel changement de vie et s'il joue les deux rôles sans discordance » – *b.* Certes – *c.* « Cet art de bien vivre, le plus important de tous, ils l'ont acquis par leur vie plus que par les livres » – *d.* non les figues en peinture – *e.* exercices – *f.* et non les exercices livresques – *g.* dans son comportement – *h.* qu'il ait de la viande – *i.* dans sa gestion – *j.* « considérant son savoir non comme un objet d'ostentation mais comme une règle de vie, sachant se soumettre à soi-même et obéir à ses propres principes » – *k.* quelqu'un

par écrit les ordonnances de la prouesse[a], et ne les donnaient à lire à leurs jeunes gens : que c'était parce qu'ils les voulaient accoutumer aux faits, non pas aux paroles[1]. Comparez au bout de 15 ou 16 ans, à cettui-ci[b], un de ces latineurs de collège, qui aura mis autant de temps à n'apprendre simplement qu'à parler. Le monde n'est que babil, et ne vis jamais homme, qui ne dise plutôt plus, que moins qu'il ne doit : toutefois la moitié de notre âge s'en va là[c]. On nous tient quatre ou cinq ans à entendre[d] les mots et les coudre en clauses[e]. Encore autant à en proportionner un grand corps[f] étendu en quatre ou cinq parties. Et autres cinq pour le moins à les savoir brièvement mêler et entrelacer de quelque subtile façon. Laissons-le[g] à ceux, qui en font profession expresse. Allant un jour à Orleans, je trouvai dans cette plaine au-deçà de Clery, deux régents[h] qui venaient à Bourdeaux, environ à cinquante pas l'un de l'autre. Plus loin derrière eux, je découvris une troupe et un maître en tête, qui était feu Monsieur le Comte de la Rochefoucaut[2]. Un de mes gens s'enquit au premier de ces régents, qui était ce gentilhomme qui venait après lui, Lui qui n'avait pas vu ce train, qui le suivait, et qui pensait qu'on lui parlât de son compagnon, répondit plaisamment. Il n'est pas gentilhomme, c'est un grammairien, et je suis logicien. Or nous qui cherchons ici au rebours, de former non un grammairien ou logicien, mais un gentilhomme, laissons-les abuser de leur loisir : nous avons affaire ailleurs. Mais que notre disciple soit bien pourvu de choses, les paroles ne suivront que trop : il les traî-

a. les commandements de la vaillance – *b*. à mon élève – *c*. la moitié de notre vie se passe à cela – *d*. comprendre – *e*. en phrases – *f*. discours – *g*. cela – *h*. professeurs

nera, si elles ne veulent suivre. J'en ouïs qui s'excusent de ne se pouvoir exprimer, et font contenance[a] d'avoir la tête pleine de plusieurs belles choses, mais à faute d'éloquence, ne les pouvoir mettre en évidence[b] : C'est une baye[c]. Savez-vous à mon avis que[d] c'est que cela ? Ce sont des ombrages[e], qui leur viennent de quelques conceptions informes, qu'ils ne peuvent démêler et éclaircir au-dedans, ni par conséquent produire au-dehors : Ils ne s'entendent pas encore eux-mêmes : Et voyez-les un peu bégayer sur le point de l'enfanter, vous jugez que leur travail n'est point à l'accouchement, mais à la conception, et qu'ils ne font que lécher[f] cette matière imparfaite. De ma part, je tiens et Socrates l'ordonne[g], que qui a en l'esprit une vive imagination et claire, il la produira[h], soit en Bergamasque[i], soit par mines, s'il est muet,

Verbaque prævisam rem non invita sequentur[j][1].

Et comme disait celui-là, aussi poétiquement en sa prose, *cum res animum occupavere, verba ambiunt*[k][2]. Et cet autre : *ipsæ res verba rapiunt*[l][3]. Il ne sait pas ablatif, conjonctif, substantif, ni la grammaire : ne fait pas[m] son laquais, ou une harangère du Petit-Pont[4], et si[n] vous entretiendront tout votre saoul, si vous en avez envie, et se déferreront aussi peu à l'aventure[o] aux règles de leur langage, que le meilleur maître ès arts[p] de France. Il ne sait pas la rhétorique, ni pour[q] avant jeu capter la bénivolence[r] du candide lecteur, ni ne lui chaut[s] de le savoir. De vrai toute belle

a. mine – *b*. en lumière – *c*. sottise – *d*. ce que – *e*. ombres – *f*. mettre en forme – *g*. l'affirme – *h*. l'exprimera – *i*. en dialecte de Bergame (comme Arlequin) – *j*. « Une fois la chose conçue, les mots suivront sans peine » – *k*. « Lorsque les choses tiennent notre esprit, les mots nous assiègent » – *l*. « Ce sont les choses mêmes qui tirent les mots à elles » – *m*. non plus que – *n*. et pourtant ils – *o*. ils s'embrouilleront aussi peu sans doute – *p*. diplômé en lettres – *q*. en guise de – *r*. bienveillance – *s*. et peu lui importe

peinture s'efface aisément par le lustre[a] d'une vérité simple et naïve: Ces gentillesses[b] ne servent que pour amuser le vulgaire, incapable de prendre la viande[c] plus massive et plus ferme: comme Afer montre bien clairement chez Tacitus[1]. Les Ambassadeurs de Samos étaient venus à Cleomenes Roi de Sparte, préparés[d] d'une belle et longue oraison, pour l'émouvoir[e] à la guerre contre le tyran Policrates: Après qu'il les eut bien laissé dire, il leur répondit: Quant à votre commencement, et exorde, il ne m'en souvient plus, ni par conséquent du milieu, et quant à votre conclusion je n'en veux rien faire[2]. Voilà une belle réponse, ce me semble, et des harangueurs bien camus[f]. Et quoi[g] cet autre? Les Athéniens étaient à choisir de[h] deux architectes, à conduire une grande fabrique[i]: Le premier plus affété, se présenta avec un beau discours prémédité[j] sur le sujet de cette besogne, et tirait le jugement du peuple à sa faveur. Mais l'autre en trois mots: Seigneurs Athéniens ce que cettui[k]-ci a dit, je le ferai[3]. Au fort de l'éloquence de Cicero, plusieurs en entraient en admiration, mais Caton n'en faisant que rire: nous avons, disait-il, un plaisant consul[4]. Aille[l] devant ou après: une utile sentence, un beau trait, est toujours de saison. S'il n'est pas bien [à][m] ce qui va devant, ni [à] ce qui vient après, [il] est bien en soi. Je ne suis pas de ceux qui pensent la bonne rythme faire[n] le bon poème: laissez-lui[o] allonger une courte syllabe s'il veut, pour cela non force[p]: si les inventions y rient, si l'esprit et le jugement y ont bien fait leur office, voilà un bon poète, dirai-je, mais un mauvais versificateur,

a. devant l'éclat – *b.* élégances – *c.* la nourriture – *d.* munis – *e.* le pousser – *f.* penauds – *g.* que dire de – *h.* entre – *i.* chantier – *j.* préparé à l'avance – *k.* celui – *l.* Qu'il vienne – *m.* avec – *n.* que la bonne rime fasse – *o.* le poète – *p.* pas de contrainte

Emunctæ naris, durus componere versus[a][1].

Qu'on fasse dit Horace, perdre à son ouvrage toutes ses coutures et mesures,

Tempora certa modosque, et quod prius ordine verbum est,
Posterius facias, præponens ultima primis,
Invenias etiam disjecti membra poetæ[b][2],

il ne se démentira point[c] pour cela : les pièces[d] mêmes en seront belles. C'est ce que répondit Menander, comme on le tança, approchant le jour, auquel il avait promis une comédie, de quoi il n'y avait encore mis la main : Elle est composée et prête, il ne reste qu'à y ajouter les vers[3]. Ayant les choses et la matière disposée en l'âme, il mettait en peu de compte le demeurant[e]. Depuis que Ronsard et du Bellay ont donné crédit à notre poésie Française, je ne vois si petit apprenti, qui n'enfle des mots, qui ne range les cadences, à peu près, comme eux. *Plus sonat quam valet*[f][4]. Pour le vulgaire, il ne fut jamais tant de poètes. Mais comme il leur a été bien aisé de représenter leurs rythmes[g], ils demeurent bien aussi court[h], à imiter les riches descriptions de l'un, et les délicates inventions de l'autre. Voire[i] mais, que fera-il[j] si on le presse de la subtilité sophistique de quelque syllogisme ? le jambon fait boire, le boire désaltère, par quoi[k] le jambon désaltère. Qu'il s'en moque. Il [est] plus subtil de s'en moquer que d'y répondre. Qu'il emprunte d'Aristippus[5] cette plaisante contrefinesse[l] : Pourquoi le délierai-je

a. « Avec un nez fin, même si son vers est rude » – *b.* « Ses mesures précises et ses rythmes ; et qu'on mette les premiers mots à la fin, et les derniers au début : on trouvera encore les membres dispersés du poète » – *c.* il ne perdra pas son mérite – *d.* parties – *e.* le reste – *f.* « Plus de sonorité que de valeur » – *g.* d'imiter les vers de Ronsard et de Du Bellay – *h.* ils ne parviennent pas – *i.* Oui – *j.* mon élève – *k.* par conséquent – *l.* repartie ingénieuse

puisque, tout lié, il m'empêche ?[a] Quelqu'un proposait contre Cleanthes des finesses dialectiques, à qui Chrysippus dit : joue-toi de ces batelages[b] avec les enfants et ne détourne à cela, les pensées sérieuses d'un homme d'âge[1]. Si ces sottes arguties, *contorta et aculeata sophismata*[c2], lui doivent persuader une[d] mensonge, cela est dangereux : mais si elles demeurent sans effet, et ne l'émeuvent qu'à rire, je ne vois pas pourquoi il s'en doive donner garde[e]. Il en est de si sots, qui se détournent de leur voie un quart de lieue, pour courir après un beau mot : *aut qui non verba rebus aptant, sed res extrinsecus arcessunt, quibus verba conveniant*[f3]. Et l'autre : *Sunt qui alicujus verbi decore placentis vocentur ad id quod non proposuerant scribere*[g4]. Je tords bien plus volontiers une bonne sentence pour la coudre sur moi que je ne tords mon fil pour l'aller quérir. Au rebours[h], c'est aux paroles à servir et à suivre, et que le Gascon y arrive, si le Français n'y peut aller. Je veux que les choses surmontent[i], et qu'elles remplissent, de façon l'imagination de celui qui écoute, qu'il[j] n'ait aucune souvenance des mots. Le parler que j'aime, c'est un parler simple et naïf[k], tel sur le papier qu'à la bouche : Un parler succulent[l] et nerveux, court et serré, non tant[m] délicat et peigné[n], comme[o] véhément et brusque.

Hæc demum sapiet dictio, quæ feriet[p5].

Plutôt difficile qu'ennuyeux[q]. Éloigné d'affectation : Déréglé, décousu, et hardi : Chaque lopin y fasse son

a. Pourquoi développer ce syllogisme, qui m'embarrasse déjà comme tel ? – *b*. tours de bateleurs – *c*. « ces sophismes contournés et subtils » – *d*. doivent convaincre mon élève d'un – *e*. s'en méfier – *f*. « ou qui n'adaptent pas les mots aux idées, mais vont chercher des idées extérieures au sujet, auxquelles leurs mots pourront convenir » – *g*. « il en est qui, pour la beauté d'un mot qui leur plaît, sont attirés vers un sujet qu'ils n'avaient pas prévu de traiter » – *h*. Au contraire – *i*. l'emportent – *j*. de façon qu'il – *k*. naturel – *l*. nourrissant – *m*. moins – *n*. élégant – *o*. que – *p*. « L'expression est bonne si elle frappe » – *q*. plutôt ardu par concision que fastidieux par délayage

corps[a] : Non pédantesque, non fratesque, non plaideresque, mais plutôt soldatesque[b], comme Suetone appelle celui de Julius Cæsar[1] : et si[c] ne sens pas [bien] pourquoi il l'en appelle[d]. J'ai volontiers imité cette débauche[e] qui se voit en notre jeunesse, au port de leurs vêtements. Un manteau en écharpe, la cape sur une épaule, un bas mal tendu, qui représente[f] une fierté dédaigneuse de ces parements[g] étrangers, et nonchalante[h] de l'art. Mais je la trouve encore mieux employée en la forme du parler. Toute affectation, nommément en la gaieté et liberté française, est mésadvenante[i] au courtisan[2]. Et en une monarchie tout gentilhomme doit être dressé à la façon d'un courtisan : Par quoi nous faisons bien de gauchir un peu sur le naïf [et] méprisant[j]. Je n'aime point de tissure[k], où les liaisons et les coutures paraissent. Tout ainsi qu'en un beau corps, il ne faut qu'on y puisse compter les os et les veines[3]. *Quæ veritati operam dat oratio, incomposita sit et simplex*[l4]. *Quis accurate loquitur, nisi qui vult putidè loqui*[m5] ? L'éloquence fait injure aux choses, qui[n] nous détourne à soi. Comme aux accoutrements[o] c'est pusillanimité de se vouloir marquer par quelque façon particulière et inusitée. De même au[p] langage la recherche des phrases nouvelles et des mots peu connus vient d'une ambition puérile et pédantesque. Puissé-je ne me servir que de ceux qui servent aux halles à Paris. Aristophanes le grammairien n'y entendait rien, de reprendre en Epicurus la simplicité de ses mots : et la fin de son art oratoire, qui était perspicuité[q] de langage seulement[6]. L'imitation du parler par sa facilité suit incontinent[r]

a. que chaque phrase y soit indépendante – *b.* ni le style d'un pédant, ni celui d'un frère prêcheur, ni celui d'un avocat, mais plutôt celui d'un soldat – *c.* pourtant je – *d.* il la qualifie ainsi – *e.* ce relâchement – *f.* exprime – *g.* ornements – *h.* peu soucieuse – *i.* est malséant – *j.* d'exagérer un peu le naturel et le dédain – *k.* tissu – *l.* « Le discours qui veut servir la vérité doit être sans recherche et tout simple » – *m.* « Qui parle avec recherche, si ce n'est celui qui veut parler avec affectation ? » – *n.* si elle – *o.* De même que pour l'habillement – *p.* pour le – *q.* clarté – *r.* est suivie aussitôt par

tout un peuple. L'imitation du juger, de l'inventer ne va pas si vite. La plupart des lecteurs, pour avoir trouvé une pareille robe, pensent très faussement tenir un pareil corps. La force et les nerfs ne s'empruntent point, les atours et le manteau s'empruntent. La plupart de ceux qui me hantent parlent de même[a] les *Essais* mais je ne sais s'ils [pensent de même]. Les Athéniens (dit Platon[1]) ont pour leur part, le soin de l'abondance et élégance du parler, les Lacédémoniens de la brièveté, et ceux de Crete, de la fécondité des conceptions, plus que du langage : Ceux-ci sont les meilleurs. Zenon[2] disait qu'il avait deux sortes de disciples : les uns qu'il nommait φιλολόγους[b], curieux d'apprendre les choses, qui étaient ses mignons : les autres λογοφίλους[c], qui n'avaient soin que du langage. Ce n'est pas à dire que ce ne soit une belle et bonne chose que le bien-dire : mais non pas si bonne qu'on la fait, et suis dépit[d] de quoi[e] notre vie s'embesogne[f] toute à cela. Je voudrais premièrement bien savoir ma langue, et celle de mes voisins, où[g] j'ai plus ordinaire commerce : C'est un bel et grand agencement sans doute, que le Grec et Latin, mais on l'achète trop cher. Je dirai ici une façon d'en avoir meilleur marché que de coutume, qui a été essayée en moi-même. S'en servira qui voudra. Feu mon père, ayant fait toutes les recherches qu'homme peut faire, parmi les gens savants et d'entendement, d'une forme d'institution exquise[h], fut avisé de cet inconvénient, qui était en usage : Et lui disait-on que cette longueur que nous mettions à apprendre les langues qui ne leur[i] coûtaient rien est la seule cause, pourquoi nous ne pouvions arriver à la grandeur d'âme et de connaissance des anciens Grecs et Romains. Je ne crois pas, que c'en soit la

a. qui me fréquentent parlent comme – *b*. « philologues », qui aiment le savoir – *c*. « logophiles », qui aiment les mots – *d*. fâché – *e*. de ce que – *f*. s'emploie – *g*. avec qui – *h*. d'éducation choisie – *i*. aux Anciens

seule cause. Tant y a, que[a] l'expédient que mon père y trouva, ce fut qu'en nourrice, et avant le premier dénouement de ma langue, il me donna en charge à un Allemand[1], qui depuis est mort fameux médecin en France, du tout[b] ignorant de notre langue, et très bien versé en la Latine. Cettui-ci, qu'il avait fait venir exprès, et qui était bien chèrement gagé, m'avait continuellement entre les bras. Il en eut aussi avec lui deux autres moindres en savoir, pour me suivre, et soulager le premier : Ceux-ci ne m'entretenaient d'autre langue que Latine. Quant au reste de sa maison, c'était une règle inviolable, que ni lui-même, ni ma mère, ni valet, ni chambrière, ne parlaient en ma compagnie, qu'autant de mots de Latin, que chacun avait appris pour jargonner avec moi. C'est merveille du fruit que chacun y fit[c]. Mon père et ma mère y apprirent assez de Latin pour l'entendre : et en acquirent à suffisance, pour s'en servir à la nécessité, Comme firent aussi les autres domestiques, qui étaient plus attachés à mon service. Somme[d], nous nous Latinisâmes tant, qu'il en regorgea jusques à nos villages tout autour : où il y a encore, et ont pris pied par l'usage, plusieurs appellations Latines d'artisans et d'outils. Quant à moi, j'avais plus de six ans, avant que j'entendisse non plus de Français ou de Périgourdin, que d'Arabesque[e] : Et sans art, sans livre, sans grammaire ou précepte, sans fouet, et sans larmes, j'avais appris du Latin, tout aussi pur que mon maître d'école le savait : Car je ne le pouvais avoir mêlé ni altéré. Si par essai[f] on me voulait donner un thème, à la mode des collèges, on le donne aux autres en Français : mais à moi il me le fallait donner

a. toujours est-il que – *b.* entièrement – *c.* en retira – *d.* Bref – *e.* d'arabe – *f.* par exercice

en mauvais Latin, pour le tourner en bon. Et Nicolas Groucchi, qui a écrit *de comitiis Romanorum*, Guillaume Guerente, qui a commenté Aristote, George Bucanan, ce grand poète Écossais, Marc Antoine Muret[1], que la France et l'Italie reconnaît[a] pour le meilleur orateur du [temps], mes précepteurs domestiques[b], m'ont dit souvent, que j'avais ce langage en mon enfance, si prêt et si à main[c] qu'ils craignaient à m'accoster[d]. Bucanan, que je vis depuis à la suite de feu monsieur le Maréchal de Brissac, me dit, qu'il était après à écrire de l'institution[e] des enfants: et qu'il prenait l'exemplaire de[f] la mienne: Car il avait lors en charge ce Comte de Brissac, que nous avons vu depuis si valeureux et si brave[2]. Quant au Grec, duquel je n'ai quasi du tout point[g] d'intelligence, mon père desseigna[h] me le faire apprendre par art, Mais d'une voie nouvelle, par forme d'ébat et d'exercice: Nous pelotions[i] nos déclinaisons: à la manière de ceux, qui par certains jeux de tablier[j] apprennent l'Arithmétique et la Géométrie. Car entre autres choses, il avait été conseillé, de me faire goûter la science et le devoir, par une volonté non forcée, et de mon propre désir, et d'élever mon âme en toute douceur et liberté, sans rigueur et contrainte. Je dis jusques à telle superstition, que parce qu'aucuns tiennent[k], que cela trouble la cervelle tendre des enfants, de les éveiller le matin en sursaut, et de les arracher du sommeil (auquel ils sont plongés beaucoup plus que nous ne sommes) tout à coup, et par violence, il me faisait éveiller par le son de quelque instrument, et ne fus jamais, sans

a. reconnaissent – *b*. répétiteurs particuliers – *c*. disponible – *d*. de m'adresser la parole – *e*. en train d'écrire sur l'éducation – *f*. exemple sur – *g*. presque pas – *h*. eut pour dessein de – *i*. échangions comme en jouant à la balle – *j*. jeux de table, comme les échecs ou les dames – *k*. certains soutiennent

homme qui m'en servît[1]. Cet exemple suffira pour en juger le reste, et pour recommander aussi et la prudence et l'affection d'un si bon père. Auquel il ne se faut nullement prendre, s'il n'a recueilli aucuns fruits répondant à une si exquise culture. Deux choses en furent cause. Le champ stérile et incommode : Car quoique j'eusse la santé ferme et entière, et quant et quant[a] un naturel doux et traitable, j'étais parmi cela si pesant, mol et endormi, qu'on ne me pouvait arracher de l'oisiveté, non pas[b] pour me faire jouer. Ce que je voyais, je le voyais bien, Et sous cette complexion lourde, nourrissais des imaginations hardies, et des opinions au-dessus de mon âge. L'esprit je l'avais lent, et qui n'allait qu'autant qu'on le menait : L'appréhension tardive[c] : L'invention lâche : Et après tout un incroyable défaut de mémoire. De tout cela il n'est pas merveille, s'il[d] ne sut rien tirer qui vaille. Secondement : comme ceux que presse un furieux désir de guérison, se laissent aller à toute sorte de conseil, le bonhomme, ayant extrême peur de faillir en chose, qu'il avait tant à cœur, se laissa enfin emporter à l'opinion commune, qui suit toujours ceux, qui vont devant, comme les grues : et se rangea à la coutume, n'ayant plus autour de lui ceux, qui lui avaient donné ces premières institutions, qu'il avait apportées d'Italie : Et m'envoya environ mes six ans au collège de Guienne[2], très florissant pour lors, et le meilleur de France. Et là, il n'est possible de rien ajouter au soin qu'il eut, et à me choisir des précepteurs de chambre[e] suffisants[f], et à toutes les autres circonstances de ma nourriture[g] : en laquelle il réserva plusieurs façons particulières,

a. en même temps – *b.* pas même – *c.* la compréhension, lente – *d.* si mon père – *e.* répétiteurs particuliers – *f.* compétents – *g.* éducation contre l'usage des collèges. Mais tant y a[a], que c'était toujours collège. Mon Latin s'abâtardit incontinent : duquel depuis par désaccoutumance j'ai perdu tout usage, Et ne me servit cette mienne nouvelle institution[b], que de me faire enjamber d'arrivée[c] aux premières classes : Car à treize ans, que je sortis du collège, j'avais achevé mon cours (qu'ils appellent[d]) et à la vérité sans aucun fruit, que je pusse à présent mettre en compte. Le premier goût que j'eus aux livres, il me vint du plaisir des fables de la *Métamorphose* d'Ovide[1] : Car environ l'âge de sept ou huit ans, je me dérobais de tout autre plaisir, pour les lire : d'autant que cette langue était la mienne maternelle, et que c'était le plus aisé livre, que je connusse, et le plus accommodé à la faiblesse de mon âge, à cause de la matière : Car des *Lancelots du Lac*, des *Amadis*, des *Huons de Bordeaus*[2], et tel fatras de livres, à quoi l'enfance s'amuse, je n'en connaissais pas seulement le nom, ni ne fais encore le corps : tant exacte était ma discipline. Je m'en rendais plus nonchalant à l'étude de mes autres leçons prescrites. Là, il me vint singulièrement à propos, d'avoir affaire à un homme d'entendement de précepteur, qui sut dextrement conniver à[e] cette mienne débauche, et autres pareilles. Car par là, j'enfilai tout d'un trait Vergile en l'*Æneide*, et puis Terence, et puis Plaute, et des comédies Italiennes, leurré toujours par la douceur du sujet. S'il eût été si fol[f] de rompre ce train, j'estime que je n'eusse rapporté du collège que la haine des livres, comme fait quasi toute notre noblesse. Il s'y gouverna ingénieusement. Faisant semblant de n'en voir rien, il aiguisait ma faim, ne me laissant qu'à la

a. toujours est-il – *b*. éducation – *c*. d'emblée – *d*. comme ils disent – *e*. entrer en connivence avec – *f*. sot

dérobée gourmander[a] ces livres, et me tenant doucement en office[b] pour les autres études de la règle. Car les principales parties[c] que mon père cherchait à ceux à qui il donnait charge de moi c'était la débonnaireté et facilité de complexion : Aussi n'avait la mienne autre vice, que langueur et paresse. Le danger n'était pas que je fisse mal, mais que je ne fisse rien. Nul ne pronostiquait que je dusse devenir mauvais, mais inutile : On y prévoyait de la fainéantise, non pas de la malice[d]. Je sens qu'il en est advenu de même[e]. Les plaintes qui me cornent aux oreilles [sont] comme cela : Oisif : froid [aux] offices[f] d'amitié et de parenté et aux offices publics : trop particulier[g]. [Les] plus injurieux ne disent pas : Pourquoi a-il pris, Pourquoi n'a-il payé ? Mais : Pourquoi ne quitte-il, ne donne-il ? [Je] recevrais à faveur[h] qu'on ne désirât en moi que tels effets de [supererogation[i].] Mais ils sont injustes d'exiger ce que je ne dois [pas], plus rigoureusement beaucoup[j] qu'ils n'exigent d'eux ce qu'ils doivent. En m'y condamnant ils effacent la gratification de l'action et la gratitude qui m'en serait due. Là où [le] bien-faire actif[k] devrait plus peser de ma main, en considération de ce que je n'en ai passif nul qui soit[l]. Je puis d'autant plus librement disposer [de] ma fortune qu'elle est plus mienne. Toutefois si j'étais grand enlumineur de mes actions[m], à l'aventure[n] rembarrerais-je bien ces reproches. [Et à] quelques-uns apprendrais qu'ils ne sont [pas si] offensés que je ne fasse pas assez, [que] de quoi je puisse faire assez[o] plus que je ne fais. Mon âme ne laissait pourtant en même temps d'avoir à part soi des remuements fermes et des jugements sûrs et ouverts autour[p] [des] objets qu'elle connaissait : et les digérait seule, sans aucune communication. Et entre autres choses, je crois à la vérité qu'elle eût

a. savourer – *b.* dans mon devoir – *c.* qualités – *d.* méchanceté – *e.* ainsi – *f.* devoirs – *g.* individualiste – *h.* comme une faveur – *i.* telles actions non exigibles – *j.* bien plus rigoureusement – *k.* à porter à mon crédit – *l.* que je ne dois de bienfaits à personne – *m.* si je m'appliquais à faire mon apologie – *n.* peut-être – *o.* beaucoup – *p.* au sujet

été du tout incapable de se rendre à la force et violence. Mettrai-je en compte cette faculté de mon enfance : Une assurance de visage, et souplesse de voix et de geste, à m'appliquer aux rôles que j'entreprenais. Car avant l'âge,

Alter ab undecimo tum me vix ceperat annus[a] [1],

J'ai soutenu les premiers personnages, ès[b] tragédies latines de Bucanan, de Guerente, et de Muret, qui se représentèrent, en notre collège de Guienne avec dignité[2] : En cela Andreas Goveanus[3] notre principal, comme en toutes autres parties de sa charge, fut sans comparaison le plus grand principal de France : Et m'en tenait-on maître ouvrier. C'est un exercice, que je ne mesloue[c] point aux jeunes enfants de maison[d] : Et ai vu nos Princes, s'y adonner[e] depuis en personne, à l'exemple d'aucun des anciens, honnêtement et louablement. Il était loisible même d'en faire métier aux gens d'honneur, en Grece : *Aristoni tragico actori rem aperit : huic et genus et fortuna honesta erant, nec [ars,] quia nihil tale apud Græcos pudori est, ea deformabat*[f] [4]. Car j'ai toujours accusé d'impertinence[g], ceux qui condamnent ces ébattements[h] : Et d'injustice, ceux qui refusent l'entrée de nos bonnes villes aux comédiens qui le valent : et envient[i] au peuple ces plaisirs publics. Les bonnes polices[j], prennent soin d'assembler les citoyens, et les rallier, comme aux offices sérieux de la dévotion, aussi aux exercices et jeux : La société et amitié s'en augmentent : Et puis on ne leur saurait concéder des passe-temps plus réglés, que ceux qui se font en

a. « À peine avais-je alors atteint ma douzième année » – *b.* dans les – *c.* blâme – *d.* pour les jeunes nobles – *e.* à la pratique du théâtre – *f.* « Il s'en ouvrit à l'acteur tragique Ariston ; celui-ci était d'une naissance et d'une fortune honorables ; et son art, parce qu'il n'a chez les Grecs rien de honteux, ne les dégradait pas » – *g.* d'erreur – *h.* divertissements – *i.* contestent – *j.* organisations politiques

présence d'un chacun[a], et à la vue même du magistrat. Et trouverais raisonnable que le magistrat, et le prince à ses dépens[b] en gratifiât quelquefois la commune[c], d'une affection et bonté comme paternelle. Et qu'aux villes populeuses[d] il y eût des lieux destinés et disposés pour ces spectacles : quelque divertissement[e] de pires actions et occultes. Pour revenir à mon propos, Il n'y a tel, que d'allécher l'appétit et l'affection[f], autrement on ne fait que des ânes chargés de livres : On leur donne à coups de fouet en garde leur pochette pleine de science : laquelle pour bien faire, il ne faut pas seulement loger chez soi, il la faut épouser.

a. de tous – *b.* à ses frais – *c.* le peuple – *d.* dans les grandes villes – *e.* qui détournent – *f.* le désir et le sentiment

C'est folie de rapporter le vrai et le faux à notre suffisance[a]

Chap. XXVII

Ce n'est pas à l'aventure[b] sans raison, que nous attribuons à simplesse[c] et ignorance, la facilité de croire et de se laisser persuader : Car il me semble avoir appris autrefois, que la créance, c'était comme une impression, qui se faisait en notre âme : et à mesure qu'elle se trouvait plus molle et de moindre résistance, il était plus aisé à y empreindre quelque chose. *Ut necesse est lancem in libra ponderibus impositis deprimi sic animum perspicuis cedere*[d][1]. D'autant que[e] l'âme est plus vide et sans contrepoids elle se baisse plus facilement sous la charge de la première persuasion. Voilà pourquoi les enfants, le vulgaire, les femmes et les malades sont plus sujets à être menés par les oreilles. Mais aussi de l'autre part, c'est une sotte présomption d'aller dédaignant et condamnant pour faux, ce qui ne nous semble pas vraisemblable : Qui est un vice ordinaire de ceux, qui pensent avoir quelque suffisance, outre la commune[f]. J'en faisais ainsi autrefois, et si j'oyais parler ou des esprits qui reviennent, ou du pronostic des choses futures, des enchantements, des sorcel-

a. capacité – *b*. peut-être – *c*. naïveté – *d*. « De même que le poids entraîne forcément le plateau de la balance, de même l'évidence entraîne l'esprit. » – *e*. parce que – *f*. quelque capacité supérieure

leries, ou faire quelque autre conte, où je ne pusse pas mordre[a].

Somnia, terrores magicos, miracula, sagas,
Nocturnos lemures portentaque Thessala[b][1],

il me venait compassion du pauvre peuple abusé de ces folies. Et à présent je trouve, que j'étais pour le moins autant à plaindre moi-même : Non que l'expérience m'ait depuis rien fait voir, au-dessus de mes premières créances, et si n'a pas tenu à ma curiosité[c] : Mais la raison m'a instruit, que de condamner ainsi résolument une chose pour fausse[d], et impossible, c'est se donner l'avantage d'avoir dans la tête, les bornes et limites de la volonté de Dieu, et de la puissance de notre mère nature : Et qu'il n'y a point de plus notable folie au monde, que de les ramener à la mesure de notre capacité et suffisance. Si nous appelons monstres[e] ou miracles, ce où notre raison ne peut aller, combien s'en présente-il continuellement à notre vue[2] ? Considérons au travers de quels nuages, et comment à tâtons, on nous mène à la connaissance de la plupart des choses qui nous sont entre mains[f] : certes nous trouverons que c'est plutôt accoutumance, que science qui nous en ôte l'étrangeté,

jam nemo fessus satiate videndi,
Suspicere in cœli dignatur lucida templa[g][3].

Et que ces choses-là, si elles nous étaient présentées de nouveau[h], nous les trouverions autant ou plus incroyables que aucunes[i] autres,

a. me laisser prendre – *b.* « Songes, terreurs de la magie, prodiges, sorcières, spectres nocturnes et sortilèges thessaliens » – *c.* et pourtant je n'ai pas manqué de curiosité – *d.* prétendre - *e.* prodiges – *f.* qui sont entre nos mains – *g.* « maintenant, personne, tant on est lassé et blasé de cette vue, ne daigne plus lever les yeux sur les espaces lumineux du ciel » – *h.* pour la première fois – *i.* quelques

si nunc primum mortalibus adsint,
Ex improviso, ceu sint objecta repente,
Nil magis his rebus poterat mirabile dici,
Aut minus ante quod auderent fore credere gentes[a][1].

Celui qui n'avait jamais vu la rivière, à la première qu'il rencontra, il pensa que ce fut l'Océan[2]. Et les choses qui sont à notre connaissance les plus grandes, nous les jugeons être les extrêmes que nature fasse en ce genre,

Scilicet et fluvius qui non maximus, ei est
Qui non ante aliquem majorem vidit, et ingens
Arbor homoque videtur, et omnia de genere omni,
Maxima quæ vidit quisque, hæc ingentia fingit[b][3].

Consuetudine oculorum assuescunt animi neque admirantur neque requirunt rationes earum rerum quas semper vident[c][4]. La nouvelleté des choses nous incite plus que leur grandeur à en rechercher les causes[5]. Il faut juger avec plus de révérence[d] de cette infinie puissance de nature[6], et plus de reconnaissance de notre ignorance et faiblesse. Combien y a-il de choses peu vraisemblables, témoignées par gens dignes de foi, desquelles si nous ne pouvons être persuadés, au moins les faut-il laisser en suspens : Car de les condamner impossibles[e], c'est se faire fort, par une téméraire présomption, de savoir jusques où va la possibilité[7]. Si l'on entendait bien la différence qu'il y a entre l'impossible et l'inusité : et entre ce qui est contre l'ordre du

a. « si tous ces objets apparaissaient aujourd'hui pour la première fois aux mortels, s'ils leur étaient soudain présentés, on ne pourrait rien citer de plus étonnant ou dont les hommes aient moins osé concevoir la possibilité de l'existence. » – *b.* « Sans doute un fleuve, sans être très grand, apparaît tel à qui n'en a jamais vu de plus grand, et un arbre ou un homme nous apparaissent immenses comme dans toute espèce, tout ce que l'on a vu de plus grand, on l'imagine gigantesque. » – *c.* « Par l'accoutumance des yeux, les esprits s'habituent, et ne s'étonnent plus des choses qu'ils voient toujours ni n'en recherchent plus les raisons. » – *d.* respect – *e.* comme impossibles

cours de nature, et contre la commune opinion des hommes, en ne croyant pas témérairement[a], ni aussi ne décroyant pas facilement[b], on observerait la règle de : rien trop : commandée par Chilon[1]. Quand on trouve dans Froissart[2], que le comte de Foix sut en Bearn la défaite du Roi Jean de Castille à Juberoth, le lendemain qu'elle fut advenue, et les moyens qu'il en allègue, on s'en peut moquer : Et de ce même que nos annales[3] disent, que le pape Honorius le propre jour que le Roi Philippe Auguste mourut à Mante, fit faire ses funérailles publiques, et les manda faire par toute l'Italie. Car l'autorité de ces témoins n'a pas à l'aventure assez de rang[c] pour nous tenir en bride. Mais quoi ? si Plutarque[4] outre plusieurs exemples, qu'il allègue de l'antiquité, dit savoir de certaine science[d] que du temps de Domitian, la nouvelle de la bataille perdue par Antonius en Allemaigne à plusieurs journées[e] de là, fut publiée à Rome et semée par tout le monde le même jour qu'elle avait été perdue : Et si Cæsar[5] tient, qu'il est souvent advenu que la renommée a devancé l'accident : Dirons-nous pas que ces simples gens-là, se sont laissé piper après le vulgaire[f], pour n'être pas clairvoyants comme nous ? Est-il rien plus délicat, plus net, et plus vif, que le jugement de Pline, quand il lui plaît de le mettre en jeu[g] : rien plus éloigné de vanité[h] : je laisse à part l'excellence de son savoir, duquel je fais moins de compte[i] : en quelle partie de ces deux-là[j] le surpassons-nous. Toutefois il n'est si petit écolier, qui ne le convainque de mensonge, et qui ne lui veuille faire leçon sur le progrès[k] des ouvrages

a. inconsidérément – *b*. n'abandonnant pas facilement une croyance. – *c*. dignité – *d*. science sûre – *e*. distance correspondant au chemin fait dans une journée – *f*. tromper en suivant l'erreur populaire – *g*. l'employer – *h*. inconsistance – *i*. dont je tiens moins compte – *j*. en quelle capacité (le jugement ou la consistance) – *k*. la marche

de nature. Quand nous lisons dans Bouchet[1] les miracles des reliques de Saint Hilaire : Passe : son crédit n'est pas assez grand pour nous ôter la licence[a] d'y contredire. Mais de condamner d'un train[b] toutes pareilles histoires, me semble singulière impudence. Ce grand Saint Augustin[2], témoigne avoir vu sur les reliques Saint[c] Gervais et Protaise à Milan, un enfant aveugle recouvrer la vue. Une femme à Carthage être guérie d'un cancer par le signe de croix, qu'une femme nouvellement baptisée lui fit. Hesperius un sien familier avoir chassé les esprits qui infestaient sa maison, avec un peu de terre du Sépulcre de notre Seigneur : et cette terre depuis transportée à l'Église, un paralytique en avoir été soudain guéri. Une femme en une procession ayant touché à la châsse Saint Étienne, d'un bouquet, et de ce bouquet s'étant frottée les yeux, avoir recouvré la vue, piéça[d] perdue : Et plusieurs autres miracles, où il dit lui-même avoir assisté. De quoi accuserons-nous et lui et deux Saints Évêques, Aurelius et Maximinus, qu'il appelle pour ses recors[e] : Sera-ce d'ignorance, simplesse, facilité, ou de malice et imposture ? Est-il homme en notre siècle si impudent, qui pense leur être comparable, soit en vertu et piété, soit en savoir, jugement et suffisance ? *Qui, ut rationem nullam afferent ipsa auctoritate [me] frangerent*[f][3]. C'est une hardiesse dangereuse et de conséquence, outre l'absurde témérité qu'elle traîne quant et soi[g], de mépriser ce que nous ne concevons pas. Car après que selon votre bel entendement, vous avez établi les limites de la vérité et de la mensonge, et qu'il se trouve que vous avez néces-

a. liberté – *b.* d'un même mouvement – *c.* les reliques de saint – *d.* jadis – *e.* témoins – *f.* « Ceux-ci, même s'ils n'apportaient aucun argument, me convaincraient par leur seule autorité. » – *g.* avec elle

sairement à croire des choses où il y a encore plus d'étrangeté qu'en ce que vous niez, vous vous êtes déjà obligé de les[a] abandonner. Or ce qui me semble apporter autant de désordre en nos consciences en ces troubles, où nous sommes, de la religion, c'est cette dispensation[b] que les Catholiques font de leur créance. Il leur semble faire bien les modérés et les entendus, quand ils quittent[c] aux adversaires aucuns[d] articles de ceux, qui sont en débat. Mais outre ce, qu'ils ne voient pas quel avantage c'est à celui qui vous charge, de commencer à lui céder et vous tirer arrière, et combien cela l'anime à poursuivre sa pointe: ces articles-là qu'ils choisissent pour les plus légers, sont aucune fois[e] très importants. Ou il faut se soumettre du tout[f] à l'autorité de notre police ecclésiastique, ou du tout s'en dispenser: Ce n'est pas à nous à établir la part que nous lui devons d'obéissance. Et davantage: je le puis dire pour l'avoir essayé[g], ayant autrefois usé de cette liberté de mon choix et triage[h] particulier, mettant à nonchaloir[i] certains points de l'observance de notre Église, qui semblent avoir un visage ou plus vain, ou plus étrange, venant à en communiquer aux[j] hommes savants, j'ai trouvé que ces choses-là, ont un fondement massif et très solide: et que ce n'est que bêtise et ignorance, qui nous fait les recevoir avec moindre révérence que le reste. Que ne nous souvient-il combien nous sentons de contradiction en notre jugement même: combien de choses nous servaient hier d'articles de foi, qui nous sont fables aujour-

a. les limites de la vérité et du mensonge – *b*. dilapidation – *c*. abandonnent – *d*. quelques – *e*. quelquefois – *f*. tout à fait – *g*. pour en avoir fait l'expérience – *h*. discernement – *i*. négligeant – *j*. à en faire part

d'hui ? La gloire et la curiosité, sont les deux fléaux de notre âme. Cette-ci, nous conduit à mettre le nez partout, et celle-là nous défend de rien laisser irrésolu et indécis.

De l'Amitié

CHAP. XXVIII

Considérant la conduite de la besogne d'un peintre, que j'ai, il m'a pris envie de l'ensuivre[a]. Il choisit le plus bel endroit et milieu de chaque paroi, pour y loger un tableau élaboré de toute sa suffisance[b] : Et le vide tout autour, il le remplit de crotesques[1], qui sont peintures fantasques, n'ayant grâce qu'en la variété et étrangeté. Que sont-ce ici aussi à la vérité que crotesques et corps monstrueux, rapiécés de divers membres, sans certaine figure[c], n'ayant ordre, suite, ni proportion que fortuite ?

Desinit in piscem mulier formosa superne[d2].

Je vais bien jusques à ce second point[e], avec mon peintre : mais je demeure court en l'autre, et meilleure partie[f] : Car ma suffisance ne va pas si avant, que d'oser[g] entreprendre un tableau riche, poli et formé selon l'art. Je me suis avisé d'en emprunter un d'Estienne de la Boitie[3], qui honorera tout le reste de cette besogne. C'est un discours auquel il donna nom. *La Servitude volontaire* : Mais ceux qui l'ont ignoré, l'ont bien proprement depuis rebaptisé,

a. le suivre – *b.* valeur, talent – *c.* figure définie – *d.* « Une femme belle de buste s'achève en poisson » – *e.* Je fais comme le peintre pour ce qui est des grotesques périphériques – *f.* tâche (qui est de peindre le sujet central) – *g.* mon talent n'est pas grand au point d'oser

Le Contre un[1]. Il l'écrivit par manière d'essai, en sa première jeunesse[2], à l'honneur[3] de la liberté contre les tyrans. Il court piéça ès[a] mains des gens d'entendement, non sans bien grande et méritée recommandation: car il est gentil[b], et plein ce qu'il est possible. Si y a-il bien à dire[c], que ce ne soit le mieux qu'il pût faire: et si en l'âge que je l'ai connu plus avancé, il eût pris un tel dessein que le mien, de mettre par écrit ses fantaisies, nous verrions plusieurs choses rares, et qui nous approcheraient bien près de l'honneur de l'antiquité: Car notamment en cette partie des dons de nature, je n'en connais point qui lui soit comparable. Mais il n'est demeuré de lui que ce discours, encore par rencontre[d], et crois qu'il ne le vit onques depuis qu'il lui échappa: et quelques mémoires sur cet édit de Janvier[4] fameux par nos guerres civiles, qui trouveront encore ailleurs peut-être leur place. C'est tout ce que j'ai pu recouvrer de ses reliques, Moi, qu'il laissa d'une si amoureuse recommandation, la mort entre les dents, par son testament héritier de sa bibliothèque [et] de ses papiers: outre le livret de ses œuvres que j'ai fait mettre en lumière[5]. Et si suis obligé particulièrement à cette pièce[e], d'autant qu'elle a servi de moyen à notre première accointance. Car elle me fut montrée longue pièce[f] avant que je l'eusse vu, et me donna la première connaissance de son nom, acheminant ainsi cette amitié, que nous avons nourrie, tant que Dieu a voulu, entre nous, si entière et si parfaite, que certainement il ne s'en lit guère de pareilles, et entre nos hommes il ne s'en voit aucune trace en usage. Il faut tant de rencontres à[g] la bâtir,

a. Il y a longtemps qu'il court dans les – *b*. noble – *c*. Pourtant il s'en faut de beaucoup – *d*. par hasard – *e*. œuvre [Le *Discours de la servitude volontaire*] – *f*. longtemps – *g*. circonstances fortuites pour que c'est beaucoup si la fortune y arrive une fois en trois siècles. Il n'est rien à quoi il semble que nature nous ait plus acheminé qu'à la société : et dit Aristote que les bons législateurs ont eu plus [de] soin de l'amitié que de la justice[1]. Or le dernier point[a] de sa perfection est cetui-ci. Car en général toutes celles que la volupté ou le profit : le besoin public ou privé forge et nourrit : en sont d'autant moins belles et généreuses, et d'autant moins amitiés, qu'elles mêlent autre cause et but et fruit en l'amitié qu'elle-même. Ni ces quatre espèces anciennes : naturelle, sociale, hospitalière, vénérienne[b], particulièrement n'y conviennent, ni conjointement[c]. Des enfants aux pères[2], c'est plutôt respect. L'amitié se nourrit de communication, qui ne peut se trouver entre eux, pour la trop grande disparité, et offenserait à l'aventure[d] les devoirs de nature : Car ni toutes les secrètes pensées des pères ne se peuvent communiquer aux enfants, pour n'y engendrer une messéante privauté[e] : ni les avertissements et corrections, qui est un des premiers offices d'amitié, ne se pourraient exercer des enfants aux pères. Il s'est trouvé des nations[3], où par usage les enfants tuaient leurs pères : et d'autres, où les pères tuaient leurs enfants, pour éviter l'empêchement[f] qu'ils se peuvent quelquefois entreporter[g], et naturellement l'un dépend de la ruine de l'autre : Il s'est trouvé des philosophes dédaignant cette couture naturelle : témoin Aristippus[4] : quand on le pressait de[h] l'affection qu'il devait à ses enfants pour être sortis de lui, il se mit à cracher : disant que cela en[i] était aussi bien sorti : que nous engendrions bien des poux et des vers. Et cet autre que Plutarque voulait induire[j] à s'accorder avec son frère. Je n'en fais pas, dit-il, plus grand état, pour être sorti de même trou[5].

a. degré – *b*. érotique – *c*. ni prises une par une, ni prises ensemble – *d*. peut-être – *e*. une privauté déplacée – *f*. gêne – *g*. porter les uns aux autres – *h*. au sujet de – *i*. [de lui] – *j*. pousser

C'est à la vérité un beau nom, et plein de dilection[a] que le nom de frère[1], et à cette cause en fîmes-nous lui et moi notre alliance : Mais ce mélange de biens, ces partages, et que la richesse de l'un soit la pauvreté de l'autre, cela détrempe[b] merveilleusement et relâche cette soudure fraternelle : Les frères ayant à conduire le progrès de leur avancement, en même sentier et même train, il est force qu'ils se heurtent et choquent souvent. Davantage, la correspondance et relation qui engendre ces vraies et parfaites amitiés, pourquoi se trouvera-t-elle en ceux-ci ? Le père et le fils peuvent être de complexion entièrement éloignée, et les frères aussi : C'est mon fils, c'est mon parent : mais c'est un homme farouche, un méchant, ou un sot. Et puis, à mesure que ce sont amitiés que la loi et l'obligation naturelle nous commande, il y a d'autant moins de notre choix et liberté volontaire : Et notre liberté volontaire n'a point de production qui soit plus proprement sienne, que celle de l'affection et amitié[2]. Ce n'est pas que je n'aie essayé de ce côté-là, tout ce qui en peut être, Ayant eu le meilleur père qui fut onques, et le plus indulgent, jusques à son extrême vieillesse, et étant d'une famille fameuse de père en fils, et exemplaire en cette partie de la concorde fraternelle,

et ipse
Notus in fratres animi paterni[c 3].

D'y comparer l'affection envers les femmes[4], quoiqu'elle naisse de notre choix, on ne peut, ni la loger en ce rôle. Son feu, je le confesse,

neque enim est dea nescia nostri
Quæ dulcem curis miscet amaritiem[d 5],

a. affection – *b.* amollit – *c.* « et étant moi-même connu pour l'affection paternelle que j'éprouve à l'égard de mes frères » – *d.* « et en effet elle ne nous est pas inconnue, la déesse qui aux soucis mélange

est plus actif, plus cuisant, et plus âpre. Mais c'est un feu téméraire[a] et volage, ondoyant et divers, feu de fièvre, sujet à accès et remises[b], et qui ne nous tient qu'à un coin. En l'amitié, c'est une chaleur générale et universelle, tempérée au demeurant et égale, une chaleur constante et rassise, toute douceur et polissure, qui n'a rien d'âpre et de poignant[c]. Qui plus est en l'amour ce n'est qu'un désir forcené après ce qui nous fuit,

Come segue la lepre il cacciatore
Al freddo, al caldo, alla montagna, al lito,
Ne più l'estima poi, che presa vede
Et sol dietro a chi fugge affretta il piede[d1].

Aussitôt qu'il entre aux termes[e] de l'amitié, c'est-à-dire en la convenance[f] des volontés, il s'évanouit et s'alanguit : La jouissance le perd, comme ayant la fin corporelle et sujette à satiété. L'amitié au rebours, est jouie à mesure qu'elle est désirée, ne s'élève, se nourrit, ni ne prend accroissance qu'en la jouissance, comme étant spirituelle, et l'âme s'affinant par l'usage. Sous cette parfaite amitié, ces affections volages ont autrefois trouvé place chez moi, afin que je ne parle de lui, qui n'en confesse que trop par ces vers. Ainsi ces deux passions[g] sont entrées chez moi en connaissance l'une de l'autre, mais en comparaison jamais : La première maintenant sa route d'un vol hautain et superbe, et regardant dédaigneusement cette-ci passer ses pointes bien loin au-dessous d'elle. Quant aux mariages, outre ce que c'est un marché qui n'a que l'entrée libre, sa durée étant

---

une douce amertume » – *a.* inconsidéré – *b.* rémissions – *c.* douloureux – *d.* « Comme le chasseur suit le lièvre dans le froid, dans la chaleur, sur la montagne, sur le rivage, mais n'en fait plus cas dès qu'il est pris, et ne presse le pas qu'à la poursuite de ce qui s'enfuit. » – *e.* rentre sous les conditions – *f.* l'harmonie – *g.* [l'amitié et l'amour]

contrainte et forcée, dépendant d'ailleurs[a] que de notre vouloir : Et marché, qui ordinairement se fait à autres fins : il y survient[1] mille fusées[b] étrangères à démêler parmi[c], suffisantes à rompre le fil et troubler le cours d'une vive affection : Là où en l'amitié, il n'y a affaire ni commerce que d'elle-même. Joint qu'à[d] dire vrai la suffisance[e] ordinaire des femmes, n'est pas pour répondre à cette conférence[f] et communication, nourrice de cette sainte couture : Ni leur âme ne semble assez ferme pour soutenir l'étreinte d'un nœud si pressé, et si durable. Et certes sans cela, s'il se pouvait dresser une telle accointance libre et volontaire, où non seulement les âmes eussent cette entière jouissance, mais encore où les corps eussent part à l'alliance, où l'homme fût engagé tout entier : il est certain que l'amitié en serait plus pleine et plus comble[g]. Mais ce sexe par nul exemple n'y est encore pu arriver, et par le commun consentement des écoles anciennes en est rejeté. Et cette autre licence Grecque est justement abhorrée par nos mœurs[2]. Laquelle pourtant, pour avoir selon leur usage une si nécessaire disparité d'âges [et] différences d'offices entre [les] amants, ne répondait non plus assez à la parfaite union et convenance qu'ici nous demandons. *Quis est enim iste amor amicitiæ ? cur neque deformem adolescentem quisquam amat, neque formosum senem ?*[h][3] Car la peinture même qu'en fait l'Académie ne me désavouera pas, comme je pense, de dire ainsi de sa part. Que cette première fureur inspirée par le fils de Vénus au cœur de l'amant sur l'objet de la fleur d'une tendre jeunesse, à laquelle ils permettent tous les insolents et passionnés efforts que peut produire une ardeur immodérée : était simplement fondée en une beauté externe : fausse image de la génération corporelle. Car en

a. d'autre chose – *b*. entortillements de fils étrangers – *c*. en son cœur – *d*. Outre qu'à – *e*. capacité – *f*. conversation – *g*. achevée – *h*. « Quel est en effet cet amour de l'amitié ? et pourquoi n'y a-t-il personne pour aimer un adolescent hideux, ou un beau vieillard ? »

l'esprit elle ne pouvait. Duquel la montre[a] était encore cachée : qui n'était qu'en sa naissance et avant l'âge de germer. Que si cette fureur saisissait un bas courage[b] : les moyens de sa poursuite c'étaient richesses, présents, faveur à l'avancement des dignités, et telle autre basse marchandise qu'ils réprouvent[1]. Si elle tombait en un courage plus généreux : les entremises[c] étaient généreuses de même. Instructions philosophiques, Enseignements à révérer la religion, obéir aux lois, mourir pour le bien de son pays, Exemples de vaillance, prudence, justice[2]. S'étudiant l'amant de se rendre acceptable par la bonne grâce et beauté de son âme : celle de son corps étant piéça[d] fanée. Et espérant par cette société mentale établir un marché plus ferme et durable. Quand cette poursuite arrivait à l'effet[e], en sa saison : car ce qu'ils ne requièrent point en l'amant, qu'il apportât loisir [et discrétion[f] en son entreprise,] ils le requièrent exactement en l'aimé : d'autant qu'il lui fallait juger d'une beauté interne : de difficile connaissance et abstruse découverte. Lors naissait en l'aimé le désir d'une conception spirituelle par l'entremise d'une spirituelle beauté. Cette-ci était ici principale : la corporelle accidentelle[g] [et] seconde. Tout le rebours de l'amant. À cette cause[h] préfèrent-ils l'aimé : et vérifient que les dieux aussi le préfèrent. Et tancent grandement le poète Æschilus[3] d'avoir, en l'amour d'Achilles et de Patroclus donné la part de l'amant à Achilles : qui était en la première et imberbe verdeur de son adolescence : et le plus beau des Grecs. Après cette communauté générale : la maîtresse et plus digne partie d'icelle exerçant ses offices[i] et prédominant : ils disent qu'il en provenait des fruits très utiles au privé et au public. Que c'était la force des pays qui en recevaient l'usage : [et] la principale défense de l'équité et de la liberté. Témoin les salutaires amours de Hermodius et d'Aristogiton[4]. Pourtant[j] la nomment-ils sacrée et divine. Et n'est à leur compte que la violence des tyrans et lâcheté des peuples qui lui soit adversaire. Enfin tout ce qu'on peut donner à la faveur[k] de l'Académie[5], c'est dire que

a. manifestation – *b.* cœur – *c.* moyens de séduction – *d.* depuis longtemps – *e.* arrivait à son but – *f.* discernement – *g.* contingente – *h.* Pour cette raison – *i.* devoirs – *j.* Pour cette raison – *k.* mettre au crédit

c'était un amour se terminant en amitié. Chose qui ne se rapporte pas [mal à la] définition Stoïque de l'amour. *Amorem conatum esse amicitiæ faciendæ ex pulchritudinis specie*[a][1]. Je [reviens à ma description de façon plus équitable et] plus équable[b]. *Omnino amicitiæ corroboratis jam [confirmatisque ingeniis et ætatibus, judicandæ sunt*[c][2].] Au demeurant, ce que nous appelons ordinairement amis et amitiés, ce ne sont qu'accointances et familiarités nouées par quelque occasion ou commodité, par le moyen de laquelle nos âmes s'entretiennent[3]. En l'amitié, de quoi[d] je parle, elles se mêlent et confondent l'une en l'autre, d'un mélange si universel, qu'elles effacent, et ne retrouvent plus la couture qui les a jointes[4]. Si on me presse de dire pourquoi je l'aimais, je sens que cela ne se peut exprimer qu'en répondant : Parce que c'était lui : parce que c'était moi. Il y a au-delà de tout mon discours, et de ce que j'en puis dire particulièrement, ne sais quelle force inexplicable et fatale médiatrice de[e] cette union. Nous nous cherchions avant que de [nous être vus, et par des rapports que nous oyions l'un de l'autre :] qui faisaient en notre affection plus d'effort que ne porte la raison des rapports[f] : je crois par quelque ordonnance du ciel : nous nous embrassions par nos noms[g]. Et à notre première rencontre[5] qui fut par hasard en une grande fête et compagnie de ville[h], nous nous trouvâmes si pris, si connus, si obligés entre nous, que rien dès lors ne nous fut si proche que l'un à l'autre. Il écrivit une Satire Latine excellente qui est publiée[6], par laquelle il excuse et explique [la] précipitation de notre intelligence[i] si promptement parvenue à sa perfection. Ayant si peu à durer : et ayant si tard commencé : car nous étions tous deux hommes

a. « L'amour est un effort pour fonder une amitié à partir de la vue de la beauté » – *b*. égale – *c*. « Pour tout dire, on doit juger des amitiés une fois que les caractères et les âges sont parvenus à maturité et se sont affermis » – *d*. de laquelle – *e*. providentielle, entremetteuse de – *f*. plus d'effet que ne porte la prise en compte des rapports – *g*. nous nous attachions l'un à l'autre par nos renommées – *h*. rassemblement municipal – *i*. compréhension mutuelle

faits, [et] lui plus de quelque année : elle n'avait point à perdre temps. [Et] n'avait à se régler au patron des amitiés molles et régulières[a], auxquelles il faut [tant] de précautions de longue [et] préalable conversation. Cette-ci n'a point d'autre idée[b] [que] d'elle-même et ne se peut rapporter qu'à soi. Ce n'est pas une spéciale considération, ni deux, ni trois, ni quatre, ni mille : c'est je ne sais quelle quintessence de tout ce mélange, qui ayant saisi toute ma volonté, l'amena se plonger et se perdre dans la sienne, qui ayant saisi toute sa volonté, l'amena se plonger et se perdre en [la] mienne : d'une faim, d'une concurrence[c] pareille. Je dis perdre à la vérité[d], ne nous réservant rien qui nous fût propre, ni qui fût ou sien ou mien. Quand Lælius[1] en présence des Consuls Romains, lesquels après la condamnation de Tiberius Gracchus, poursuivaient tous ceux, qui avaient été de son intelligence[e], vint à s'enquérir de Caius Blosius (qui était le principal de ses amis) combien il eût voulu faire[f] pour lui : et qu'il eut répondu, toutes choses. Comment toutes choses, suivit-il, et quoi s'il t'eût commandé de mettre le feu en nos temples ? Il ne me l'eût jamais commandé, répliqua Blosius. Mais s'il l'eût fait ? ajouta Lælius : J'y eusse obéi, répondit-il. S'il était si parfaitement ami de Gracchus, comme disent les histoires, il n'avait que faire d'offenser les consuls par cette dernière et hardie confession, Et ne se devait départir de l'assurance[g] qu'il avait de la volonté de Gracchus. Mais[2] toutefois ceux, qui accusent cette réponse comme séditieuse[h], n'entendent pas bien ce mystère, Et ne présupposent pas, comme il est[i], qu'il tenait la volonté de Gracchus en sa manche, et par puissance et par connaissance. [Ils]

a. habituelles – *b* . modèle – *c*. convergence – *d*. véritablement – *e*. qui avaient eu une relation avec lui – *f*. vint à demander à Caius Blosius ce qu'il eût voulu faire – *g*. la certitude – *h*. d'être séditieuse – *i*. comme c'est le cas

étaient plus amis que citoyens : plus amis qu'amis et qu'ennemis de leur pays : [qu']amis d'ambition et de trouble. S'étant parfaitement commis l'un à l'autre, ils tenaient parfaitement les rênes [de] l'inclination l'un de l'autre. [Et] faites guider cet harnois[a] [par] la vertu et conduite de [la] raison, comme aussi est-il du [tout][b] impossible de l'atteler sans cela, la réponse [de] Blosius est telle qu'elle devait être. [Si] leurs actions se démanchèrent[c], ils n'étaient ni amis selon ma mesure l'un [de] l'autre, ni amis à eux-mêmes. Au demeurant cette réponse ne sonne non plus que ferait la mienne, à qui s'enquerrait à moi de cette façon : Si votre volonté vous commandait de tuer votre fille, la tueriez-vous ? Et que je l'accordasse, Car cela ne porte aucun témoignage de consentement à ce faire[d], parce que je ne suis point en doute de ma volonté, et tout aussi peu de celle d'un tel ami. Il n'est pas en la puissance de tous les discours du monde, de me déloger de la certitude, que j'ai des intentions et jugements du mien : Aucune de ses actions ne me saurait être présentée, quelque visage qu'elle eût, que je n'en trouvasse incontinent le ressort. Nos âmes ont charrié si uniment[e] ensemble, elles se sont considérées d'une si ardente affection, et de pareille affection découvertes jusques au fin fond des entrailles l'une à l'autre : que non seulement je connaissais la sienne comme la mienne, mais je me fusse certainement plus volontiers fié à lui de moi, qu'à moi. Qu'on ne me mette pas en ce rang, ces autres amitiés communes : j'en ai autant de connaissance qu'un autre, et des plus parfaites de leur genre, mais je ne conseille pas qu'on confonde leurs règles : on s'y tromperait. Il faut marcher en ces autres amitiés, la bride à la main, avec prudence et précaution : La liaison n'est pas

a. cet attelage – *b.* absolument – *c.* s'étaient disjointes – *d.* de mon consentement à effectuer ce crime – *e.* conduit l'attelage d'un pas si égal

nouée en manière, qu'on n'ait aucunement à s'en défier. Aimez-le (disait Chilon) comme ayant[a] quelque jour à la haïr : haïssez-le, comme ayant à l'aimer[1]. Ce précepte qui est si abominable en cette souveraine et maîtresse amitié, il est salubre en l'usage des amitiés ordinaires et coutumières : À l'endroit desquelles il faut employer le mot qu'Aristote avait très familier. Ô mes amis, il n'y a nul ami[2]. En ce noble commerce, les offices[b] et les bienfaits nourriciers des autres amitiés, ne méritent pas seulement d'être mis en compte : Cette confusion si pleine de nos volontés en est cause, Car tout ainsi que l'amitié, que je me porte, ne reçoit point augmentation, pour le secours que je me donne au besoin, quoi que dient les Stoïciens[3], et comme je ne me sais aucun gré du service que je me fais : aussi l'union de tels amis étant véritablement parfaite, elle leur fait perdre le sentiment[c] de tels devoirs, Et haïr et chasser d'entre eux, ces mots de division et de différence : bienfait, obligation, reconnaissance, prière, remerciement, et leurs pareils. Tout étant par effet commun entre eux, volontés, pensements[d], jugements, biens, femmes, enfants, honneur et vie, et leur convenance[e] n'étant qu'une âme en deux corps selon la très propre définition d'Aristote[4], ils ne se peuvent ni prêter, ni donner rien. Voilà pourquoi les faiseurs de lois, pour honorer le mariage de quelque imaginaire ressemblance de cette divine liaison, défendent les donations entre le mari et la femme[5]. Voulant inférer par là, que tout doit être à chacun d'eux, et qu'ils n'ont rien à diviser et partir ensemble. Si en l'amitié, de quoi je parle, l'un pouvait donner à l'autre, ce serait celui qui recevrait le bienfait, qui obligerait son compagnon[6].

a. comme si vous aviez – *b*. services – *c*. la notion – *d*. pensées – *e*. conformité

Car cherchant l'un et l'autre, plus que toute autre chose de s'entre-bienfaire, celui qui en prête la matière et l'occasion, est celui-là qui fait le libéral[a], donnant[1] ce contentement à son ami, d'effectuer en son endroit ce qu'il désire le plus. Quand le philosophe Diogenes avait faute d'argent, il disait qu'il [le] redemandait à ses amis, non qu'il le demandait[2]. Et pour montrer comment cela se pratique par effet[b], j'en réciterai[c] un ancien exemple, singulier. Eudamidas Corinthien, avait deux amis[3], Charixenus Sycionien, et Aretheus Corinthien : Venant à mourir étant pauvre, et ses deux amis riches, il fit ainsi son testament : Je lègue à Aretheus de nourrir ma mère, et l'entretenir en sa vieillesse : à Charixenus de marier ma fille, et lui donner le douaire[d] le plus grand qu'il pourra : et au cas que l'un d'eux vienne à défaillir, je substitue en sa part celui, qui survivra. Ceux qui premiers virent ce testament, s'en moquèrent, mais ses héritiers en ayant été avertis l'acceptèrent, avec un singulier contentement. Et l'un d'eux, Charixenus, étant trépassé cinq jours après, la substitution étant ouverte en faveur d'Aretheus, il nourrit curieusement[e] cette mère, et de cinq talents qu'il avait en ses biens, il en donna les deux et demi en mariage à une sienne fille unique, et deux et demi pour le mariage de la fille d'Eudamidas, desquelles il fit les noces en même jour. Cet exemple est bien plein, si une condition en était à dire[f], qui est la multitude d'amis : Car cette parfaite amitié, de quoi je parle, est indivisible : Chacun se donne si entier à son ami, qu'il ne lui reste rien à départir ailleurs : Au rebours, il est marri qu'il ne soit double, triple, ou quadruple, et qu'il n'ait plusieurs âmes et plusieurs

a. généreux – *b.* concrètement – *c.* citerai – *d.* la dot – *e.* soigneusement – *f.* à une condition près

volontés, pour les conférer toutes à ce sujet. Les amitiés communes, on les peut départir, On peut aimer en cestui-ci la beauté, en cet autre la facilité de ses mœurs, en l'autre la libéralité, en celui-là la paternité, en cet autre la fraternité, ainsi du reste : Mais cette amitié, qui possède l'âme et la régente en toute souveraineté, il est impossible qu'elle soit double. [Si deux en même temps demandaient à être secourus, auquel] courriez-vous[1] ? S'ils requéraient de vous des offices[a] contraires, quel ordre y trouveriez-vous ? Si l'un commettait[b] à votre silence chose qui fût utile à l'autre de savoir, comment vous en démêleriez-vous ? L'unique et principale amitié découd toutes autres obligations. Le secret que j'ai juré de ne déceler à nul autre, je le puis sans parjure communiquer à celui qui n'est pas autre, c'est moi. C'est un assez grand miracle [de] se doubler et n'en connaissent pas la hauteur ceux qui parlent de se tripler. Rien n'est extrême qui a son pareil. Et qui présupposera que de deux j'en aime autant l'un que l'autre, et qu'ils s'entraînent et m'aiment autant que je les aime, il multiplie [en] confrérie[c] la chose la plus une et unie : et de quoi une seule est encore la plus [rare] à trouver au monde. Le demeurant de cette histoire convient très bien à ce que je disais : Car Eudamidas donne pour grâce et pour faveur à ses amis de les employer à son besoin. Il les laisse héritiers de cette sienne libéralité, qui consiste à leur mettre en main les moyens de lui bienfaire. Et sans doute, la force de l'amitié se montre bien plus richement en son fait, qu'en celui d'Aretheus. Somme[d], ce sont effets inimaginables, à qui n'en a goûté : Et qui me font honorer à merveille[e] la réponse de ce jeune soldat à Cyrus s'enquérant à lui pour combien il voudrait donner un cheval, par le moyen duquel il venait de gagner le prix de la course : et s'il le voudrait échanger à[f] un Royaume : Non certes, Sire, mais bien le lairrais-je

a. services – *b.* confiait – *c.* en une association de plusieurs individus – *d.* En somme – *e.* extrêmement – *f.* contre

volontiers pour en acquérir un ami si je trouvais homme digne de telle alliance[1]. Il ne disait pas mal si j'en trouvais : car on trouve facilement des hommes propres à une superficielle accointance, mais en cette-ci, en laquelle on négocie du fin fond de son courage[a], qui ne fait rien de reste[b], certes il est besoin que tous les ressorts soient nets et sûrs parfaitement. Aux confédérations[c] qui [ne] tiennent que par un bout on n'a à pourvoir qu'aux imperfections qui particulièrement intéressent ce bout[-là]. Il ne peut chaloir[d] de quelle religion soit mon médecin et mon avocat. Cette considération n'a rien de commun avec les offices[e] de l'amitié qu'ils me doivent. Et en l'accointance domestique que dressent avec moi ceux qui me servent, j'en fais de même. Et m'enquiers peu d'un laquais s'il est chaste. Je cherche s'il est diligent. Et ne crains pas tant un muletier joueur qu'imbécile : ni un cuisinier jureur qu'ignorant. Je ne me mêle pas de dire ce qu'il faut faire au monde, d'autres assez s'en mêlent, mais ce que j'y fais. *Mihi sic usus est, tibi ut opus est facto face*[f][2]. À la familiarité de la table j'associe le plaisant, non le prudent. Au lit la beauté avant la bonté. En la société du discours, la suffisance voire sans la prud'homie[g]. Pareillement ailleurs. Tout ainsi que cil qui[h] fut rencontré à chevauchons sur un bâton, se jouant avec ses enfants, pria l'homme qui l'y surprit, de n'en rien dire, jusques à ce qu'il fût père lui-même : estimant que la passion qui lui naîtrait lors en l'âme, le rendrait juge équitable d'une telle action[3]. Je souhaiterais aussi parler à des gens qui eussent essayé ce que je dis. Mais sachant combien c'est chose éloignée du commun usage, qu'une telle amitié, et combien elle est rare, je ne m'attends pas d'en trouver aucun[i] bon juge. Car les discours même que l'antiquité nous a laissés sur ce sujet, me semblent lâches au prix du sentiment que j'en ai : Et en ce

a. cœur – *b.* qui n'épargne aucun effort – *c.* alliances – *d.* importer – *e.* devoirs – *f.* « Tel est mon usage, pour toi, fais comme il te convient » – *g.* la compétence, même dénuée de sagesse – *h.* celui qui – *i.* quelque

point, les effets[a] surpassent les préceptes mêmes de la philosophie.

Nil ego contulerim jucundo sanus amico[b][1].

L'ancien Menander disait celui-là heureux, qui avait pu rencontrer seulement l'ombre d'un ami. Il avait certes raison de le dire, même[c] s'il en avait tâté : Car à la vérité si je compare tout le reste de ma vie, quoiqu'avec la grâce de Dieu je l'ai passée douce, aisée, et sauf la perte d'un tel ami, exempte d'affliction pesante, pleine de tranquillité d'esprit, Ayant pris en paiement[d] mes commodités naturelles et originelles sans en rechercher d'autres : Si je la compare, dis-je, toute, aux quatre années[2], qu'il m'a été donné de jouir de la douce compagnie et société de ce personnage, ce n'est que fumée, ce n'est qu'une nuit obscure et ennuyeuse. Depuis le jour que je le perdis,

quem semper acerbum,
Semper honoratum (sic Dii voluistis) habebo[e][3],

je ne fais que traîner languissant : Et les plaisirs même qui s'offrent à moi, au lieu de me consoler me redoublent le regret de sa perte. Nous étions à moitié de tout : il me semble que je lui dérobe sa part,

Nec fas esse ulla me voluptate hic frui
Decrevi, tantisper dum ille abest meus particeps[f][4].

J'étais déjà si fait et accoutumé à être deuxième partout, qu'il me semble n'être plus qu'à demi.

Illam meæ si partem animæ tulit
Maturior vis, quid moror altera,

a. l'expérience – *b*. « Avec du bon sens, il n'est rien que je saurais comparer à un doux ami. » – *c*. surtout – *d*. pris comme mon dû – *e*. « [jour] que je considérerai toujours comme cruel, mais toujours comme sacré (ainsi, Dieux, l'avez-vous voulu) » – *f*. « Et j'ai décidé qu'il ne m'était plus permis de jouir du moindre plaisir, aussi longtemps que serait absent celui qui participait à ma vie. »

Nec charus æque nec superstes
Integer? Ille dies utramque
Duxit ruinam[a1].

Il n'est action ou imagination, où je ne le trouve à dire : comme si eût-il bien fait à moi[b] : Car de même qu'il me surpassait d'une distance infinie en toute autre suffisance et vertu, aussi faisait-il au devoir de l'amitié.

Quis desiderio sit pudor aut modus
Tam chari capitis[2] *?*
O misero frater adempte mihi !
Omnia tecum una perierunt gaudia nostra.
Quæ tuus in vita dulcis alebat amor.
Tu mea, tu moriens fregisti commoda frater
Tecum una tota est nostra sepulta anima,
Cujus ego interitu tota de mente fugavi
Hæc studia, atque omnes delicias animi.
Alloquar? audiero nunquam tua verba loquentem?
Nunquam ego te vita frater amabilior
Aspiciam posthac? At certe semper amabo[c3].

Mais oyons un peu parler ce garçon de seize ans[4]. Parce que j'ai trouvé que cet ouvrage a été depuis mis en lumière et à mauvaise fin[5], par ceux qui cher-

a. « Si un coup prématuré m'a ôté cette partie de mon âme, pourquoi m'attarder, partie restante, moi qui ne suis pas autant aimée et qui survis sans être entière ? Ce jour-là a provoqué la ruine de l'une et l'autre partie. » – *b.* où je ne trouve qu'il me manque, comme il l'aurait trouvé à mon égard – *c.* « Quelle pudeur ou retenue pourrait-il y avoir au regret d'une tête si chère ? Ô malheureux que je suis, mon frère, puisque la mort t'a emporté ! Avec toi ont péri toutes nos joies que ton tendre amour nourrissait dans ma vie. Toi, mon frère, en mourant, tu as brisé toutes mes satisfactions ; en même temps que toi, notre âme tout entière a été ensevelie ; toi dont la disparition m'a fait complètement chasser de mon esprit ces études et tous les plaisirs de l'esprit. Te parlerai-je ? T'entendrai-je jamais prononcer des paroles ? Jamais, frère plus aimable que ma vie, je ne te contemplerai plus ? Une chose du moins est sûre : toujours je t'aimerai. »

chent à troubler et changer l'état de notre police[a], sans se soucier s'ils l'amenderont[b], qu'ils ont mêlé à d'autres écrits de leur farine, je me suis dédit de le loger ici. Et afin que la mémoire de l'auteur n'en soit intéressée en l'endroit de ceux[c], qui n'ont pu connaître de près ses opinions et ses actions. Je les avise que ce sujet fut traité par lui en son enfance, par manière d'exercitation seulement, comme sujet vulgaire et tracassé[d] en mille endroits des[e] livres. Je ne fais nul doute qu'il ne crût ce qu'il écrivait, car il était assez consciencieux, pour ne mentir pas même en se jouant : Et sais davantage que s'il eût eu à choisir, il eût mieux aimé être né à Venise qu'à Sarlac[1] : et avec raison : Mais il avait une autre maxime souverainement empreinte en son âme, d'obéir et de se soumettre très religieusement aux lois, sous lesquelles il était né. Il ne fut jamais un meilleur citoyen, ni plus affectionné au repos de son pays, ni plus ennemi des remuements et nouvelletés de son temps. Il eût bien plutôt employé sa suffisance[f] à les éteindre, qu'à leur fournir de quoi les émouvoir davantage. Il avait son esprit moulé au patron[g] d'autres siècles que ceux-ci. Or en échange de cet ouvrage sérieux j'en substituerai un autre[2], produit en cette même saison de son âge, plus gaillard et plus enjoué[3].

a. organisation politique, gouvernement – *b*. l'amélioreront – *c*. afin que le souvenir de l'auteur ne subisse pas d'atteinte dans l'esprit de ceux – *d*. exploré, parcouru – *e*. par les – *f*. son talent – *g*. modèle

Vingt et neuf sonnets d'Estienne de la Boetie, à Madame de Grammont Comtesse de Guissen

Chap. xxix[1]

Madame[2] je ne vous offre rien du mien, ou parce qu'il est déjà vôtre, ou pour ce que je n'y trouve rien digne de vous. Mais j'ai voulu que ces vers en quelque lieu qu'ils se vissent, portassent votre nom en tête, pour l'honneur que ce leur sera d'avoir pour guide cette grande Corisande d'Andoins[3]. Ce présent m'a semblé vous être propre, d'autant qu'il est peu de dames en France, qui jugent mieux, et se servent plus à propos que vous, de la poésie : et puisqu'il n'en est point qui la puissent rendre vive et animée, comme vous faites par ces beaux et riches accords[4], de quoi parmi un million d'autres beautés, nature vous a étrennée. Madame ces vers méritent que vous les chérissiez : car vous serez de mon avis, qu'il n'en est point sorti de Gascoigne, qui eussent plus d'invention et de gentillesse, et qui témoignent être sortis d'une plus riche main. Et n'entrez pas en jalousie, de quoi vous n'avez que le reste de ce que piéça[a] j'en ai fait imprimer sous le nom de monsieur de Foix, votre bon parent[5] : car certes ceux-ci ont je ne sais quoi de plus vif et de plus bouillant : comme il les fit en sa plus verte jeunesse, et échauffé d'une belle et

a. depuis longtemps

noble ardeur que je vous dirai, Madame, un jour à l'oreille. Les autres furent faits depuis comme il était à la poursuite de son mariage[a], en faveur de sa femme, et sentent déjà je ne sais quelle froideur maritale. Et moi je suis de ceux, qui tiennent que la poésie ne rit point ailleurs, comme elle fait en un sujet folâtre et déréglé[b].

Ces vers se voient ailleurs[1].

a. en pleins préparatifs de son mariage – *b*. libre, affranchi de toute règle

De la modération

CHAP. XXX

Comme si nous avions l'attouchement infect, nous corrompons par notre maniement les choses, qui d'elles-mêmes sont belles et bonnes. Nous pouvons saisir la vertu, de façon qu'elle en deviendra vicieuse : si nous l'embrassons d'un désir trop âpre et violent. Ceux qui disent qu'il n'y a jamais d'excès en la vertu, d'autant que[a] ce n'est plus vertu, si l'excès y est[1], se jouent des paroles[b] :

Insani sapiens nomen ferat, æquus iniqui,
Ultra quam satis est, virtutem si petat ipsam[c2].

C'est une subtile considération de la philosophie. On peut et trop aimer la vertu, et se porter excessivement en une action juste. À ce biais s'accommode la voix divine[d] : ne soyez pas plus sages qu'il ne faut, mais soyez sobrement sages[3]. J'ai vu tel grand, blesser la réputation de sa religion pour se montrer[e] religieux outre tout exemple des hommes de sa sorte[4]. J'aime des natures tempérées et moyennes. L'immodération vers le bien, même si elle ne m'offense, elle m'étonne et me met en peine de la baptiser. Ni la mère de Pausanias qui donna la première instruction[f] et porta la première pierre à la mort de son

a. parce que – *b*. jouent sur les mots – *c*. « Que le sage soit nommé insensé, et le juste, injuste, s'ils recherchent la vertu même avec excès » – *d*. À ce sens s'accorde la parole de Dieu – *e*. en se montrant – *f*. injonction

fils[1] : ni le dictateur Posthumius[2] qui fit mourir le sien que l'ardeur de jeunesse avait poussé heureusement[a] sur les ennemis, un peu avant son rang : ne me semble si juste comme[b] étrange. Et n'aime ni à conseiller, ni à suivre une vertu si sauvage et si chère. L'archer qui outrepasse le blanc faut[c] comme celui qui n'y arrive pas. Et les yeux me troublent à monter à [coup[d]] vers une grande lumière également comme à dévaler à [l'ombre]. [Callicles en[e] Platon[3] dit l'extrémité de la philosophie être dommageable : et conseille de ne s'y] enfoncer outre les bornes du [profit] : Que prise avec modération, elle est plaisante et commode : [mais qu'en fin[f] elle] rend un homme sauvage et vicieux : dédaigneux des religions et lois communes : ennemi de la conversation civile[g] : ennemi des voluptés humaines : incapable de toute administration politique et de secourir autrui et de se secourir à soi : propre à être impunément souffleté. Il dit vrai : car en son excès elle esclave[h] notre naturelle franchise[i] : et nous dévoie par une importune subtilité du beau et plain chemin que nature nous a tracé. L'amitié[j] que nous portons à nos femmes, elle est très légitime : la théologie ne laisse pas de la brider pourtant, et de la restreindre. Il me semble avoir lu autrefois chez saint Thomas[4], en un endroit où il condamne les mariages des parents ès degrés défendus, cette raison parmi les autres : Qu'il y a danger que l'amitié qu'on porte à une telle femme soit immodérée : Car si l'affection maritale s'y trouve entière et parfaite, comme elle doit, et qu'on la surcharge encore de celle qu'on doit à la parentelle, il n'y a point de doute, que ce surcroît n'emporte un tel mari hors les barrières de la raison. Les sciences qui règlent les mœurs des hommes, comme la théologie et la philosophie, elles se mêlent de tout. Il n'est action si privée et secrète, qui se dérobe de leur

a. victorieusement – *b.* qu'étrange – *c.* le but, échoue – *d.* brusquement – *e.* chez – *f.* à la fin – *g.* de toute vie sociale – *h.* asservit – *i.* liberté – *j.* L'amour

connaissance et juridiction. Bien apprentis[a] sont ceux qui syndiquent[b] leur liberté. Ce sont les femmes qui communiquent tant qu'on veut leurs pièces à garçonner : à médeciner la honte le défend[c]. Je veux donc de leur part[d], apprendre ceci aux maris, s'il s'en trouve encore qui y soient trop acharnés : c'est que les plaisirs mêmes qu'ils ont à l'accointance de[e] leurs femmes, sont réprouvés, si la modération n'y est observée : Et qu'il y a de quoi faillir en licence et débordement comme en un sujet illégitime. Ces enchériments déshontés[f] que la chaleur première nous suggère en ce jeu, sont non indécemment seulement mais dommageablement employés envers nos femmes. Qu'elles apprennent l'impudence au moins d'une autre main. Elles sont toujours assez éveillées pour notre besoin. Je ne m'y suis servi que de l'instruction naturelle et simple. C'est une religieuse liaison et dévote que le mariage : Voilà pourquoi le plaisir qu'on en tire, ce doit être un plaisir retenu, sérieux et mêlé à quelque sévérité : Ce doit être une volupté aucunement[g] prudente et consciencieuse. Et parce que sa principale fin c'est la génération, il y en a qui mettent en doute, si lorsque nous sommes sans l'espérance de ce fruit, comme quand elles sont hors d'âge, ou enceintes, il est permis d'en rechercher l'embrassement[1]. C'est un homicide à la mode de Platon[2]. Certaines nations et entre autres la Mahométane abominent la conjonction avec les femmes enceintes[3], plusieurs aussi avec celles qui ont leurs flueurs[h]. Zenobia[4] ne recevait son mari que pour une charge, et cela fait elle le laissait courir tout le temps de sa conception[i], lui donnant lors seulement, loi[j] de recommencer : brave et généreux

a. ignorants – *b.* restreignent – *c.* Ils ressemblent aux femmes qui donnent sans restriction leur corps aux amants, mais prétendent le soustraire, par pudeur, aux médecins – *d.* [des théologiens et des philosophes] – *e.* au rapport sexuel avec – *f.* caresses impudiques – *g.* en quelque façon – *h.* règles – *i.* grossesse – *j.* droit

exemple de mariage. C'est de quelque poète disetteux et affamé de ce déduit[a] que Platon[1] emprunta cette narration, que Juppiter fit à sa femme une si chaleureuse charge un jour que ne pouvant avoir patience qu'elle eût gagné son lit, il la versa[b] sur le plancher et par la véhémence [du] plaisir oublia les résolutions grandes et importantes qu'il venait de prendre avec les autres dieux en sa cour céleste : [se] vantant qu'il l'avait trouvé aussi bon ce coup-là que lorsque premièrement il la dépucela [à] cachette de leurs parents. Les Rois de Perse[2] appelaient leurs femmes à la compagnie de leurs festins, mais quand le vin venait à les échauffer en bon escient[c], et qu'il fallait tout à fait, lâcher la bride à la volupté, ils les renvoyaient en leur privé[d], pour ne les faire participantes de leurs appétits immodérés, et faisaient venir en leur lieu des femmes, auxquelles ils n'eussent point cette obligation de respect. Tous plaisirs et toutes gratifications ne sont pas bien logées[e] en toutes gens : Epaminondas[3] avait fait emprisonner un garçon débauché, Pelopidas le pria de le mettre en liberté en sa faveur : il l'en refusa, et l'accorda à une sienne garce[f], qui aussi l'en pria : disant que c'était une gratification[g] due à une amie, non à un capitaine. Sophocles étant compagnon [en] la préture avec Pericles, voyant de cas de fortune[h] passer [un] beau garçon . Ô le beau garçon que voilà, fit-il à Pericles. Cela serait bon à un autre qu'à un prêteur, lui dit Pericles, qui doit avoir [non] les mains seulement, mais aussi les yeux chastes[4]. Ælius Verus, l'Empereur[5], répondit à sa femme, comme elle se plaignait de quoi il se laissait aller à l'amour d'autres femmes, qu'il le faisait par occasion consciencieuse, d'autant que[i] le mariage était un nom[j] d'honneur et dignité, non de folâtre et lascive

a. plaisir – *b.* renversa – *c.* pour de bon – *d.* dans leurs appartements – *e.* employés pour – *f.* maîtresse – *g.* faveur. – *h.* par hasard – *i.* par scrupule de conscience, parce que – *j.* titre

concupiscence. Et nos anciens auteurs ecclésiastiques[1] [font] avec honneur mention d'une [femme] qui répudia son mari pour [ne] vouloir seconder ses trop lascives et immodérées amours. Il n'est en somme aucune si juste volupté, en laquelle l'excès et l'intempérance ne nous soit reprochable. Mais, à parler en bon escient[a], est-ce pas un misérable animal que l'homme ? À peine est-il en son pouvoir par sa condition naturelle, de goûter un seul plaisir entier et pur, encore se met-il en peine de le retrancher par discours[b] : il n'est pas assez chétif, si par art et par étude il n'augmente sa misère,

Fortunæ miseras auximus arte vias[c][2].

La sagesse humaine fait bien sottement [l']ingénieuse de s'exercer [à] rabattre[d] le nombre et [la] douceur des voluptés qui nous appartiennent : comme elle fait favorablement et industrieusement [d']employer ses artifices à nous peigner et farder les maux et [en] alléger le sentiment. Si j'eusse été chef de part[e], j'eusse pris autre voie, plus naturelle : qui est à dire[f] vraie, commode et sainte : et me fusse peut-être rendu assez fort pour la borner[g]. Quoique nos médecins spirituels et corporels, comme par complot fait entre eux, ne trouvent aucune voie à la guérison, ni remède aux maladies du corps et de l'âme, que par le tourment, la douleur et la peine. Les veilles, les jeûnes, les haires, les exils lointains et solitaires, les prisons perpétuelles, les verges et autres afflictions ont été introduites pour cela. Mais en telle condition[h], que ce soient véritablement afflictions, et qu'il y ait de l'aigreur poignante. Et qu'il n'en advienne point comme à un Gallio[3], lequel ayant été envoyé en exil en l'île de Lesbos, on fut averti à Romme qu'il s'y donnait du bon temps, et que ce qu'on lui avait

a. pour de bon – *b.* le diminuer par ses raisonnements – *c.* « Par art, nous avons multiplié les voies de nos misères » – *d.* diminuer – *e.* chef d'une école philosophique – *f.* c'est-à-dire – *g.* pour en limiter les ambitions – *h.* façon

enjoint pour peine, lui tournait à commodité[a] : parquoi[b] ils se ravisèrent, de le rappeler[c] près de sa femme, et en sa maison, et lui ordonnèrent de s'y tenir, pour accommoder leur punition à son ressentiment[d]. Car à qui le jeûne aiguiserait la santé et l'allégresse, à qui le poisson serait plus appétissant que la chair[e], ce ne serait plus recette salutaire : non plus qu'en l'autre médecine[f], les drogues n'ont point d'effet à l'endroit de celui, qui les prend avec appétit et plaisir. L'amertume et la difficulté sont circonstances servants à leur opération. Le naturel[g] qui accepterait la rhubarbe comme familière, en corromprait l'usage : Il faut que ce soit chose qui blesse notre estomac pour le guérir[1] : et ici faut[h] la règle commune, que les choses se guérissent par leurs contraires, car le mal y guérit le mal. Cette impression[i] se rapporte aucunement[j] à cette autre si ancienne, de penser gratifier[k] au Ciel et à la nature par notre massacre et homicide, qui fut universellement embrassée en toutes religions. Encore du temps [de] nos pères, Amurat en [la] prise de l'Isthme, immola six cents jeunes hommes grecs à l'âme de son père afin que ce sang servît de propitiation à l'expiation des péchés du trépassé[2]. Et en ces nouvelles terres découvertes en notre âge pures encore et vierges au prix[l] des nôtres, l'usage en est aucunement[m] reçu partout : toutes leurs Idoles s'abreuvent de sang humain, non sans divers exemples d'horrible cruauté[3]. On les brûle vifs, et demi-rôtis on les retire du brasier, pour leur arracher le cœur et les entrailles. À d'autres voire aux femmes, on les écorche vives, et de leur peau ainsi sanglante en revêt-on

a. se transformait en avantage – *b.* c'est pourquoi – *c.* et le rappelèrent – *d.* sa sensibilité – *e.* viande – *f.* la médecine du corps – *g.* tempérament – *h.* est en défaut – *i.* opinion – *j.* un peu – *k.* plaire – *l.* en comparaison – *m.* en quelque façon

et masque d'autres. Et non moins d'exemples de constance et résolution. Car ces pauvres gens sacrifiables, vieillards, femmes, enfants, vont quelques jours avant, quêtant eux-mêmes les aumônes pour l'offrande de leur sacrifice, et se présentent à la boucherie chantant et dansant avec les assistants. Les ambassadeurs du Roi de Mexico, faisant entendre[a] à Fernand Cortez la grandeur de leur maître, après lui avoir dit qu'il avait trente vassaux, desquels chacun pouvait assembler cent mille combattants, et qu'il se tenait en la plus belle et forte ville qui fût sous le ciel : lui ajoutèrent, qu'il avait à sacrifier aux dieux cinquante mille hommes par an. De vrai, ils disent qu'il nourrissait[b] la guerre avec certains grands peuples voisins, non seulement pour l'exercice de la jeunesse du pays, mais principalement pour avoir de quoi fournir à ses sacrifices, par des prisonniers de guerre[1]. Ailleurs, en certain bourg, pour la bienvenue dudit Cortez, ils sacrifièrent cinquante hommes tout à la fois[2]. Je dirai encore ce conte. Aucuns[c] de ces peuples ayants été battus par lui, envoyèrent le reconnaître[d] et rechercher d'amitié : les messagers lui présentèrent trois sortes de présents, en cette manière. Seigneur voilà cinq esclaves : si tu es un Dieu fier[e], qui te paisses de chair et de sang, mange-les, et nous t'en amènerons davantage : si tu es un Dieu débonnaire[f], voilà de l'encens et des plumes : si tu es homme, prends les oiseaux et les fruits que voici.

a. pour faire comprendre – *b*. on dit qu'il entretenait – *c*. Certains – *d*. rencontrer – *e*. cruel – *f*. bon

Des Cannibales

CHAP. XXXI

Quand le Roi Pyrrhus passa en Italie, après qu'il eut reconnu l'ordonnance[a] de l'armée que les Romains lui envoyaient au-devant, je ne sais, dit-il, quels barbares sont ceux-ci (car les Grecs appelaient ainsi toutes les nations étrangères) mais la disposition de cette armée, que je vois, n'est aucunement barbare[1]. Autant en dirent les Grecs de celle que Flaminius fit passer en leur pays[2]. Et Philippus, voyant d'un tertre l'ordre et distribution du camp Romain en [son] royaume sous Publius Sulpicius Galba[3]. Voilà comment il se faut garder de s'attarder aux opinions vulgaires, et les faut juger par la voie de la raison, non par la voix commune. J'ai eu longtemps avec moi un homme qui avait demeuré dix ou douze ans en cet autre monde, qui a été découvert en notre siècle, en l'endroit où Vilegaignon prit terre, qu'il surnomma la France Antartique[4]. Cette découverte d'un pays infini, semble être de considération. Je ne sais si je me puis répondre[b], qu'il ne s'en fasse à l'avenir quelqu'autre, tant de personnages plus grands que nous ayant été trompés en cette-ci. J'ai peur que nous ayons les yeux plus grands que le ventre, et plus de curiosité, que nous n'avons de

a. la disposition – *b*. si je puis garantir

capacité : Nous embrassons tout, mais nous n'étreignons que du vent. Platon introduit[a] Solon racontant avoir appris des Prêtres de la ville de Saïs en Ægypte, que jadis et avant le déluge, il y avait une grande Île nommée Athlantide, droit à la bouche du détroit de Gibaltar[b], qui tenait plus de pays que l'Afrique et l'Asie toutes deux ensemble : et que les Rois de cette contrée-là, qui ne possédaient pas seulement cette île, mais s'étaient étendus dans la terre ferme si avant, qu'ils tenaient de la largeur d'Afrique, jusques en Ægypte, et de la longueur de l'Europe, jusques en la Toscane, entreprirent d'enjamber jusques sur l'Asie, et subjuguer toutes les nations qui bordent la mer Méditerranée, jusques au golfe de la mer Majour[c] : et pour cet effet, traversèrent les Espaignes, la Gaule, l'Italie jusques en la Grece, où les Athéniens les soutinrent[d] : mais que quelque temps après, et les Athéniens et eux et leur île furent engloutis par le déluge[1]. Il est bien vraisemblable, que cet extrême ravage d'eaux ait fait des changements étranges aux habitations de la terre : comme on tient[e] que la mer a retranché la Sycile d'avec l'Italie,

Hæc loca vi quondam, et vasta convulsa ruina
Dissiluisse ferunt, cum protinus utrâque tellus
Una foret[f2],

Chipre d'avec la Surie, l'Île de Negrepont[g] de la terre ferme de la Bœoce[h3] : et joint ailleurs les terres qui étaient divisées, comblant de limon et de sable les fossés d'entre-deux,

sterilisque diu palus aptaque remis
Vicinas urbes alit, et grave sentit aratrum[i4].

a. met en scène – *b.* Gibraltar – *c.* la mer Noire – *d.* les arrêtèrent – *e.* on soutient – *f.* « On dit que ces terres, violemment séparées par un gigantesque effondrement, ne formaient auparavant qu'un seul pays » – *g.* l'île d'Eubée – *h.* la Béotie – *i.* « et un marais longtemps inculte et

Mais il n'y a pas grande apparence, que cette Île soit ce monde nouveau, que nous venons de découvrir : car elle touchait quasi l'Espaigne, et ce serait un effet incroyable d'inondation, de l'en avoir reculée comme elle est, de plus de douze cents lieues : outre ce[a] que les navigations des modernes ont déjà presque découvert, que ce n'est point une île, ains[b] terre ferme, et continente[c] avec l'Inde orientale d'un côté, et avec les terres, qui sont sous les deux pôles d'autre part : ou si elle en est séparée, que c'est d'un si petit détroit et intervalle, qu'elle ne mérite pas d'être nommée île, pour cela[1]. Il semble qu'il y ait des mouvements naturels les uns, les autres fiévreux en ces grands corps[d], comme aux nôtres. Quand je considère l'impression[e] que ma rivière de Dordoigne fait de mon temps, vers la rive droite de sa descente, et qu'en vingt ans elle a tant gagné : Et dérobé le fondement à plusieurs bâtiments : je vois bien que c'est une agitation extraordinaire : car si elle fût toujours allée ce train, ou dût aller à l'avenir, la figure du monde serait renversée : mais il leur prend des changements : tantôt elles s'épandent d'un côté, tantôt d'un autre, tantôt elles se contiennent. Je ne parle pas des soudaines inondations de quoi nous manions[f] les causes. En Medoc, le long de la mer, mon frère Sieur d'Arsac[2], voit une sienne terre, ensevelie sous les sables, que la mer vomit devant elle : le faîte d'aucuns[g] bâtiments paraît encore : ces rentes et domaines, se sont échangés[h] en pacages bien maigres. Les habitants disent, que depuis quelque temps, la

---

propice à la navigation nourrit à présent les villes voisines et sent le poids de la charrue » – *a*. sans compter – *b*. mais une – *c*. contiguë – *d*. les continents – *e*. la pression – *f*. saisissons – *g*. de certains – *h*. changés

mer se pousse si fort vers eux, qu'ils ont perdu quatre lieues de terre. Ces sables sont ses fourriers : et voyons des grandes mont-joies d'arène[a] mouvante, qui marchent d'une demi-lieue devant elle et gagnent pays. L'autre témoignage de l'antiquité, auquel on veut rapporter cette découverte[b], est dans Aristote, au moins si ce petit livret *Des merveilles inouïes* est à lui. Il raconte là, que certains Carthaginois s'étant jetés au travers de la mer Athlantique, hors le détroit de Gibaltar, et navigué[c] longtemps, avaient découvert enfin une grande île fertile, toute revêtue de bois, et arrosée de grandes et profondes rivières, fort éloignée de toutes terres fermes : et qu'eux, et autres depuis, attirés par la bonté et fertilité du terroir, s'y en allèrent avec leurs femmes et enfants, et commencèrent à s'y habituer[d]. Les Seigneurs de Carthage, voyant que leur pays se dépeuplait peu à peu, firent défense expresse sur peine de mort que nul n'eût plus à aller là, et en chassèrent ces nouveaux habitants, craignants, à ce que l'on dit, que par succession de temps[e] ils ne vinssent à multiplier tellement qu'ils les supplantassent eux-mêmes, et ruinassent leur état[f]. Cette narration d'Aristote n'a non plus d'accord[g] avec nos terres neuves. Cet homme[h] que j'avais, était homme simple et grossier, qui[i] est une condition propre à rendre véritable témoignage : car les fines gens, remarquent bien plus curieusement[j], et plus de choses, mais ils les glosent : et pour faire valoir leur interprétation et la persuader, ils ne se peuvent garder d'altérer un peu l'Histoire : ils ne vous représentent jamais les choses pures, ils les inclinent et masquent selon le visage qu'ils leur ont vu : et pour donner crédit à

a. monceaux de sable – *b*. la découverte de l'Amérique – *c*. ayant navigué – *d*. s'y installer – *e*. avec le temps – *f*. État – *g*. ne correspond pas non plus – *h*. ce serviteur – *i*. ce qui – *j*. avec plus de soin

leur jugement et vous y attirer, prêtent volontiers de ce côté-là, à la matière, l'allongent et l'amplifient. Ou il faut un homme très fidèle, ou si simple, qu'il n'ait pas de quoi bâtir et donner de la vraisemblance à des inventions fausses, et qui n'ait rien épousé[a]. Le mien était tel : et outre cela, il m'a fait voir à diverses fois plusieurs matelots et marchands, qu'il avait connus en ce voyage. Ainsi je me contente de cette information, sans m'enquérir de ce que les cosmographes[b] en disent. Il nous faudrait des topographes, qui nous fissent narration particulière, des endroits où ils ont été. Mais pour avoir cet avantage sur nous, d'avoir vu la Palestine, ils veulent jouir de ce privilège, de nous conter nouvelles de tout le demeurant du monde[1]. Je voudrais que chacun écrivît ce qu'il sait, et autant qu'il en sait : non en cela seulement, mais en tous autres sujets : car tel peut avoir quelque particulière science ou expérience de la nature d'une rivière, ou d'une fontaine[c], qui ne sait au reste, que ce que chacun sait : Il entreprendra toutefois, pour faire courir ce petit lopin[d], d'écrire toute la physique. De ce vice sourdent plusieurs grandes incommodités. Or je trouve, pour revenir à mon propos, qu'il n'y a rien de barbare et de sauvage en cette nation[e], à ce qu'on m'en a rapporté : sinon que chacun appelle barbarie, ce qui n'est pas de son usage. Comme de vrai il semble, que nous n'avons autre mire[f] de la vérité, et de la raison, que l'exemple et idée des opinions et usances[g] du pays où nous sommes. Là est toujours la parfaite religion, la parfaite police[h], parfait et accompli usage de toutes choses. Ils sont

a. qui n'ait pas pris parti – *b.* géographes érudits – *c.* source – *d.* pour faire servir ce fragment de science – *e.* les Cannibales du Brésil – *f.* moyen d'apercevoir – *g.* usages – *h.* l'ordre politique parfait

sauvages de même que nous appelons sauvages les fruits, que nature de soi[a] et de son progrès ordinaire a produits : là où à la vérité ce sont ceux que nous avons altérés par notre artifice, et détournés de l'ordre commun, que nous devrions appeler plutôt sauvages. En ceux-là sont vives et vigoureuses, les vraies, et plus utiles et naturelles, vertus et propriétés, lesquelles nous avons abâtardies en ceux-ci, et les avons seulement accommodées au plaisir de notre goût corrompu. Et si pourtant[b] [la] saveur même et délicatesse se trouve à notre goût excellente à l'envi des nôtres, en divers fruits de ces contrées-là, sans culture. Ce n'est pas raison que l'art[c] gagne le point d'honneur sur notre grande et puissante mère nature. Nous avons tant rechargé[d] la beauté et richesse de ses ouvrages par nos inventions, que nous l'avons du tout[e] étouffée. Si est-ce que[f] partout où sa pureté reluit, elle fait une merveilleuse honte à nos vaines et frivoles enteprises,

Et veniunt ederæ sponte sua melius,
Surgit et in solis formosior arbutus antris,
Et volucres nulla dulcius arte canunt[g][1].

Tous nos efforts ne peuvent seulement arriver à représenter[h] le nid du moindre oiselet, sa contexture, sa beauté, et l'utilité de son usage : non pas[i] la tissure de la chétive araignée. Toutes choses dit Platon, sont produites par la nature ou par la fortune, ou par l'art. Les plus grandes et plus belles par l'une ou l'autre des deux premières : les moindres et imparfaites par la dernière[j][2]. Ces nations me semblent donc ainsi barbares, pour avoir reçu fort peu de façon, de[k]

a. par elle-même – *b.* Et malgré tout – *c.* la technique – *d.* chargé – *e.* entièrement – *f.* Cela n'empêche pas que – *g.* «Le lierre croît mieux de lui-même, l'arbousier est plus beau dans les grottes solitaires, et les oiseaux chantent plus agréablement sans art» – *h.* imiter – *i.* sans parler de – *j.* l'art – *k.* me semblent barbares dans le sens où elles ont été fort peu façonnées par l'esprit humain, et être encore fort voisines de leur naïveté originelle. Les lois naturelles leur commandent encore, fort peu abâtardies par les nôtres : mais c'est en telle pureté, qu'il me prend quelquefois déplaisir, de quoi la connaissance n'en soit venue plus tôt, du temps qu'il y avait des hommes qui en eussent su mieux juger que nous. Il me déplaît que Licurgus[1] et Platon ne l'aient eue : car il me semble que ce que nous voyons par expérience en ces nations-là, surpasse non seulement toutes les peintures de quoi la poésie a embelli l'âge doré[a], et toutes ses inventions à feindre[b] une heureuse condition d'hommes : mais encore la conception et le désir même de la philosophie. Ils n'ont pu imaginer une naïveté si pure et simple, comme nous la voyons par expérience : ni n'ont pu croire que notre société se pût maintenir avec si peu d'artifice, et de soudure humaine[c]. C'est une nation, dirais-je à Platon, en laquelle il n'y a aucune espèce de trafic, nulle connaissance de lettres, nulle science de nombres, nul nom de magistrat, ni de supériorité politique, nul usage de service[d], de richesse, ou de pauvreté, nuls contrats, nulles successions, nuls partages, nulles occupations qu'oisives[e], nul respect de parenté que commun[f], nuls vêtements, nulle agriculture, nul métal, nul usage de vin ou de blé. Les paroles[g] mêmes, qui signifient le mensonge, la trahison, la dissimulation, l'avarice, l'envie, la détraction[h], le pardon, inouïes[2]. Combien trouverait-il la république qu'il a imaginée éloignée de cette perfection : *viri a diis recentes*[i][3].

a. l'âge d'or – *b*. pour inventer – *c*. d'institutions et de relations humaines – *d*. de serviteurs – *e*. sinon de l'ordre du loisir – *f*. nulle considération de parenté que générale – *g*. mots – *h*. la médisance – *i*. « des hommes sortis de la main des dieux »

Hos natura modos primum dedit[a][1].

Au demeurant, ils vivent en une contrée de pays très plaisante, et bien tempérée : de façon qu'à ce que m'ont dit mes témoins[2], il est rare d'y voir un homme malade : et m'ont assuré n'en y avoir vu aucun tremblant, chassieux, édenté, ou courbé de vieillesse. Ils sont assis[b] le long de la mer, et fermés du côté de la terre de grandes et hautes montagnes, ayant entre-deux, cent lieues ou environ d'étendue en large. Ils ont grande abondance de poisson et de chairs[c], qui n'ont aucune ressemblance aux nôtres, et les mangent sans autre artifice, que de les cuire. Le premier qui y mena un cheval, quoiqu'il les eût pratiqués[d] à plusieurs autres voyages, leur fit tant d'horreur en cette assiette[e], qu'ils le tuèrent à coups de trait, avant que le pouvoir reconnaître. Leurs bâtiments sont fort longs, et capables de[f] deux ou trois cents âmes, étoffées d'écorce de grands arbres, tenant à terre par un bout, et se soutenant et appuyant l'un contre l'autre par le faîte, à la mode d'aucunes[g] de nos granges, desquelles la couverture pend jusques à terre, et sert de flanc. Ils ont du bois si dur, qu'ils en coupent et en font leurs épées, et des grils à cuire leur viande. Leurs lits sont d'un tissu de coton, suspendus contre le toit, comme ceux de nos navires, à chacun le sien : car les femmes couchent à part des maris. Ils se lèvent avec le soleil, et mangent soudain après s'être levés, pour toute la journée, car ils ne font autre repas que celui-là. Ils ne boivent pas lors, comme Suidas dit, de quelques autres peuples d'Orient, qui buvaient hors du manger[3] : ils boivent

a. « Ce sont les premières lois que donna la nature » – *b.* situés – *c.* gibiers – *d.* fréquentés – *e.* sur cette monture – *f.* contenant – *g.* à la façon de certaines

à plusieurs fois sur jour, et d'autant[a]. Leur breuvage est fait de quelque racine, et est de la couleur de nos vins clairets[1]. Ils ne le boivent que tiède : ce breuvage ne se conserve que deux ou trois jours : il a le goût un peu piquant, nullement fumeux, salutaire à l'estomac, et laxatif à ceux qui ne l'ont accoutumé : c'est une boisson très agréable à qui y est duit[b]. Au lieu du pain, ils usent d'une certaine matière blanche, comme du coriandre confit[2] : J'en ai tâté, le goût en est doux et un peu fade. Toute la journée se passe à danser. Les plus jeunes vont à la chasse des bêtes, à tout[c] des arcs. Une partie des femmes s'amusent cependant[d] à chauffer leur breuvage, qui est leur principal office. Il y a quelqu'un[e] des vieillards, qui le matin avant qu'ils se mettent à manger, prêche en commun toute la grangée, en se promenant d'un bout à autre, et redisant une même clause à plusieurs fois[f], jusques à ce qu'il ait achevé le tour (car ce sont bâtiments qui ont bien cent pas de longueur) il ne leur recommande que deux choses, la vaillance contre les ennemis, et l'amitié à[g] leurs femmes. Et ne faillent jamais de remarquer cette obligation[h], pour leur refrain, que ce sont elles qui leur maintiennent leur boisson tiède et assaisonnée. Il se voit en plusieurs lieux, et entre autres chez moi[3], la forme de leurs lits, de leurs cordons, de leurs épées, et bracelets de bois, de quoi ils couvrent leurs poignets aux combats, et des grandes cannes ouvertes par un bout[4], par le son desquelles ils soutiennent la cadence en leur danser. Ils sont ras[i] partout, et se font le poil beaucoup plus nettement que nous, sans autre rasoir que de bois,

a. plusieurs fois par jour, et à l'envi – *b*. habitué – *c*. avec – *d*. s'occupent pendant ce temps – *e*. l'un – *f*. une même phrase plusieurs fois – *g*. pour – *h*. de rappeler qu'ils leur sont obligés – *i*. rasés

ou de pierre. Ils croient les âmes éternelles, et celles qui ont bien mérité des dieux, être logées[a] à l'endroit du ciel où le soleil se lève : les maudites, du côté de l'Occident. Ils ont je ne sais quels prêtres et prophètes, qui se présentent bien rarement au peuple, ayant leur demeure aux montagnes[1]. À leur arrivée, il se fait une grande fête et assemblée solennelle de plusieurs villages (chaque grange comme je l'ai décrite, fait un village, et sont[b] environ à une lieue Française l'une de l'autre). Ce prophète parle à eux en public, les exhortant à la vertu et à leur devoir : mais toute leur science éthique ne contient que ces deux articles, de la résolution à la guerre, et affection à leurs femmes. Cettui-ci leur pronostique les choses à venir, et les événements qu'ils doivent espérer de leurs entreprises : les achemine ou détourne de la guerre : mais c'est par tel si[c], qu'où il faut à bien deviner[d], et s'il leur advient autrement qu'il ne leur a prédit, il est haché en mille pièces, s'ils l'attrapent, et condamné pour faux prophète. À cette cause[e], celui qui s'est une fois mécompté, on ne le voit plus. C'est don de dieu que [la] divination : voilà pourquoi ce devrait être une imposture punissable d'en abuser. Entre les Scythes, quand les devins avaient failli de rencontre[f], [on] les couchait, enforgés [de] pieds et de mains[g] sur des chariotes pleines de bruyère, tirées par des bœufs, en quoi [on] les faisait brûler[2]. Ceux qui manient les choses sujettes [à] la conduite de l'humaine suffisance[h] sont excusables d'y faire ce qu'ils peuvent. Mais ces autres qui nous viennent pipant des assurances[i] d'une faculté extraordinaire qui est hors [de] notre connaissance, faut[-il] pas les punir de ce qu'ils ne main-

a. et que celles qui ont bien mérité sont logées – *b*. elles sont – *c*. c'est à la condition – *d*. s'il ne devine pas bien – *e*. C'est pourquoi – *f*. s'étaient trompés – *g*. pieds et mains enchaînés – *h*. qui relève de la science humaine – *i*. qui nous assurent faussement

tiennent l'effet de leur promesse[a], et de la témérité de leur imposture ? Ils ont leurs guerres contre les nations, qui sont au-delà de leurs montagnes, plus avant en la terre ferme, auxquelles ils vont tout nus, n'ayant autres armes que des arcs ou des épées de bois[1], apointées[b] par un bout, à la mode des langues[c] de nos épieux. C'est chose émerveillable[d] que de la fermeté de leurs combats, qui ne finissent jamais que par meurtre et effusion de sang, car de routes[e] et d'effroi, ils ne savent que c'est. Chacun rapporte pour son trophée la tête de l'ennemi qu'il a tué, et l'attache à l'entrée de son logis. Après avoir longtemps bien traité leurs prisonniers, et de[f] toutes les commodités, dont ils se peuvent aviser, celui qui en est le maître, fait une grande assemblée de ses connaissants[g] : il attache une corde à l'un des bras du prisonnier, par le bout de laquelle il le tient éloigné de quelques pas, de peur d'en être offensé[h], et donne au plus cher de ses amis, l'autre bras à tenir de même : et eux deux en présence de toute l'assemblée l'assomment à coups d'épée[i]. Cela fait ils le rôtissent, et en mangent en commun, et en envoient des lopins à ceux de leurs amis, qui sont absents. Ce n'est pas comme on pense pour s'en nourrir, ainsi que faisaient anciennement les Scythes[2] : c'est pour représenter une extrême vengeance. Et qu'il soit ainsi[j], ayant aperçu que les Portugais, qui s'étaient ralliés à leurs adversaires, usaient d'une autre sorte de mort contre eux, quand ils les prenaient, qui était de les enterrer jusques à la ceinture, et tirer au demeurant du corps force coups de trait, et les pendre après : ils pensèrent

a. de ce qu'ils ne tiennent pas leur promesse – *b.* pointues – *c.* pointes *d.* étonnante – *e.* de la déroute – *f.* avec – *g.* ses connaissances – *h.* blessé – *i.* de massue – *j.* Et pour preuve que ces gens ici de l'autre monde[a], comme[b] ceux qui avaient semé la connaissance de beaucoup de vices parmi leur voisinage, et qui étaient beaucoup plus grands maîtres qu'eux en toute sorte de malice, ne prenaient pas sans occasion[c] cette sorte de vengeance, et qu'elle devait être plus aigre que la leur, commencèrent de quitter leur façon ancienne, pour suivre celle-ci. Je ne suis pas marri, que nous remarquons l'horreur barbaresque[d], qu'il y a en une telle action, mais oui[e] bien de quoi jugeants bien de leurs fautes nous soyons si aveuglés aux[f] nôtres. Je pense qu'il y a plus de barbarie à manger un homme vivant, qu'à le manger mort, à déchirer par tourments et par géhennes, un corps encore plein de sentiment[g], le faire rôtir par le menu, le faire mordre et meurtrir aux chiens, et aux pourceaux : comme nous l'avons, non seulement lu, mais vu de fraîche mémoire, non entre des ennemis anciens, mais entre des voisins et concitoyens, et qui pis est, sous prétexte de piété et de religion[1], que de le rôtir et manger après qu'il est trépassé. Chrysippus et Zenon chefs de la secte Stoïque, ont bien pensé qu'il n'y avait aucun mal de se servir de notre charogne[h] à quoi que ce fût, pour notre besoin, et d'en tirer de la nourriture[2] : comme nos ancêtres étant assiégés par Cæsar en la ville de Alexia[i], se résolurent de soutenir la faim de ce siège par les corps des vieillards, des femmes, et autres personnes inutiles au combat[3] :

Vascones fama est, alimentis talibus usi
Produxere animas[j][4].

Et les médecins ne craignent pas de s'en servir à toute sorte d'usage, pour notre santé, soit pour l'ap-

a. d'Europe – *b.* en tant que – *c.* sans raison – *d.* barbare – *e.* certes – *f.* pour les – *g.* sensible – *h.* cadavre – *i.* Alésia – *j.* « On dit que les Gascons, en prenant de tels aliments, prolongèrent leur vie »

pliquer au-dedans, ou au-dehors[1] : mais il ne se trouva jamais aucune opinion si déréglée, qui excusât la trahison, la déloyauté, la tyrannie, la cruauté, qui sont nos fautes ordinaires. Nous les pouvons donc bien appeler barbares, eu égard aux règles de la raison, mais non pas eu égard à nous, qui les surpassons en toute sorte de barbarie. Leur guerre est toute noble et généreuse, et a autant d'excuse et de beauté que cette maladie humaine en peut recevoir : elle n'a autre fondement parmi eux, que la seule jalousie de la vertu[a]. Ils ne sont pas en débat de la conquête de nouvelles terres : car ils jouissent encore de cette uberté[b] naturelle, qui les fournit sans travail et sans peine, de toutes choses nécessaires, en telle abondance, qu'ils n'ont que faire d'agrandir leurs limites. Ils sont encore en cet heureux point, de ne désirer qu'autant que leurs nécessités naturelles[c] leur ordonnent : tout ce qui est au-delà, est superflu pour eux. Ils s'entr'appellent généralement, ceux de même âge frères : enfants, ceux qui sont au-dessous : et les vieillards, sont pères à tous les autres. Ceux-ci laissent à leurs héritiers en commun, cette pleine possession de biens par indivis, sans autre titre, que celui tout pur, que nature donne à ses créatures les produisant[d] au monde. Si leurs voisins passent les montagnes pour les venir assaillir, et qu'ils emportent la victoire sur eux, l'acquêt[e] du victorieux, c'est la gloire, et l'avantage d'être demeuré maître en valeur et en vertu : car autrement ils n'ont que faire des biens des vaincus, et s'en retournent à leur pays, où ils n'ont faute d'aucune chose nécessaire, ni faute encore de cette grande partie[f], de savoir heureu-

a. que de rivaliser de courage – *b.* abondance – *c.* besoins naturels – *d.* mettant – *e.* la récompense – *f.* qualité

sement jouir de leur condition, et s'en contenter. Autant en font ceux-ci à leur tour. Ils ne demandent à leurs prisonniers, autre rançon que la confession, et reconnaissance d'être vaincus : mais il ne s'en trouve pas un en tout un siècle, qui n'aime mieux la mort, que de relâcher, ni par contenance, ni de parole, un seul point[a] d'une grandeur de courage invincible : il ne s'en voit aucun, qui n'aime mieux être tué et mangé, que de requérir seulement de ne l'être pas. Ils les[b] traitent en toute liberté, afin que la vie leur soit d'autant plus chère : et les entretiennent communément des menaces de leur mort future, des tourments qu'ils y auront à souffrir, des apprêts qu'on dresse pour cet effet, du détranchement[c] de leurs membres, et du festin qui se fera à leurs dépens. Tout cela se fait pour cette seule fin, d'arracher de leur bouche quelque parole molle ou rabaissée[d], ou de leur donner envie de s'enfuir, pour gagner cet avantage de les avoir épouvantés, et d'avoir fait force à leur constance[e]. Car aussi à le bien prendre[f], c'est en ce seul point que consiste la vraie victoire :

victoria nulla est
Quam quæ confessos animo quoque subjugat hostes[g][1].

Les Hongres[h], très belliqueux combattants, ne poursuivaient jadis leur pointe outre[i] avoir rendu l'ennemi à leur merci[2]. Car en ayant arraché cette confession, ils le laissaient aller sans offense[j], sans rançon, sauf pour le plus[k] d'en tirer parole de ne s'armer dès lors en avant[l] contre eux. Assez[m] d'avantages gagnons-nous sur nos ennemis, qui sont avantages empruntés, non pas nôtres : C'est la qualité d'un portefaix non de la

a. un tant soit peu – *b*. les prisonniers – *c*. de la découpe – *d*. faible ou basse – *e*. d'avoir vaincu leur courage – *f*. si l'on comprend bien – *g*. « il n'y a de victoire que celle qui contraint l'ennemi à avouer qu'il se soumet en son âme » – *h*. Hongrois – *i*. leur attaque après – *j*. sans lui faire de mal – *k*. tout au plus – *l*. dorénavant – *m*. Trop

vertu[a], d'avoir les bras et les jambes plus roides: c'est une qualité morte et corporelle que la disposition[b] : c'est un coup de la fortune[1], de faire broncher notre ennemi, et de lui éblouir les yeux par la lumière du Soleil: c'est un tour d'art et de science, et qui peut tomber en une personne lâche et de néant[c], d'être suffisant[d] à l'escrime. L'estimation et le prix d'un homme, consiste au cœur et en la volonté : c'est là où gît[e] son vrai honneur: la vaillance c'est la fermeté, non pas des jambes et des bras, mais du courage[f] et de l'âme : elle ne consiste pas en la valeur de notre cheval, ni de nos armes, mais en la nôtre. Celui qui tombe obstiné en son courage, *si succiderit, de genu pugnat*[g][2]. Qui[h] pour quelque[i] danger de la mort voisine, ne relâche aucun point[j] de son assurance, qui regarde encore en rendant l'âme, son ennemi d'une vue ferme et dédaigneuse, il est battu, non pas de nous, mais de la fortune, il est tué, non pas vaincu : les plus vaillants sont parfois les plus infortunés. Aussi y a-il des pertes triomphantes à l'envi des victoires. Ni ces quatre victoires sœurs, [les] plus belles que le soleil ait onques vu de ses yeux, de Salamine, de Plattees, de Mycale, de Sicille[3], osèrent onques[k] opposer toute leur gloire ensemble à la gloire de [la] déconfiture du Roi Leonidas [et] des siens, [au] pas[l] des Thermopyles[4]. [Qui] courut jamais d'une plus glorieuse envie et plus ambitieuse au gain d'un combat, que le capitaine Ischolas[5] à [la] perte. Qui plus ingénieusement [et] curieusement[m] s'est assuré de [son] salut que lui de sa ruine. [Il] était commis à défendre certain passage du Peloponesse contre les Arcadiens. Pour quoi[n] faire se trouvant du tout incapable[o] vu la nature [du] lieu et inégalité des

a. du courage – *b.* la forme physique – *c.* basse – *d.* habile – *e.* se trouve – *f.* du cœur – *g.* «s'il est tombé, il continue de combattre à genoux» – *h.* Celui qui – *i.* malgré le – *j.* aucun degré – *k.* n'osèrent jamais – *l.* défilé – *m.* soigneusement – *n.* Pour ce – *o.* tout à fait impuissant

forces : et se résolvant que tout ce qui se présenterait aux ennemis, aurait de nécessité à y demeurer[a]. D'autre part, estimant indigne et de sa propre vertu et magnanimité, et du nom lacédémonien de faillir à sa charge : il prit entre ces deux extrémités un moyen parti, de telle sorte. Les plus jeunes et dispos de sa troupe il les conserva à la tuition[b] et service de leur pays : et les y renvoya : et avec ceux desquels [le] défaut était moindre[c], il délibéra[d] de soutenir ce pas : et [par] leur mort en faire acheter [aux] ennemis l'entrée la plus chère qu'il lui [serait] possible. Comme il advint. Car étant tantôt environné de toutes parts par les Arcadiens : après en avoir fait une grande boucherie : lui et les siens furent tous mis au fil de l'épée. Est-il quelque trophée assigné pour [les] vainqueurs qui ne soit mieux dû à ces vaincus ? Le vrai vaincre a pour son rôle l'estour, non pas[e] le salut, et consiste l'honneur de la vertu à combattre, non à battre. Pour revenir à notre histoire, il s'en faut tant que ces prisonniers se rendent, pour tout ce qu'on leur fait, qu'au rebours pendant ces deux ou trois mois qu'on les garde, ils portent une contenance gaie, ils pressent leurs maîtres de se hâter de les mettre en cette épreuve, ils les défient, les injurient, leur reprochent leur lâcheté, et le nombre des batailles perdues contre les leurs. J'ai une chanson faite par un prisonnier, où il y a ce trait : qu'ils viennent hardiment trétous[f] et s'assemblent pour dîner de lui, car ils mangeront quant et quant[g] leurs pères et leurs aïeux, qui ont servi d'aliment et de nourriture à son corps : ces muscles, dit-il, cette chair et ces veines, ce sont les vôtres, pauvres fols que vous êtes : vous ne reconnaissez pas que la substance des membres de vos ancêtres s'y tient encore : savourez-les bien, vous y trouverez le goût de votre propre chair[1] : inven-

a. que tous ceux qui s'opposeraient aux ennemis devraient mourir – *b.* pour la protection – *c.* la disparition serait moins grave – *d.* décida – *e.* a affaire avec le combat, non avec – *f.* tous ensemble – *g.* en même temps

tion, qui ne sent aucunement la barbarie. Ceux qui les peignent mourants, et qui représentent cette action quand on les assomme, ils peignent le prisonnier, crachant au visage de ceux qui le tuent, et leur faisant la moue[1]. De vrai ils ne cessent jusques au dernier soupir, de les braver et défier de parole et de contenance. Sans mentir, au prix de nous, voilà des hommes bien sauvages : car ou il faut qu'ils le soient bien à bon escient[a], ou que nous le soyons : il y a une merveilleuse[b] distance entre leur forme et la nôtre. Les hommes y ont plusieurs femmes, et en ont d'autant plus grand nombre, qu'ils sont en meilleure réputation de vaillance : c'est une beauté remarquable en leurs mariages, que la même jalousie que nos femmes ont pour nous empêcher de[c] l'amitié et bienveillance d'autres femmes, les leurs l'ont toute pareille pour la leur acquérir. Étant plus soigneuses de l'honneur de leurs maris, que de toute autre chose, elles cherchent et mettent leur sollicitude[d] à avoir le plus de compagnes qu'elles peuvent, d'autant que[e] c'est un témoignage de la vertu du mari. Les nôtres crieront au miracle : ce ne l'est pas : c'est une vertu proprement matrimoniale : mais du plus haut étage. Et en la Bible Lia, Rachel, Sara et les femmes de Jacop fournirent leurs belles servantes à leurs maris[2], et Livia seconda les appétits d'Auguste, à son intérêt[3] : et la femme du Roi Dejotarus, Stratonique, prêta non seulement à l'usage de son mari une fort belle jeune fille de chambre qui la servait, mais en nourrit[f] soigneusement [les] enfants, et leur fit épaule[g] à succéder aux états[h] de leur père[4]. Et afin qu'on ne pense point que tout ceci se fasse par une simple et servile obligation à leur usance[i], et par l'impression[j] de l'autorité de leur ancienne coutume, sans discours[k] et sans juge-

a. réellement – *b.* étonnante – *c.* interdire – *d.* zèle – *e.* dans la mesure où – *f.* éleva – *g.* les aida – *h.* à hériter des biens – *i.* à leurs usages – *j.* l'effet – *k.* sans raisonnement

ment, et pour avoir l'âme si stupide, que de ne pouvoir prendre autre parti, il faut alléguer quelques traits de leur suffisance[a]. Outre celui que je viens de réciter[b] de l'une de leurs chansons guerrières, j'en ai une autre, amoureuse, qui commence en ce sens : couleuvre arrête-toi, arrête-toi couleuvre, afin que ma sœur tire sur le patron de ta peinture, la façon et l'ouvrage d'un riche cordon, que je puisse donner à m'amie : ainsi soit en tout temps ta beauté et ta disposition préférée à tous les autres serpents : ce premier couplet c'est le refrain de la chanson : or j'ai assez de commerce avec la poésie pour juger ceci, que non seulement il n'y a rien de barbarie en cette imagination[c], mais qu'elle est tout à fait Anacréontique[1]. Leur langage au demeurant, c'est un doux langage, et qui a le son agréable, retirant[d] aux terminaisons Grecques. Trois d'entre eux, ignorant combien coûtera un jour à leur repos, et à leur bonheur, la connaissance des corruptions de deçà[e], et que de ce commerce naîtra leur ruine, comme je présuppose[f] qu'elle soit déjà avancée, bien misérables de s'être laissés piper au[g] désir de la nouvelleté, et avoir[h] quitté la douceur de leur ciel, pour venir voir le nôtre, furent à Roüan, du temps que le feu Roi Charles neuvième y était[2] : le Roi parla à eux longtemps, on leur fit voir notre façon, notre pompe, la forme d'une belle ville : après cela, quelqu'un en demanda leur avis, et voulut savoir d'eux, ce qu'ils y avaient trouvé de plus admirable[i] : ils répondirent trois choses, d'où j'ai perdu la troisième, et en suis bien marri, mais j'en ai encore deux en mémoire. Ils dirent qu'ils trouvaient en premier lieu fort étrange, que tant de

a. habileté – *b.* raconter – *c.* invention – *d.* ressemblant – *e.* de par ici (en Europe) – *f.* pressens – *g.* tromper par le – *h.* et d'avoir – *i.* étonnant

grands hommes portants barbe, forts et armés, qui étaient autour du Roi (il est vraisemblable qu'ils parlaient des Suisses de sa garde) se soumissent à obéir à un enfant[1], et qu'on ne choisissait plutôt quelqu'un d'entre eux pour commander : secondement (ils ont une façon de leur langage, telle, qu'ils nomment les hommes, moitié les uns des autres) qu'ils avaient aperçu qu'il y avait parmi nous des hommes pleins et gorgés, de toutes sortes de commodités[a], et que leurs moitiés étaient mendiants à leurs portes, décharnés de faim et de pauvreté, et trouvaient étrange comme ces moitiés ici nécessiteuses pouvaient souffrir une telle injustice, qu'ils ne prissent les autres à la gorge, ou missent le feu à leurs maisons[2]. Je parlai à l'un d'eux fort longtemps, mais j'avais un truchement[b] qui me suivait si mal, et qui était si empêché à recevoir mes imaginations[c] par sa bêtise, que je n'en pus tirer guère de plaisir. Sur ce que[d] je lui demandai quel fruit il recevait de la supériorité qu'il avait parmi les siens (car c'était un Capitaine, et nos matelots le nommaient Roi) il me dit, que c'était marcher le premier à la guerre : de combien d'hommes il était suivi, il me montra une espace de lieu, pour signifier que c'était autant qu'il en pourrait[e] en une telle espace, ce pouvait être quatre ou cinq mille hommes : si hors la guerre toute son autorité était expirée, il dit qu'il lui en restait cela, que quand il visitait les villages qui dépendaient de lui, on lui dressait des sentiers au travers des haies de leurs bois, par où il pût passer bien à l'aise. Tout cela ne va pas trop mal : mais quoi, ils ne portent point de haut-de-chausses.

a. richesses – *b.* interprète – *c.* si embarrassé à comprendre mes conceptions – *d.* Lorsque – *e.* qu'il en pourrait tenir

Qu'il faut sobrement se mêler de juger des ordonnances divines

CHAP. XXXII

Le vrai champ et sujet de l'imposture, sont les choses inconnues[1]. D'autant qu'en premier lieu l'étrangeté même donne crédit[a] : et puis n'étant point sujettes à nos discours[b] ordinaires, elles nous ôtent le moyen de les combattre. À cette cause[c], dit Platon[2], est-il bien plus aisé de satisfaire parlant de la nature des dieux que de la nature des hommes, parce que l'ignorance des auditeurs prête une belle et large carrière et toute liberté au maniement d'une matière cachée. Il advient de là qu'il n'est rien cru si fermement, que ce qu'on sait le moins : ni gens si assurés, que ceux qui nous content des fables : comme Alchimistes, Pronostiqueurs, Judiciaires[d], Chiromanciens, Médecins, *id genus omne*[e][3]. Auxquels je joindrais volontiers, si j'osais, un tas de gens, interprètes et contrerôleurs[f] ordinaires des desseins de Dieu, faisant état de trouver les causes de chaque accident[g], et de voir dans les secrets de la volonté divine, les motifs incompréhensibles de ses œuvres, et quoique la variété et discordance continuelle des événements les rejette de coin en coin, et d'orient en occident, ils ne laissent de suivre pourtant leur esteuf[h], et de même crayon

a. de la crédibilité – *b*. raisonnements – *c*. Pour cette raison – *d*. astrologues – *e*. « et tous ceux de même farine » – *f*. qui enregistrent pour vérification – *g*. événement – *h*. balle (au jeu de paume)

peindre le blanc et le noir. En une nation Indienne[1], il y a cette louable observance[a], quand il leur mésadvient[b] en quelque rencontre ou bataille, ils en demandent publiquement pardon au Soleil, qui est leur Dieu : comme d'une action injuste, rapportant leur heur[c] ou malheur à la raison divine, et lui soumettant leur Jugement et discours. Suffit[d] à un Chrétien croire toutes choses venir de Dieu, les recevoir avec reconnaissance de sa divine et inscrutable sapience : pourtant[e] les prendre en bonne part, en quelque visage qu'elles lui soient envoyées. Mais je trouve mauvais ce que je vois en usage, de chercher à fermir[f] et appuyer notre religion par le bonheur et prospérité de nos entreprises. Notre créance[g] a assez d'autres fondements, sans l'autoriser[h] par les événements : car le peuple accoutumé à ces arguments plausibles et proprement de son goût, il est danger, quand les événements viennent à leur tour contraires et désavantageux, qu'il en ébranle sa foi. Comme aux guerres où nous sommes pour[i] la religion, ceux qui eurent l'avantage au rencontre[j] de la Rochelabeille[2], faisant grand fête de cet accident[k], et se servant de cette fortune, pour certaine approbation de leur parti, quand ils viennent après à excuser leurs défortunes[l] de Mont-contour et de Jarnac[3], sur ce que ce sont verges et châtiments paternels, s'ils n'ont un peuple de tout à leur merci[m], ils lui font assez aisément sentir que c'est prendre d'un sac deux moutures[n], et de même bouche souffler le chaud et le froid. Il vaudrait mieux l'entretenir des vrais

a. règle religieuse – *b.* arrive malheur – *c.* réussite – *d.* Il suffit – *e.* pour cette raison – *f.* consolider – *g.* croyance – *h.* lui conférer de l'autorité – *i.* pour la défense de – *j.* à la bataille – *k.* événement – *l.* infortunes – *m.* totalement asservi – *n.* prendre double profit d'une même affaire

fondements de la vérité. C'est une belle bataille navale qui s'est gagnée ces mois passés contre les Turcs, sous la conduite de don Joan d'Austria[1], mais il a bien plu à Dieu en faire autrefois voir d'autres telles à nos dépens. Somme[a], il est malaisé de ramener les choses divines à notre balance, qu'elles n'y[b] souffrent du déchet. Et qui voudrait rendre raison de ce que Arrius et Leon son Pape, chefs principaux de cette hérésie[2], moururent en divers temps de morts si pareilles et si étranges (car retirés de la dispute par douleur de ventre à la garde-robe[c], tous deux y rendirent subitement l'âme)[3] et exagérer cette vengeance divine par la circonstance du lieu, y pourrait bien encore ajouter la mort de Heliogabalus, qui fut aussi tué en un retrait[d]. Mais quoi ? Irenée se trouve engagé en même fortune[4]. Dieu nous voulant apprendre que les bons ont autre chose à espérer et les mauvais autre chose à craindre que les fortunes ou infortunes de ce monde, il les manie et applique selon sa disposition occulte et nous ôte le moyen d'en faire sottement notre profit : Et se moquent ceux qui s'en veulent prévaloir[e] selon l'humaine raison. Ils n'en donnent jamais une touche qu'ils n'en reçoivent deux[f]. S. Augustin en fait une belle preuve sur ses adversaires[5]. C'est un conflit qui se décide par les armes de la mémoire plus que par celles de la raison. Il se faut contenter de la lumière qu'il plaît au Soleil nous communiquer par ses rayons, et qui élèvera ses yeux pour en prendre une plus grande[g] dans son corps même, qu'il ne trouve pas étrange, si pour la peine de son outrecuidance il y perd la vue[6]. *Quis hominum potest scire consilium dei : aut quis poterit cogitare quid velit dominus*[h][7].

a. En somme – *b*. sans qu'elles y – *c*. aux lieux d'aisance – *d*. aux lieux d'aisance – *e*. ceux qui se prévalent d'en faire leur profit [en interprétant les desseins de Dieu] – *f*. Ils ne touchent jamais [terme d'escrime] sans subir deux contre-attaques – *g*. plus grande [lumière] – *h*. « Qui d'entre les hommes pourrait connaître le dessein de Dieu ? ou qui pourra se représenter la volonté du seigneur ? »

De fuir les voluptés au prix de la vie

Chap. XXXIII

J'avais bien vu convenir en ceci la plupart des anciennes opinions : qu'il est heure de mourir lorsqu'il y a plus de mal que de bien à vivre, et que de conserver notre vie à[a] notre tourment et incommodité, c'est choquer les lois mêmes de nature, comme disent ces vieilles règles,

ἢ ζῆν ἀλύπως, ἢ θανεῖν εὐδαιμόνως.
Καλόν θνήσκειν οἷς ὕβριν τὸ ζῆν φέρει.
Κρεῖσσον τὸ μὴ ζῆν ἐστίν ἢ ζῆν ἀθλίως[b][1] :

mais de pousser le mépris de la mort jusques à tel degré, que de l'employer pour se distraire[c] des honneurs, richesses, grandeurs, et autres faveurs et biens que nous appelons de la fortune, comme si la raison n'avait pas assez affaire à nous persuader de les abandonner, sans y ajouter cette nouvelle recharge[d], je ne l'avais vu ni commander, ni pratiquer, jusque lors que[e] ce passage de Seneca[2] me tomba entre mains, auquel[f] conseillant à Lucilius personnage puissant et de grande autorité autour de l'Empereur, de changer cette vie voluptueuse et pompeuse, et de se

a. pour – *b.* « Ou vivre sans chagrin, ou mourir d'une mort heureuse. Il est beau de mourir quand la vie est pénible. Mieux vaut ne pas vivre que vivre dans la peine. » – *c.* se détourner – *d.* charge – *e.* jusqu'à ce que – *f.* dans lequel

retirer de cette ambition du monde, à quelque vie solitaire, tranquille et philosophique : sur quoi Lucilius alléguait quelques difficultés : Je suis d'avis (dit-il) que tu quittes cette vie-là, ou la vie tout à fait : bien te conseillé-je de suivre la plus douce voie, et de détacher plutôt que de rompre ce que tu as mal noué, pourvu que s'il ne se peut autrement détacher, tu le rompes. Il n'y a homme si couard qui n'aime mieux tomber une fois, que de demeurer toujours en branle[a]. J'eusse trouvé ce conseil sortable[b] à la rudesse Stoïque : mais il est plus étrange qu'il soit emprunté d'Epicurus, qui écrit à ce propos, choses toutes pareilles à Idomeneus[1]. Si est-ce que[c] je pense avoir remarqué quelque trait semblable parmi nos gens, mais avec la modération Chrétienne. S. Hilaire[2] Évêque de Poitiers, ce fameux ennemi de l'hérésie Arienne, étant en Syrie fut averti, qu'Abra sa fille unique, qu'il avait laissée par-deçà[d] avec sa mère, était poursuivie[e] en mariage par les plus apparents[f] Seigneurs du pays, comme fille très bien nourrie[g], belle, riche, et en la fleur de son âge : il lui écrivit (comme nous voyons[3]) qu'elle ôtât son affection[h] de tous ces plaisirs et avantages, qu'on lui présentait : qu'il lui avait trouvé en son voyage un parti bien plus grand et plus digne, d'un mari de bien autre pouvoir et magnificence, qui lui ferait présent de robes et de joyaux de prix inestimable. Son dessein était de lui faire perdre l'appétit[i] et l'usage des plaisirs mondains, pour la joindre toute à Dieu : mais à cela, le plus court et plus certain moyen lui semblant être la mort de sa fille, il ne cessa par vœux, prières et oraisons, de faire requête à Dieu de l'ôter de ce

a. instable – *b.* convenable – *c.* Toujours est-il que – *d.* en Europe – *e.* demandée – *f.* en vue – *g.* éduquée – *h.* se détachât – *i.* le désir

monde, et de l'appeler à soi : comme il advint : car bientôt après son retour, elle lui mourut, de quoi il montra une singulière joie. Cettui-ci semble enchérir sur les autres, de ce qu'il s'adresse à ce moyen de prime face[a], lequel ils ne prennent que subsidiairement : et puisque[b] c'est à l'endroit de sa fille unique. Mais je ne veux omettre le bout de cette histoire, encore qu'il ne soit pas de mon propos. La femme de Saint Hilaire ayant entendu par lui, comme la mort de leur fille s'était conduite par son dessein et volonté, et combien elle avait plus d'heur d'être délogée de ce monde, que d'y être, prit une si vive appréhension[c] de la béatitude éternelle et céleste, qu'elle sollicita son mari avec extrême instance, d'en faire autant pour elle. Et Dieu à leurs prières communes, l'ayant retirée à soi bientôt après, ce fut une mort embrassée avec singulier contentement commun.

a. sur les autres philosophes, parce qu'il recourt à ce moyen en premier lieu – *b*. parce que – *c*. conception

La fortune se rencontre souvent au train de la raison[a]

CHAP. XXXIV

L'inconstance du branle divers[b] de la fortune, fait qu'elle nous doive présenter toute espèce de visages : y a-il action de justice plus expresse[c] que celle-ci ? Le Duc de Valentinois[1] ayant résolu d'empoisonner Adrian Cardinal de Cornete, chez qui le Pape Alexandre sixième son père, et lui allaient souper au Vatican, envoya devant, quelque bouteille de vin empoisonné, et commanda au sommelier qu'il la gardât bien soigneusement : le Pape y étant arrivé avant le fils, et ayant demandé à boire, ce sommelier, qui pensait ce vin ne lui avoir été recommandé que pour sa bonté[d], en servit au pape : et le Duc même y arrivant sur le point de la collation[e], et se fiant qu'on n'aurait pas touché à sa bouteille, en prit à son tour : en manière que le père en mourut soudain, et le fils après avoir été longuement tourmenté de maladie, fut réservé à une autre pire fortune. Quelquefois il semble à point nommé qu'elle[f] se joue à[g] nous : le Seigneur d'Estrée[2], lors guidon[h] de Monsieur de Vandome, et le Seigneur de Licques Lieutenant de la compagnie du Duc d'Ascot, étants tous deux servi-

a. La fortune rejoint souvent la raison – *b*. des mouvements contradictoires – *c*. y a-t-il justice plus immédiate – *d*. à cause de sa qualité – *e*. du repas – *f*. la fortune – *g*. de – *h*. alors porte-étendard

teurs[a] de la sœur du Sieur de Foungueselles, quoique de divers partis (comme il advient aux voisins de la frontière) le Sieur de Licques l'emporta : mais le même jour[b] des noces, et qui pis est, avant le coucher, le marié ayant envie de rompre un bois[c] en faveur de sa nouvelle épouse, sortit à l'escarmouche près de Sainct Omer, où le sieur d'Estrée se trouvant le plus fort, le fit son prisonnier : et pour faire valoir son avantage, encore fausit-il[d] que la Damoiselle,

Conjugis ante coacta novi dimittere collum,
Quam veniens una atque altera rursus hyems
Noctibus in longis avidum saturasset amorem[e][1],

lui fit elle-même requête par courtoisie de lui rendre son prisonnier : comme il fit, la noblesse Française ne refusant jamais rien aux Dames. Semble-il pas que ce soit un sort artiste[f] ? Constantin fils de Heleine fonda l'empire de Constantinople et tant de siècles après, Constantin fils de Heleine le finit[2]. Quelquefois il lui plaît envier sur nos miracles[g] : nous tenons[h] que le Roi Clovis assiégeant Angoulesme, les murailles churent d'elles-mêmes par faveur divine : Et Bouchet emprunte de quelque auteur, que le Roi Robert assiégeant une ville, et s'étant dérobé[i] du siège, pour aller à Orleans solenniser[j] la fête Saint Aignan, comme il était en dévotion, sur certain point de la messe, les murailles de la ville assiégée, s'en allèrent sans aucun effort en ruine[3]. Elle fit tout à contrepoil[k] en nos guerres de Milan : car le Capitaine Rense assiégeant pour nous la ville d'Eronne[4], et ayant fait mettre la mine sous un grand

a. prétendants – *b.* le jour même – *c.* une lance – *d.* fallut-il – *e.* « Contrainte de se détacher du cou de son nouvel époux, avant qu'un hiver puis un autre n'eussent rassasié de leurs longues nuits son amour avide » – *f.* que la fortune soit comme un artiste – *g.* il plaît à la fortune de renchérir sur – *h.* croyons – *i.* éloigné – *j.* célébrer – *k.* la fortune agit à l'inverse

pan de mur, et le mur en étant brusquement enlevé hors de terre, rechut toutefois tout empanné[a], si droit dans son fondement, que les assiégés n'en vausirent pas moins[b]. Quelquefois elle fait[c] la médecine. Jason Phereus[1] étant abandonné des médecins, pour une apostume[d], qu'il avait dans la poitrine, ayant envie de s'en défaire, au moins par la mort, se jeta en une bataille à corps perdu dans la presse[e] des ennemis, où il fut blessé à travers le corps, si à point, que son apostume en creva, et guérit. Surpassa-elle pas le peintre Protogenes en la science de son art ? Cettui-ci, ayant parfait l'image d'un chien las et recru, à son contentement en toutes les autres parties, mais ne pouvant représenter à son gré l'écume et la bave, dépité contre sa besogne, prit son éponge, et comme elle était abreuvée[f] de diverses peintures, la jeta contre, pour tout effacer : la fortune porta tout à propos le coup à l'endroit de la bouche du chien, et y parfournit[g] ce à quoi l'art n'avait pu atteindre[2]. N'adresse-elle pas quelquefois nos conseils[h] et les corrige ? Isabel Reine d'Angleterre ayant à repasser de Zelande en son Royaume, avec une armée en faveur de son fils contre son mari, était perdue, si elle fût arrivée au port qu'elle avait projeté, y étant attendue par ses ennemis : mais la fortune la jeta contre son vouloir ailleurs, où elle prit terre en toute sûreté[3]. Et cet ancien qui ruant la[i] pierre à un chien en assena et tua sa marâtre[4], eut-il pas raison de prononcer ce vers,

Ταὐτόματον ἡμῶν καλλίω βουλεύεται[5],

la fortune a meilleur avis que nous. [Icetes[6] avait pratiqué[j] deux soldats pour tuer Timoleon,] séjournant à Adrane en la

a. retomba verticalement – *b.* n'en furent pas plus mal – *c.* rivalise avec – *d.* tumeur – *e.* les rangs – *f.* gorgée – *g.* acheva – *h.* La fortune n'oriente-t-elle pas nos décisions – *i.* jetant une – *j.* suborné

Sicille. Ils prirent heure sur le point[a] qu'il ferait quelque sacrifice : et, se mêlant parmi la multitude, comme ils se guignaient l'un l'autre[b], que l'occasion était propre à leur besogne : voici un tiers qui d'un grand coup [d'épée] en assène l'un par la tête et le rue mort par terre : [et] s'enfuit. Le compagnon [se] tenant pour découvert [et] perdu, recourut à l'autel requérant franchise[c], avec promesse de dire toute la vérité. Ainsi qu'il faisait le conte[d] de la conjuration, voici le tiers qui avait été attrapé, lequel comme meurtrier, le peuple pousse et [saboule] au travers de la presse[e] vers Timoleon et les plus apparents[f] de l'assemblée. Là il crie merci : et dit avoir [justement] tué l'assassin de [son] père : vérifiant[g] sur-le-champ par des témoins que son bon sort lui fournit tout à propos, qu'en la ville des Léontins son père de vrai avait été tué par celui sur lequel il s'était vengé. On lui ordonna dix mines Attiques[h] pour avoir eu cet heur[i], prenant raison de la mort de son père, d'avoir retiré de mort[j] le père commun des Siciliens. Cette fortune surpasse en règlement[k] les règles [de] l'humaine prudence. Pour la fin. En ce fait ici, se découvre-il pas une bien expresse application de sa faveur[l], de bonté et piété singulière : Ignatius Père et fils, proscrits par les Triumvirs à Romme, se résolurent à ce généreux office[m], de rendre leurs vies, entre les mains l'un de l'autre, et en frustrer la cruauté des Tyrans : ils se coururent sus, l'épée au poing : elle en dressa les pointes, et en fit deux coups également mortels, et donna à l'honneur[n] d'une si belle amitié, qu'ils eussent justement[o] la force de retirer encore des plaies, leurs bras sanglants et armés, pour s'entr'embrasser en cet état : d'une si forte étreinte, que les bourreaux coupèrent ensemble

a. choisirent le moment où – *b*. se faisaient signe – *c*. s'approcha de l'autel, demandant asile – *d*. l'aveu – *e*. traîne à travers la foule – *f*. notables – *g*. prouvant – *h*. on lui donna dix pièces d'argent – *i*. cette chance – *j*. sauvé de la mort – *k*. par son ordre – *l*. une manifestation évidente de la faveur de la fortune – *m*. à cet acte noble et vertueux – *n*. accorda en l'honneur – *o*. juste

leurs deux têtes, laissant les corps toujours pris en ce noble nœud, et les plaies jointes, humant amoureusement le sang et les restes de la vie, l'une de l'autre[1].

D'un défaut de nos polices[a]

CHAP. XXXV

Feu mon père, homme pour[b] n'être aidé que de l'expérience et du naturel, d'un[c] jugement bien net, m'a dit autrefois, qu'il avait désiré mettre en train, qu'il y eût ès villes certain lieu désigné, auquel ceux qui auraient besoin de quelque chose, se pussent rendre, et faire enregistrer leur affaire, à un officier établi pour cet effet : comme : Je cherche à vendre des perles, je cherche des perles à vendre : tel veut compagnie pour aller à Paris : tel s'enquiert d'un serviteur de telle qualité, tel d'un maître, tel demande un ouvrier : qui ceci, qui cela, chacun selon son besoin. Et semble que ce moyen de nous entr'avertir, apporterait non légère commodité[d] au commerce public : car à tous coups, il y a des conditions[e], qui s'entrecherchent : et pour ne s'entr'entendre, laissent les hommes en extrême nécessité. J'entends, avec une grande honte de notre siècle, qu'à notre vue, deux très excellents personnages en savoir, sont morts en état de n'avoir pas leur soûl à manger : Lilius Gregorius Giraldus en Italie[1], et Sebastianus Castalio en Allemagne[2] : et crois qu'il y a mille hommes qui les eussent appelés[f]

a. organisations collectives – *b*. qui pour – *c*. avait toutefois – *d*. serait d'une grande utilité – *e*. professions – *f*. fait venir avec très avantageuses conditions, ou secourus où ils étaient, s'ils l'eussent su. Le monde n'est pas si généralement corrompu, que je ne sache tel homme, qui souhaiterait de bien grande affection, que les moyens que les siens lui ont mis en main, se pussent employer tant qu'il plaira à la fortune qu'il en jouisse, à mettre à l'abri de la nécessité, les personnages rares et remarquables en quelque espèce de valeur, que le malheur combat quelquefois jusques à l'extrémité : et qui les mettrait pour le moins en tel état, qu'il ne tiendrait qu'à faute de bons discours, s'ils n'étaient contents[a]. En la police économique[b] mon père avait cet ordre, que je sais louer, mais nullement ensuivre[c]. C'est qu'outre [le] registre des négoces [du] ménage où se logent [les] menus comptes, paiements, marchés qui ne requièrent la main du notaire, lequel registre un receveur a en charge, [il] ordonnait à celui de [ses] gens qui lui servait [à] écrire un papier journal[d] à insérer toutes [les] survenances de quelque remarque[e], [et] jour par jour les mémoires de l'histoire de sa maison : très plaisante à voir quand le temps commence [à] en effacer la souvenance, et très à propos pour nous ôter souvent [de] peine[f]. Quand fut entamée telle besogne, quand achevée, quels trains[g] y ont passé, combien arrêté[h] ? Nos voyages, nos absences. Mariages. Morts. La réception des heureuses [ou] malencontreuses nouvelles. Changement des serviteurs principaux. Telles matières. Usage ancien que je trouve bon à rafraîchir, chacun en sa chacunière[i][1]. [Et] me trouve un sot d'y avoir failli[2].

a. qu'ils pourraient raisonnablement s'estimer satisfaits – *b*. Dans la gestion de sa maison – *c*. suivre – *d*. au secrétaire qui tenait son journal – *e*. d'y mentionner tous les événements de quelque intérêt – *f*. pour nous tirer d'embarras – *g*. quels hôtes avec leur suite – *h*. s'y sont arrêtés – *i*. chacun chez soi

De l'usage de se vêtir

CHAP. XXXVI

Où que je veuille donner[a], il me faut forcer quelque barrière de la coutume, tant elle a soigneusement bridé toutes nos avenues[b]. Je devisais[c] en cette saison frileuse, si la façon d'aller tout nu de ces nations dernièrement trouvées, est une façon forcée par la chaude température de l'air, comme nous disons des Indiens, et des Mores, ou si c'est l'originelle des hommes[1]. Les gens d'entendement, d'autant que[d] tout ce qui est sous le ciel, comme dit la sainte parole, est sujet à mêmes lois[2], ont accoutumé en pareilles considérations à celles ici[e], où il faut distinguer les lois naturelles des controuvées, de recourir à la générale police[f] du monde, où il n'y peut avoir rien de contrefait. Or tout étant exactement fourni[g] ailleurs de filet[h] et d'aiguille, pour maintenir son être, il est à la vérité mécréable[i], que nous soyons seuls produits en état défectueux et indigent, et en état qui ne se puisse maintenir sans secours étranger. Ainsi je tiens que comme les plantes, arbres, animaux et tout ce qui vit, se trouve naturellement équipé de suffisante couverture, pour se défendre de l'injure du temps,

a. aller – *b.* fermé tous nos chemins – *c.* discutais – *d.* puisque – *e.* celles-ci – *f.* l'ordre général – *g.* pourvu – *h.* fil – *i.* incroyable

Propterea que fere res omnes, aut corio sunt,
Aut seta, aut conchis, aut callo, aut cortice tectæ[a][1],

aussi[b] étions-nous : mais comme ceux, qui éteignent par artificielle lumière celle du jour, nous avons éteint nos propres moyens, par les moyens empruntés. Et est aisé à voir que c'est la coutume qui nous fait impossible ce qui ne l'est pas : car de ces nations, qui n'ont aucune connaissance de vêtements, il s'en trouve d'assises[c] environ sous même ciel, que le nôtre : et puis la plus délicate partie de nous est celle, qui se tient toujours découverte : les yeux, la bouche, le nez, les oreilles : À nos contadins[d] comme à nos aïeux, la partie pectorale et le ventre. Si nous fussions nés avec condition de cotillons et de gréguesques[e], il ne faut faire doute, que nature n'eût armé d'une peau plus épaisse ce qu'elle eût abandonné à la batterie[f] des saisons, comme elle a fait[g] le bout des doigts et plante des pieds. Pourquoi semble-il difficile à croire ? Entre ma façon d'être vêtu et celle d'un paysan de mon pays, je trouve bien plus de distance qu'il n'y a de sa façon à un homme qui n'est vêtu que de sa peau. Combien d'hommes, et en Turquie surtout, vont nus par dévotion[2] ! Je ne sais qui[3], demandait à un de nos gueux, qu'il voyait en chemise en plein hiver, aussi scarrebillat[h] que tel qui se tient emmitonné dans les martes jusques aux oreilles, comme il pouvait avoir patience[i]. Et vous monsieur, répondit-il, vous avez bien la face découverte, or moi je suis tout face. Les Italiens content du fol du Duc de Florence, ce me semble, que son maître s'enquérant comment ainsi mal vêtu, il pouvait porter le

a. « Et c'est pourquoi presque tous les êtres vivants sont recouverts de cuir, ou de soie, ou de coquille, ou de corne, ou d'écorce » – *b.* ainsi – *c.* qui sont situées – *d.* paysans – *e.* avec obligation de porter des cotillons et des culottes à la grecque – *f.* aux assauts – *g.* fait pour – *h.* gaillard – *i.* comment il pouvait supporter ce froid

froid, à quoi il était bien empêché lui-même[a] : suivez, dit-il, ma recette de charger sur vous tous vos accoutrements, comme je fais les miens, vous n'en souffrirez non plus que moi[1]. Le Roi Massinissa jusques à l'extrême vieillesse, ne put être induit à aller la tête couverte par froid, orage, et pluie qu'il fît[2]. Ce qu'on dit aussi de l'Empereur Severus. Aux batailles données entre les Ægiptiens et les Perses, Herodote[3] dit avoir été remarqué et [par] d'autres et par lui que, de ceux qui y demeuraient morts, le [test[b]] était sans comparaison plus dur aux Ægiptiens qu'aux Persiens[c] : à raison que[d] ceux ici portent leurs têtes toujours couvertes de béguins[e] et puis [de] turbans : ceux-là rases dès l'enfance et découvertes. Et le Roi Agesilaus observa jusques à sa décrépitude, de porter pareille vêture en hiver qu'en été[4]. Cæsar, dit Suetone, marchait toujours devant sa troupe, et le plus souvent à pied, la tête découverte, soit qu'il fît Soleil, ou qu'il plût, et autant en dit-on de Hannibal[5],

tum vertice nudo
Excipere insanos imbres cœlique ruinam[f][6].

Un Vénitien qui s'y est tenu longtemps, et qui ne fait que d'en venir[g], écrit qu'au Royaume du Pégu, les autres parties du corps vêtues, les hommes et les femmes vont toujours les pieds nus, même [à] cheval[7]. Et Platon conseille merveilleusement[h] [pour] la santé de tout le corps, [de] ne donner aux pieds [et] à la tête autre couverture [que] celle que nature y a mise[8]. Celui que les Polonais ont choisi pour leur Roi, après le nôtre[9], qui est à la vérité un des plus grands Princes de notre siècle, ne porte jamais gants, ni ne change pour hiver et temps qu'il fasse, le même bonnet qu'il porte au couvert[i].

a. ce que lui-même avait bien du mal à faire – *b.* la tête – *c.* Perses – *d.* parce que – *e.* bonnets – *f.* « alors il recevait sur sa tête nue les pluies torrentielles qui s'effondraient du ciel » – *g.* revenir – *h.* remarquablement – *i.* à l'intérieur

Comme je ne puis souffrir d'aller déboutonné et détaché, les laboureurs de mon voisinage, se sentiraient entravés de l'être. Varro tient[a], que quand on ordonna que nous tinssions la tête découverte, en présence des Dieux, ou du Magistrat, on le fit plus pour notre santé, et nous fermir[b] contre les injures du temps, que pour compte de la révérence[c][1]. Et puisque nous sommes sur le froid, et Français accoutumés à nous bigarrer (non pas moi, car je ne m'habille guère, que de noir ou de blanc, à l'imitation de mon père), ajoutons d'une autre pièce[d] : que le Capitaine Martin du Bellay dit, au voyage[e] de Luxembourg, avoir vu les gelées si âpres, que le vin de la munition[f] se coupait à coups de hache et de cognée, se débitait aux soldats par poids, et qu'ils l'emportaient dans des paniers[2] : et Ovide à deux doigts près,

Nudaque consistunt formam servantia testæ
Vina, nec hausta meri, sed data frusta bibunt[g][3].

Les gelées sont si âpres en l'embouchure des Palus Mæotides[4], qu'en la même place où le Lieutenant de Mithridate avait livré bataille aux ennemis à pied sec, et les y avait défaits : l'été venu, il y gagna contre eux encore une bataille navale[5]. [Les Romains souffrirent grand désavantage au] combat qu'ils eurent contre les Carthaginois près de Plaisance, de ce qu'ils allèrent à la charge le sang figé et les membres contraints de froid : là où Annibal avait fait épandre du feu par tout son ost[h] pour échauffer ses soldats, et distribuer de l'huile par les bandes[i], afin que s'oignant ils rendissent leurs nerfs[j] plus souples et dégourdis, et encroûtassent les pores contre les coups de l'air et du vent gelé qui tirait[k] lors[6]. [La retraite des Grecs, de

a. soutient – *b*. renforcer – *c*. par respect – *d*. d'autre part – *e*. pendant la campagne – *f*. des provisions – *g*. « Le vin tiré garde la forme du récipient, il ne se puise pas mais se distribue en morceaux » – *h*. dans toute son armée – *i*. dans les troupes – *j*. muscles – *k*. soufflait

Babylone en leur pays, est fameuse des difficultés] et mésaises[a] qu'ils eurent à surmonter. Cette-ci en fut[b] qu'accueillis aux montagnes d'Armenie d'un horrible ravage de neiges, ils en perdirent la connaissance du pays et des chemins et en étant assiégés tout court[c], furent un jour et une nuit sans boire et sans manger, la plupart de leurs bêtes mortes. D'entre eux plusieurs morts, plusieurs aveugles du coup[d] du grésil et lueur de la neige, plusieurs stropiés[e] par les extrémités, plusieurs roides, transis et immobiles de froid, ayant encore le sens entier[f] [1]. Alexandre[2] vit une nation en laquelle on enterre les arbres fruitiers en hiver pour les défendre de la gelée[3]. Sur le sujet de vêtir[g], le Roi de la Mexique changeait quatre fois par jour d'accoutrements[h], jamais ne les réitérait[i], employant sa déferre[j] à ses continuelles libéralités et récompenses : comme aussi ni pot, ni plat, ni ustensile de sa cuisine, et de sa table ne lui étaient servis à deux fois[4].

a. souffrances – *b*. Celle-ci par exemple – *c*. tout à coup – *d*. du fait – *e*. estropiés – *f*. leur conscience intacte – *g*. du vêtement – *h*. d'habits – *i*. remettait – *j*. ces vêtements une fois portés

Du jeune Caton[1]

Chap. XXXVII

Je n'ai point cette erreur commune, de juger d'un autre selon que[a] je suis. J'en crois aisément des choses diverses à moi[b]. Pour me sentir engagé à une forme[c], je n'y oblige pas le monde, comme chacun fait : Et crois et conçois mille contraires façons de vie : Et au rebours du commun, reçois[d] plus facilement la différence que la ressemblance en nous. Je décharge[e] tant qu'on veut un autre être de mes conditions et principes[f], et le considère simplement en lui-même : sans relation : l'étoffant sur son propre modèle. Pour n'être continent je ne laisse d'avouer[g] sincèrement la continence des Feuillants[2] et des Capuchins[3] : et de bien trouver l'air de leur train[h] : Je m'insinue par imagination fort bien en leur place : Et si[i] les aime et les honore d'autant plus qu'ils sont autres que moi. Je désire singulièrement qu'on nous juge [chacun à part soi : et qu'on ne me tire en conséquence[j] des communs exemples.] Ma faiblesse n'altère aucunement les opinions que je dois avoir de la force et vigueur de ceux qui le méritent. *Sunt qui nihil laudent, nisi quod se imitari posse confidunt*[k][4]. Rampant au limon de la terre, je ne laisse pas de remarquer jusque dans les nues la hauteur inimitable

a. ce que – *b*. contraires à mon caractère – *c*. une attitude – *d*. je conçois – *e*. j'affranchis – *f*. de mes façons d'être et de penser – *g*. je n'en reconnais pas moins – *h*. d'estimer leur discipline – *i*. Aussi je – *j*. qu'on ne me déduise – *k*. « Certains ne louent que ce qu'ils croient pouvoir imiter »

d'aucunes[a] âmes héroïques. C'est beaucoup pour moi d'avoir le jugement réglé, si les effets[b] ne le peuvent être : et maintenir, au moins cette maîtresse partie exempte de corruption : C'est quelque chose d'avoir la volonté bonne, quand les jambes me faillent. Ce siècle, auquel nous vivons, au moins pour notre climat[c], est si plombé, que je ne dis pas l'exécution, mais l'imagination même de la vertu en est à dire[d], Et semble que ce ne soit autre chose qu'un jargon de collège :

virtutem verba putant, ut
Lucum ligna[e 1],

quam vereri deberent etiamsi percipere non possent[f 2]. C'est un affiquet[g] à pendre en un cabinet, ou au bout de la langue comme au bout de l'oreille, pour parement[h]. Il ne se reconnaît plus[i] d'action vertueuse : Celles qui en portent le visage, elles n'en ont pas pourtant l'essence : Car le profit, la gloire, la crainte, l'accoutumance, et autres telles causes étrangères[j] nous acheminent à les produire. La justice, la vaillance, la débonnaireté[k], que nous exerçons lors, elles peuvent être ainsi nommées, pour la considération d'autrui, et du visage qu'elles portent en public[l], mais chez l'ouvrier[m] ce n'est aucunement vertu : Il y a une autre fin proposée, autre cause mouvante[n]. Or la vertu n'avoue[o] rien, que ce qui se fait par elle, et pour elle seule. En cette grande [bataille de Potidée[3] que les Grecs sous Pausanias] gagnèrent contre Mardonius et les Perses, les victorieux suivant leur coutume venant à partir[p] entre eux la gloire de l'exploit, attribuèrent à la nation Spartiate la précellence de valeur en ce combat. Les Spartiates, excellents juges de la

a. de certaines – *b.* actions – *c.* dans nos régions – *d.* y fait défaut – *e.* « Ils croient que la vertu n'est qu'un mot, comme un bois sacré des bûches » – *f.* « et ils devraient la vénérer, même s'ils n'arrivent pas à la concevoir » – *g.* une breloque – *h.* parure – *i.* On ne voit plus – *j.* étrangères à la vertu – *k.* bonté – *l.* d'un point de vue extérieur, et en raison de leur apparence – *m.* chez celui qui agit – *n.* une autre cause agissante – *o.* ne reconnaît – *p.* partager

vertu, quand ils vinrent à décider à quel particulier[a] devait demeurer l'honneur d'avoir [le] mieux fait en cette journée, trouvèrent qu'Aristodeme s'était le plus courageusement hasardé[b], mais pourtant ils [ne] lui en donnèrent point le prix, parce que [sa] vertu avait été incitée du désir de se purger [du] reproche qu'il avait encouru au fait[c] des Thermopiles[1] et d'un appétit [de] mourir courageusement pour garantir[d] sa honte passée. Nos jugements sont encore[e] malades, et suivent la dépravation de nos mœurs. Je vois la plupart des esprits de mon temps, faire les ingénieux à obscurcir la gloire des belles et généreuses actions anciennes, leur donnant quelque interprétation vile, et leur controuvant des occasions et des causes vaines[2]: Grande subtilité! Qu'on me donne l'action la plus excellente et pure, je m'en vais y fournir vraisemblablement cinquante vicieuses intentions. Dieu sait, à qui les veut étendre, quelle diversité d'images ne souffre[f] notre interne volonté. Ils ne font pas tant malicieusement que lourdement et grossièrement les ingénieux à tout[g] leur médisance. [La] même peine qu'on prend [à] détracter de[h] ces grands noms et la même licence, [je] la prendrais volontiers [à] leur prêter quelque tour [d']épaule à[i] les hausser. Ces rares figures et triées pour [l'ex]emple du monde par le consentement des sages, je [ne] me feindrais pas de les recharger[j] d'honneur autant que mon invention pourrait [en] interprétation et favorable circonstance[k]. Mais [il] faut croire que les efforts de notre conception sont loin au-dessous de leur mérite. C'est l'office des gens de bien de peindre [la] vertu la plus belle qui se puisse, et[l] ne nous messiérait pas, quand la passion nous transporterait à la[m] faveur de si saintes formes. [Ce] que ceux-ci[n] font au

a. individu – *b.* exposé – *c.* à la bataille – *d.* racheter – *e.* aussi sont – *f.* si l'on veut les détailler, quelle variété de représentations peut convenir à – *g.* avec – *h.* dénigrer – *i.* leur prêter mon épaule pour – *j.* je ne m'épargnerais pas pour les couvrir – *k.* interpréter favorablement les circonstances de leurs actes – *l.* et cela – *m.* en – *n.* les détracteurs des grands hommes

contraire, Ils le font ou par malice, ou par ce vice de ramener leur créance[a] à leur portée, de quoi je viens de parler : ou, comme je pense plutôt, pour n'avoir pas la vue assez forte et assez nette, pour concevoir la splendeur de la vertu en sa pureté naïve[b], ni dressée[c] à cela. Comme[d] Plutarque[1] dit, que de son temps, aucuns[e] attribuaient la cause de la mort du jeune Caton, à la crainte qu'il avait eu de Cæsar : De quoi il se pique[f] avec raison : Et peut-on juger par là, combien il se fût encore plus offensé de ceux qui l'ont attribuée à l'ambition[g][2]. Sottes gens ! Il[h] eût bien fait une belle action, généreuse et juste, plutôt avec ignominie, que pour la gloire[i]. Ce personnage-là fut véritablement un patron[j], que nature choisit, pour montrer jusques où l'humaine vertu et fermeté pouvait atteindre. Mais je ne suis pas ici à même pour traiter ce riche argument[k]. Je veux seulement faire lutter ensemble, les traits[l] de cinq poètes Latins, sur la louange de Caton. Et pour l'intérêt de Caton et par incident[m] pour le leur aussi. Or devra l'enfant bien nourri[n] trouver [au] pris[o] des autres les deux premiers traînants. Le troisième plus vert : mais qui s'est [abattu] par l'extravagance de sa force. Estimer que [là] il y aurait place, à un ou deux degrés [d']invention encore pour arriver au quatrième, sur le point duquel[p] il joindra [ses] mains par admiration. Au dernier, premier de quelque espace[q], mais laquelle espace il jurera ne pouvoir être remplie par nul esprit humain, il s'étonnera[r], il se transira. Voici merveille : Nous avons bien plus de poètes que de juges et interprètes de poésie. Il est plus aisé de la faire que de la connaître. À certaine mesure basse, on la peut juger par les

a. croyance – *b*. originelle – *c*. ni la vue entraînée – *d*. Ainsi – *e*. certains – *f*. s'irrite – *g*. l'orgueil – *h*. Caton – *i*. il eût préféré être vilipendé, que d'agir par désir d'être loué – *j*. modèle – *k*. sujet – *l*. faire rivaliser les vers – *m*. incidemment – *n*. éduqué – *o*. en comparaison – *p*. en arrivant auquel – *q*. devançant les autres d'une courte distance – *r*. il sera frappé de stupeur

préceptes et par art. Mais la bonne, l'excessive, la divine est au-dessus des règles et de la raison. Quiconque en discerne la beauté d'une vue ferme et rassise, il ne la voit pas : non plus que la splendeur d'un éclair. Elle ne pratique[a] point notre jugement : elle le ravit et ravage. La fureur qui époinçonne celui qui la sait pénétrer[b], fiert[c] encore un tiers à la lui ouïr traiter et réciter[d]. Comme l'aimant non seulement attire une aiguille mais infond encore en icelle[e] sa faculté d'en attirer d'autres[1]. Et il se voit plus clairement aux théâtres, que l'inspiration sacrée des muses ayant premièrement agité le poète à la colère, au deuil[f], à la haine et hors de soi où elles veulent, frappe encore par le poète l'acteur, et par l'acteur consécutivement tout un peuple. C'est l'enfilure de nos aiguilles, suspendues l'une de l'autre. Dès ma première enfance, la poésie a eu cela, de me transpercer et transporter[2]. Mais ce ressentiment[g] bien vif qui est naturellement en moi a été diversement manié[h] par diversité de formes. Non tant plus hautes et plus basses, car c'étaient toujours des plus hautes en chaque espèce : comme différentes en couleur. Premièrement une fluidité gaie et ingénieuse. Depuis[i] une subtilité aiguë et relevée. Enfin une force mûre et constante. L'exemple le dira mieux. Ovide. Lucain. Vergile. [Mais voilà nos gens sur la carrière.]

Sit Cato dum vivit sane vel Cæsare major[j][3],

dit l'un.

Et invictum devicta morte Catonem[k][4]

dit l'autre. Et l'autre, parlant des guerres civiles d'entre Cæsar et Pompeius,

Victrix causa diis placuit, sed victa Catoni[l][5].

Et le quatrième, sur les louanges de Cæsar,

Et cuncta terrarum subacta
Præter atrocem animum Catonis[m][6].

a. flatte – *b*. qui aiguillonne celui qui comprend la poésie – *c*. frappe – *d*. en l'entendant la déclamer – *e*. fait passer en celle-ci – *f*. à la douleur – *g*. cette sensibilité – *h*. ému – *i*. Ensuite – *j*. « Que Caton, de son vivant, soit plus grand que César lui-même » – *k*. « Et, invaincu, ayant vaincu la mort, Caton » – *l*. « La cause du vainqueur eut la faveur des dieux, mais celle du vaincu eut celle de Caton. » – *m*. « Toute la terre

Et le maître du chœur, après avoir étalé les noms des plus grands Romains en sa peinture, finit en cette manière,

his dantem jura Catonem[a1].

---

lui fut soumise, exceptée l'âme fière de Caton » – *a.* « à tous ceux-là, Caton dictant des lois. »

Comme nous pleurons et rions d'une même chose

Chap. XXXVIII

Quand nous rencontrons dans les histoires qu'Antigonus[1] sut très mauvais gré à son fils de lui avoir présenté la tête du Roi Pyrrhus son ennemi, qui venait sur l'heure même d'être tué combattant contre lui : et que l'ayant vue il se prit bien fort à pleurer : et que le Duc René de Lorraine[2], plaignit aussi la mort du Duc Charles de Bourgoigne[3], qu'il venait de défaire, et en porta le deuil en son enterrement : et que en la bataille d'Auray[4], que le Comte de Montfort gagna contre Charles de Blois, sa partie[a] pour le Duché de Bretaigne, le victorieux rencontrant le corps de son ennemi trépassé, en mena grand deuil, il ne faut pas s'écrier soudain,

Et cosi aven che l'animo ciascuna
Sua passion sotto el contrario manto
Ricopre, con la vista hor' chiara hor bruna[b5].

Quand on présenta à Cæsar[6] la tête de Pompeius, les histoires disent qu'il en détourna sa vue, comme d'un vilain et mal plaisant spectacle. Il y avait eu entre eux une si longue intelligence, et société[c] au

a. son adversaire – *b*. « Et c'est ainsi que l'âme dissimule ses passions sous des apparences contraires, le visage tantôt clair tantôt sombre. » – *c*. communauté de vue et de fréquentation maniement des affaires publiques, tant de communauté de fortunes, tant d'offices[a] réciproques et d'alliance, qu'il ne faut pas croire que cette contenance fut toute fausse et contrefaite, comme estime cet autre,

tutumque putavit
Jam bonus esse socer, lachrimas non sponte cadentes
Effudit, gemitusque expressit pectore lœto[b1].

Car bien que à la vérité la plupart de nos actions ne soient que masque et fard, et qu'il puisse quelquefois être vrai,

Hæredis fletus sub persona risus est[c2].

Si est-ce[d] qu'au jugement de ces accidents[e], il faut considérer, comme nos âmes se trouvent souvent agitées de diverses passions. Et tout ainsi qu'en nos corps ils disent[f] qu'il y a une assemblée[g] de diverses humeurs, desquelles celle-là est maîtresse, qui commande le plus ordinairement en nous, selon nos complexions : aussi en nos âmes, bien qu'il y ait divers mouvements, qui l'agitent, si faut-il[h] qu'il y en ait un à qui le champ demeure. Mais ce n'est pas avec si entier avantage, que pour la volubilité[i] et souplesse de notre âme, les plus faibles, par occasion ne regagnent encore la place, et ne fassent une courte charge à leur tour. D'où nous voyons non seulement les enfants, qui vont tout naïvement après[j] la nature, pleurer et rire souvent de même chose : mais nul d'entre nous ne se peut vanter, quelque voyage qu'il fasse à son souhait[k], que encore au dépar-

a. services – *b.* « il pensa qu'il pouvait désormais sans danger montrer la générosité d'un beau-père, il versa des larmes contraintes, et fit sortir des plaintes de son cœur joyeux. » – *c.* « Les pleurs d'un héritier sont des rires sous un masque. » – *d.* toujours est-il – *e.* événements – *f.* on dit – *g.* assemblage – *h.* il faut pourtant – *i.* à cause de la mobilité – *j.* suivant – *k.* selon son souhait

tir[a] de sa famille, et de ses amis, il ne se sente frissonner le courage[b] : et si les larmes ne lui en échappent tout à fait, au moins met-il le pied à l'étrier d'un visage morne et contristé. Et quelque gentille flamme qui échauffe le cœur des filles bien nées, encore les déprend-on à force[c], du col de leurs mères, pour les rendre à leur époux : quoique dise ce bon compagnon,

Est ne novis nuptis odio venus, anne parentum
Frustrantur falsis gaudia lachrimulis,
Ubertim thalami quas intra limina fundunt ?
Non, ita me divi, vera gemunt, juverint[d][1].

Ainsi il n'est pas étrange de plaindre celui-là mort, qu'on ne voudrait aucunement être en vie. Quand je tance avec mon valet je tance du meilleur courage[e] que j'aie : ce sont vraies et non feintes imprécations : mais cette fumée[f] passée, qu'il ait besoin de moi, je lui bien ferai volontiers : je tourne à l'instant le feuillet[g]. Quand je l'appelle un badin[h], un veau, je n'entreprends pas de lui coudre à jamais ces titres. Ni ne pense me dédire pour le nommer tantôt honnête homme. Nulle qualité nous embrasse purement et universellement. Si ce n'était la contenance[i] d'un fol de parler seul il n'est jour auquel on ne m'ouït gronder en moi-même et contre moi : Bran du fat[j]. Et si[k] n'entends pas que ce soit ma définition. Qui pour me voir une mine tantôt froide, tantôt amoureuse envers ma femme, estime que l'une ou l'autre soit feinte, il est un sot. Neron[2] prenant congé de sa mère, qu'il envoyait noyer, sentit toutefois l'émotion de cet adieu maternel : et en eut horreur et

a. au moment de quitter – *b.* cœur – *c.* on les détache pourtant de force. – *d.* « Vénus est-elle odieuse aux jeunes mariées, ou celles-ci troublent-elles la joie de leurs parents par les larmes fausses qu'elles versent en abondance sur le seuil de la chambre nuptiale ? Que me protègent les dieux ! Ces larmes ne sont pas sincères. » – *e.* cœur – *f.* colère – *g.* la page – *h.* nigaud – *i.* comportement – *j.* merde pour le sot ! – *k.* et pourtant

pitié. On dit que la lumière du Soleil, n'est pas d'une pièce continue[a] : mais qu'il nous élance si dru sans cesse nouveaux rayons les uns sur les autres, que nous n'en pouvons apercevoir l'entre-deux,

Largus enim liquidi fons luminis ætherius sol
Inrigat assidue cælum candore recenti,
Suppedit atque novo confestim lumine lumen[b][1] :

ainsi élance notre âme ses pointes diversement et imperceptiblement. Artabanus[2] surprit Xerxes son neveu et le tança de la soudaine mutation de sa contenance. Il était à[c] considérer la grandeur démesurée de ses forces au passage de l'Helespont pour l'entreprise[d] de la Græce. Il lui prit premièrement un tressaillement d'aise à voir tant de milliers d'hommes à son service et le témoigna par l'allégresse et fête de son visage : et tout soudain en même instant sa pensée lui suggérant comme tant de vies avaient à défaillir au plus loin dans un siècle il refrogna[e] son front et s'attrista jusques aux larmes. Nous avons poursuivi avec résolue volonté la vengeance d'une injure[f], et ressenti un singulier contentement de la victoire : nous en pleurons pourtant : ce n'est pas de cela que nous pleurons : il n'y a rien de changé, mais notre âme regarde la chose d'un autre œil, et se la représente par un autre visage : car chaque chose a plusieurs biais et plusieurs lustres[g]. La parenté, les anciennes accointances[h] et amitiés, saisissent notre imagination, et la passionnent pour l'heure, selon leur condition, mais le contour[i] en est si brusque, qu'il nous échappe,

Nil adeo fieri celeri ratione videtur
Quam si mens fieri proponit et inchoat ipsa.

a. ne se diffuse pas comme un tout continu – *b.* « Large source de la limpide lumière, le soleil dans l'éther inonde le ciel d'une clarté sans cesse renaissante, et sans relâche alimente la lumière d'une lumière toujours nouvelle. » – *c.* il était en train de – *d.* attaque – *e.* plissa – *f.* injustice – *g.* aspects – *h.* fréquentations – *i.* changement de direction

Ocius ergo animus quam res se perciet ulla,
Ante oculos quarum in promptu natura videtur[a][1].

Et à cette cause[b], voulant de toute cette suite continuer un corps[c], nous nous trompons. Quand Timoleon[2] pleure le meurtre qu'il avait commis d'une si mûre et généreuse délibération, il ne pleure pas la liberté rendue à sa patrie, il ne pleure pas le Tyran, mais il pleure son frère. L'une partie de son devoir est jouée, laissons-lui en jouer l'autre.

a. « Rien, de toute évidence, ne s'accomplit avec la rapidité que met l'esprit à concevoir un acte, et le commencement de son exécution. L'esprit est donc plus prompt à se mouvoir qu'aucun des objets placés sous nos yeux et à portée de nos sens. » – *b.* c'est pourquoi – *c.* composer un ensemble.

De la solitude

Chap. XXXIX

Laissons à part cette longue comparaison de la vie solitaire à l'active[a][1] : Et quant à ce beau mot, de quoi se couvre l'ambition et l'avarice[b], que nous ne sommes pas nés pour notre particulier, ains[c] pour le public[2], rapportons-nous-en hardiment à ceux qui sont en la danse, et qu'ils se battent la conscience, si au rebours, les états, les charges[d], et cette tracasserie du monde, ne se recherche plutôt, pour tirer du public son profit particulier. Les mauvais moyens par où on s'y pousse en notre siècle, montrent bien que la fin n'en vaut guère. Répondons à l'ambition que c'est elle-même qui nous donne goût de la solitude, Car que fuit-elle tant que la société, que cherche-elle tant que ses coudées franches ? Il y a de quoi bien et mal faire partout : toutefois si le mot de Bias est vrai, que la pire part c'est la plus grande[3], ou ce que dit l'Ecclésiastique, que de mille il n'en est pas un bon[4],

Rari quippe boni numero vix sunt totidem, quot
Thebarum portæ, vel divitis ostia Nili[e][5],

a. à la vie consacrée à l'action (politique) – *b*. la cupidité – *c*. pour notre intérêt particulier, mais – *d*. les situations, les postes – *e*. « De fait les gens de bien sont rares, ils sont à peine autant que les portes de Thèbes ou que les embouchures du Nil fertile »

la contagion est très dangereuse en la presse[a] : Il faut ou imiter les vicieux, ou les haïr. Tous les deux sont dangereux, et de leur ressembler, parce qu'ils sont beaucoup, et d'en haïr beaucoup parce qu'ils sont dissemblables[1] : Et les marchands qui vont en mer ont raison de regarder[b] que ceux qui se mettent en même vaisseau ne soient dissolus, blasphémateurs, méchants : estimant telle société infortunée[c]. Par quoi[d] Bias[2], plaisamment, à ceux qui passaient avec lui le danger d'une grande tourmente et appelaient le secours des dieux. Taisez-vous, fit-il, qu'ils ne sentent point que vous soyez[e] ici avec moi. Et d'un plus pressant exemple Albuquerque[3] vice-roi en l'Inde pour le Roi Emanuel de Portugal en un extrême péril de fortune de mer prit sur ses épaules un jeune garçon pour cette seule fin qu'en la société de leur fortune[f] son innocence lui servît de garant et de recommandation envers la faveur divine pour le mettre à sauveté[g]. Ce n'est pas que le sage ne puisse partout vivre content, voire et seul[h] en la foule d'un palais : mais s'il est à[i] choisir, il en fuira, dit-il, même la vue. Il portera[j] s'il est besoin cela, mais s'il est en lui, il élira ceci[k]. Il ne lui semble point suffisamment s'être défait des vices, s'il faut encore qu'il conteste[l] avec ceux d'autrui[4]. Charondas[5] châtiait pour mauvais ceux qui étaient convaincus de hanter[m] mauvaise compagnie. Il n'est rien si dissociable [et] sociable que l'homme : l'un par son vice, l'autre par sa nature[6]. Et Antisthenes ne me semble avoir satisfait à celui[n] qui lui reprochait sa conversation[o] avec les méchants en disant que les médecins vivaient bien entre les malades[7], car s'ils servent à la santé des malades, ils détériorent la leur par la contagion, la vue continuelle et pratique[p] des maladies. Or la fin, ce crois-je, en est tout une, d'en[q] vivre plus à loisir et

a. la foule – *b.* veiller à ce que – *c.* que telle compagnie porte malheur – *d.* Pour cette raison – *e.* êtes – *f.* en partageant le même sort – *g.* en sûreté – *h.* même seul – *i.* s'il faut – *j.* il supportera – *k.* si cela dépend de lui, il choisira la solitude – *l.* qu'il lutte – *m.* fréquenter – *n.* répondu à l'objection de celui – *o.* de vivre avec – *p.* le contact – *q.* le but de la

à son aise. Mais on n'en cherche pas toujours bien le chemin : Souvent on pense avoir quitté les affaires, on ne les a que changés. Il n'y a guère moins de tourment au gouvernement d'une famille que d'un état entier : Où que l'âme soit empêchée[a], elle y est toute : Et pour être les occupations domestiques mois importantes[b], elles n'en sont pas moins importunes. D'avantage, pour nous être défaits de la Cour et du marché[c], nous ne sommes pas défaits des principaux tourments de notre vie,

ratio et prudentia curas,
Non locus effusi late maris arbiter aufert[d1].

L'ambition, l'avarice, l'irrésolution, la peur et les concupiscences, ne nous abandonnent point pour changer[e] de contrée[2],

Et post equitem sedet atra cura[f3].

Elles nous suivent souvent jusque dans les cloîtres, et dans les écoles de philosophie. Ni les déserts, ni les rochers creusés, ni la haire, ni les jeûnes, ne nous en démêlent[g],

hæret lateri letalis arundo[h4].

On disait à Socrates, que quelqu'un ne s'était aucunement amendé en son voyage. Je crois bien, dit-il, il s'était emporté avec soi[5] :

Quid terras alio calentes
Sole mutamus ? patria quis exul
Se quoque fugit[i6] ?

---

vie solitaire, à mon avis, est tout simple, à savoir – *a*. occupée – *b*. les occupations domestiques, pour être moins importantes – *c*. débarrassés des affaires politiques et commerciales – *d*. « Ce sont la raison et la prudence qui dissipent les soucis, non un lieu d'où l'on contemple la vaste mer » – *e*. si nous changeons – *f*. « Et le noir souci s'assoit derrière le cavalier » – *g*. délivrent – *h*. « la flèche mortelle reste fixée à son flanc » – *i*. « Pourquoi changer pour une terre chauffée par un autre soleil ? Qui peut se fuir lui-même en quittant sa patrie ? »

Si on ne se décharge premièrement et[a] son âme, du faix qui la presse, la remuement[b] le fera fouler davantage, Comme en un navire les charges empêchent[c] moins, quand elles sont rassises[d]. Vous faites plus de mal que de bien au malade de lui faire changer de place. Vous ensachez[e] le mal en le remuant : Comme les pals s'enfoncent plus avant, et s'affermissent en les branlant et secouant. Par quoi ce n'est pas assez de s'être écarté du peuple[f], ce n'est pas assez de changer de place, il se faut écarter des conditions populaires[g], qui sont en nous : il se faut séquestrer et ravoir de soi[h].

Rupi jam vincula, dicas
Nam luctata canis nodum arripit, attamen illi
Cum fugit, a collo trahitur pars longa catenæ[i1] :

Nous emportons nos fers quant et[j] nous : Ce n'est pas une entière liberté, nous tournons encore la vue vers ce que nous avons laissé, nous en avons la fantaisie[k] pleine.

Nisi purgatum est pectus, quæ prœlia nobis
Atque pericula tunc ingratis insinuandum :
Quantæ conscindunt hominem cuppedinis acres
Sollicitum curæ, quantique perinde timores,
Quidve superbia, spurcitia, ac petulantia, quantas
Efficiunt clades, quid luxus desidiesque[l2].

Notre mal nous tient en l'âme : or elle ne se peut échapper à elle-même,

a. avec – *b.* le déplacement – *c.* gênent – *d.* immobiles – *e.* faites pénétrer – *f.* de la foule – *g.* des manières d'être communes – *h.* se séparer et se purifier de soi-même – *i.* « J'ai déjà rompu mes liens, diras-tu ; en effet le chien a arraché le nœud après un long effort, mais lorsqu'il s'enfuit il traîne à son col un long morceau de sa chaîne » – *j.* avec – *k.* l'imagination – *l.* « Si notre cœur n'est pas purifié, quels combats, quels périls nous faudra-t-il alors affronter malgré nous ? Combien d'âpres soucis tourmentent l'homme agité par ses passions, et combien de craintes ? Et combien de désastres n'entraînent pas l'orgueil, la luxure, l'impudence ? Et le luxe et la paresse ? »

In culpa est animus, qui se non effugit unquam[a][1].
Ainsin il la faut ramener et retirer en soi[2] : C'est la vraie solitude, et qui se peut jouir au milieu des villes et des cours des Rois, mais elle se jouit plus commodément à part[3]. Or puisque nous entreprenons de vivre seuls, et de nous passer de compagnie, faisons que notre contentement dépende de nous : Déprenons-nous de toutes les liaisons qui nous attachent à autrui : Gagnons sur nous, de pouvoir à bon escient[b] vivre seuls et y vivre à notre aise. Stilpon[4] étant échappé de l'embrasement de sa ville, où il avait perdu femme, enfants, et chevance[c], Demetrius Poliorcetes, le voyant en une si grande ruine de sa patrie, le visage non effrayé, lui demanda, s'il n'avait pas eu du dommage, Il répondit que non, et qu'il n'y avait Dieu merci rien perdu de sien. C'est ce que le philosophe Antisthenes disait plaisamment, que l'homme [se] devait pourvoir de munitions[d] qui flottassent sur [l'eau] et pussent à nage échapper avec lui du naufrage[5]. Certes l'homme d'entendement n'a rien perdu, s'il a soi-même. Quand la ville de Nole fut ruinée par les Barbares, Paulinus qui en était Évêque, y ayant tout perdu, et leur prisonnier, priait ainsi Dieu, Seigneur garde-moi de sentir cette perte, car tu sais qu'ils n'ont encore rien touché de ce qui est à moi[6]. Les richesses qui le faisaient riche, et les biens qui le faisaient bon, étaient encore en leur entier. Voilà que[e] c'est de bien choisir les trésors qui se puissent affranchir de l'injure[f] : et de les cacher en lieu, où personne n'aille, et lequel ne puisse être trahi que par nous-mêmes. Il faut avoir femmes, enfants, biens et surtout de la santé, qui peut[g], mais

a. « l'âme est en faute, qui ne se peut jamais fuir elle-même » – *b*. sérieusement – *c*. ses biens – *d*. provisions – *e*. ce que – *f*. soustraire aux dommages – *g*. si possible

non pas s'y attacher en manière que notre heur en dépende. Il se faut réserver une arrière-boutique, toute nôtre, toute franche[a], en laquelle nous établissons notre vraie liberté et principale retraite et solitude. En cette-ci faut-il prendre notre ordinaire entretien, de nous à nous-mêmes, et si privé, que nulle accointance ou communication étrangère y trouve place : Discourir[b] et y rire, comme sans femme, sans enfants, et sans biens, sans train, et sans valets : afin que quand l'occasion adviendra de leur perte, il ne nous soit pas nouveau de nous en passer. Nous avons une âme contournable[c] en soi-même, elle se peut faire compagnie, elle a de quoi assaillir et de quoi défendre, de quoi recevoir, et de quoi donner : ne craignons pas en cette solitude nous croupir[d] d'oisiveté ennuyeuse,

in solis sis tibi turba locis[e][1].

La vertu, dit Antisthenes[2], se contente de soi : sans disciplines, sans paroles, sans effets[f]. En nos actions accoutumées, de mille, il n'en est pas une qui nous regarde. Celui que tu vois grimpant contremont[g] les ruines de ce mur, furieux et hors de soi, en butte de[h] tant d'arquebusades : et cet autre tout cicatrisé, transi et pâle de faim, délibéré de[i] crever plutôt que de lui ouvrir la porte, penses-tu qu'ils y soient pour eux[j] ? Pour tel à l'aventure qu'ils ne virent onques[k], et qui ne se donne aucune peine de leur fait[l], plongé cependant[m] en l'oisiveté et aux délices. Cettui-ci, tout pituiteux, chassieux et crasseux, que tu vois sortir après minuit d'un étude[n], penses-tu qu'il cherche parmi les livres,

a. indépendante – *b*. y raisonner – *c*. repliable – *d*. de croupir dans – *e*. « dans la solitude, sois une foule pour toi-même » – *f*. sans règles, sans paroles, sans actions – *g*. en haut des – *h*. sous le feu de – *i*. décidé à – *j*. pour eux-mêmes – *k*. qu'ils ne virent peut-être jamais – *l*. qui ne se soucie pas d'eux – *m*. pendant ce temps – *n*. d'un bureau

comme il se rendra plus homme de bien, plus content et plus sage ? Nulles nouvelles. Il y mourra, ou il apprendra à la postérité la mesure des vers de Plaute, et la vraie orthographe d'un mot Latin[1]. Qui ne contrechange[a] volontiers la santé, le repos, et la vie, à[b] la réputation et à la gloire, la plus inutile, vaine et fausse monnaie, qui soit en notre usage. Notre mort ne nous faisait pas assez de peur, chargeons-nous encore de celle de nos femmes, de nos enfants, et de nos gens. Nos affaires ne nous donnaient pas assez de peine, prenons encore à nous tourmenter, et rompre la tête de ceux[c] de nos voisins et amis,

Vah quemquamne hominem in animum instituere, aut
Parare, quod sit charius quam ipse est sibi[d][2] ?

La solitude me semble avoir plus d'apparence[e] et [de] raison à ceux qui ont donné au monde leur âge plus[f] actif et fleurissant, suivant l'exemple de Thales[3]. C'est assez vécu pour autrui, vivons pour nous au moins ce bout de vie : Ramenons à nous, et à notre aise nos pensées et nos intentions. Ce n'est pas une légère partie[g] que de faire sûrement sa retraite, elle nous empêche[h] assez sans y mêler d'autres entreprises. Puisque Dieu nous donne loisir de disposer de notre délogement[i], préparons-nous-y, plions bagage, prenons de bonne heure congé de la compagnie, dépêtrons-nous de ces violentes prises, qui nous engagent ailleurs, et éloignent de nous. Il faut dénouer ces obligations si fortes, et meshui[j] aimer ceci et cela, mais n'épouser rien que soi. C'est à dire, le reste soit à nous : mais non pas joint et

a. n'échange – *b.* contre – *c.* celles – *d.* « Comment ! Un homme se mettrait dans l'esprit un objet qui lui soit plus cher que lui-même ? » – *e.* vraisemblance – *f.* le plus – *g.* entreprise – *h.* occupe – *i.* préparer notre départ – *j.* désormais

collé en façon qu'on ne le puisse déprendre sans nous écorcher, et arracher ensemble quelque pièce du nôtre[1]. La plus grande chose du monde, c'est de savoir être à soi. Il est temps de nous dénouer de la société puisque nous n'y pouvons rien apporter. Et qui ne peut prêter, qu'il se défende d'emprunter. Nos forces nous faillent : retirons-les et resserrons [en] nous. Qui peut renverser [et] confondre en soi les offices[a] de l'amitié et de [la] compagnie, qu'il le fasse. En cette chute[b] qui le rend inutile, pesant et importun aux autres, qu'il se garde d'être importun à soi-même, et pesant, et inutile. Qu'il se flatte et caresse et surtout se régente : respectant et craignant sa raison et sa conscience. Si[c] qu'il ne puisse sans honte broncher en leur présence. *Rarum est enim ut satis se quisque vereatur*[d2]. Socrates dit que les jeunes se doivent faire instruire, les hommes s'exercer à bien faire, les vieils se retirer de toute occupation civile et militaire, vivant à leur discrétion, sans obligation à nul certain office[e3]. Il y a des complexions[f] plus propres à ces préceptes de la retraite les unes que les autres. Celles qui ont l'appréhension molle et lâche[g], et une affection et volonté délicate, et qui ne s'asservit[h] ni s'emploie pas aisément, desquels je suis, et par naturelle condition et par discours[i], ils[j] se plieront mieux à ce conseil : que les âmes actives et occupées, qui embrassent tout, et s'engagent partout, qui se passionnent de toutes choses : qui s'offrent, qui se présentent, et qui se donnent à toutes occasions. Il se faut servir de ces commodités[k] accidentelles et hors de nous, en tant qu'elles nous sont plaisantes, Mais sans en faire notre principal fondement : Ce ne l'est pas, ni la raison, ni la nature ne le veulent : Pourquoi contre

a. retourner vers soi et réunir les devoirs – *b*. la vieillesse – *c*. de telle sorte – *d*. « Il est rare en effet qu'on se respecte assez soi-même » – *e*. sans obligation précise – *f*. des âmes – *g*. l'entendement sans force – *h*. se discipline – *i*. et par décision volontaire – *j*. elles – *k*. biens, avantages

ses lois asservirons-nous notre contentement à la puissance d'autrui ? D'anticiper aussi[a] les accidents de fortune, se priver des commodités qui nous sont en main, comme plusieurs ont fait par dévotion, et quelques philosophes par discours[b], se servir soi-même, coucher sur la dure, se crever les yeux[1], jeter ses richesses emmi[c] la rivière[2], rechercher la douleur : Ceux-là pour par le tourment de cette vie, en acquérir la béatitude d'une autre : ceux-ci pour s'étant logés en la plus basse marche, se mettre en sûreté de[d] nouvelle chute, c'est l'action d'une vertu excessive. Les[e] natures plus roides et plus fortes fassent leur cachette[f] même, glorieuse et exemplaire :

tuta et parvula laudo,
Cum res deficiunt, satis inter vilia fortis :
Verum ubi quid melius contingit et unctius, idem
Hos sapere, et solos aio bene vivere, quorum
Conspicitur nitidis fundata pecunia villis[g][3].

Il y a pour moi assez affaire sans aller si avant, Il me suffit sous la faveur de la fortune me préparer à sa défaveur, et me représenter étant à mon aise, le mal advenir[h], autant que l'imagination y peut atteindre. Tout ainsi que nous nous accoutumons aux joutes et tournois, et contrefaisons la guerre en pleine paix. Je n'estime point Arcesilaus[4] le philosophe moins réformé pour le savoir avoir usé[i] d'ustensiles d'or et d'argent, selon que la condition de sa fortune le lui permettait et l'estime mieux que s'il s'en fût démis[j], de ce qu'il en usait modérément et libéralement. Je vois

a. à l'inverse – *b.* par raison – *c.* dans – *d.* à l'abri de – *e.* Que les – *f.* retraite – *g.* « Quand la richesse fait défaut, je vante un bien sûr et modeste, assez brave pour me contenter de peu ; mais quand le sort est meilleur et plus prospère, je dis que seuls sont sages et heureux ceux dont la fortune est fondée sur des terres opulentes » – *h.* le mal qui peut advenir – *i.* qu'Arcesilaus soit moins vertueux pour avoir utilisé des – *j.* défait

jusques à quels[a] limites va la nécessité naturelle : et considérant le pauvre mendiant à ma porte, souvent plus enjoué et plus sain que moi, je me plante en sa place : j'essaie de chausser mon âme à son biais[b]. Et courant ainsi par les autres exemples, quoique je pense la mort, la pauvreté, le mépris, et la maladie à mes talons, je me résous aisément de n'entrer en effroi, de ce qu'un moindre que moi prend avec telle patience : Et ne puis croire que la bassesse de l'entendement, puisse plus que la vigueur : Ou que les effets du discours[c], ne puissent arriver aux effets de l'accoutumance. Et connaissant combien ces commodités accessoires tiennent à peu, je ne laisse pas en pleine jouissance, de supplier Dieu pour ma souveraine requête[d], qu'il me rende content de moi-même[e], et des biens qui naissent de moi. Je vois des jeunes hommes gaillards, qui ne laissent pas de porter dans leurs coffres[f] une masse de pilules, pour s'en servir quand le rhume les pressera, lequel ils craignent d'autant moins, qu'ils en pensent avoir le remède en main. Ainsi faut-il faire : Et encore si on se sent sujet à quelque maladie plus forte, se garnir de ces médicaments qui assoupissent et endorment la partie[g]. L'occupation qu'il faut choisir à une telle vie[h], ce doit être une occupation non pénible ni ennuyeuse, autrement pour néant ferions-nous état d'y être venus chercher le séjour[i]. Cela dépend du goût particulier d'un chacun : Le mien ne s'accommode aucunement au ménage[j]. Ceux qui l'aiment, ils s'y doivent adonner avec modération,

a. quelles – *b.* de disposer mon âme selon sa perspective – *c.* de la raison – *d.* ma plus grande prière – *e.* qu'il me permette de me satisfaire de ce que j'ai par moi-même – *f.* bagages – *g.* l'organe malade – *h.* la retraite – *i.* nous aurions conscience d'être venus dans cet état pour rien – *j.* à la gestion d'un domaine

Conentur sibi res, non se submittere rebus[a][1].

C'est autrement un office servile que la ménagerie[b], comme le nomme Salluste[2] : Elle a des parties plus excusables, comme le soin des jardinages que Xenophon attribue à Cyrus[3] : Et se peut trouver un moyen[c] entre ce bas et vil soin, tendu et plein de sollicitude[d], qu'on voit aux hommes qui s'y plongent du tout[e] : et cette profonde et extrême nonchalance laissant tout aller à l'abandon, qu'on voit en d'autres,

Democriti pecus edit agellos
Cultaque, dum peregre est animus sine corpore velox[f][4].

Mais oyons le conseil que donne le jeune Pline à Cornelius Rufus son ami, sur ce propos de la solitude. Je te conseille, en cette pleine et grasse retraite, où tu es, de quitter à tes gens ce bas et abject soin du ménage[g], et t'adonner à l'étude des lettres, pour en tirer quelque chose qui soit toute tienne[5]. Il entend la réputation : D'une pareille humeur à celle de Cicero, qui dit vouloir employer sa solitude et séjour[h] des affaires publiques, à s'en acquérir par ses écrits une vie immortelle[6] :

usque adeo ne
Scire tuum nihil est, nisi te scire hoc sciat alter[i][7] ?

[Il semble que ce soit raison[j] puisqu'on parle de se retirer du monde, qu'on regarde hors de] lui : ceux-ci ne le font qu'à demi. [Ils] dressent bien leur partie[k] pour quand ils n'y seront plus : mais le fruit de leur dessein, ils prétendent le tirer encore lors du

a. « Qu'ils s'efforcent de se soumettre les choses, et non de se soumettre aux choses. » – *b.* la mise en valeur d'un domaine – *c.* on peut trouver un juste milieu – *d.* souci – *e.* entièrement – *f.* « Les troupeaux broutent les champs et les cultures de Démocrite, tandis que son esprit, libéré du corps, vagabonde avec agilité. » – *g.* de la gestion – *h.* repos loin des – *i.* « en es-tu là, qu'il te semble que ton savoir n'est rien si quelqu'un d'autre ne sait pas ce que tu sais ? » – *j.* qu'il soit raisonnable – *k.* ils se fabriquent bien leur personnage [monde], absents[a], par une ridicule contradiction. L'imagination de ceux qui par dévotion recherchent la solitude, remplissant leur courage[b] de la certitude des promesses divines en l'autre vie, est bien plus sainement assortie[c]. Ils se proposent dieu, objet infini et en bonté et en puissance : L'âme a de quoi y rassasier ses désirs en toute liberté. Les afflictions, les douleurs leur [viennent] à profit[d], employées à l'acquêt d'une santé et réjouissance éternelle : La mort, à souhait, passage[e] à un si parfait état. [L'âpreté] de leurs règles est incontinent aplanie par l'accoutumance : et les appétits charnels rebutés et endormis par leur refus, [car] rien ne les entretient que l'usage et exercice. Cette seule fin d'une autre vie heureusement immortelle, mérite loyalement que nous abandonnions les commodités et douceurs de cette vie nôtre. Et qui peut embraser son âme de l'ardeur de cette vive foi et espérance, réellement et constamment, il se bâtit en la solitude une vie voluptueuse et délicate au-delà [de] toute autre forme de vie. Ni la fin donc ni le moyen de ce conseil[f] ne me contente : nous retombons toujours de fièvre en chaud mal[g]. Cette occupation des livres, est aussi pénible que toute autre, et autant ennemie de la santé, qui doit être principalement considérée[h]. Et ne se faut point laisser endormir au plaisir, qu'on y prend : C'est ce même plaisir qui perd le ménager[i], l'avaricieux, le voluptueux, et l'ambitieux. Les sages nous apprennent assez, à nous garder de la trahison de nos appétits, et à discerner les vrais plaisirs et entiers, des plaisirs mêlés et bigarrés de plus de peine[j]. Car la plupart des plaisirs, disent-ils, nous chatouillent et embrassent pour nous étrangler, comme faisaient les larrons

a. le tirer encore du monde, alors qu'ils en seront sortis – *b.* cœur – *c.* bien plus cohérente – *d.* sont profitables – *e.* la mort leur est souhaitable car elle les fait passer – *f.* de s'adonner aux lettres dans la retraite – *g.* de mal en pis – *h.* à laquelle il faut veiller avant tout – *i.* celui qui se passionne pour la gestion de son domaine – *j.* mélangés de peines encore plus grandes

que les Ægyptiens appelaient Philistas[1] : Et si la douleur de tête nous venait avant l'ivresse, nous nous garderions de trop boire. Mais la volupté, pour nous tromper, marche devant et nous cache sa suite. Les livres sont plaisants : mais si de leur fréquentation nous en perdons enfin la gaieté et la santé nos meilleures pièces[a], quittons-les. Je suis de ceux qui pensent leur fruit ne pouvoir contrepeser[b] cette perte. Comme les hommes qui se sentent de[c] longtemps affaiblis par quelque indisposition, se rangent à la fin à la merci de la médecine, et se font desseigner[d] par art certaines règles de vivre, pour ne les plus outrepasser : aussi celui qui se retire ennuyé et dégoûté de la vie commune, doit former cette-ci[e] aux règles de la raison, l'ordonner et ranger par préméditation et discours. Il doit avoir pris congé de toute espèce de travail, quelque visage qu'il porte. Et fuir en général les passions, qui empêchent la tranquillité du corps et de l'âme, et choisir la route qui est plus selon son humeur,

Unusquisque sua noverit ire via[f][2].

Au ménage, à l'étude, à la chasse, et tout autre exercice, il faut donner jusques aux derniers[g] limites du plaisir, et garder de s'engager plus avant, où la peine commence à se mêler parmi. Il faut réserver d'embesognement et d'occupation, autant seulement qu'il en est besoin, pour nous tenir en haleine, et pour nous garantir des incommodités que tire après soi l'autre extrémité[h] d'une lâche oisiveté et assoupie. Il y a des sciences stériles et épineuses, et la plupart forgées pour la presse[i] : il les faut laisser à ceux qui

a. qualités – *b.* que ce qu'ils apportent ne peut contrebalancer – *c.* depuis – *d.* prescrire – *e.* sa retraite – *f.* « Que chacun sache suivre le chemin qui lui convient. » – *g.* dernières – *h.* le vice contraire – *i.* la foule

sont au service du monde. Je n'aime pour moi, que des livres ou plaisants et faciles, qui me chatouillent[a] : ou ceux qui me consolent, et conseillent à régler[b] ma vie et ma mort :

tacitum sylvas inter reptare salubres
Curantem quidquid dignum sapiente bonoque est[c 1].

Les gens plus sages, peuvent se forger un repos tout spirituel, ayant l'âme forte et vigoureuse : Moi qui l'ai commune, il faut que j'aide à me soutenir par les commodités corporelles[d] : Et l'âge m'ayant tantôt[e] dérobé celles qui étaient plus à ma fantaisie, j'instruis et aiguise mon appétit à celles qui restent plus sortables[f] à cette autre saison. Il faut retenir à tout[g] nos dents et nos griffes l'usage des plaisirs de la vie, que nos ans nous arrachent des poings, les uns après les autres :

carpamus dulcia, nostrum est
Quod vivis, cinis et manes et fabula fies[h 2].

Or quant à la fin que Pline et Cicero nous proposent, de la gloire, c'est bien loin de mon compte : La plus contraire humeur à la retraite c'est l'ambition : La gloire et le repos sont choses, qui ne peuvent loger en même gîte : À ce que je vois, ceux-ci n'ont que les bras et les jambes hors de la presse[i], leur âme, leur intention y demeure engagée plus que jamais.

Tun' vetule auriculis alienis colligis escas[j 3] ?

Ils se sont seulement reculés pour mieux sauter, et pour d'un plus fort mouvement faire une plus vive

a. font plaisir – *b.* pour ordonner – *c.* « flâner silencieusement dans les forêts salubres, en m'occupant de tout ce qui est digne d'un sage et d'un homme de bien. » – *d.* que je soutienne mon âme par les plaisirs du corps – *e.* il y a peu – *f.* convenables – *g.* avec – *h.* « cueillons les plaisirs ; le temps que nous vivons est à nous ; un jour tu ne seras plus que cendre, âme morte, vain mot. » – *i.* l'activité – *j.* « Alors, vieil homme, tu n'amasses que pour repaître les oreilles des autres ? »

faucée[a] dans la troupe. Vous plaît-il voir comme ils tirent court d'un grain[b]: Mettons au contrepoids[c], l'avis de deux philosophes[1], et de deux sectes très différentes, écrivant l'un à Idomeneus, l'autre à Lucilius leurs amis, pour du maniement des affaires et des grandeurs, les retirer à la solitude. Vous avez (disent-ils) vécu nageant et flottant jusques à présent, venez-vous-en mourir au port. Vous avez donné le reste de votre vie à la lumière, donnez ceci à l'ombre. Il est impossible de quitter les occupations, si vous n'en quittez le fruit, à cette cause défaites-vous de tout soin de nom[d] et de gloire. Il est danger que la lueur[e] de vos actions passées, ne vous éclaire que trop, et vous suive jusque dans votre tanière : Quittez avec les autres voluptés, celle qui vient de l'approbation d'autrui : Et quant à votre science et suffisance, ne vous chaille[f], elle ne perdra pas son effet, si vous en valez mieux vous-même : Souvienne-vous[g] de celui, à qui comme on demandait, à quoi faire[h] il se peinait si fort en un art, qui ne pouvait venir à la connaissance de guère de gens : J'en ai assez de peu, répondit-il, j'en ai assez d'un, j'en ai assez de pas un[2]. Il disait vrai : vous et un compagnon êtes assez suffisant théâtre l'un à l'autre, ou vous à vous-même. Que le peuple vous soit un, et un de vous soit tout le peuple[3] : C'est une lâche ambition de vouloir tirer gloire de son oisiveté, et de sa cachette. Il faut faire comme les animaux, qui effacent la trace, à la porte de leur tanière[4] : Ce n'est plus ce qu'il vous faut chercher, que le monde parle de vous, mais comme il faut que vous parliez à vous-même : Retirez-vous en vous, mais préparez-vous premièrement de

a. percée – *b*. comme ils manquent la cible de peu – *c*. Comparons – *d*. de tout souci de renom – *e*. lumière – *f*. et à votre compétence, ne vous en souciez pas – *g*. souvenez-vous – *h*. pourquoi

vous y recevoir : Ce serait folie de vous fier à vous-même, si vous ne vous savez gouverner. Il y a moyen de faillir en la solitude, comme en la compagnie : Jusques à ce que vous vous soyez rendu tel, devant qui vous n'osiez clocher[a], et jusques à ce que vous ayez honte et respect de vous-même, *obversentur species honestæ animo*[b][1], présentez-vous toujours en l'imagination Caton, Phocion, et Aristides[2], en la présence desquels les fols mêmes cacheraient leurs fautes, et établissez-les contrerolleurs[c] de toutes vos intentions : Si elles se détraquent, leur révérence[d] les remettra en train. Ils vous contiendront en cette voie, de vous contenter de vous-même, de n'emprunter rien que de vous, d'arrêter et fermir[e] votre âme en certaines et limitées cogitations, où elle se puisse plaire : Et ayant entendu[f] les vrais biens, desquels on jouit à mesure qu'on les entend, s'en[g] contenter, sans désir de prolongement de vie ni de nom[h]. Voilà le conseil de la vraie et naïve[i] philosophie, non d'une philosophie ostentatrice et parlière[j], comme est celle des deux premiers[k].

a. tel que devant vous-mêmes vous n'osiez fauter – *b*. « que des images nobles se présentent à votre esprit » – *c*. contrôleurs – *d*. si elles se dévoient, le respect qu'ils inspirent – *e*. affermir – *f*. ayant compris quels sont – *g*. de vous en – *h*. renommée – *i*. naturelle – *j*. bavarde – *k*. Pline le Jeune et Cicéron

Considération sur Ciceron

Chap. XL

Encore un trait à la comparaison de ces couples[1]. Il se tire des écrits de Cicero, et de ce Pline (peu retirant[a] à mon avis aux humeurs de son oncle[2]) infinis témoignages de nature outre mesure ambitieuse : Entre autres qu'ils sollicitent au su de tout le monde, les historiens de leur temps, de ne les oublier en leurs registres[3] : Et la fortune comme par dépit, a fait durer jusques à nous la vanité de ces requêtes, et pieça[b] fait perdre ces histoires. Mais ceci surpasse toute bassesse de cœur, en personnes de tel rang, d'avoir voulu tirer quelque principale gloire du caquet, et de la parlerie, jusques à y employer les lettres privées écrites à leurs amis : En manière, que aucunes ayant failli leur saison pour être envoyées[c], ils les font ce néanmoins[d] publier avec cette digne excuse, qu'ils n'ont pas voulu perdre leur travail et veillées. Sied-il pas bien à deux consuls Romains, souverains magistrats de la chose publique emperière du monde[e], d'employer leur loisir, à ordonner et fagoter[f] gentiment une belle missive, pour en tirer la réputation, de bien entendre le langage de leur nourrice ? Que

a. ressemblant – *b*. depuis longtemps – *c*. certaines ayant passé le délai pour être envoyées – *d*. cependant – *e*. régnant sur le monde – *f*. composer

ferait pis un simple maître d'école qui en gagnât sa vie ? Si les gestes de Xenophon et de Cæsar, n'eussent de bien loin surpassé leur éloquence, je ne crois pas qu'ils les eussent jamais écrits. Ils ont cherché à recommander non leur dire, mais leur faire. Et si la perfection du bien parler pouvait apporter quelque gloire sortable[a] à un grand personnage, certainement Scipion et Lælius, n'eussent pas résigné[b] l'honneur de leurs comédies, et toutes les mignardises et délices du langage Latin, à un serf Africain[1] : Car que cet ouvrage soit leur, sa beauté et son excellence le maintient assez, et Terence l'avoue lui-même. On me ferait déplaisir de me déloger de cette créance. C'est une espèce de moquerie et d'injure de vouloir faire valoir un homme, par des qualités mésavenantes[c] à son rang, quoiqu'elles soient autrement[d] louables. Et par les qualités aussi qui ne doivent pas être les siennes principales : Comme qui louerait un Roi d'être bon peintre, ou bon architecte, ou encore bon arquebusier, ou bon coureur de bague[e] : Ces louanges ne font honneur, si elles ne sont présentées en foule, et à la suite de celles qui lui sont propres : À savoir de la justice, et de la science de conduire son peuple en paix et en guerre : De cette façon fait honneur à Cyrus[2] l'agriculture, et à Charlemaigne l'éloquence, et connaissance des bonnes lettres. J'ai vu de mon temps en plus forts termes[f] des personnages qui tiraient d'écrire et leurs titres et leur vacation[g] désavouer leur apprentissage, corrompre leur plume et affecter l'ignorance de qualité si vulgaire[h] et que notre peuple tient ne se rencontrer guère en mains savantes : se recommandant par meilleures qualités. Les compagnons de

a. qui convienne – *b*. renoncé à – *c*. qui ne conviennent pas – *d*. par ailleurs – *e*. anneau (dans un jeu équestre consistant à saisir au vol avec une lance des anneaux sur un carrousel) – *f*. en allant plus loin – *g*. profession – *h*. d'une qualité si commune

Demosthenes[1] en l'ambassade vers Philippus, louaient ce Prince d'être beau, éloquent, et bon buveur: Demosthenes disait que c'étaient louanges qui appartenaient mieux à une femme, à un avocat, à une éponge, qu'à un Roi.

Imperet bellante prior, jacentem
Lenis in hostem[a2].

Ce n'est pas sa profession de savoir, ou bien chasser, ou bien danser,

Orabunt causas alii, cœlique meatus
Describent radio, et fulgentia sidera dicent,
Hic regere imperio populos sciat[b3].

Plutarque[4] dit d'avantage[c], que de paraître si excellent en ces parties[d] moins nécessaires, c'est produire contre soi le témoignage d'avoir mal dispensé son loisir, et l'étude, qui devait être employé à choses plus nécessaires et utiles. De façon que Philippus Roi de Macédoine, ayant ouï ce grand Alexandre son fils, chanter en un festin à l'envi[e] des meilleurs musiciens, N'as-tu pas honte, lui dit-il, de chanter si bien? Et à ce même Philippus, un musicien contre lequel il débattait de son art, Jà à Dieu ne plaise Sire, dit-il, qu'il t'advienne jamais tant de mal que tu entendes ces choses-là, mieux que moi. Un Roi doit pouvoir répondre, comme Iphicrates[5] répondit à l'orateur qui le pressait en son invective de cette manière: Hé bien qu'es-tu pour faire tant le brave, es-tu homme d'armes, es-tu archer, es-tu piquier[f]? Je ne suis rien de tout cela, mais je suis celui qui sait commander à tous ceux-là[6]. Et Antisthenes prit pour argument de

a. « Qu'il commande, supérieur à l'ennemi qui combat, doux pour l'ennemi terrassé. » – *b.* « D'autres plaideront ou dessineront au compas les mouvements du ciel et nommeront les astres éclatants; lui, qu'il sache soumettre les peuples à sa loi. » – *c.* de plus – *d.* qualités – *e.* en rivalisant avec – *f.* soldat (armé d'une pique)

peu de valeur en Ismenias, de quoi on le vantait d'être excellent joueur de flûte. Je sais bien, quand j'ois quelqu'un qui s'arrête au langage des essais, que j'aimerais mieux qu'il s'en tût. Ce n'est pas tant élever les mots comme c'est déprimer[a] le sens : d'autant plus piquamment[b] que plus obliquement. Si suis-je trompé [si] guère d'autres donnent plus à prendre en la matière. Et comment que ce soit mal ou bien si nul écrivain [l'a] semée ni guère plus matérielle ni au moins plus drue en son papier[c]. Pour en ranger davantage [je] n'en entasse que les têtes[d]. Que j'y attache leur suite[e] je multiplierai plusieurs fois ce volume. Et combien y ai-je épandu d'histoires qui ne disent mot, lesquelles qui voudra éplucher un peu ingénieusement en produira infinis essais. Ni elles ni mes allégations[f] ne servent pas toujours simplement d'exemple, d'autorité ou d'ornement. Je ne les regarde pas seulement par l'usage que j'en tire. Elles portent souvent hors de mon propos la semence d'une matière plus riche et plus hardie : et sonnent à gauche[g] un ton plus délicat, et pour moi qui n'en veux exprimer davantage, et pour ceux qui rencontreront mon air[h]. Revenant à la vertu parlière[i], je ne trouve pas grand choix ente ne savoir dire que mal, ou ne savoir rien que bien dire. *Non est ornamentum virile concinnitas*[j][1]. Les sages[2] disent, que pour le regard du savoir, il n'est que la philosophie, et pour le regard des effets, que la vertu, qui généralement soit propre à tous degrés, et à tous ordres. Il y a quelque chose de pareil en ces deux autres philosophes[3] : Car ils promettent aussi éternité aux lettres qu'ils écrivent à leurs amis. Mais c'est d'autre façon, et s'accommodant pour une bonne fin, à la vanité d'autrui : Car ils leur mandent[k], que

a. rabaisser – *b.* de manière blessante – *c.* Pourtant je me tromperais s'il existait quantité d'autres écrivains offrant autant de matière et, quelle qu'en soit la manière, bonne ou mauvaise, je me tromperais si quelque écrivain avait répandu une matière plus solide et plus dense en ses pages. – *d.* l'essentiel de chaque idée – *e.* si j'y attache leur développement – *f.* citations – *g.* de biais – *h.* manière – *i.* faculté de parole – *j.* « L'harmonie du style n'est pas un ornement viril. » – *k.* font savoir

si le soin[a] de se faire connaître aux siècles à venir, et de la renommée, les arrête encore au maniement des affaires[b], et leur fait craindre la solitude et la retraite, où ils les veulent appeler: qu'ils ne s'en donnent plus de peine : d'autant qu'ils ont assez de crédit avec la postérité pour leur répondre, que ne fût que[c] par les lettres qu'ils leur écrivent, ils rendront leur nom aussi connu et fameux que pourraient faire leurs actions publiques. Et outre cette différence : encore ne sont-ce pas lettres vides et décharnées, qui ne se soutiennent que par un délicat choix de mots, entassés et rangés à une juste cadence : ains[d] farcies et pleines de beaux discours de sapience : par lesquelles on se rend non plus éloquent, mais plus sage, et qui nous apprennent non à bien dire, mais à bien faire. Fi de l'éloquence qui nous laisse envie de soi, non des choses : Si ce n'est qu'on die que celle de Cicero, étant en si extrême perfection, se donne corps elle-même. J'ajouterai encore un conte[1] que nous lisons de lui à ce propos, pour nous faire toucher au doigt son naturel[e]. Il avait à orer[f] en public, et était un peu pressé du temps, pour se préparer à son aise : Eros l'un de ses serfs le vint avertir, que l'audience était remise au lendemain. Il en fut si aise, qu'il lui donna liberté pour cette bonne nouvelle. Sur ce sujet de lettres, je veux dire ce mot, que c'est un ouvrage, auquel mes amis tiennent, que je puis quelque chose[g]. Et eusse pris plus volontiers cette forme à publier mes verves[h] si j'eusse eu à qui parler. Il me fallait comme je l'ai eu autrefois un certain commerce qui m'attirât, qui me soutînt et soulevât[2]. Car de négocier au vent[i] comme d'autres, je ne saurais

a. souci – *b.* les retient encore à la gestion des affaires – *c.* ne serait-ce que – *d.* mais – *e.* tempérament – *f.* plaider – *g.* pour lequel mes amis considèrent que je puis quelque chose – *h.* fantaisies – *i.* discuter en l'air (avec un correspondant imaginaire)

que de songes ni forger des vains noms à entretenir, en chose sérieuse : ennemi juré de toute falsification. J'eusse été plus attentif et plus sûr ayant une adresse forte et amie[a] que je ne suis regardant les divers visages d'un peuple. Et suis déçu s'il ne m'eût mieux succédé[b]. J'ai naturellement un style comique[c] et privé, Mais c'est d'une forme mienne, inepte[d] aux négociations publiques, comme en toutes façons est mon langage. Trop serré, désordonné, coupé, particulier : Et ne m'entends pas en lettres cérémonieuses, qui n'ont autre substance, que d'une belle enfilure de paroles courtoises. Je n'ai ni la faculté, ni le goût de ces longues offres d'affection et de service. Je n'en crois pas tant, et me déplaît d'en dire guère, outre ce que j'en crois : C'est bien loin de l'usage présent : car il ne fut jamais si abjecte et servile prostitution de présentations[e] : La vie, l'âme, dévotion, adoration, serf, esclave, tous ces mots y courent si vulgairement[f], que quand ils veulent faire sentir une plus expresse[g] volonté et plus respectueuse, ils n'ont plus de manière pour l'exprimer. Je hais à mort de sentir au flatteur, Qui[h] fait, que je me jette naturellement à un parler sec, rond et cru, qui tire à qui ne me connaît d'ailleurs[i], un peu vers le dédaigneux. J'honore le plus ceux que j'honore le moins : et où mon âme marche d'une grande allégresse, j'oublie les pas de la contenance : Et m'offre maigrement et fièrement, à ceux à qui je suis : Et me présente moins à qui je me suis le plus donné. Il me semble qu'ils le doivent lire en mon cœur, et que l'expression de mes paroles, fait tort à ma conception. À bienveigner[j], à prendre congé, à remercier, à saluer, [à] présenter mon service, et tels compliments verbeux des lois cérémonieuses de

a. un interlocuteur vivement amical – *b.* et, si je ne me trompe, cela m'aurait mieux réussi – *c.* familier – *d.* inapte – *e.* formules de politesse – *f.* de manière si commune – *g.* explicite – *h.* Ce qui – *i.* par ailleurs – *j.* souhaiter la bienvenue

notre civilité, je ne connais personne si sottement stérile de langage que moi. Et n'ai jamais été employé à faire des lettres de faveur et recommandation, que celui pour qui c'était n'ait trouvées sèches et lâches[a]. Ce sont grands imprimeurs de lettres, que les Italiens. J'en ai ce crois-je, cent divers volumes : Celles de Annibale Caro[1], me semblent les meilleures. Si tout le papier que j'ai autrefois barbouillé pour les dames, était en nature[b], lorsque ma main était véritablement emportée par ma passion, il s'en trouverait à l'aventure[c] quelque page digne d'être communiquée à la jeunesse oisive, embabouinée[d] de cette fureur. J'écris mes lettres toujours en poste[e], et si précipiteusement[f], que quoique je peigne[g] insupportablement mal, j'aime mieux écrire de ma main, que d'y en employer une autre, Car je n'en trouve point qui me puisse suivre, et ne les transcris[h] jamais : J'ai accoutumé les grands, qui me connaissent, à y supporter des litures et des trassures[i], et un papier sans pliure et sans marge. Celles qui me coûtent le plus, sont celles qui valent le moins : Depuis que je les traîne[j], c'est signe que je n'y suis pas. Je commence volontiers sans projet, le premier trait produit le second. Les lettres de ce temps, sont plus en bordures et préfaces, qu'en matière. Comme j'aime mieux composer deux lettres, que d'en clore et plier une, et résigne toujours cette commission à quelque autre[k] : de même quand la matière est achevée, je donnerais volontiers à quelqu'un la charge d'y ajouter ces longues harangues, offres, et prières, que nous logeons sur la fin, et désire que quelque nouvel

a. floues – *b*. subsistait – *c*. peut-être – *d*. enjôlée par – *e*. en toute hâte – *f*. précipitamment – *g*. j'écrive – *h*. recopie – *i*. des ratures et des traits – *j*. Dès lors que je traîne en les écrivant – *k*. abandonne toujours ce soin à quelqu'un d'autre

usage nous en décharge. Comme aussi de les inscrire d'une légende de qualité et titres[a], pour auxquels ne broncher[b], j'ai maintes fois laissé[c] d'écrire et notamment à gens de justice et de finance. Tant d'innovations d'offices[d], une si difficile dispensation[e] et ordonnance de divers noms d'honneur, lesquels étant si chèrement achetés, ne peuvent être échangés, ou oubliés sans offense. Je trouve pareillement de mauvaise grâce, d'en charger le front et inscription[f] des livres, que nous faisons imprimer.

a. les orner de la liste des qualités et titres [du destinataire] – *b*. pour éviter de me tromper dans cette liste – *c*. renoncé à – *d*. de changements dans les charges – *e*. distribution – *f*. frontispice et titre

De ne communiquer[a] *sa gloire*

CHAP. XLI

De toutes les rêveries[b] du monde, la plus reçue et plus universelle, est le soin[c] de la réputation et de la gloire, Que nous épousons jusques à quitter les richesses, le repos, la vie et la santé, qui sont biens effectuels[d] et substantiaux[e], pour suivre cette vaine image, et cette simple voix[f], qui n'a ni corps ni prise :

La fama ch'invaghisce a un dolce suono
Gli superbi mortali, et par si bella,
E un echo, un sogno, anzi d'un sogno un ombra
Ch'ad ogni vento si dilegua et sgombra[g][1].

Et des humeurs déraisonnables des hommes, il semble que les philosophes mêmes se défassent plus tard et plus envis[h] de cette-ci, que de nulle autre : C'est la plus revêche et opiniâtre : *Quia etiam bene proficientes animos tentare non cessat*[i][2]. Il n'en est guère de laquelle la raison accuse[j] clairement la vanité, mais elle a ses racines si vives en nous, que je ne sais si jamais aucun[k]

a. partager – *b*. sottises – *c*. souci – *d*. réels – *e*. substantiels – *f*. parole creuse – *g*. « La renommée, qui séduit par sa douce voix, les orgueilleux mortels et semble si belle, n'est qu'un écho, un songe, à peine l'ombre d'un songe, que le moindre souffle disperse et dissipe. » – *h*. difficilement – *i*. « Parce qu'elle ne cesse de tenter même les âmes qui progressent vers le bien. » – *j*. blâme – *k*. quelqu'un

s'en est pu nettement décharger[a]. Après que vous avez tout dit, et tout cru pour la désavouer, elle produit contre votre discours[b] une inclination si intestine[c], que vous avez pu que tenir à l'encontre[d] : car comme dit Cicero[1], ceux mêmes qui la combattent, encore veulent-ils, que les livres, qu'ils en écrivent, portent au front leur nom, et se veulent rendre glorieux de ce qu'ils ont méprisé la gloire. Toutes autres choses tombent en commerce : nous prêtons nos biens et nos vies au besoin de nos amis : mais de communiquer son honneur et d'étrenner autrui de sa gloire, il ne se voit guère. Catulus Luctatius[2] en la guerre contre les Cymbres, ayant fait tous ses efforts d'arrêter ses soldats qui fuyaient devant les ennemis, se mit lui-même entre les fuyards, et contrefit le couard, afin qu'ils semblassent plutôt suivre leur capitaine, que fuir l'ennemi : c'était abandonner sa réputation, pour couvrir la honte d'autrui. Quand l'Empereur Charles cinquième passa en Provence, l'an mil cinq cent trente sept[3], on tient que Anthoine de Leve voyant son maître résolu de ce voyage, et l'estimant lui être merveilleusement glorieux[e], opinait[f] toutefois le contraire, et le déconseillait, à cette fin que toute la gloire et honneur de ce conseil[g], en fût attribué à son maître, et qu'il fût dit, son bon avis et sa prévoyance avoir été telle, que contre l'opinion de tous, il eut mit à fin[h] une si belle entreprise : qui[i] était l'honorer à ses dépens. Les Ambassadeurs Thraciens[4], consolant Archileonide mère de Brasidas, de la mort de son fils, et le haut-louant, jusques à dire, qu'il n'avait point laissé son pareil : elle refusa cette louange

a. libérer – *b*. raisonnement – *c*. intérieure – *d*. vous avez du mal à lui tenir tête – *e*. une extraordinaire occasion de gloire – *f*. formulait un avis – *g*. décision – *h*. il eut conduit à son terme – *i*. ce qui

privée et particulière, pour la rendre au public : ne me dites pas cela, fit-elle, je sais que la ville de Sparte a plusieurs citoyens plus grands et plus vaillants qu'il n'était. En la bataille de Crecy[1], le Prince de Gales, encore fort jeune avait l'avant-garde à conduire : le principal effort du rencontre[a], fut en cet endroit : les seigneurs qui l'accompagnaient se trouvant en dur parti d'armes[b], mandèrent au Roi Edoüard de s'approcher, pour les secourir : il s'enquit de l'état de son fils, et lui ayant été répondu, qu'il était vivant et à cheval : Je lui ferais, dit-il, tort de lui aller maintenant dérober l'honneur de la victoire de ce combat, qu'il a si longtemps soutenu : quelque hasard qu'il y ait, elle sera toute sienne : et n'y voulut aller ni envoyer[c] : sachant s'il y fût allé, qu'on eût dit que tout était perdu sans son secours, et qu'on lui eût attribué l'avantage de cet exploit : *Semper enim quod postremum adjectum est, id rem totam videtur traxisse*[d][2]. Plusieurs[3] estimaient à Romme, et se disait[e] communément, que les principaux beaux-faits de Scipion étaient en partie dus à Lælius, qui toutefois alla toujours promouvant et secondant la grandeur et gloire de Scipion, sans aucun soin de la sienne[4]. Et Theopompus[5] roi de Sparte, à celui qui lui disait que la chose publique[f] demeurait sur ses pieds, pour autant qu'il avait bien commander : c'est plutôt, dit-il, parce que le peuple sait bien obéir. Comme les femmes qui succédaient aux pairies[g] avaient nonobstant leur sexe droit d'assister et opiner[h] aux causes qui appartiennent à la juridiction des pairs : aussi les pairs ecclésiastiques nonobstant leur profession étaient tenus d'assister nos rois en leurs guerres, non seulement de

a. de la rencontre – *b.* dans un moment critique de la bataille – *c.* mandater quelqu'un – *d.* « C'est toujours le renfort de la dernière heure qui passe pour avoir enlevé la victoire entière. » – *e.* il se disait – *f.* l'État – *g.* titre attaché à un domaine – *h.* juger

leurs amis et serviteurs mais de leur personne aussi. L'évêque de Beauvais[1] se trouvant avec Philippes Auguste en la bataille de Bouvines, participait bien fort courageusement à l'effet[a], mais il lui semblait ne devoir toucher au fruit et gloire de cet exercice, sanglant et violent. Il mena de sa main plusieurs des ennemis à raison[b] ce jour-là, et les donnait au premier gentilhomme qu'il trouvait à égosiller[c] ou prendre prisonniers : lui en résignant[d] toute l'exécution : et le fit ainsi de Guillaume comte de Salsbery à messire Jan de Nesle : d'une pareille subtilité[e] de conscience à cette autre : il voulait bien assommer, mais non pas blesser[2] : et pour tant ne combattait que de masse[f]. Quelqu'un en mes jours[g] étant reproché par le Roi d'avoir mis les mains sur un prêtre, [le niait fort et ferme : c'était qu'il l'avait battu et foulé] aux pieds.

a. l'action – *b.* maîtrisa – *c.* égorger – *d.* abandonnant – *e.* habileté – *f.* au moyen d'une masse d'armes – *g.* de mon temps

De l'inéqualité[a] *qui est entre nous*

CHAP. XLII

Plutarque dit en quelque lieu[1], qu'il ne trouve point si grande distance de bête à bête, comme il trouve d'homme à homme. Il parle de la suffisance[b] de l'âme et qualités internes. À la vérité[2] je trouve si loin d'Epaminundas, comme je l'imagine, jusques à tel que je connais, je dis capable de sens commun, que j'enchérirais volontiers sur Plutarque : et dirais qu'il y a plus de distance de tel à tel homme, qu'il n'y a de tel homme à telle bête.

hem vir viro quid præstat[c][3].

Et qu'il y a autant de degrés d'esprits qu'il y a d'ici au ciel de brasses[d] et autant innumérables[e]. Mais à propos[4] de l'estimation des hommes, c'est merveille, que sauf nous, aucune chose ne s'estime que par ses propres qualités[5]. Nous louons un cheval de ce qu'il est vigoureux et adroit,

volucrem
Sic laudamus equum, facili cui plurima palma
Fervet, et exultat rauco victoria circo[f][6],

a. l'inégalité – *b*. capacité – *c*. « ah ! quelle supériorité d'un homme sur un autre » – *d*. unité de mesure qui couvre l'envergure déployée lorsqu'on étend les bras, soit environ 1,60 m – *e*. innombrables – *f*. « ainsi faisons-nous l'éloge d'un cheval rapide, qui remporte aisément de nombreuses palmes dans l'effervescence générale et pour qui la victoire exulte dans le rauque grondement du cirque »

non de son harnais : un lévrier de sa vitesse, non de son collier : un oiseau de son aile, non de ses longes[a] et sonnettes[1]. Pourquoi de même n'estimons-nous un homme par ce qui est sien ? Il a un grand train, un beau palais, tant de crédit, tant de rente : tout cela est autour de lui, non en lui. Vous n'achetez pas un chat en poche[b] : Si vous marchandez un cheval, vous lui ôtez ses bardes[c], vous le voyez nu et à découvert : Ou s'il est couvert, comme on les présentait anciennement aux Princes à vendre, c'est par les parties moins nécessaires, afin que vous ne vous amusez[d] pas à la beauté de son poil, ou largeur de sa croupe, et que vous vous arrêtez principalement à considérer les jambes, les yeux, et le pied, qui sont les membres les plus utiles,

Regibus hic mos est, ubi equos mercantur, opertos
Inspiciunt, ne si facies ut sæpe decora
Molli fulta pede est, emptorem inducat hiantem,
Quod pulchræ clunes, breve quod caput, ardua cervix[e][2].

Pourquoi estimant un homme l'estimez-vous tout enveloppé et empaqueté ? Il ne nous fait montre que des parties, qui ne sont aucunement siennes, et nous cache celles, par lesquelles seules on peut vraiment juger de son estimation. C'est le prix de l'épée que vous cherchez, non de la gaine : Vous n'en donnerez à l'aventure[f] pas un quatrain[g], si vous l'avez dépouillé. Il le faut juger par lui-même, non par ses atours. Et comme dit très plaisamment un ancien[3], Savez-vous

a. lanière qui bride la patte du faucon – *b.* un chat avant de l'avoir vu – *c.* couverture que l'on met sur le dos des chevaux – *d.* perdiez pas votre temps à – *e.* « Telle est la coutume des rois, ils examinent les chevaux couverts quand ils les achètent de peur que s'il arrive, comme souvent, qu'un bel aspect s'appuie sur un pied inconsistant, il n'entraîne l'acheteur béat d'admiration pour une belle croupe, une tête fine, une haute encolure. » – *f.* peut-être – *g.* liard pourquoi vous l'estimez grand, vous y comptez la hauteur de ses patins[a] : La base n'est pas de la statue. Mesurez-le sans ses échasses : Qu'il mette à part ses richesses et honneurs, qu'il se présente en chemise : A-il le corps propre à ses fonctions, sain et allègre ? Quelle âme a-il ? est-elle belle, capable, et heureusement pourvue de toutes ses pièces ? Est-elle riche du sien, ou de l'autrui ? la fortune n'y a-elle que voir[b] ? Si les yeux ouverts elle attend les épées traites[c] : s'il ne lui chaut[d] par où lui sorte la vie, par la bouche, ou par le gosier : si elle est rassise, équable[e] et contente : c'est ce qu'il faut voir, et juger par là les extrêmes différences qui sont entre nous. Est-il

sapiens, sibique imperiosus,
Quem neque pauperies, neque mors, neque vincula terrent,
Responsare cupidinibus, contemnere honores
Fortis, et in se ipso totus teres atque rotundus,
Externi ne quid valeat per læve morari,
In quem manca ruit semper fortuna[f][1] :

un tel homme est cinq cents brasses au-dessus des Royaumes et des duchés : il est lui-même à soi, son empire.

Sapiens pol ipse fingit fortunam sibi[g][2].

Que lui reste-t-il à désirer ?

nonne videmus[3]
Nil aliud sibi naturam latrare, nisi ut qui

a. chaussures à talon haut – *b.* n'y a-t-elle rien à voir ? – *c.* dégainées – *d.* importe – *e.* égale – *f.* « sage, et maître de lui-même, que ni la pauvreté, ni la mort, ni les chaînes n'effraient, doué du courage de s'opposer à ses passions, de mépriser les honneurs, parfaitement poli et rond en lui-même pour que rien d'extérieur n'ait le pouvoir de le freiner par malheur, contre lequel, impuissante, la fortune porte toujours ses assauts » – *g.* « Le sage, par Pollux, se modèle à lui-même son sort. »

Corpore sejunctus dolor absit, mente fruatur,
Jucundo sensu cura semotus metuque[a][1] ?

Comparez-lui, la tourbe[b] de nos hommes, stupide, basse, servile, instable, et continuellement flottante en l'orage des passions diverses, qui la poussent et repoussent : pendant[c] toute d'autrui[2] : il y a plus d'éloignement que du Ciel à la terre : et toutefois l'aveuglement de notre usage est tel, que nous en faisons peu ou point d'état. Là où, si nous considérons un paysan et un Roi, un noble et un vilain, un magistrat et un homme privé, un riche et un pauvre, il se présente soudain à nos yeux une extrême disparité : qui[d] ne sont différents par manière de dire[e] qu'en leurs chausses. En Thrace[3] le Roi est distingué [de son peuple d'une plaisante manière,] et bien renchérie[f]. Il avait une religion à part, un dieu tout à lui qu'il n'appartenait à ses sujets d'adorer : c'était Mercure : et lui dédaignait les leurs, Mars, Bacchus, Diane : Ce ne sont pourtant que peintures qui ne font aucune dissemblance essentielle. Car comme les joueurs de comédie, vous les voyez sur l'échafaud[g] faire une mine de Duc et d'Empereur, mais tantôt après, les voilà devenus valets et crocheteurs misérables, qui est leur naïve[h] et originelle condition : aussi l'Empereur, duquel la pompe vous éblouit en public,

Scilicet et grandes viridi cum luce smaragdi
Auro includuntur, teriturque Thalassima vestis
Assidue, et Veneris sudorem exercita potat[i][4],

voyez-le derrière le rideau, ce n'est rien qu'un homme commun, et à l'aventure plus vil que le moindre de ses sujets. *Ille beatus introrsum est. Istius bracteata*

a. « ne voyons-nous pas que la nature ne réclame rien à grands cris pour elle, si ce n'est que la douleur soit éloignée du corps, que l'esprit jouisse d'une douce sensation, à l'écart du souci et de la crainte ? » – *b.* multitude – *c.* dépendant – *d.* [eux] qui – *e.* pour ainsi dire – *f.* dédaigneuse – *g.* la scène – *h.* première – *i.* « Naturellement de grosses émeraudes au reflet vert sont enchâssées dans l'or, et un vêtement couleur de mer s'abîme sans cesse à boire toujours la sueur de Vénus »

felicitas est[a][1]. La couardise, l'irrésolution, l'ambition, le dépit et l'envie l'agitent comme un autre :

Non enim gazæ, neque consularis
Summovet lictor, miseros tumultus
Mentis et curas laqueata circum
Tecta volantes[b][2] :

Et le soin et la crainte le tiennent à la gorge au milieu de ses armées,

Re veráque metus hominum, curæque sequaces.
Nec metuunt sonitus armorum, nec fera tela,
Audacterque inter reges, rerumque potentes
Versantur, neque fulgorem reverentur ab auro[c][3].

La fièvre, la migraine et la goutte l'épargnent-elles non plus que nous ? Quand la vieillesse lui sera sur les épaules, les archers de sa garde l'en déchargeront-ils ? Quand la frayeur de la mort le transira, se rassurera-il par l'assistance des gentilshommes de sa chambre ? Quand il sera en jalousie et caprice, nos bonnettades[d] le remettront-elles ? Ce ciel de lit, tout enflé d'or et de perles, n'a aucune vertu à rapaiser les tranchées[e] d'une verte colique :

Nec calidæ citius decedunt corpore febres,
Textilibus si in picturis ostroque rubenti
Jacteris, quam si plebeia in veste cubandum est[f][4].

Les flatteurs du grand Alexandre, lui faisaient accroire[g] qu'il était fils de Jupiter[5] : un jour étant blessé, regar-

a. « Celui-là puise son bonheur en lui-même. La félicité de cet autre est de surface. » – *b.* « En effet ni les trésors ni le licteur consulaire ne chassent les malheureux troubles de l'âme et les soucis qui planent sous les plafonds lambrissés. » – *c.* « À la vérité, les peurs humaines et les soucis tenaces ne craignent ni le fracas des armes, ni la cruauté des traits, et c'est avec audace qu'ils vivent au milieu des rois et des puissants, sans respect pour l'éclat de l'or » – *d.* saluts du bonnet – *e.* spasmes violents – *f.* « Et les fièvres brûlantes ne quittent pas plus vite le corps si l'on est étendu sur des tissus brodés et sur la pourpre que si l'on doit coucher sur un drap plébéien. » – *g.* croire

dant écouler le sang de sa plaie : Eh bien qu'en dites-vous ? fit-il, est-ce pas ici un sang vermeil, et purement humain ? Il n'est pas de la trempe de celui que Homere fait écouler de la plaie des dieux. Hermodorus le poète, avait fait des vers en l'honneur d'Antigonus, où il l'appelait fils du Soleil : et lui au contraire, celui, dit-il, qui vide ma chaise percée, sait bien qu'il n'en est rien[1]. C'est un homme pour tous potages[a] : et si de soi-même c'est un homme mal né, l'empire de l'univers ne le saurait rhabiller :

puellæ
Hunc rapiant, quicquid calcaverit hic, rosa fiat[b2],

quoi pour cela, si c'est une âme grossière et stupide ? La volupté même et le bonheur, ne se perçoivent point sans vigueur et sans esprit :

hæc perinde sunt, ut illius animus qui ea possidet,
Qui uti scit, ei bona, illi qui non utitur recte, mala[c3].

Les biens de la fortune tous tels qu'ils sont, encore faut-il avoir du sentiment pour les savourer : C'est le jouir, non le posséder, qui nous rend heureux :

Non domus et fundus, non æris acervus et auri,
Ægroto domini deduxit corpore febres,
Non animo curas, valeat possessor oportet,
Qui comportatis rebus bene cogitat uti.
Qui cupit, aut metuit, juvat illum sic domus aut res,
Ut lippum pictæ tabulæ, fomenta podagram[d4].

a. et rien de plus – *b.* « que les jeunes filles se l'arrachent, que sous chacun de ses pas, une rose éclose » – *c.* « ils valent ce que vaut l'âme de celui qui les possède. À qui sait en user, ils sont bons, à celui qui n'en n'use pas correctement, ils sont mauvais. » – *d.* « Ni la maison et le domaine, ni l'amoncellement de bronze et d'or ne chassent les fièvres du corps du propriétaire lorsqu'il est malade, ni les soucis de son esprit, celui qui possède doit être en bonne santé s'il pense profiter avantageusement des biens amassés. Mais s'il vit dans l'envie ou la crainte, sa maison et son patrimoine lui agréent autant qu'un tableau à un chassieux ou des onguents à un goutteux »

Il est[1] un sot, son goût est mousse[a] et hébété : il n'en jouit non plus qu'un morfondu[b] de la douceur du vin Grec, ou qu'un cheval de la richesse du harnais, duquel on l'a paré : Tout ainsi, comme Platon dit[2], que la santé, la beauté, la force, les richesses, et tout ce qui s'appelle bien, est également mal à l'injuste comme bien au juste, et le mal au rebours. Et puis, où le corps et l'esprit sont en mauvais état, à quoi faire[c] ces commodités externes ? vu que la moindre piqûre d'épingle, et passion de l'âme, est suffisante à nous ôter le plaisir de la monarchie du monde : À la première strette[d] que lui donne la goutte, il a beau être Sire et Majesté,

Totus et argento conflatus, totus et auro[e][3],

perd-il pas le souvenir de ses palais et de ses grandeurs ? S'il est en colère, sa principauté le garde-elle de rougir, de pâlir, de grincer les dents, comme un fol ? Or si c'est un habile homme et bien né, la royauté ajoute peu à son bonheur :

Si ventri bene, si lateri est pedibusque tuis, nil
Divitiæ poterunt regales addere majus[f][4],

il voit que ce n'est pas biffe et piperie[g] : Oui à l'aventure[h] il sera de l'avis du Roi Seleucus, que qui saurait le poids d'un sceptre, ne daignerait l'amasser[i] quand il le trouverait à terre[5] : il le disait pour les grandes et pénibles charges, qui touchent un bon Roi. Certes ce n'est pas peu de chose que d'avoir à régler autrui, puisqu'à régler nous-mêmes il se présente tant de difficultés. Quant au commander, qui semble être si doux : considérant l'imbécillité[j] du jugement humain, et la difficulté du choix ès[k] choses nouvelles et dou-

a. émoussé – *b*. enrhumé – *c*. à quoi bon – *d*. élancement – *e*. « Entièrement forgé d'argent, et d'or entièrement » – *f*. « Si ton ventre, tes poumons et tes pieds se portent bien, les richesses des rois ne pourront rien ajouter de plus » – *g*. moquerie et tromperie – *h*. peut-être – *i*. le ramasser – *j*. la faiblesse – *k*. dans les

teuses, je suis fort de cet avis, qu'il est bien plus aisé et plus plaisant de suivre, que de guider : et que c'est un grand séjour[a] d'esprit de n'avoir à tenir qu'une voie tracée, et à répondre que de soi :

Ut satius multo jam sit, parere quietum,
Quam regere imperio res velle[b][1].

Joint que Cyrus disait, qu'il n'appartenait de commander à homme, qui ne vaille mieux que ceux à qui il commande[2]. Mais le Roi Hieron en Xenophon[3] dit davantage : qu'en la jouissance des voluptés mêmes, ils sont de pire condition que les privés[c], d'autant que l'aisance et la facilité, leur ôte l'aigre-douce pointe que nous y trouvons,

Pinguis amor nimiumque potens, in tædia nobis
Vertitur, et stomacho dulcis ut esca nocet[d][4].

Pensons-nous que les enfants de chœur prennent grand plaisir à la musique ? la satiété la leur rend plutôt ennuyeuse. Les festins, les danses, les mascarades, les tournois réjouissent ceux qui ne les voient pas souvent, et qui ont désiré de les voir : mais à qui en fait ordinaire[e], le goût en devient fade et mal plaisant : ni les dames ne chatouillent celui qui en jouit à cœur saoul. Qui ne se donne loisir d'avoir soif, ne saurait prendre plaisir à boire. Les farces des bateleurs nous réjouissent, mais aux joueurs elles servent de corvée. Et qu'il soit ainsi, ce sont délices aux Princes, c'est leur fête, de se pouvoir quelquefois travestir, et démettre à la façon de vivre basse et populaire,

Plerumque gratæ principibus vices
Mundæque parvo sub lare pauperum

a. repos – *b.* « Aussi vaut-il mieux mille fois obéir paisiblement que vouloir régir le monde par le pouvoir suprême. » – *c.* les particuliers qui ne prennent pas part aux affaires publiques – *d.* « L'amour repu et licencieux tourne pour nous à l'écœurement, comme une agréable nourriture nuit à l'estomac. » – *e.* [son] ordinaire

Cenæ, sine aulæis et ostro,
Sollicitam explicuere frontem[a][1]

Il n'est rien si empêchant, si dégoûté[b], que l'abondance. Quel appétit ne se rebuterait à voir trois cents femmes à sa merci, comme les a le grand seigneur en son sérail[2] ? Et quel appétit et visage de chasse s'était réservé celui de ses ancêtres qui n'allait jamais aux champs à moins de sept mille fauconniers[3] ? Et outre cela, je crois, que ce lustre de grandeur, apporte non légères incommodités à la jouissance des plaisirs plus doux : ils sont trop éclairés et trop en butte[c]. Et je ne sais comment, on requiert plus d'eux de cacher et couvrir en faute : car ce qui est à nous indiscrétion[d], à eux le peuple juge que ce soit tyrannie, mépris, et dédain des lois : et outre l'inclination au vice, il semble qu'ils y ajoutent, encore le plaisir de gourmander, et soumettre à leurs pieds[e] les observances publiques. De vrai Platon en son *Gorgias*[4] définit tyran celui qui a licence en une cité de faire tout ce qui lui plaît. Et souvent à cette cause[f], la montre[g] et publication de leur vice, blesse[5] plus, que le vice même. Chacun craint à être épié et contrerôlé[h] : ils le sont jusques à leurs contenances et à leurs pensées : tout le peuple estimant avoir droit et intérêt d'en juger. Outre ce que les tâches s'agrandissent selon l'éminence[i] et clarté du lieu, où elles sont assises, et qu'un seing[j] et une verrue au front, paraissent plus que ne fait ailleurs une balafre. Voilà pourquoi, les poètes feignent[k] les amours de Jupiter conduites sous autre visage que le sien : et de tant de pratiques amoureuses qu'ils lui attribuent, il n'en est qu'une seule,

a. « La plupart du temps les changements plaisent aux princes, et des repas frugaux, pris sous le modeste toit des pauvres, sans tentures ni pourpre, ont déridé leur front soucieux. » – *b.* si encombrant, si indigeste – *c.* en vue – *d.* défaut de discernement – *e.* violenter et fouler au pied – *f.* pour cette raison – *g.* l'exhibition – *h.* surveillé – *i.* la hauteur – *j.* grain de beauté – *k.* représentent dans leurs fictions

ce me semble, où il se trouve en sa grandeur et Majesté[1]. Mais revenons à Hyeron[2] : il récite[a] aussi combien il sent d'incommodité en sa royauté, pour ne pouvoir aller et voyager en liberté, étant comme prisonnier dans les limites de son pays : et qu'en toutes ses actions il se trouve enveloppé d'une fâcheuse presse. De vrai, à voir les nôtres tout seuls à table, assiégés de tant de parleurs et regardants inconnus, j'en ai eu souvent plus de pitié que d'envie. Le Roi Alphonse disait que les ânes étaient en cela de meilleure condition que les Rois : leurs maîtres les laissent paître à leur aise, là où les rois ne peuvent pas obtenir cela de leurs serviteurs[3]. Et ne m'est jamais tombé en fantaisie[b], que ce fût quelque notable commodité à la vie d'un homme d'entendement, d'avoir une vingtaine de contrerôleurs[c] à sa chaise percée : ni que les services d'un homme qui a dix mille livres de rente, ou qui a pris Casal, ou défendu Siene[4], lui soient plus commodes et acceptables, que d'un bon valet et bien expérimenté. Les avantages principesques[d] sont quasi avantages imaginaires : Chaque degré de fortune a quelque image de principauté. Cæsar appelle Roitelets, tous les Seigneurs ayant justice en France de son temps[5]. De vrai, sauf le nom de Sire, on va bien avant, avec nos rois[e]. Et voyez aux Provinces éloignées de la Cour, nommons Bretaigne pour exemple, le train, les sujets, les officiers, les occupations, le service et cérémonie d'un Seigneur retiré et casanier, nourri entre ses valets : et voyez aussi le vol de son imagination, il n'est rien plus Royal : il ouït parler de son maître une fois l'an, comme du Roi de Perse : et ne le reconnaît, que par

a. rapporte – *b*. Et je ne me suis jamais imaginé – *c*. contrôleurs – *d*. des princes – *e*. on s'avance bien loin avec nos rois [dans le partage de leurs prérogatives]

quelque vieux cousinage, que son secrétaire tient en registre. À la vérité nos lois sont libres assez, et le poids de la souveraineté ne touche un gentilhomme Français, à peine deux fois en sa vie. La sujétion essentielle et effectuelle[a], ne regarde d'entre nous, que ceux qui s'y convient, et qui aiment à s'honorer et enrichir par tel service : car qui se veut tapir en son foyer, et sait conduire sa maison sans querelle, et sans procès, il est aussi libre que le Duc de Venise[1] : *Paucos servitus, plures servitutem tenent*[b2]. Mais surtout Hieron fait cas, de quoi il se voit privé de toute amitié et société mutuelle : en laquelle consiste le plus parfait et doux fruit de la vie humaine[3]. Car quel témoignage d'affection et de bonne volonté, puis-je tirer de celui, qui me doit, veuille-il ou non, tout ce qu'il peut ? Puis-je faire état de son humble parler et courtoise révérence, vu qu'il n'est pas en lui[c] de me la refuser ? L'honneur que nous recevons de ceux qui nous craignent, ce n'est pas honneur : ces respects se doivent à la royauté non à moi :

maximum hoc regni bonum est
Quod facta domini cogitur populus sui
Quam ferre tam laudare[d4].

Vois-je pas que le méchant, le bon Roi, celui qu'on hait, celui qu'on aime, autant en a l'un que l'autre : de mêmes apparences, de même cérémonie, était servi mon prédécesseur, et le sera mon successeur. Si mes sujets ne m'offensent pas, ce n'est témoignage d'aucune bonne affection : Pourquoi le prendrai-je en cette part-là, puisqu'ils ne pourraient quand ils

a. théorique et concrète – *b.* « La servitude attache peu d'hommes, mais nombreux sont ceux qui s'attachent à la servitude » – *c.* en son pouvoir – *d.* « tel est le plus grand avantage du pouvoir, que le peuple soit contraint tant de supporter que de louer les agissements de son maître. »

voudraient ? Nul ne me suit pour l'amitié, qui soit entre lui et moi, car il ne s'y saurait coudre amitié, où il y a si peu de relation et de correspondance[1]. Ma hauteur m'a mis hors du commerce des hommes : il y a trop de disparité et de disproportion. Ils me suivent par contenance et par coutume, ou plutôt que moi, ma fortune, pour en accroître la leur : Tout ce qu'ils me dient, et font, ce n'est que fard : Leur liberté étant bridée de toutes parts, par[2] la grande puissance que j'ai sur eux, je ne vois rien autour de moi, que couvert et masqué. Ses courtisans louaient un jour Julien l'Empereur de faire bonne justice[3] : je m'enorgueillirais volontiers, dit-il, de ces louanges, si elles venaient de personnes, qui osassent accuser ou meslouer[a] mes actions contraires, quand elles y seraient. Toutes les vraies commodités qu'ont les Princes, leur sont communes avec les hommes de moyenne fortune : c'est affaire aux Dieux de monter des chevaux ailés, et se paître d'Ambroisie : ils n'ont point d'autre sommeil et d'autre appétit que le nôtre : leur acier n'est pas de meilleure trempe, que celui de quoi nous nous armons, leur couronne ne les couvre, ni du soleil, ni de la pluie. Diocletian qui en portait une si révérée et si fortunée, la résigna pour se retirer au plaisir d'une vie privée : et quelque temps après, la nécessité des affaires publiques, requérant qu'il revînt en prendre la charge, il répondit à ceux qui l'en priaient : vous n'entreprendriez pas de me persuader cela, si vous aviez vu le bel ordre des arbres que j'ai moi-même plantés chez moi, et les beaux melons que j'y ai semés[4]. À l'avis d'Anarchasis, le plus heureux état d'une police[b], serait, où toutes autres choses étant égales, la précédence[c] se mesurerait à la vertu, et le

a. blâmer – *b*. organisation politique – *c*. préséance

rebut au vice[1]. Quand le Roi Pyrrhus entreprenait de passer en Italie, Cyneas son sage conseiller lui voulant faire sentir la vanité de son ambition : eh bien Sire, lui demanda-il, à quelle fin dressez-vous cette grande entreprise ? Pour me faire maître de l'Italie, répondit-il soudain : et puis suivit[a] Cyneas, cela fait ? Je passerai dit l'autre, en Gaule et en Espaigne : et après ? je m'en irai subjuguer l'Afrique, et enfin, quand j'aurai mis le monde en ma sujétion, je me reposerai et vivrai content et à mon aise. Pour Dieu, Sire, rechargea lors Cyneas, dites-moi, à quoi il tient que vous ne soyez dès à présent, si vous voulez en cet état ? pourquoi ne vous logez-vous dès cette heure, où vous dites aspirer, et vous épargnez tant de travail et de hasard, que vous jetez entre deux[2] ?

Nimirum quia non bene norat quæ esset habendi
Finis, et omnino quoad crescat vera voluptas[b3].

Je m'en vais clore ce pas[c] par ce verset ancien, que je trouve singulièrement beau à ce propos,

Mores cuique sui fingunt fortunam[d4].

a. poursuivit – *b*. « C'est sans doute qu'il n'avait pas notion de la limite de la possession, et pas la moindre idée du point jusqu'où le vrai plaisir peut croître. » – *c*. passage – *d*. « Chacun modèle son sort par son caractère. »

Des lois somptuaires[a][1]

CHAP. XLIII

La façon de quoi nos lois essayent à régler les folles et vaines dépenses des tables, et vêtements, semble être contraire à sa fin. Le vrai moyen, ce serait d'engendrer aux hommes le mépris de l'or et de la soie, comme de choses vaines et inutiles : et nous leur augmentons l'honneur et le prix, qui est une bien inepte façon pour en dégoûter les hommes : car dire ainsi, qu'il n'y aura que les Princes qui mangent du turbot et qui puissent porter du velours et de la tresse d'or, et l'interdire au peuple, qu'est-ce autre chose que mettre en crédit ces choses-là, et faire croître l'envie à chacun d'en user ? Que les Rois quittent hardiment ces marques de grandeur, ils en ont assez d'autres, tels excès sont plus excusables à tout autre qu'à un prince. Par l'exemple de plusieurs nations, nous pouvons apprendre assez de meilleures façons de nous distinguer extérieurement, et nos degrés (ce que j'estime à la vérité, être bien requis en un état[b]) sans nourrir pour cet effet, cette corruption et incommodité si apparente : C'est merveille[c] comme la coutume en ces choses indifférentes plante aisément et soudain le pied de son autorité. À peine fûmes-nous

a. qui concernent les dépenses – *b*. État – *c*. Il est admirable de voir

un an, pour le deuil du Roi Henry second[1] à porter du drap à la cour, il est certain que déjà à l'opinion d'un chacun, les soies étaient venues à telle vileté[a], que si vous en voyiez quelqu'un vêtu, vous en faisiez incontinent[b] quelque homme de ville[c]. Elles étaient demeurées en partage aux médecins et aux chirurgiens: et quoiqu'un chacun fût à peu près vêtu de même, si[d] y avait-il d'ailleurs[e] assez de distinctions apparentes, des qualités des hommes. Combien soudainement viennent en honneur parmi nos armées, les pourpoints crasseux de chamois et de toile, et la polissure[f] et richesse des vêtements à reproche et à mépris. Que les Rois commencent à quitter ces dépenses, ce sera fait en un mois, sans édit, et sans ordonnance: nous irons tous après. La Loi devrait dire au rebours, que le cramoisi[g] et l'orfèvrerie est défendue à toute espèce de gens, sauf aux bateleurs et aux courtisanes. De pareille invention corrigea Zeleucus, les mœurs corrompues des Locriens[2]: ses ordonnances étaient telles: que la femme de condition libre, ne puisse mener après elle plus d'une chambrière, sinon lorsqu'elle sera ivre: ni ne puisse sortir hors de la ville de nuit, ni porter joyaux d'or à l'entour de sa personne, ni robe enrichie de broderie, si elle n'est publique et putain: que sauf les ruffians, à l'homme ne loise[h] porter en son doigt anneau d'or, ni robe délicate, comme sont celles des draps tissus[i] en la ville de Milet. Et ainsi par ces exceptions honteuses, il divertissait[j] ingénieusement ses citoyens, des superfluités et délices pernicieuses[3]. C'était une très utile manière d'attirer par honneur et ambition, les

a. devenues si bon marché – *b.* sur-le-champ – *c.* bourgeois – *d.* pourtant – *e.* par ailleurs – *f.* l'élégance – *g.* la pourpre – *h.* soit permis de – *i.* tissés – *j.* détournait

hommes à l'obéissance. Nos Rois peuvent tout en telles réformations[a] externes : leur inclination y sert de loi. *Quidquid principes faciunt præcipere videntur*[b][1]. Le reste de la France prend pour règle la règle de la cour. Qu'ils[2] se déplaisent[c] de cette vilaine chaussure[3], qui montre si à découvert nos membres occultes[d] : ce lourd grossissement de pourpoints, qui nous fait tous autres que nous ne sommes, si incommode à s'armer : ces longues tresses de poils efféminées : cet usage de baiser ce que nous présentons à nos compagnons, et nos mains en les saluant, cérémonie due autrefois aux seuls Princes : et qu'un gentilhomme se trouve en lieu de respect[e], sans épée à son côté, tout ébraillé, et détaché, comme s'il venait de la garde-robe[f] : et que contre la forme de nos pères[g], et la particulière liberté de la noblesse de ce Royaume, nous nous tenons découverts bien loin autour d'eux, en quelque lieu qu'ils soient[4] : et comme autour d'eux, autour de cent autres, tant nous avons de tiercelets et quartelets[h] de Rois : et ainsi d'autres pareilles introductions nouvelles et vicieuses, elles se verront incontinent évanouies et décriées. Ce sont erreurs superficielles, mais pourtant de mauvais pronostic, et sommes avertis que le massif se dément[i], quand nous voyons fendiller l'enduit, et la croûte de nos parois. Platon en ses *Lois*[5] n'estime peste du monde plus dommageable à sa cité que de laisser prendre liberté à la jeunesse de changer en accoutrements, en gestes, en danses, en exercices et en chansons, d'une forme à autre : remuant son jugement tantôt en cette assiette[j], tantôt en celle-là, courant après les

a. réformes – *b*. « Tout ce que font les princes, ils paraissent le prescrire. » – *c*. dégoûtent – *d*. cachés – *e*. cérémonie – *f*. des lieux d'aisance – *g*. contre les mœurs accoutumées de nos pères – *h*. tiers et quarts [NB : « tiercelet », qui désigne un personnage insignifiant et vantard, désigne aussi le mâle de l'épervier et d'autres rapaces] – *i*. la maçonnerie se désagrège – *j*. équilibre (précaire)

nouvelletés, honorant leurs inventeurs : par où les mœurs [se] corrompent et toutes anciennes institutions viennent à dédain et à mépris. En toutes choses sauf simplement aux mauvaises, la mutation est à craindre. La mutation de saisons, des vents, des vivres, des humeurs, et nulles lois ne sont en leur vrai crédit que celles auxquelles dieu a donné quelque ancienne durée, de mode que[a] personne ne sache leur naissance, ni qu'elles aient jamais été autres.

a. de manière que

Du dormir

CHAP. XLIV

La raison nous ordonne bien d'aller toujours même chemin, mais non toutefois même train[a][1] : et ores que[b] le sage ne doive donner aux passions humaines, de se fourvoyer de la droite carrière[c], il peut bien sans intérêt de son devoir, leur quitter[d] aussi, d'en hâter ou retarder son pas, et ne se planter comme un Colosse immobile et impassible. Quand la vertu même serait incarnée, je crois que le pouls lui battrait plus fort allant à l'assaut, qu'allant dîner : voire il est nécessaire qu'elle s'échauffe et s'émeuve. À cette cause[e] j'ai remarqué pour chose rare, de voir quelquefois les grands personnages, aux plus hautes entreprises et importants[f] affaires, se tenir si entiers en leur assiette[g], que de n'en accourcir[h] pas seulement leur sommeil. Alexandre le Grand, le jour assigné à cette furieuse bataille contre Darius, dormit si profondément, et si haute matinée[i], que Parmenion fut contraint d'entrer en sa chambre, et approchant de son lit, l'appeler deux ou trois fois par son nom, pour l'éveiller, le temps d'aller au

a. allure – *b*. bien que – *c*. ne doit concéder aux passions de le faire dévier du droit chemin – *d*. sans dommage pour son devoir, leur accorder – *e*. c'est pourquoi – *f*. importantes – *g*. si bien équilibrés – *h*. qu'ils n'en raccourcissent – *i*. si tard dans la matinée

combat le pressant[1]. L'empereur Othon ayant résolu de se tuer, cette même nuit, après avoir mis ordre à ses affaires domestiques, partagé son argent à ses serviteurs, et affilé le tranchant d'une épée de quoi il se voulait donner[a], n'attendant plus qu'à[b] savoir si chacun de ses amis s'était retiré en sûreté, se prit si profondément à dormir, que ses valets de chambre l'entendaient ronfler[2]. La mort de cet Empereur a beaucoup de choses pareilles à celle du grand Caton, et même ceci : car Caton étant prêt à se défaire[c], cependant qu'il attendait qu'on lui rapportât nouvelles si les sénateurs qu'il faisait retirer, s'étaient élargis[d] du port d'Utique, se mit si fort à dormir, qu'on l'oyait souffler de la chambre voisine : et celui qu'il avait envoyé vers le port, l'ayant éveillé, pour lui dire que la tourmente empêchait les sénateurs de faire voile à leur aise, il y en renvoya encore un autre, et se renfonçant dans le lit, se remit encore à sommeiller, jusques à ce que ce dernier l'assurât de leur partement[e3]. Encore[f] avons-nous de quoi le comparer au fait d'Alexandre[g], en ce grand et dangereux orage, qui le menaçait, par la sédition du Tribun Metellus, voulant publier le décret du rappel de Pompeius dans la ville avec son armée, lors de l'émotion[h] de Catilina : auquel décret Caton seul insistait[i], et en[j] avaient eu Metellus et lui, de grosses paroles et grands menaces au Sénat : mais c'était au lendemain en la place, qu'il fallait venir à l'exécution[k], où Metellus, outre la faveur du peuple et de Cæsar conspirant lors aux avantages[l] de Pompeius, se devait trouver, accompagné de force esclaves étrangers, et

a. avec laquelle il voulait se tuer – *b*. que de – *c*. se tuer – *d*. à qui il avait dit de faire retraite, s'étaient éloignés – *e*. départ – *f*. De plus – *g*. comparer le sommeil de Caton à celui d'Alexandre – *h*. la révolte – *i*. s'opposait – *j*. à ce sujet – *k*. passer à l'action – *l*. alors à l'avantage

escrimeurs à outrance, et[a] Caton fortifié de sa seule constance : de sorte que ses parents, ses domestiques, et beaucoup de gens de bien, en étaient en grand souci : et en y eut qui passèrent la nuit ensemble, sans vouloir reposer, ni boire, ni manger, pour le[b] danger qu'ils lui voyaient préparé : même sa femme, et ses sœurs ne faisaient que pleurer et se tourmenter en sa maison : là où lui au contraire, réconfortait tout le monde : et après avoir soupé comme de coutume, s'en alla coucher et dormir de fort profond sommeil, jusques au matin, que[c] l'un de ses compagnons au Tribunat, le vint éveiller pour aller à l'escarmouche[1]. La connaissance, que nous avons de la grandeur de courage, de cet homme, par le reste de sa vie, nous peut faire juger en toute sûreté, que ceci lui partait d'une âme si loin élevée au-dessus de tels accidents, qu'il n'en daignait entrer en cervelle[d], non plus que d'accidents ordinaires. En la bataille navale que Augustus gagna contre Sextus Pompeius en Sicile, sur le point d'aller au combat, il se trouva pressé d'un si profond sommeil, qu'il fausit[e] que ses amis l'éveillassent, pour donner le signe[f] de la bataille. Cela donna occasion à M. Antonius de lui reprocher depuis, qu'il n'avait pas eu le cœur, seulement de regarder les yeux ouverts, l'ordonnance de son armée, et de n'avoir pas osé se présenter aux soldats, jusques à ce qu'Agrippa lui vînt annoncer la nouvelle de la victoire, qu'il avait eue sur ses ennemis[2]. Mais quant au jeune Marius, qui fit encore pis, car le jour de sa dernière journée contre Sylla, après avoir ordonné son armée, et donné le mot et signe de la bataille, il se coucha dessous un arbre à l'ombre, pour se repo-

a. face à – *b*. à cause du – *c*. lorsque – *d*. qu'il ne daignait s'en soucier – *e*. fallut – *f*. le signal ser, et s'endormit si serré[a], qu'à peine se put-il éveiller de la route[b] et fuite de ses gens, n'ayant rien vu du combat, ils disent[c] que ce fut pour être si extrêmement aggravé[d] de travail, et de faute de dormir[e], que nature n'en pouvait plus[1]. Et à ce propos les médecins, aviseront si le dormir est si nécessaire, que notre vie en dépende, car nous trouvons bien, qu'on fit mourir le Roi Perseus de Macedoine prisonnier à Rome, lui empêchant le sommeil[2], mais Pline en allègue, qui ont vécu longtemps sans dormir[3]. Chez Herodote il y a des nations auxquelles[f] les hommes dorment et veillent par demi-années[4]. Et ceux qui écrivent la vie du sage Epimenides disent qu'il dormit cinquante-sept ans de suite[5].

a. si profondément – *b.* déroute – *c.* on dit – *d.* accablé – *e.* par défaut de sommeil – *f.* dans lesquelles

De la bataille de Dreux

Chap. XLV

Il y eut tout plein de rares accidents[a] en notre bataille de Dreux[1] : mais ceux qui ne favorisent pas fort la réputation de monsieur de Guise[2], mettent volontiers en avant, qu'il ne se peut excuser d'avoir fait halte, et temporisé avec les forces qu'il commandait, cependant qu'on enfonçait monsieur le Connétable[3] chef de l'armée, avec l'artillerie : et qu'il valait mieux se hasarder, prenant l'ennemi par flanc, qu'attendant l'avantage de le voir en queue[b], souffrir une si lourde perte : mais outre ce, que l'issue en témoigna, qui en débattra sans passion, me confessera aisément, à mon avis, que le but et la visée, non seulement d'un capitaine, mais de chaque soldat, doit regarder la victoire en gros, et que nulles occurrences[c] particulières, quelque intérêt qu'il y ait, ne le doivent divertir[d] de ce point-là. Philopœmen, en une rencontre contre Machanidas[4], ayant envoyé devant pour attaquer l'escarmouche[e], bonne troupe d'archers et gens de trait[f] : et l'ennemi après les avoir renversés, s'amusant à les poursuivre à toute bride, et coulant après sa victoire le long de la bataille[g] où

a. événements – *b.* de l'attaquer par-derrière – *c.* circonstances – *d.* détourner – *e.* entamer les hostilités – *f.* soldats équipés d'armes de jet – *g.* passant après sa victoire tout au long du corps de troupes

était Philopœmen, quoique ses soldats s'en émussent, il ne fut d'avis de bouger de sa place, ni de se présenter à l'ennemi, pour secourir ses gens : ainsi[a] les ayant laissé chasser et mettre en pièces à sa vue, commença la charge sur les ennemis au bataillon de leurs gens de pied[b], lorsqu'il les vit tout à fait abandonnés de leurs gens de cheval[c] : et bien que ce fussent Lacédomoniens, d'autant qu'il les prit à heure, que[d] pour tenir tout gagné, ils commençaient à se désordonner, il en vint aisément à bout, et cela fait se mit à poursuivre Machanidas. Ce cas est germain[e] à celui de Monsieur de Guise. En cette âpre bataille d'Agesilaus contre les Béotiens[1], que Xenophon qui y était, dit être la plus rude qu'il eût onques vue, Agesilaus refusa l'avantage que fortune lui présentait, de laisser passer le bataillon des Béotiens et les charger en queue[f], quelque certaine victoire qu'il en prévît, estimant qu'il y avait plus d'art[g] que de vaillance : et pour montrer sa prouesse d'une merveilleuse ardeur de courage, choisit plutôt de leur donner en tête : mais aussi y fut-il bien battu et blessé, et contraint en fin de se démêler[h], et prendre le parti qu'il avait refusé au commencement, faisant ouvrir ses gens, pour donner passage à ce torrent de Béotiens : puis quand ils furent passés, prenant garde[i] qu'ils marchaient en désordre, comme ceux qui cuidaient[j] bien être hors de tout danger, il les fit suivre, et charger par les flancs : mais pour[k] cela ne les put-il tourner en fuite à val de route[l], ains[m] se retirèrent le petit pas[n], montrant toujours les dents, jusques à ce qu'ils se fussent rendus à sauveté[o].

a. mais – *b*. leurs fantassins – *c*. cavaliers – *d*. au moment où – *e*. comparable – *f*. par l'arrière – *g*. de ruse – *h*. sortir de la mêlée – *i*. s'apercevant – *j*. pensaient – *k*. en raison de – *l*. en déroute – *m*. mais – *n*. à faible allure – *o*. en sûreté

Des noms

CHAP. XLVI

Quelque diversité d'herbes qu'il y ait, tout s'enveloppe sous le nom de salade. De même, sous la considération des noms, je m'en vais faire ici une galimafrée[a] de divers articles. Chaque nation a quelques noms qui se prennent, je ne sais comment, en mauvaise part : et à nous[b] Jehan, Guillaume, Benoît. Item[c], il semble y avoir en la généalogie des Princes, certains noms fatalement affectés[d] : comme des Ptolomées à ceux d'Ægypte, de Henris en Angleterre, Charles en France, Baudoins en Flandres, et en notre ancienne Aquitaine des Guillaumes, d'où l'on dit que le nom de Guienne est venu[1] : par un froid rencontre[e], s'il n'en y avait d'aussi crus dans Platon même[2]. Item, c'est une chose légère, mais toutefois digne de mémoire pour son étrangeté, et écrite par témoin oculaire, que Henry Duc de Normandie, fils de Henry second Roi d'Angleterre, faisant un festin en France, l'assemblée de la noblesse y fut si grande, que pour passe-temps, s'étant divisée en bandes par la ressemblance des noms : en la première troupe qui fut des Guillaumes, il se trouva cent dix

a. pot-pourri – *b*. chez nous – *c*. De même – *d*. attribués par le sort – *e*. par un plat jeu de mots

Chevaliers assis à table portants ce nom, sans mettre en compte les simples gentilshommes et serviteurs[1]. Il est autant plaisant de distribuer les tables par les noms des assistants, comme il était à l'Empereur Geta, de faire distribuer le service de ses mets, par la considération des premières lettres du nom des viandes[a] : on servait celles qui se commençaient par, m : mouton, marcassin, merlus, marsouin, ainsi des autres[2]. Item, il se dit qu'il fait bon avoir bon nom, c'est-à-dire crédit et réputation : mais encore à la vérité est-il commode, d'avoir un nom beau et qui aisément se puisse prononcer et retenir : car les Rois et les grands, nous en connaissent plus aisément, et oublient plus mal volontiers : et de ceux mêmes qui nous servent, nous commandons plus ordinairement et employons ceux, desquels les noms se présentent le plus facilement à la langue. J'ai vu le Roi Henry second, ne pouvoir jamais nommer à droit[b], un gentilhomme de ce quartier[c] de Gascouigne, et à une fille de la Reine, il fut lui-même d'avis de donner le nom général de la race, parce que celui de la maison paternelle lui sembla trop revers[d]. Et Socrates estime digne du soin paternel de donner un beau nom aux enfants[3]. Item, on dit que la fondation de notre Dame la grand à Poitiers, prit origine de ce qu'un jeune homme débauché, logé en cet endroit, ayant recouvré[e] une garce, et lui ayant d'arrivée demandé son nom, qui était Marie, se sentit si vivement épris de religion et de respect, de ce nom Sacrosaint de la Vierge mère de notre Sauveur, que non seulement il la chassa soudain, mais en amenda tout le reste de sa vie : et qu'en considération de ce miracle, il fut bâti en la place, où était la maison de ce jeune homme, une chapelle

a. mets – *b*. correctement – *c*. région – *d*. tordu – *e*. s'étant procuré

au nom de notre Dame, et depuis l'Église que nous y voyons[1]. Cette correction voyelle et auriculaire[a], dévotieuse, tira[b] droit à l'âme : cette autre de même genre, s'insinua par les sens corporels : Pythagoras étant en compagnie de jeunes hommes, lesquels il sentit comploter, échauffés de la fête, d'aller violer une maison pudique, commanda à la menestrière[c], de changer de ton, et par une musique pesante, sévère et spondaïque[d], enchanta tout doucement leur ardeur et l'endormit[2]. Item, dira pas la postérité, que notre réformation d'aujourd'hui[e] ait été délicate et exacte[f], de n'avoir pas seulement combattu les erreurs, et les vices, et rempli le monde de dévotion, d'humilité, d'obéissance, de paix, et de toute espèce de vertu, mais d'avoir passé jusqu'à combattre ces anciens noms de nos baptêmes, Charles, Loys, François, pour peupler le monde de Mathusalem, Ezechiel, Malachie, beaucoup mieux sentant de la foi ? Un gentilhomme mien voisin, estimant les commodités du vieux temps au prix du nôtre[g], n'oubliait pas de mettre en compte, la fierté et magnificence des noms de la noblesse de ce temps, Don Grumedan, Quedragan, Agesilan, et qu'à les ouïr seulement sonner, il se sentait qu'ils avaient été bien autres gens, que Pierre, Guillot, et Michel. Item, je sais bon gré à Jacques Amiot d'avoir laissé dans le cours d'une oraison[h] Française, les noms Latins tous entiers, sans les bigarrer[i] et changer, pour leur donner une cadence[j] Française[3]. Cela semblait un peu rude au commencement : mais déjà l'usage par le crédit de son Plutarque, nous en a ôté toute l'étrangeté. J'ai souhaité souvent, que ceux qui écrivent les histoires

a. accomplie par la voix et l'oreille – *b*. atteignit – *c*. joueuse de musique – *d*. rythmée en spondées, lente et grave – *e*. la Réforme (qui recommanda l'attribution de prénoms bibliques) – *f*. pointilleuse dans son souci d'exactitude – *g*. par rapport au nôtre – *h*. discours en prose – *i*. sans les travestir – *j*. terminaison

en Latin, nous laissassent nos noms tous tels qu'ils sont : car en faisant de Vaudemont, Vallemontanus, et les Métamorphosant, pour les garber[a] à la Grecque ou à la Romaine, nous ne savons où nous en sommes, et en perdons la connaissance. Pour clore notre compte, c'est un vilain usage et de très mauvaise conséquence en notre France, d'appeler chacun par le nom de sa terre et Seigneurie, et la chose du monde, qui fait plus mêler et méconnaître les races[b]. Un cadet de bonne maison, ayant eu pour son apanage une terre, sous le nom de laquelle il a été connu et honoré, ne peut honnêtement l'abandonner : dix ans après sa mort, la terre s'en va à un étranger, qui en fait de même : devinez où nous sommes, de la connaissance de ces hommes. Il ne faut pas aller querir d'autres exemples, que de notre maison Royale, où autant de partages, autant de surnoms[c] : cependant l'originel de la tige nous est échappé. Il y a tant de liberté en ces mutations, que de mon temps je n'ai vu personne élevé par la fortune à quelque grandeur extraordinaire, à qui on n'ait attaché incontinent des titres généalogiques, nouveaux et ignorés à son père, et qu'on n'ait enté[d] en quelque illustre tige : Et de bonne fortune[e] les plus obscures familles, sont plus idoines à falsification. Combien avons-nous de gentilshommes en France, qui sont de Royale race selon leurs comptes : plus ce crois-je que d'autres. Fut-il pas dit de bonne grâce par un de mes amis[1] : ils étaient plusieurs assemblés pour la querelle d'un Seigneur, contre un autre, lequel autre, avait à la vérité quelque prérogative de titres et d'alliances, élevées au-dessus de la commune noblesse. Sur le

a. orner – *b*. lignées – *c*. noms de famille – *d*. greffé sur – *e*. par bonheur

propos de cette prérogative, chacun cherchant à s'égaler à lui, alléguait, qui une origine, qui une autre, qui la ressemblance du nom, qui des armes, qui une vieille pancarte domestique[a] : et le moindre se trouvait arrière-fils de quelque Roi d'outre-mer. Comme ce fut à dîner, cettui-ci, au lieu de prendre sa place, se recula en profondes révérences, suppliant l'assistance de l'excuser, de ce que par témérité il avait jusque lors vécu avec eux en compagnon : mais qu'ayant été nouvellement informé de leurs vieilles qualités, il commençait à les honorer selon leurs degrés[b], et qu'il ne lui appartenait pas de se seoir parmi tant de Princes. Après sa farce, il leur dit mille injures : contentez-vous de par Dieu, de ce de quoi nos pères se sont contentés : et de ce que nous sommes, nous sommes assez si nous le savons bien maintenir : ne désavouons pas la fortune et condition de nos aïeux, et ôtons ces sottes imaginations, qui ne peuvent faillir à quiconque a l'impudence de les alléguer. Les armoiries n'ont de sûreté, non plus que les surnoms. Je porte d'azur semé de trèfles d'or, à une patte de Lion de même, armée de gueules, mise en fasce[c]. Quel privilège a cette figure pour demeurer particulièrement en ma maison : un gendre la transportera en une autre famille : quelque chétif acheteur en fera ses premières armes : il n'est chose où il se rencontre plus de mutation et de confusion. Mais cette considération me tire par force à un autre champ. Sondons un peu de près, et pour Dieu regardons, à quel fondement nous attachons cette gloire et réputation, pour laquelle se bouleverse le monde : où asseyons-nous cette renommée que nous allons quêtant avec si grand peine ? C'est en somme Pierre ou Guillaume,

a. vieux papiers de famille – *b*. rangs – *c*. au centre du blason qui la porte, prend en garde, et à qui elle touche. Ô la courageuse faculté que l'espérance qui en un sujet mortel et en un moment, va usurpant l'infinité, l'immensité, l'éternité : nature nous a là donné un plaisant jouet. Et ce Pierre ou Guillaume qu'est-ce qu'une voix pour tous potages[a] ? ou trois ou quatre traits de plume, premièrement si aidés à varier, que je demanderais volontiers à qui touche l'honneur de tant de victoires, à Guesquin, à Glesquin, ou à Gueaquin[1] ? Il y aurait bien plus d'apparence[b] ici, qu'en Lucien que Σ mit T en procès[2], car

non levia aut ludicra petuntur
Præmia[c3],

il y va de bon[d], il est question laquelle de ces lettres doit être payée de tant de sièges, batailles, blessures, prisons et services faits à la couronne de France, par ce sien fameux connétable. Nicolas Denisot n'a eu soin que des lettres de son nom, et en a changé toute la contexture, pour en bâtir le Comte d'Alsinois[4], qu'il a étrenné de[e] la gloire de sa poésie et peinture. Et l'Historien Suetone n'a aimé que le sens du sien, et en ayant privé Lénis, qui était le surnom de son père, a laissé Tranquillus successeur de la réputation de ses écrits[5]. Qui croirait que le Capitaine Bayard n'eut honneur, que celui qu'il a emprunté des faits de Pierre Terrail[6] ? et qu'Antoine Escalin se laisse voler à sa vue tant de navigations et charges par mer et par terre au Capitaine Poulin, et au Baron de la Garde[7] ? Secondement ce sont traits de plume communs à mille hommes. Combien y a-il en toutes les races, de personnes de même nom et surnom ? Et en diverses races, siècles et pays, combien ? L'histoire a connu trois

a. qu'est-ce qu'un mot pour tout dire – *b*. de raison – *c*. « On ne dispute pas des prix insignifiants ou futiles. » – *d*. Il en va de choses sérieuses – *e*. gratifié de

Socrates, cinq Platons, huit Aristotes, sept Xenophons, vingt Demetrius, vingt Theodores[1] et devinez combien elle n'en a pas connu. Qui empêche mon palefrenier de s'appeler Pompée le grand ? Mais après tout, quels moyens, quels ressorts y a-il qui attachent à mon palefrenier trépassé, ou à cet autre homme qui eût la tête tranchée en Ægypte, et qui joignent à eux, cette voix glorifiée[a], et ces traits de plume, ainsi honorés, afin qu'ils s'en avantagent,

Id cinerem et manes credis curare sepultos[b2] ?

Quel ressentiment[c] ont [les] deux compagnons en principale valeur entre les hommes. Epaminondas, [de] ce glorieux vers qui court pour lui en nos bouches :

Consiliis nostris laus est attonsa Laconum[d3],

[et] Aphricanus[4] de cet autre,

[A] sole exoriente supra Mæotis paludes
Nemo est qui factis me æquiparare queat[e5].

[Les] survivants se chatouillent de [la] douceur de ces voix[f] et par icelles sollicités [de] jalousie et désir transmettent inconsidérément [par] fantaisie[g] aux trépassés cettui [leur] propre ressentiment et d'une pipeuse[h] espérance se donnent à croire [d'en] être capables à leur tour. Dieu le sait. Toutefois

ad hæc se
Romanus Graiusque et Barbarus Induperator
Erexit, causas discriminis atque laboris
Inde habuit, tanto major famæ sitis est, quam
Virtutis[i6].

a. ce nom auréolé de gloire – *b.* « Crois-tu que les cendres et les mânes ensevelis y pensent encore ? » – *c.* sentiment – *d.* « Ma stratégie a entamé la gloire de Sparte. » – *e.* « Du soleil levant jusqu'au-delà du Palus-Méotide [jusques à l'Occident], il n'est personne qui puisse m'égaler par ses exploits. » – *f.* paroles – *g.* en imagination – *h.* trompeuse – *i.* « C'est vers ce but que bande ses efforts le conquérant romain, grec, barbare ; c'est pour cela qu'il affronte tant de dangers et d'épreuves, tant la soif de gloire l'emporte sur la soif de vertu. »

De l'incertitude de notre jugement

CHAP. XLVII

C'est bien ce que dit ce vers :

> Ἐπέων δὲ πολὺς νόμος ἔνθα καὶ ἔνθα[a 1].

il y a prou loi[b] de parler partout, et pour, et contre. Pour exemple

> *Vinse Hannibal et non seppe usar' poi*
> *Ben la vittoriosa sua ventura*[c 2],

qui voudra être de ce parti, et faire valoir avec nos gens, la faute de n'avoir dernièrement poursuivi notre pointe[d] à Montcontour[3], ou qui voudra accuser le Roi d'Espagne, de n'avoir su se servir de l'avantage qu'il eut contre nous à Saint Quentin[4], il pourra dire cette faute partir d'une âme enivrée de sa bonne fortune, et d'un courage, lequel plein et gorgé de ce commencement de bonheur, perd le goût de l'accroître, déjà par trop empêché à digérer ce qu'il en a : il en a sa brassée toute comble, il n'en peut saisir davantage, indigne que la fortune lui ait mis un tel bien entre mains : car quel profit en sent-il, si néanmoins il donne à son ennemi moyen de se remettre sus ? quelle espérance peut-on avoir qu'il ose une

a. « [La langue des hommes] est un riche pâturage de mots qui poussent dans un sens comme dans l'autre » – *b*. Nous avons toute liberté de – *c*. « Hannibal vainquit, mais ne sut pas par la suite faire bon usage de son sort victorieux » – *d*. estocade

autre fois attaquer ceux-ci ralliés et remis, et de nouveau armés de dépit et de vengeance, qui ne les a osé ou su poursuivre tous rompus et effrayés ?

Dum fortuna calet, dum conficit omnia terror[a][1].

Mais enfin, que peut-il attendre de mieux, que ce qu'il vient de perdre ? Ce n'est pas comme à l'escrime où le nombre des touches donne gain : tant que l'ennemi est en pieds[b], c'est à recommencer de plus belle : ce n'est pas victoire, si elle ne met fin à la guerre. En cette escarmouche où Cæsar eut du pire[c] près la Ville d'Oricum[2], il reprochait aux soldats de Pompeius, qu'il eût été perdu, si leur Capitaine eût su vaincre, et lui chaussa bien autrement les éperons[d], quand ce fut à son tour. Mais pourquoi ne dira-l'on aussi au contraire, que c'est l'effet d'un esprit précipiteux[e] et insatiable, de ne savoir mettre fin à sa convoitise : que c'est abuser des faveurs de Dieu, de leur vouloir faire perdre la mesure qu'il leur a prescrite : et que de se rejeter au danger après la victoire, c'est la remettre encore un coup à la merci de la fortune : que l'une des plus grandes sagesses en l'art militaire c'est de ne pousser son ennemi au désespoir. Sylla et Marius en la guerre sociale ayant défait les Marses[3], en voyant encore une troupe de reste, qui par désespoir se revenaient[f] jeter à eux, comme bêtes furieuses, ne furent pas d'avis de les attendre. Si l'ardeur de Monsieur de Foix ne l'eût emporté à poursuivre trop âprement les restes de la victoire de Ravenne[4], il ne l'eût pas souillée de sa mort. Toutefois encore servit la récente mémoire de son exemple, à conserver M. d'Anguien

a. « Quand la fortune est à point, quand la terreur engloutit tout » – *b*. sur pied – *c*. eut le dessous – *d*. le mit en fuite – *e*. qui se précipite sans réfléchir – *f*. le pronom relatif ayant un collectif (« troupe ») pour antécédent, le verbe est au pluriel

de pareil inconvénient, à Serisoles[1]. Il fait dangereux assaillir un homme, à qui vous avez ôté tout autre moyen d'échapper que par les armes : car c'est une violente maîtresse d'école que la nécessité, *gravissimi sunt morsus irritatæ necessitatis*[a2] :

Vincitur haud gratis jugulo qui provocat hostem[b3].

[Voilà pourquoi Pharax empêcha le Roi de Lacédémone[4], qui venait de gagner] la journée contre les Mantinéens de n'aller affronter mille Argiens qui étaient échappés entiers de la déconfiture, ains[c] les laisser couler en liberté pour [ne pas] venir à essayer[d] la vertu piquée et dépitée par le malheur. Clodomire Roi d'Aquitaine, après sa victoire poursuivant Gondemar Roi de Bourgogne vaincu et fuyant, le força de tourner tête, mais son opiniâtreté lui ôta le fruit de sa victoire, car il y mourut[5].

Pareillement qui aurait à choisir ou de tenir ses soldats richement et somptueusement armés, ou armés seulement pour la nécessité : il se présenterait en faveur du premier parti, duquel était[e] Sertorius, Philopœmen. Brutus, Cæsar et autres[6], que c'est toujours un aiguillon d'honneur et de gloire au soldat de se voir paré, et une occasion de se rendre plus obstiné au combat, ayant à sauver ses armes, comme ses biens et héritages. Raison, dit Xenophon[7], pourquoi les Asiatiques menaient en leurs guerres femmes concubines avec leurs joyaux et richesses plus chères. Mais il s'offrirait aussi de l'autre part, qu'on doit plutôt ôter au soldat le soin de se conserver, que de le lui accroître : qu'il craindra par ce moyen doublement à se hasarder : joint que c'est augmenter à l'ennemi l'envie de la victoire, par ces riches dépouilles : et a-l'on remarqué que d'autres

a. « Les plus profondes morsures sont celles de la nécessité dont on a déchaîné la colère » – *b*. « Qui provoque l'ennemi en tendant sa gorge fait payer chèrement sa défaite » – *c*. mais – *d*. faire l'expérience de – *e*. le verbe s'accorde avec le sujet le plus proche

fois cela encouragea merveilleusement les Romains à l'encontre des Samnites[1]. Antiochus montrant à Hannibal l'armée qu'il préparait contre eux pompeuse et magnifique en toute sorte d'équipage, et lui demandant : les Romains se contenteront-ils de cette armée ? s'ils s'en contenteront répondit-il, vraiment c'est mon[a], pour avares[b] qu'ils soient. Licurgus défendait aux siens, non seulement la somptuosité en leur équipage, mais encore de dépouiller leurs ennemis vaincus, voulant, disait-il, que la pauvreté et frugalité reluisît avec le reste de la bataille[2].

Aux sièges et ailleurs, où l'occasion nous approche de l'ennemi, nous donnons volontiers licence aux soldats de le braver, dédaigner, et injurier de toutes façons[c] de reproches : et non sans apparence de raison : car ce n'est pas faire peu, de leur ôter toute espérance de grâce et de composition[d], en leur représentant qu'il n'y a plus ordre de l'attendre de celui, qu'ils ont si fort outragé, et qu'il ne reste remède que de la victoire. Si est-ce qu'il en méprit[e] à Vitellius[3], car ayant affaire à Othon, plus faible en valeur de soldats, désaccoutumés de longue main[f] du fait de la guerre, et amollis par les délices de la ville, il les agaça tant enfin, par ses paroles piquantes, leur reprochant leur pusillanimité, et le regret des Dames et fêtes, qu'ils venaient de laisser à Rome, qu'il leur remit par ce moyen le cœur au ventre, ce que nuls enhortements[g] n'avaient su faire, et les attira lui-même sur ses bras, où l'on ne les pouvait pousser : et de vrai, quand ce sont injures qui touchent au vif, elles peuvent faire aisément, que celui qui allait lâchement à la besogne pour la querelle de

a. c'est sûr – *b*. quelle que soit leur cupidité – *c*. sortes – *d*. compromis – *e*. en prit mal à – *f*. de longue date – *g*. exhortations

son Roi, y aille d'un autre affection pour la sienne propre.

À considérer de combien d'importance est la conservation d'un chef en une armée, et que la visée de l'ennemi regarde principalement cette tête, à laquelle tiennent toutes les autres et en dépendent : il semble qu'on ne puisse mettre en doute ce conseil[a], que nous voyons avoir été pris par plusieurs grands chefs, de se travestir et déguiser sur le point[b] de la mêlée : toutefois l'inconvénient qu'on encourt par ce moyen, n'est pas moindre, que celui qu'on pense fuir : car le capitaine venant à être méconnu des siens, le courage qu'ils prennent de son exemple et de sa présence, vient aussi quant et quant[c] à leur faillir, et perdant la vue de ses marques[d] et enseignes accoutumées, ils le jugent ou mort, ou s'être dérobé désespérant de l'affaire. Et quant à l'expérience nous lui voyons favoriser tantôt l'un, tantôt l'autre parti. L'accident de Pyrrhus en la bataille qu'il eut contre le consul Levinus en Italie[1], nous sert à l'un et l'autre visage[e] : car pour s'être voulu cacher sous les armes de Demogacles, et lui avoir donné les siennes, il sauva bien sans doute sa vie, mais aussi il en cuida[f] encourir l'autre inconvénient, de perdre la journée. Alexandre, Cæsar, Lucullus[2] aimaient à se marquer au combat par des accoutrements et armes riches, de couleur reluisante et particulière : Agis, Agesilaus et ce grand Gylippus[3] au rebours allaient à la guerre obscurément couverts[g] et sans atour impérial.

À la bataille de Pharsale entre autres reproches qu'on donne à Pompeius, c'est d'avoir arrêté son armée pied-coi[h] attendant l'ennemi[4] : pour autant que

a. décision – *b.* à l'instant de – *c.* en même temps – *d.* signes distinctifs – *e.* point de vue – *f.* pensa – *g.* incognito – *h.* de pied ferme

cela (je déroberai ici les mots mêmes de Plutarque, qui valent mieux que les miens) affaiblit la violence, que le courir donne aux premiers coups, et quant et quant[a] ôte l'élancement des combattants, les uns contre les autres, qui a accoutumé de les remplir d'impétuosité, et de fureur, plus qu'autre chose, quand ils viennent à s'entrechoquer de roideur[b], leur augmentant le courage par le cri et la course, et rend la chaleur des soldats en manière de dire refroidie et figée[1]. Voilà ce qu'il dit pour ce rôle[c] : mais si Cæsar eût perdu, qui n'eût pu aussi bien dire, qu'au contraire, la plus forte et roide assiette, est celle en laquelle on se tient planté sans bouger, et que qui est en sa marche arrêté, resserrant et épargnant pour le besoin, sa force en soi-même, a grand avantage contre celui qui est ébranlé[d], et qui a déjà consommé à la course la moitié de son haleine : outre ce que l'armée étant un corps de tant de diverses pièces, il est impossible qu'elle s'émeuve[e] en cette furie, d'un mouvement si juste, qu'elle n'en altère ou rompe son ordonnance, et que le plus dispos ne soit aux prises, avant que son compagnon le secoure. En cette vilaine bataille des deux frères Perses[2], Clearchus Lacédémonien qui commandait les grecs du parti de Cirus, les mena tout bellement à la charge sans soi hâter, mais à cinquante pas près[f] il les mit à la course, espérant par la brièveté de l'espace ménager et leur ordre et leur haleine leur donnant cependant l'avantage de l'impétuosité pour leurs personnes et pour leurs armes à[g] trait. D'autres ont réglé ce doute en leur armée de cette manière : si les ennemis vous courent sus, attendez-les de pied-coi[h], s'ils vous attendent de pied-coi, courez-leur sus[3].

a. en même temps – *b*. avec force – *c*. Voilà ce que Plutarque dit sur ce cas – *d*. en mouvement – *e*. se mette en mouvement – *f*. à cinquante pas de l'armée ennemie – *g*. de – *h*. de pied ferme

Au passage que l'Empereur Charles cinquième fit en Provence, le Roi François fut au propre d'élire[a], ou de lui aller au-devant en Italie, ou de l'attendre en ses terres[1] : et bien qu'il considérât combien c'est d'avantage, de conserver sa maison pure et nette de troubles de la guerre, afin qu'entière en ses forces, elle puisse continuellement fournir deniers, et secours au besoin : que la nécessité des guerres porte à tous les coups, de faire le gast[b], ce qui ne se peut faire bonnement[c] en nos biens propres, et si[d] le paysan ne porte[e] pas si doucement ce ravage de ceux de son parti, que de l'ennemi, en manière qu'il s'en peut aisément allumer des séditions, et des troubles parmi nous : que la licence de dérober et de piller, qui ne peut être permise en son pays, est un grand support[f] aux ennuis de la guerre, et qui n'a autre espérance de gain que sa solde, il est mal aisé qu'il soit tenu en office[g], étant à deux pas de sa femme et de sa retraite : que celui qui met la nappe tombe toujours des dépens[h] : qu'il y a plus d'allégresse à assaillir qu'à défendre : et que la secousse de la perte d'une bataille dans nos entrailles est si violente, qu'il est malaisé qu'elle ne croule[i] tout le corps, attendu qu'il n'est passion contagieuse, comme celle de la peur, ni qui se prenne si aisément à crédit, et qui s'épande plus brusquement : et que les villes qui auront ouï l'éclat de cette tempête à leurs portes, qui auront recueilli leurs Capitaines et soldats tremblants encore, et hors d'haleine, il est dangereux sur la chaude[j], qu'ils ne se jettent à quelque mauvais parti. Si est-ce qu'il[k] choisit de rappeler les forces qu'il avait delà les monts,

a. fut à même de choisir – *b.* implique à tous les coups de dévaster – *c.* vraiment – *d.* encore – *e.* tolère – *f.* soulagement – *g.* devoir – *h.* fait toujours les frais de l'opération – *i.* fasse s'écrouler – *j.* dans le feu de l'action – *k.* toujours en est-il que [le Roi François] choisit...

et de voir venir l'ennemi : car il put imaginer au contraire, qu'étant chez lui et entre ses amis, il ne pouvait faillir d'avoir planté de[a] toutes commodités, les rivières, les passages à sa dévotion[b], lui conduiraient, et vivres, et deniers, en toute sûreté et sans besoin d'escorte : qu'il aurait ses sujets d'autant plus affectionnés, qu'ils auraient le danger plus près : qu'ayant tant de villes et de barrières pour sa sûreté, ce serait à lui de donner loi au combat, selon son opportunité et avantage : et s'il lui plaisait de temporiser, qu'à l'abri et à son aise, il pourrait voir morfondre son ennemi, et se défaire soi-même, par les difficultés qui le combattraient engagé en une terre contraire[c], où il n'aurait devant, ni derrière lui, ni à côté, rien qui ne lui fît guerre : nul moyen de rafraîchir[d] ou élargir son armée, si les maladies s'y mettaient, ni de loger à couvert ses blessés, nuls deniers, nuls vivres, qu'à pointe de lance[e], nul loisir de se reposer et prendre haleine, nulle science[f] de lieux, ni de pays, qui le sût défendre d'embûches et surprises : et s'il venait à la perte d'une bataille, aucun moyen d'en sauver les reliques[g]. Et n'avait pas faute d'exemples pour l'un et pour l'autre parti. Scipion trouva bien meilleur d'aller assaillir les terres de son ennemi en Afrique, que de défendre les siennes, et le combattre en Italie où il était, d'où bien lui prit. Mais au rebours, Hannibal en cette même guerre, se ruina, d'avoir abandonné la conquête d'un pays étranger, pour aller défendre le sien. Les Athéniens ayant laissé l'ennemi en leurs terres, pour passer en la Sicile, eurent la fortune contraire : mais Agathocles Roi de Siracuse l'eut favorable, ayant passé en Afrique,

a. il ne pouvait manquer d'avoir profusion de – *b*. à son service – *c*. ennemie – *d*. reposer – *e*. inaccessibles sinon en les prenant à la pointe de la lance – *f*. connaissance – *g*. ce qui en subsisterait

et laissé la guerre chez soi[1]. Ainsi nous avons bien accoutumé de dire avec raison, que les événements et issues dépendent, notamment en la guerre, pour la plupart, de la fortune, laquelle ne se veut pas ranger et assujettir à notre discours et prudence[2], comme disent ces vers,

Et male consultis pretium est, prudentia fallax,
Nec fortuna probat causas sequiturque merentes :
Sed vaga per cunctos nullo discrimine fertur.
Scilicet est aliud quod nos cogatque regatque
Majus, et in proprias ducat mortalia leges[a][3].

Mais à le bien prendre, il semble que nos conseils[b] et délibérations, en dépendent bien autant, et que la fortune engage en son trouble et incertitude, aussi nos discours[4]. Nous raisonnons hasardeusement et inconsidérément, dit Timæus[c] en Platon[5], parce que comme nous nos discours ont grande participation au hasard[6].

a. « Les projets dont on a mal délibéré connaissent aussi le succès ; la prudence est trompeuse, et la fortune n'approuve ni ne soutient les causes qui le méritent : mais elle erre à l'aveuglette au milieu des uns comme des autres. Sans aucun doute il y a une puissance supérieure qui nous pousse et nous régit, et qui dirige les affaires mortelles selon ses lois propres » – *b.* décisions – *c.* Timée

Des destriers

Chap. XLVIII

Me voici devenu Grammairien[a], moi qui n'appris jamais langue, que par routine, et qui ne sais encore que c'est d'adjectif, conjonctif[b], et d'ablatif : il me semble avoir ouï dire[1] que les Romains avaient des chevaux qu'ils appelaient *funales*, ou *dextrarios*, qui se menaient à dextre ou à relais[c], pour les prendre tout frais au besoin : et de là vient que nous appelons destriers les chevaux de service. Et nos Romans disent ordinairement, adestrer, pour accompagner. Ils appelaient aussi *desultorios equos*[d], des chevaux qui étaient dressés de façon, que courant de toute leur raideur[e], accouplés côté à côté l'un de l'autre, sans bride, sans selle, les gentilshommes Romains, voire tout armés, au milieu de la course se jetaient et rejetaient de l'un à l'autre. Les Numides gensdarmes[f] menaient en main un second cheval pour changer au plus chaud de la mêlée : *quibus desultorum in modum binos trahentibus equos inter acerrimam sæpe pugnam in recentem equum ex fesso armatis transsultare mos erat : tanta velocitas ipsis, tamque docile equorum genus*[g][2]. Il se trouve plusieurs chevaux dressés à secourir leur

a. lexicologue – *b*. subjonctif – *c*. à droite ou pour en remplacer d'autres – *d*. chevaux de voltige – *e*. de toute leur puissante vitesse – *f*. soldats – *g*. « Eux qui avaient l'habitude, à la façon des acrobates, de conduire deux chevaux et de sauter, tout armés, au plus fort de la

maître, courir sus à qui leur présente une épée nue, se jeter des pieds et des dents sur ceux qui les attaquent et affrontent : mais il leur advient plus souvent de nuire aux amis qu'aux ennemis. Joint que vous ne les déprenez pas à votre poste[a] quand ils sont une fois harpés[b] : et demeurés à la miséricorde[c] de leur combat. Il méprit[d] lourdement à Artibie, général de l'armée de Perse combattant contre Onesile Roi de Salamis de personne à personne[e], d'être monté sur un cheval façonné en cette école car il fut cause de sa mort : le coutillier[f] d'Onesile l'ayant accueilli d'une faux entre les deux épaules, comme il s'était cabré sur son maître[1]. Et ce que les Italiens disent[2] qu'en la bataille de Fornuove[3] le cheval du Roi le déchargea à ruades et coups de pied des ennemis qui le pressaient et qu'il était perdu sans cela : ce fut un grand coup de hasard, s'il est vrai. Les Mammelus[g] se vantent d'avoir les plus adroits chevaux de gendarmes[h] du monde. Et dit-on que par nature et par coutume ils sont faits par certains signes et voix[i] à ramasser avec les dents les lances et les dards et [à les offrir à leur] maître en pleine mêlée et à connaître et discerner [les ennemis.] On dit de Cæsar, et aussi du grand Pompeius[4] que parmi leurs autres excellentes qualités, ils étaient fort bons hommes de cheval : et de Cæsar, qu'en sa jeunesse monté à dos[j] sur un cheval, et sans bride, il lui faisait prendre carrière les mains tournées derrière le dos. Comme nature a voulu faire de ce personnage, et d'Alexandre deux miracles en l'art militaire, vous diriez qu'elle s'est aussi efforcée à les armer extraordinairement : car chacun sait, du cheval d'Alexandre Bucefal, qu'il avait la tête retirant[k] à celle d'un taureau, qu'il ne se souffrait monter à personne qu'à son maître, ne put être dressé que par lui-même, fut honoré après sa

---

bataille, d'un cheval fatigué sur un cheval frais ; si grande était leur agilité et si docile la race de leurs chevaux. » – *a*. Outre que vous ne les détachez pas à votre gré – *b*. une fois qu'ils sont attachés – *c*. à la merci – *d*. Mal en prit – *e*. corps à corps – *f*. écuyer – *g*. cavaliers égyptiens – *h*. chevaux de combat – *i*. paroles – *j*. à cru – *k*. ressemblant

mort, et une ville bâtie en son nom[1]. Cæsar en avait aussi un autre qui avait les pieds de devant comme un homme, ayant l'ongle coupée en forme de doigts, lequel ne put être monté ni dressé que par Cæsar, qui dédia son image après sa mort à la déesse Venus[2]. Je ne démonte[a] pas volontiers quand je suis à cheval : car c'est l'assiette[b], en laquelle je me trouve le mieux et sain et malade : Platon la recommande pour la santé[3], aussi dit Pline[4] qu'elle est salutaire à l'estomac et aux jointures : poursuivons donc, puisque nous y sommes. On lit en Xenophon[5] la loi, défendant de voyager à pied, à l'homme qui eût cheval. Trogus et Justinus disent que les Parthes avaient accoutumé de faire à cheval, non seulement la guerre, mais aussi tous leurs affaires publics et privés, marchander, parlementer, s'entretenir, et se promener : et que la plus notable différence des libres, et des serfs parmi eux, c'est que les uns vont à cheval, les autres à pied, institution née du Roi Cyrus. Il y a plusieurs exemples en l'histoire Romaine (et Suetone le remarque plus particulièrement de Cæsar)[6] des Capitaines qui commandaient à leurs gens de cheval de mettre pied à terre, quand ils se trouvaient pressés de l'occasion[c], pour ôter aux soldats toute espérance de fuite : et pour l'avantage qu'ils espéraient en cette sorte de combat *quo haud dubie superat Romanus*[d], dit Tite Live[7]. Si est-il[e] que [la] première provision[f] de quoi ils se servaient à brider la rébellion des peuples de nouvelle conquête, c'était leur ôter armes et chevaux. Pour tant[g] voyons-nous si souvent en Cesar : *arma proferri, jumenta produci, obsides dari jubet*[h][8]. Le grand Seigneur[i]

a. descends de cheval – *b.* position – *c.* dans des circonstances défavorables – *d.* « C'est par là que le Romain l'emporte sans conteste. » – *e.* Toujours est-il – *f.* précaution – *g.* pour ce motif – *h.* « Il ordonne qu'on livre les armes, qu'on amène les chevaux, qu'on fournisse des otages. » – *i.* Le Grand Turc ne permet aujourd'hui ni à Chrétien ni à Juif d'avoir cheval à soi, à ceux qui sont sous son empire[1]. Nos ancêtres et notamment du temps de la guerre des Anglais[2], en tous les combats solennels et journées assignées[a], se mettaient la plupart du temps tous à pied, pour ne se fier à autre chose, qu'à leur force propre, et vigueur de leur courage, et de leurs membres, de chose si chère que l'honneur et la vie. Vous engagez, quoi que die Chrysantez en Xenophon[3], votre valeur et votre fortune, à celle de votre cheval : ses plaies et sa mort tirent[b] la vôtre en conséquence : son effroi ou sa fougue vous rendent ou téméraire ou lâche : s'il a faute de bouche ou d'éperon[c], c'est à votre honneur à en répondre : À cette cause je ne trouve pas étrange, que ces combats-là fussent plus fermes, et plus furieux que ceux qui se font à cheval,

cedebant pariter, pariterque ruebant
Victores victique, neque his fuga nota neque illis[d4].

Leurs batailles se voient bien mieux contestées[e], ce ne sont asteure[f] que routes[g] : *primus clamor atque impetus rem decernit*[h5]. Et chose que nous appelons à la société d'un si grand hasard[i], doit être en notre puissance le plus qu'il se peut. Comme je conseillerais de choisir les armes les plus courtes, et celles de quoi nous nous pouvons le mieux répondre. Il est bien plus apparent de s'assurer d'une épée que nous tenons au poing, que du boulet qui échappe de notre pistole[j], en laquelle il y a plusieurs pièces, la poudre, la pierre, le rouet,

a. batailles rangées – *b*. entraînent – *c*. s'il n'est sensible ni au mors ni à l'éperon – *d*. « ils reculaient ensemble, ils chargeaient ensemble, tantôt vainqueurs, tantôt vaincus ; ni les uns ni les autres ne connaissaient la fuite. » – *e*. disputées – *f*. à cette heure – *g*. déroutes – *h*. « le premier cri de guerre, la première charge décident du combat » – *i*. à participer à une situation si hasardeuse – *j*. petite arquebuse de cavalerie

desquelles la moindre qui viendra à faillir, vous fera faillir votre fortune. On assène peu sûrement le coup, que l'air vous conduit,

Et quo ferre velint permittere vulnera ventis :
Ensis habet vires, et gens quæcumque virorum est
Bella gerit gladiis[a][1].

Mais quant à cette arme-là, j'en parlerai plus amplement, où je ferai comparaison des armes anciennes aux nôtres[2] : et sauf l'étonnement[b] des oreilles, à quoi désormais chacun est apprivoisé, je crois que c'est une arme de fort peu d'effet, et espère que nous en quitterons un jour l'usage. Celle de quoi les [Italiens] se servaient de jet et à feu, était plus effroyable. Ils nommaient phalarica une certaine espèce de javeline armée par le bout d'un fer de trois pieds, afin qu'il pût percer d'outre en outre un homme armé : et se lançait tantôt de la main en la campagne, tantôt à tout[c] des engins pour défendre les lieux assiégés : la hante[d] revêtue d'étoupe empoissée[e] et huilée s'enflammait de sa course : et s'attachant au [corps] ou au bouclier, ôtait tout usage d'armes et de membres. Toutefois il me semble que pour venir au joindre[f], elle portât aussi empêchement à l'assaillant, et que le champ jonché de ces tronçons brûlants produisît en la mêlée une commune incommodité,

magnum stridens contorta phalarica venit
Fulminis acta modo[g][3].

Ils avaient d'autres moyens à quoi l'usage les adressait[h] et qui nous semblent incroyables par inexpérience : par où ils suppléaient au défaut[i] de notre poudre et de nos boulets. Ils dardaient leurs piles[j] de telle roideur[k] que souvent ils en enfilaient deux boucliers et deux hommes armés et les cousaient. Les coups de leurs fondes[l] n'étaient pas moins certains et lointains : *saxis globosis funda mare*

a. « Laissant aux vents la liberté de porter les coups ; c'est l'épée qui possède la force, et toute nation virile fait la guerre avec le glaive. » – *b.* choc violent – *c.* avec – *d.* hampe – *e.* enduite de poix – *f.* aux prises – *g.* « Lancée dans un sifflement terrible, la phalarique [javelot] s'abat comme la foudre. » – *h.* exerçait – *i.* absence – *j.* javelots – *k.* force – *l.* frondes

apertum incessentes : coronas modici circuli magno ex intervallo loci assueti trajicere : non capita modo hostium vulnerabant sed quem locum destinassent[a][1]. Leurs pièces de batterie représentaient comme l'effet aussi le tintamarre des nôtres[b] : *ad ictus mœnium cum terribili sonitu editos pavor et trepidatio cepit*[c][2]. Les gaulois nos cousins en Asie[3] haïssaient ces armes traîtresses et volantes : duits[d] à combattre main à main avec plus de courage. *Non tam patentibus plagis moventur : ubi latior quam altior plaga est, etiam gloriosius se pugnare putant : idem cum aculeus sagittæ aut glandis abditæ introrsus tenui vulnere in speciem urit, tum in rabiem et pudorem tam parvæ perimentis pestis versi prosternunt corpora humi*[e][4]. Peinture bien voisine d'une arquebusade. Les dix mille grecs[5] en leur longue et fameuse retraite rencontrèrent [une nation qui les endommagea merveilleusement[f] à coups de grands arcs et forts] et de sagettes[g] si longues qu'à les reprendre à la main on les pouvait rejeter [à] la mode d'un dard et perçaient de part en part le bouclier et un homme armé. Les engins que Dionisius inventa à Siracuse à tirer gros traits massifs et des pierres d'horrible grandeur, d'une si longue volée et impétuosité, représentaient de bien près[h] nos inventions[6]. Encore ne faut-il pas oublier la plaisante assiette qu'avait sur sa mule un maître Pierre Pol Docteur en Théologie, que Monstrelet[7] récite[i] avoir accoutumé se promener par la ville de Paris, assis de côté, comme les femmes. Il dit aussi ailleurs[8], que les Gas-

a. « entraînés à cribler la haute mer de pierres rondes avec une fronde et à leur faire traverser de loin d'étroites couronnes, ils blessaient non seulement la tête de l'adversaire, mais l'endroit même du visage qu'ils visaient. » – *b.* Leur artillerie égalait l'efficacité autant que le fracas de la nôtre – *c.* « au fracas des coups portés au rempart, ils furent saisis de peur et de panique. » – *d.* habitués – *e.* « Les plaies ouvertes ne les émeuvent guère : lorsque la blessure est large plus que profonde, ils considèrent que la gloire du combat s'en accroît. Mais quand une pointe de flèche ou une balle de fronde pénètre dans la chair et la brûle, sous l'aspect d'une légère blessure, alors la honte et la rage les saisissent d'être victimes d'un mal si minuscule, et ils se jettent à terre. » – *f.* étonnamment – *g.* flèches – *h.* ressemblaient beaucoup à – *i.* raconte

cons avaient des chevaux terribles, accoutumés de virer en courant, de quoi les Français, Picards, Flamands, et Brabançons, faisaient grand miracle, pour n'avoir accoutumé[a] de le voir : ce sont ses mots. Cæsar parlant de ceux de Suede[1] : Aux rencontres qui se font à cheval, dit-il, ils se jettent souvent à terre pour combattre à pied, ayant accoutumé leurs chevaux de ne bouger cependant de la place, auxquels ils recourent promptement, s'il en est besoin : et selon leur coutume, il n'est rien si vilain et si lâche que d'user de selles et bardelles[b], et méprisent ceux qui en usent, de manière que fort peu en nombre, ils ne craignent pas d'en assaillir plusieurs. Ce que j'ai admiré autrefois de voir un cheval dressé, à se manier à toutes mains[c], avec une baguette, la bride avalée[d] sur ses oreilles, était ordinaire aux Massiliens, qui se servaient de leurs chevaux sans selle et sans bride,

Et gens quæ nudo residens Massilia dorso
Ora levi flectit frænorum nescia, virga.
Et Numidæ infræni cingunt[e2] :

equi sine frenis, deformis ipse cursus, rigida cervice et extento capite currentium[f3]. Le Roi Alphonse, celui qui dressa en Espaigne, l'ordre des chevaliers de la Bande, ou de l'Echarpe, leur donna entre autres règles, de ne monter ni mule ni mulet, sur peine d'un marc d'argent d'amende : comme je viens d'apprendre dans les lettres de Guevara, desquelles ceux qui les ont appelées dorées, faisaient jugement bien autre

a. parce qu'ils n'avaient pas l'habitude – *b*. couvertures rembourrées utilisées comme selles – *c*. en tous sens – *d*. relâchée – *e*. « Et le peuple Massylien monte à cru, ignore le frein et dirige les chevaux avec une légère baguette ; et les Numides voisins montent sans frein. » – *f*. « leurs chevaux sont sans mors et leur allure est dépourvue d'élégance, la nuque raide et la tête lancée en avant dans la course. »

que celui que j'en fais[1]. Le courtisan[2] dit qu'avant son temps c'était reproche[a] à un gentilhomme d'en chevaucher. Les Abyssins à mesure qu'ils sont plus grands et plus avancés près le Prettejan[b3], leur maître affectent au rebours[c] des mules à monter par honneur. Xenophon[4] que les Assyriens tenaient leurs chevaux toujours entravés au logis tant ils étaient fâcheux et farouches et qu'il fallait tant de temps [à] les détacher et harnacher que, pour que cette longueur à la guerre ne leur apportât dommage, s'ils venaient [à] être en dessoude[d] surpris par les ennemis, ils ne logeaient jamais en camp qui ne fût fossoyé et remparé[e]. Son Cyrus[5], si grand maître au fait de chevalerie, mettait les chevaux de son écot[f] : [et] ne leur faisait bailler [à] manger qu'ils ne l'eussent gagné par la sueur de quelque exercice. Les Scythes, où la nécessité les pressait en la guerre, tiraient du sang de leurs chevaux, et s'en abreuvaient et nourrissaient,

Venit et epoto Sarmata pastus equo[g6].

Ceux de Crotte[7] assiégés par Metellus, se trouvèrent en telle disette de tout autre breuvage, qu'ils eurent à se servir de l'urine de leurs chevaux. Pour vérifier combien les armées Turquesques se conduisent et maintiennent à meilleure raison[h] que les nôtres ils disent[i] qu'outre ce que les soldats ne boivent que de l'eau et ne mangent que riz et de la chair salée mise en poudre, de quoi chacun porte aisément sur soi provision pour un mois : ils savent aussi vivre de sang de leurs chevaux, comme les Tartares et Moscovites, et le salent[8]. Ces nouveaux peuples des Indes, quand les Espagnols y arrivèrent, estimèrent tant des hommes que des chevaux, que ce fussent, ou Dieux ou animaux, en noblesse au-dessus de leur nature : Aucuns[j] après avoir été

a. on reprochait – *b.* à mesure qu'ils sont plus en grâce auprès du Prêtre Jean – *c.* cherchent au contraire – *d.* à l'improviste – *e.* protégé par un fossé et un rempart – *f.* traitait les chevaux comme lui-même – *g.* « Survient aussi le Sarmate nourri du sang de son cheval. » – *h.* de manière plus raisonnable – *i.* on dit – *j.* certains

vaincus, venant demander paix et pardon aux hommes, et leur apporter de l'or et des viandes[a], ne faillirent d'en aller autant offrir aux chevaux, avec une toute pareille harangue à celle des hommes, prenant leur hennissement, pour langage de composition[b] et de trêve[1]. Aux Indes de deçà[c], c'était anciennement le principal et royal honneur de chevaucher un éléphant, le second d'aller en coche, traîné à quatre chevaux, le tiers de monter un chameau, le dernier et plus vil degré, d'être porté ou charrié par un cheval seul[2]. Quelqu'un de notre temps écrit avoir vu en ce climat-là[d], des pays, où l'on chevauche les bœufs, avec bastines[e], étriers et brides, et s'être bien trouvé de leur porture[f]. Quintus Fabius Maximus Rutilianus contre les Samnites, voyant que ses gens de cheval à trois ou quatre charges avaient failli[g] d'enfoncer le bataillon des ennemis, prit ce conseil qu'ils débridassent leurs chevaux et brechassent[h] à toute force des éperons, si que[i] rien ne les pouvant arrêter au travers des armes et des hommes renversés ouvrirent le pas[j] à leurs gens de pied qui parfirent une très sanglante défaite[3]. Autant en commanda Quintus Fulvius Flaccus contre les Celtibériens : *id cum majore vi equorum facietis si effrenatos in hostes equos immittitis: quod sæpe Romanos equites cum laude fecisse sua, memoriæ proditum est. Detractisque frenis [bis ultro citroque cum magna strage hostium, infractis omnibus hastis, transcurrerunt*[k4]*.]* Le Duc de Moscovie devait anciennement cette révérence[l] aux Tartares, quand ils envoyaient vers lui des Ambassadeurs : qu'il leur allait au-devant à pied, et leur présentait un gobeau[m] de lait de jument

a. mets – *b.* compromis – *c.* Indes orientales – *d.* en cette région-là – *e.* petits bâts – *f.* transport – *g.* n'avaient pas réussi à – *h.* piquassent – *i.* si bien que – *j.* passage – *k.* « Vous rendrez le choc des chevaux plus puissant si vous les lancez débridés contre l'ennemi, ce que les cavaliers romains ont fait souvent pour leur gloire, selon la tradition. Ayant ôté les brides, ils traversèrent deux fois les lignes ennemies en faisant un grand carnage et en brisant toutes les lances. » – *l.* témoignage de respect – *m.* gobelet (breuvage qui leur est en délices) et si en buvant quelque goutte en tombait sur le crin de leurs chevaux, il était tenu de la lécher avec la langue[1]. En Russie, l'armée que l'Empereur Bajazet y avait envoyé, fut accablée d'un si horrible ravage[a] de neiges, que pour s'en mettre à couvert, et sauver du froid, plusieurs s'avisèrent de tuer et éventrer leurs chevaux, pour se jeter dedans, et jouir de cette chaleur vitale[2]. Bajazet après cet âpre estour[b] où il fut rompu par Tamburlan se sauvait belle erre[c] sur une jument Arabesque, s'il n'eût été contraint de la laisser boire son saoul au passage d'un ruisseau : ce qui la rendit si flasque et refroidie qu'il fut bien aisément après aconsuivi[d] par ceux qui le poursuivaient[3]. On dit bien qu'on les lâche[e] les laissant pisser, mais le boire, j'eusse plutôt estimé qu'il l'eût rafraîchie et renforcée. Cræsus passant le long de la ville de Sardis y trouva des pâtis[f] où il y avait grande quantité de serpents desquels les chevaux de son armée mangeaient de bon appétit, qui fut un mauvais prodige[g] à ses affaires, dit Herodote[4]. Nous appelons un cheval entier qui a crin et oreille, et ne passent les autres à la montre[h] : les Lacédémoniens ayant défait les Athéniens, en la Sicile, retournant de la victoire en pompe en la ville de Siracuse, entre autres bravades, firent tondre les chevaux vaincus, et les menèrent ainsi en triomphe[5]. Alexandre combattit une nation Dahas : ils allaient deux à deux armés à cheval à la guerre, mais en la mêlée l'un descendait à terre, et combattaient ore[i] à pied, ore à cheval, l'un après l'autre[6]. [Je n'estime point qu'en suffisance et en grâce à cheval nulle nation nous emporte[j]. Bon homme de] cheval, à l'usage de notre parler semble plus regarder au courage qu'à l'adresse. Le plus savant, le plus sûr et mieux avenant à mener un cheval à raison[k] que j'aie

a. tempête – *b*. combat – *c*. rapidement – *d*. rattrapé – *e*. relâche – *f*. buissons – *g*. prodige de mauvais augure – *h*. Les autres chevaux ne sont pas admis à la revue. – *i*. tantôt – *j*. surpasse – *k*. à dresser un cheval

connu fut à mon gré le sieur de Carnevalet[1] qui en servait notre Roi Henry second. J'ai vu[2] homme donner carrière[a] à deux pieds sur sa selle. Démonter sa selle et au retour la relever, réaccommoder et s'y rasseoir, fuyant toujours à bride avalée[b]. Ayant passé par-dessus un bonnet, y tirer par-derrière des bons coups de son arc. Amasser ce qu'il voulait se jetant d'un pied à terre, tenant l'autre en étrier : et autres pareilles singeries de quoi il vivait. On a vu[3] de mon temps à Constantinople, deux hommes sur un cheval, lesquels en sa plus roide course, se rejetaient à tours[c], à terre, et puis sur la selle. Et un, qui seulement des dents, bridait et harnachait son cheval. Un autre, qui entre deux chevaux, un pied sur une selle, l'autre sur l'autre, portant un second sur ses bras, courait à toute bride : ce second tout debout sur lui, tirant en la course, des coups bien certains de son arc. Plusieurs, qui les jambes contremont[d], couraient la tête plantée sur leurs selles, entre les pointes des cimeterres attachés au harnais. En mon enfance le Prince de Sulmone[4] à Naples, maniant un rude cheval, de toute sorte de maniements[e], tenait sous ses genoux et sous ses orteils des reales[f] : comme si elles y eussent été clouées : pour montrer la fermeté de son assiette.

a. laisser le cheval partir au galop – *b*. à bride abattue – *c*. tour à tour – *d*. en l'air – *e*. exercices de dressage – *f*. monnaie espagnole

Des coutumes anciennes

CHAP. XLIX

J'excuserais volontiers en notre peuple, de n'avoir autre patron et règle de perfection, que ses propres mœurs et usances[a] : car c'est un commun vice, non du vulgaire seulement, mais quasi de tous hommes, d'avoir leur visée et leur arrêt[b], sur le train[c], auquel ils sont nés. Je suis content[d], quand il verra Fabritius ou Lælius[1], qu'il leur trouve la contenance et le port barbare, puisqu'ils ne sont ni vêtus ni façonnés à notre mode. Mais je me plains de sa particulière indiscrétion[e], de se laisser si fort piper[f] et aveugler à l'autorité de l'usage présent, qu'il soit capable de changer d'opinion et d'avis tous les mois, s'il plaît à la coutume : et qu'il juge si diversement de soi-même. Quand il portait le busc[g] de son pourpoint entre les mamelles[h], il maintenait par vives raisons qu'il était en son vrai lieu : quelques années après le voilà avalé[i] jusques entre les cuisses, il se moque de son autre usage, le trouve inepte et insupportable. La façon de se vêtir présente, lui fait incontinent condamner l'ancienne, d'une résolution si grande, et d'un consentement si universel, que vous diriez que c'est une

a. usages – *b.* leur limite – *c.* l'allure – *d.* Je veux bien – *e.* manque de discernement – *f.* tromper – *g.* armature rigide – *h.* sur la poitrine – *i.* tombé

espèce de manie, qui lui tourneboule ainsi l'entendement. Parce que notre changement est si subit et si prompt en cela, que l'invention de tous les tailleurs du monde ne saurait fournir assez de nouvelletés, il est force[a] que bien souvent les formes méprisées reviennent en crédit, et celles-là mêmes tombent en mépris tantôt après, et qu'un même jugement prenne en l'espace de quinze ou vingt ans, deux ou trois, non diverses seulement, mais contraires opinions, d'une inconstance et légèreté incroyable. Il n'y a si fin d'entre nous qui ne se laisse embabouiner de[b] cette contradiction et éblouir tant les yeux internes[c] que les externes insensiblement. Je veux ici entasser aucunes[d] façons anciennes, que j'ai en mémoire : les unes de même[e] les nôtres, les autres différentes : afin qu'ayant en l'imagination cette continuelle variation des choses humaines, nous en ayons le jugement plus éclairci et plus ferme. Ce que nous disons de combattre, à l'épée et la cape, il s'usait encore[f] entre les Romains, ce dit[g] Cæsar, *sinistris sagos involvunt, gladiosque distringunt*[h][1]. Et remarque dès lors en notre nation ce vice, qui y est encore, d'arrêter les passants que nous rencontrons en chemin, et de les forcer de nous dire qui ils sont, et de recevoir à injure[i] et occasion de querelle, s'ils refusent de nous répondre. Aux bains que les Anciens prenaient tous les jours avant le repas, et les prenaient aussi ordinairement que nous faisons de l'eau à laver les mains : ils ne se lavaient du[j] commencement que les bras et les jambes, mais depuis, et d'une coutume qui a duré plusieurs siècles et en la plupart des nations du monde, ils se lavaient tous nus, d'eau

a. il est nécessaire – *b.* leurrer par – *c.* le jugement – *d.* quelques – *e.* semblables aux – *f.* il était aussi en usage – *g.* comme dit – *h.* « ils enroulent leur manteau sur leur bras gauche, et tirent leur glaive » – *i.* comme une injure – *j.* au

mixtionnée[a] et parfumée : de manière, qu'ils employaient pour témoignage[b] de grande simplicité, de se laver d'eau simple. Les plus affétés et délicats, se parfumaient, tout le corps bien trois ou quatre fois par jour. Ils se faisaient souvent pinceter[c] tout le poil, comme les femmes Françaises ont pris en usage, depuis quelque temps de faire leur front,

Quod pectus, quod crura tibi, quod brachia vellis[d1].

Quoiqu'ils eussent des oignements[e], propres à cela,

Psilotro nitet, aut arida latet oblita creta[f2].

Ils aimaient à se coucher mollement, et allèguent pour preuve de patience[g], de coucher sur le matelas. Ils mangeaient couchés sur des lits, à peu près en même assiette[h] que les Turcs de notre temps,

Inde thoro pater Æneas sic orsus ab alto[i3].

Et dit-on du jeune Caton que depuis la bataille de Pharsale, étant entré en deuil du mauvais état des affaires publiques, il mangea toujours assis, prenant un train de vie plus austère[4]. Ils baisaient les mains aux grands pour les honorer et caresser[j]. Et entre les amis, ils s'entrebaisaient en se saluant, comme font les Vénitiens,

Gratatusque darem cum dulcibus oscula verbis[k5].

Et touchaient aux genoux pour requérir ou saluer un grand. Pasicles le philosophe, frère de Crates, au lieu de porter la main au genou, la porta aux génitoires. Celui à qui il s'adressait l'ayant rudement repoussé. Comment, dit-il, ceci n'est-il pas vôtre aussi bien que les genoux[6] ? Ils mangeaient comme nous, le fruit à l'issue de table. Ils se torchaient le cul (il faut laisser aux

a. mélangée de parfums – *b*. prenaient comme exemple – *c*. épiler – *d*. « Tu t'épiles la poitrine, les jambes, les bras » – *e*. pommades – *f*. « Sa peau brille de pommade dépilatoire, ou disparaît sous la craie sèche » – *g*. de résistance – *h*. position – *i*. « Alors, du haut de son lit, le vénérable Énée commença à parler » – *j*. flatter – *k*. « En te congratulant, je t'embrasserais avec de douces paroles »

femmes cette vaine superstition des paroles[a]) avec une éponge : voilà pourquoi *spongia* est un mot obscène en Latin : et était cette éponge attachée au bout d'un bâton : comme témoigne l'histoire de celui qu'on menait pour être présenté[b] aux bêtes, devant le peuple, qui demanda congé[c] d'aller à ses affaires, et n'ayant autre moyen de se tuer, il se fourra ce bâton et éponge dans le gosier, et s'en étouffa[1]. Ils s'essuyaient le catze[d] de laine parfumée, quand ils en avaient fait,

At tibi nil faciam, sed lota mentula lana[e2].

Il y avait aux carrefours à Rome, des vaisseaux et demi-cuves, pour y apprêter à[f] pisser aux passants,

Pusi sæpe lacum propter, se ac dolia curta
Somno devincti credunt extollere vestem[g3].

Ils faisaient collation entre les repas. Et y avait en été, des vendeurs de neige pour rafraîchir le vin : et en y avait qui se servaient de neige en hiver[4], ne trouvant pas le vin encore lors assez froid. Les grands avaient leurs échançons et tranchants[h], et leurs fols, pour leur donner plaisir. On leur servait en hiver la viande sur des foyers qui se portaient sur la table : et avaient des cuisines portatives, comme j'en ai vu, dans lesquelles tout leur service se traînait après eux,

Has vobis epulas habete lauti,
Nos offendimur ambulante cæna[i5].

Et en été ils faisaient souvent en leurs salles basses, couler de l'eau fraîche et claire, dans des canaux au-dessous d'eux, où il y avait force poisson en vie,

a. mots – *b.* livré – *c.* la permission – *d.* pénis – *e.* « À présent je ne te ferai rien, mais la verge essuyée de laine... » – *f.* permettre de – *g.* « Souvent les petits garçons, dans leur profond sommeil, rêvent qu'ils soulèvent leur tunique devant un bassin ou une cuve » – *h.* serviteur chargé de trancher les mets – *i.* « Gardez pour vous ces mets luxueux : nous, les cuisines ambulantes nous rebutent. »

que les assistants choisissaient et prenaient en la main, pour le faire apprêter, chacun à sa poste[a]: Le poisson a toujours eu ce privilège, comme il a encore, que les grands se mêlent de le savoir apprêter: aussi en est le goût beaucoup plus exquis, que de la chair[b], au moins pour moi. Mais en toute sorte de magnificence, de débauche, et d'inventions voluptueuses, de mollesse et de somptuosité, nous faisons à la vérité ce que nous pouvons pour les[c] égaler, car notre volonté est bien aussi gâtée que la leur, mais notre suffisance[d] n'y peut arriver: nos forces ne sont non plus capables de les joindre[e], en ces parties-là vicieuses, qu'aux vertueuses: car les unes et les autres partent d'une vigueur d'esprit, qui était sans comparaison plus grande en eux qu'en nous: et les âmes à mesure qu'elles sont moins fortes, elles ont d'autant moins de moyen de faire ni fort bien, ni fort mal. Le haut bout d'entre eux[f] c'était le milieu. Le devant et derrière n'avaient en écrivant et parlant aucune signification de grandeur, comme il se voit évidemment par leurs écrits: ils diront Oppius[1] et Cæsar, aussi volontiers, que Cæsar et Oppius: et diront moi et toi indifféremment comme toi et moi. Voilà pourquoi j'ai autrefois remarqué en la *Vie de Flaminius* de Plutarque Français[g], un endroit, où il semble que l'auteur parlant de la jalousie de gloire, qui était entre les Ætoliens et les Romains, pour le gain d'une bataille qu'ils avaient obtenu en commun, fasse quelque poids de ce qu'aux chansons Grecques, on nommait les Ætholiens avant les Romains, s'il n'y a de l'Amphibologie[h] aux mots Français[2]. Les

a. à son choix – *b.* viande – *c.* les anciens Romains – *d.* capacité – *e.* rejoindre – *f.* la place d'honneur à table, chez eux – *g.* traduit en français (par Amyot) – *h.* ambiguïté

Dames étant aux étuves, y recevaient quant et quant[a] des hommes, et se servaient là même, de leurs valets à les frotter et oindre,

Inguina succinctus nigra tibi servus aluta
Stat, quoties calidis nuda foveris aquis[b1].

Elles se saupoudraient de quelque poudre, pour réprimer les sueurs. Les anciens Gaulois, dit Sidonius Apollinaris, portaient le poil[c] long par le devant, et le derrière de la tête tondu[2], qui est cette façon qui vient à être renouvelée par l'usage efféminé et lâche de ce siècle. Les Romains payaient ce qui était dû aux bateliers, pour leur naulage[d], dès l'entrée du bateau, ce que nous faisons après être rendus à port,

dum as exigitur, dum mula ligatur,
Tota abit hora[e3].

Les femmes couchaient au lit du côté de la ruelle : voilà pourquoi on appelait Cæsar, *spondam Regis Nicomedis*[f4]. Ils prenaient haleine[g] en buvant. Ils baptisaient le vin[h],

quis puer ocius
Restinguet ardentis falerni
Pocula prætereunte lympha[i5] ?

Et ces champisses[j] contenances de nos laquais y étaient aussi,

O Jane a tergo quem nulla ciconia pinsit,
Nec manus auriculas imitata est mobilis albas,
Nec linguæ quantum sitiet canis Apula tantum[k6].

a. en même temps – *b.* « Un esclave vêtu d'un tablier de cuir noir t'assiste lorsque, nue, tu prends un bain chaud » – *c.* les cheveux – *d.* navigation – *e.* « tandis qu'on demande l'argent, qu'on attache la mule, une bonne heure se passe » – *f.* « la ruelle du roi Nicomède » – *g.* respiraient – *h.* coupaient le vin avec de l'eau – *i.* « Quel esclave va se hâter d'éteindre le feu du vin de Falerne avec cette eau qui court ? » – *j.* effrontées – *k.* « Ô Janus, toi à qui on ne peut faire de cornes dans le dos, ni imiter avec la main de blanches oreilles d'âne, ni tirer une langue longue comme celle d'un chien assoiffé d'Apulie »

Les Dames Argiennes et Romaines, portaient le deuil blanc[a][1], comme les nôtres avaient accoutumé, et devaient continuer de faire, si j'en étais cru. Mais il y a des livres entiers faits sur cet argument.

a. en blanc

De Democritus et Heraclitus

CHAP. L

Le jugement est un outil à tous sujets, et se mêle partout. À cette cause[a] aux essais, que j'en fais ici, j'y emploie toute sorte d'occasion. Si c'est un sujet que je n'entende point, à cela même je l'essaie, sondant le gué de bien loin, Et puis le trouvant trop profond pour ma taille, je me tiens à la rive : Et cette reconnaissance de ne pouvoir passer outre, c'est un trait de son effet, voire de ceux, de quoi il se vante le plus. Tantôt à un sujet vain et de néant[b], j'essaie voir s'il trouvera de quoi lui donner corps, et de quoi l'appuyer et étançonner[c]. Tantôt je le promène à un sujet noble et tracassé[d], auquel il n'a rien à trouver de soi, le chemin en étant si frayé, qu'il ne peut marcher que sur la piste d'autrui. Là il fait son jeu à élire[e] la route qui lui semble la meilleure, et de mille sentiers, il dit que cettui-ci, ou celui-là, a été le mieux choisi. Je prends de la fortune[f] le premier argument. Ils me sont également bons : Et ne desseigne[g] jamais de les produire entiers. [Car je ne vois le tout de rien. Ne font pas[h] ceux] qui promettent de nous le faire voir. De cent membres et visages qu'a chaque chose j'en prends un tantôt à lécher seulement, tantôt

a. Pour cette raison – *b*. inconsistant et sans valeur – *c*. étayer – *d*. rebattu – *e*. choisir – *f*. au hasard – *g*. ne forme jamais le dessein – *h*. N'y parviennent pas

à effleurer, Et parfois à pincer jusqu'à l'os. J'y donne une pointe non pas le plus largement mais le plus profondément que je sais. Et aime plus souvent à les saisir par quelque lustre[a] inusité. Je me hasarderais de traiter à fond quelque matière si je me connaissais moins. Semant ici un mot, ici un autre, Échantillons dépris[b] de leur pièce : écartés sans dessein et sans promesse, je ne suis pas tenu d'en faire bon[c]. Ni de m'y tenir moi-même sans varier quand il me plaît. Et me rendre[d] au doute et incertitude et à ma maîtresse forme[e], qui est l'ignorance. Tout mouvement nous découvre[1]. Cette même âme de Cæsar, qui se fait voir à ordonner et dresser[f] la bataille de Pharsale, elle se fait aussi voir à dresser des parties[g] oisives et amoureuses. On juge un cheval, non seulement à le voir manier sur une carrière, mais encore à lui voir aller le pas, voire et[h] à le voir en repos à l'étable. Entre les fonctions de l'âme il en est de basses : qui ne la voit encore par là, n'achève pas de la connaître[i]. [Et] à l'aventure la remarque[j] l'on mieux où elle va son pas simple. Les vents des passions la prennent plus en ces hautes assiettes[k]. Joint qu'elle se couche entière sur chaque matière : et s'y exerce entière et n'en traite jamais plus d'une à la fois. Et la traite non selon elle, mais selon soi. Les choses à part elles[l] ont peut-être leurs poids et mesures et conditions, mais au-dedans en nous, elle[m] [les] leur taille comme elle l'entend. La mort est effroyable à Ciceron, désirable à Caton, indifférente à Socrates. La santé, la conscience, l'autorité, la science, la richesse, la beauté et leurs contraires se dépouillent à l'entrée et reçoivent de l'âme nouvelle vêture et de la teinture qu'il lui plaît : brune, verte, claire, obscure, aigre, douce, profonde, superficielle : et qu'il plaît à chacune d'elles : car elles n'ont pas vérifié en commun leurs styles, règles et formes : chacune est reine en son état. Par quoi ne prenons plus excuse des externes

a. éclairage. – *b*. détachés – *c*. d'en tirer une conclusion – *d*. Et je puis me rendre – *e*. principal caractère – *f*. organiser – *g*. organiser des intrigues – *h*. et même – *i*. ne la connaît pas de manière achevée – *j*. Et peut-être la distingue-t-on mieux – *k*. situations supérieures – *l*. telles qu'en elles-mêmes – *m*. l'âme

qualités des choses : c'est à nous à nous en rendre compte. Notre bien et notre mal ne tient qu'à nous. Offrons-y[a] nos offrandes et nos vœux, non pas à la fortune : elle ne peut rien sur nos mœurs : au rebours, elles l'entraînent à leur suite, et la moulent à leur forme. Pourquoi ne jugerai-je d'Alexandre à table, devisant et buvant d'autant[b] : ou s'il maniait des échecs. Quelle corde de son esprit ne touche et n'emploie ce niais et puéril jeu. Je le[c] hais et fuis, de ce qu'il n'est pas assez jeu, et qu'il nous ébat[d] trop sérieusement, ayant honte d'y fournir l'attention qui suffirait à quelque bonne chose. Il ne fut pas plus embesogné à dresser[e] son glorieux passage aux Indes : ni cet autre, à dénouer un passage[f] duquel dépend le salut du genre humain. Voyez combien notre âme grossit et épaissit cet amusement ridicule : si tous ses nerfs ne bandent[g]. Combien amplement elle donne à chacun loi en cela, de se connaître, et de juger droitement de soi. Je ne me vois et retâte plus universellement en nulle autre posture. Quelle passion ne nous y exerce[h] : la colère, le dépit, la haine, l'impatience, et une véhémente ambition de vaincre, en chose en laquelle il serait plus excusable d'être ambitieux d'être vaincu. Car la précellence rare et au-dessus du commun messied à un homme d'honneur en chose frivole. Ce que je dis en cet exemple se peut dire en tous autres : chaque parcelle, chaque occupation [de l'homme l'accuse et le montre] également qu'une autre. Democritus et Heraclytus, ont été deux philosophes, desquels le premier trouvant vaine et ridicule l'humaine condition, ne sortait en public, qu'avec un visage moqueur en riant : Heraclitus, ayant pitié et compassion de cette même condition nôtre, en portait le visage continuellement attristé, et les yeux chargés de larmes,

alter
Ridebat quoties a limine moverat unum
Protuleratque pedem, flebat contrarius alter[i1].

a. à nous-mêmes – *b.* autant qu'il le pouvait – *c.* le jeu d'échecs – *d.* divertit – *e.* Il ne fut pas plus occupé à organiser – *f.* accorder les contrariétés d'un passage [de l'Écriture] – *g.* si toutes ses forces ne se tendent – *h.* anime – *i.* « L'un riait dès qu'il mettait le pied hors de chez

J'aime mieux la première humeur, non parce qu'il est plus plaisant de rire que de pleurer : mais parce qu'elle est plus dédaigneuse, et qu'elle nous condamne plus que l'autre : et il me semble, que nous ne pouvons jamais être assez méprisés selon notre mérite. La plainte et la commisération sont mêlées à quelque estimation[a] de la chose qu'on plaint : les choses de quoi on se moque, on les estime sans prix[b]. Je ne pense point qu'il y ait tant de malheur en nous, comme il y a de vanité[c], ni tant de malice comme de sottise : nous ne sommes pas si pleins de mal, comme d'inanité : nous ne sommes pas si misérables, comme nous sommes vils. Ainsi Diogenes, qui baguenaudait à part soi, roulant son tonneau, et hochant du nez[d] le grand Alexandre[1], nous estimant des mouches, ou des vessies pleines de vent, était bien juge plus aigre et plus poignant[e], et par conséquent, plus juste à mon humeur que Timon[2], celui qui fut surnommé le haïsseur des hommes. Car ce qu'on hait on le prend à cœur. Cettui-ci nous souhaitait du mal, était passionné du désir de notre ruine, fuyait notre conversation comme dangereuse, de méchants, et de nature dépravée : l'autre nous estimait si peu, que nous ne pourrions, ni le troubler, ni l'altérer par notre contagion, nous laissait de compagnie[f], non pour la crainte, mais pour le dédain de notre commerce : il ne nous estimait capables, ni de bien, ni de mal faire. De même marque[g] fut la réponse de Statilius, auquel Brutus parla pour le joindre à la conspiration contre Cæsar[3] : il trouva l'entreprise juste, mais il ne trouva pas les hommes dignes, pour lesquels on se mît aucu-

lui, tandis que l'autre pleurait au contraire. » – *a*. estime pour – *b*. sans valeur – *c*. inanité – *d*. dédaignant – *e*. acerbe – *f*. faussait compagnie – *g*. de même espèce

nement[a] en peine. Conformément à la discipline de Hegesias qui disait le sage ne devoir rien faire que pour soi : d'autant que seul il est digne pour qui on fasse[1]. Et à celle de Theodorus que c'est injustice que le sage se hasarde pour [le] bien de son pays et qu'il mette en péril la sagesse pour des fols[2]. Notre propre et péculière[b] condition, est autant ridicule que risible[c].

a. en quelque façon – *b.* particulière – *c.* qui a la faculté de rire

De la vanité des paroles

CHAP. LI

Un Rhétoricien[a] du temps passé, disait que son métier était, de choses petites les faire paraître et trouver grandes[1] : c'est un cordonnier qui sait faire de grands souliers à un petit pied[2]. On lui eût fait donner le fouet en Sparte, de faire profession d'une art piperesse et mensongère[b] : et crois que Archidamus qui en était Roi, n'ouït pas sans étonnement la réponse de Thucididez, auquel il s'enquérait, qui était plus fort à la lutte, ou Pericles ou lui : cela, fit-il, serait malaisé à vérifier, car quand je l'ai porté par terre en luttant, il persuade à ceux qui l'ont vu, qu'il n'est pas tombé, et le gagne[3]. Ceux qui masquent et fardent les femmes, font moins de mal car c'est chose de peu de perte de ne les voir pas en leur naturel : là où ceux-ci font état de tromper, non pas nos yeux, mais notre jugement, et d'abâtardir et corrompre l'essence des choses. Les républiques[c] qui se sont maintenues en un état réglé et bien policé, comme la Cretense[d] ou Lacédémonienne, elles n'ont pas fait grand compte d'orateurs[e]. Ariston définit sagement la rhétorique science à

a. orateur et professeur de rhétorique – *b.* d'un art fallacieux et mensonger – *c.* États – *d.* crétoise – *e.* n'ont pas attaché beaucoup d'importance aux orateurs

persuader le peuple[1] : Socrates, Platon, art de tromper et de flatter[2] : et ceux qui le nient en la générale description[a] le vérifient partout en leurs préceptes. Les Mahométans en défendent l'instruction à leurs enfants pour[b] son inutilité[3]. Et les Athéniens[4] s'apercevant combien son usage qui avait tout crédit en ville, était pernicieux, ordonnèrent que sa principale partie qui est émouvoir les affections en fût ôtée ensemble les exordes et pérorations[c]. C'est un outil inventé pour manier et agiter une tourbe, et une commune[d] déréglée : et est outil qui ne s'emploie qu'aux etats malades, comme la médecine : En ceux où le vulgaire, où les ignorants, où tous ont tout pu, comme celui d'Athènes, de Rhodes, et de Rome, et où les choses ont été en perpétuelle tempête, là ont afflué les orateurs. Et à la vérité, il se voit peu de personnages en ces républiques-là, qui se soient poussés en grand crédit sans le secours de l'éloquence : Pompeius, Cæsar, Crassus, Lucullus, Lentulus, Metellus, ont pris de là, leur grand appui à se monter à cette grandeur d'autorité, où ils sont enfin arrivés : et s'en sont aidés plus que des armes. Contre l'opinion des meilleurs temps. Car L. Volumnius parlant en public en faveur de l'élection au consulat faite des personnes de Q. Fabius et P. Decius. Ce sont gens nés à la guerre, grands aux effets[e], au combat du babil rudes[f] : esprits vraiment consulaires : Les subtils éloquents et savants sont bons pour la ville, préteurs à faire justice[g], dit-il[5]. L'éloquence a fleuri le plus à Rome lorsque les affaires ont été en plus mauvais état, et que l'orage des guerres civiles les agitait : comme un champ libre et indompté, porte les herbes plus gaillardes[6]. Il semble par là que les polices[h], qui dépendent d'un monarque en ont moins

a. définition – *b.* à cause de – *c.* péroraisons (la dernière partie du discours, comme l'exorde en constitue la première) – *d.* une foule et une populace – *e.* dans les actes – *f.* incultes – *g.* Les orateurs sont bons pour l'administration de la ville et l'exercice de la justice, non pour la charge politique du consulat. – *h.* gouvernements

de besoin que les autres : car la bêtise et facilité, qui se trouve en la commune[a], et qui la rend sujette à être maniée et contournée[b] par les oreilles, au doux son de cette harmonie, sans venir à peser et connaître la vérité des choses par la force de la raison : cette facilité, dis-je, ne se trouve pas si aisément en un seul, et est plus aisé de le garantir par bonne institution[c] et bon conseil de l'impression de cette poison[d]. On n'a pas vu sortir de Macedoine ni de Perse, aucun orateur de renom. J'en ai dit ce mot, sur le sujet d'un Italien, que je viens d'entretenir, qui a servi le feu Cardinal Caraffe[1] de maître d'hôtel jusques à sa mort. Je lui faisais compter[e] de sa charge : il m'a fait un discours de cette science de gueule, avec une gravité et contenance magistrale, comme s'il m'eût parlé de quelque grand point de Théologie. Il m'a déchiffré[f] une différence[g] d'appétits : celui qu'on a à jeun, qu'on a après le second et tiers service : les moyens tantôt de lui plaire simplement, tantôt de l'éveiller et piquer : la police[h] de ses sauces : premièrement en général, et puis particularisant les qualités des ingrédients, et leurs effets : les différences des salades selon leur saison, celle qui doit être réchauffée, celle qui veut être servie froide, la façon de les orner et embellir, pour les rendre encore[i] plaisantes à la vue. Après cela il est entré sur l'ordre du service, plein de belles et importantes considérations,

nec minimo sane discrimine refert
Quo gestu lepores, et quo gallina secetur[j][2].

a. le bas peuple – *b.* manœuvrée – *c.* éducation – *d.* l'effet de ce poison – *e.* rendre compte – *f.* énuméré – *g.* suite de distinctions – *h.* le gouvernement – *i.* également – *j.* « Ce n'est pas une mince affaire que de distinguer la manière de découper un lièvre de celle dont on découpe un poulet. »

Et tout cela enflé de riches et magnifiques paroles, et celles mêmes qu'on emploie à traiter du gouvernement d'un Empire. Il m'est souvenu de mon homme

Hoc salsum est, hoc adustum est, hoc lautum est parum,
Illud recte, iterum sic memento, sedulo
Moneo quæ possum pro mea sapientia.
Postremo tanquam in speculum, in patinas, Demea,
Inspicere jubeo, et moneo quid facto usus sit[a][1].

Si est-ce[b] que les Grecs mêmes louèrent grandement l'ordre et la disposition que Paulus Æmilius observa au festin, qu'il leur fit au retour de Macédoine[2] : mais je ne parle point ici des effets[c], je parle des mots. Je ne sais s'il en advient aux autres comme à moi, mais je ne me puis garder quand j'ouis nos architectes, s'enfler de ces gros mots de pilastres, architraves, corniches, d'ouvrage Corinthien, et Dorique, et semblables de leur jargon, que mon imagination ne se saisisse incontinent du palais d'Apolidon[3], et par effet[d] je trouve que ce sont les chétives pièces de la porte de ma cuisine. Oyez dire métonymie, métaphore, allégorie, et autres tels noms de la grammaire, semble-il pas qu'on signifie quelque forme de langage rare et pellegrin[e] : ce sont titres qui touchent[f] le babil de votre chambrière[g]. C'est une piperie voisine à cette-ci, d'appeler les offices de notre état[h], par les titres superbes des Romains[4], encore qu'ils n'aient aucune ressemblance de charge, et encore moins d'autorité

a. « Ceci est salé, ceci est brûlé, ceci est trop peu relevé. Cela, c'est bien ; souviens-t'en pour une autre fois. Je les instruis du mieux que je peux, selon mes compétences ; enfin, Déméa, je les engage à se regarder dans la vaisselle comme en un miroir, et leur dis ce qu'il faut faire. » – *b.* Toujours est-il que – *c.* actes – *d.* en réalité – *e.* étranger – *f.* concernent – *g.* femme de chambre – *h.* charges publiques

et de puissance. Et cette-ci aussi, qui servira à mon avis un jour de témoignage d'une singulière ineptie de notre siècle, d'employer indignement à qui bon nous semble, les surnoms les plus glorieux, de quoi l'ancienneté ait honoré un ou deux personnages en plusieurs siècles. Platon a emporté ce surnom de divin, par un consentement universel, que aucun n'a essayé lui envier[a] : et les Italiens qui se vantent, et avec raison, d'avoir communément l'esprit plus éveillé, et le discours plus sain que les autres nations de leur temps, en viennent d'étrenner[b] l'Aretin[1] : auquel sauf une façon de parler bouffie et bouillonnée de pointes, ingénieuses à la vérité, mais recherchées de loin, et fantasques, et outre l'éloquence enfin, telle qu'elle puisse être[c], je ne vois pas qu'il y ait rien au-dessus des communs auteurs de son siècle, tant s'en faut qu'il approche de cette divinité ancienne. Et le surnom de grand, nous l'attachons à des Princes, qui n'ont rien au-dessus de la grandeur populaire[d].

a. contester – *b.* viennent d'en faire don à – *c.* quelle qu'elle puisse être – *d.* ordinaire.

De la parcimonie[a] *des Anciens*

Chap. LII

Attilius Regulus, général de l'armée romaine en Afrique, au milieu de sa gloire et de ses victoires contre les Carthaginois, écrivit à la chose publique[b] qu'un valet de labourage, qu'il avait laissé seul au gouvernement de son bien[c], qui était en tout sept arpents de terre, s'en était enfui, ayant dérobé ses outils de labourage, et demandait congé pour s'en retourner et y pourvoir, de peur que sa femme, et ses enfants n'en eussent à souffrir : le Sénat pourvut à commettre[d] un autre à la conduite de ses biens, et lui fit rétablir, ce qui lui avait été dérobé, et ordonna que sa femme et enfants seraient nourris aux dépens du public[e][1]. Le vieux Caton[f] revenant d'Espaigne Consul, vendit son cheval de service pour épargner l'argent qu'il eût coûté à le ramener par mer en Italie : et étant au gouvernement de Sardaigne, faisait ses visitations[g] à pied, n'ayant avec lui autre suite qu'un officier de la chose publique, qui lui portait sa robe, et un vase à faire des sacrifices : et le plus souvent il portait sa malle lui-même : Il se vantait de n'avoir jamais eu robe qui eût coûté plus de dix écus,

a. frugalité – *b*. aux représentants de la République – *c*. son exploitation – *d*. placer – *e*. de l'État – *f*. Caton l'Ancien – *g*. visites

ni avoir envoyé au marché plus de dix sols pour un jour : et de ses maisons aux champs, qu'il n'en avait aucune qui fût crépie et enduite par-dehors[1]. Scipion Æmilianus après deux triomphes et deux Consulats, alla en légation avec sept serviteurs seulement[2]. On tient qu'Homere n'en eut jamais qu'un, Platon trois, Zenon le chef de la secte Stoïque pas un[3]. Il ne fut taxé[a] que cinq sols et demi pour un jour, à Tyberius Gracchus, allant en commission pour la chose publique, étant lors[b] le premier homme des Romains[4].

a. alloué – *b*. qui était pourtant alors

D'un mot de Cæsar

CHAP. LIII

Si nous nous amusions[a] parfois à nous considérer, et le temps que nous mettons à contrerôler[b] autrui, et à connaître les choses qui sont hors de nous, que nous l'emploissions[c] à nous sonder nous-mêmes, nous sentirions aisément combien toute cette notre contexture est bâtie de pièces faibles et défaillantes. N'est-ce pas un singulier témoignage d'imperfection, ne pouvoir rasseoir[d] notre contentement en aucune chose, et que par désir même et imagination il soit hors de notre puissance de choisir ce qu'il nous faut? De quoi porte bon témoignage cette grande dispute[e], qui a toujours été entre les Philosophes, pour trouver le souverain bien de l'homme, et qui dure encore et durera éternellement, sans résolution et sans accord:

dum abest quod avenus, id exuperare videtur
Cætera, post aliud cum contigit illud avemus
Et sitis æqua tenet[f][1].

Quoi que ce soit qui tombe en notre connaissance et jouissance, nous sentons qu'il ne nous satisfait pas,

a. occupions – *b.* observer – *c.* si nous l'employions – *d.* que de ne pouvoir fixer – *e.* discussion – *f.* «tant qu'il demeure éloigné, l'objet de nos désirs nous semble l'emporter sur tout le reste; est-il à nous, que nous désirons autre chose, et la même soif nous tient.»

et allons béant après les choses à venir et inconnues, d'autant que les présentes ne nous soûlent[a] point: non pas à mon avis qu'elles n'aient assez de quoi nous soûler, mais c'est que nous les saisissons d'une prise malade et déréglée,

Nam cum vidit hic ad usum quæ flagitat usus,
Omnia jam ferme mortalibus esse parata,
Divitiis homines et honore et laude potentes
Affluere, atque bona natorum excellere fama,
Nec minus esse domi, cuiquam tamen anxia corda,
Atque animum infestis cogi servire querelis:
Intellexit ibi vitium vas facere ipsum,
Omniaque illius vitio corrumpier intus
Quæ collata foris et commoda quæque venirent[b][1].

Notre appétit est irrésolu et incertain: il ne sait rien tenir, ni rien jouir de bonne façon. L'homme estimant que ce soit le vice de ces choses, se remplit et se paît d'autres choses qu'il ne sait point, et qu'il ne connaît point, où il applique ses désirs et ses espérances, les prend en honneur et révérence: comme dit Cæsar, *Communi fit vitio naturæ, ut invisis, latitantibus atque incognitis rebus magis confidamus, vehementiusque exterreamur*[c][2].

a. rassasient. – *b.* «Car quand il vit qu'à peu près tout le nécessaire réclamé pour les besoins de la vie était déjà assuré aux mortels; il vit aussi les puissants regorger de richesses, d'honneur et de gloire, et se prévaloir encore de la bonne renommée de leurs enfants; mais néanmoins chacun, dans son for intérieur, gardait un cœur anxieux, une âme tourmentée par des plaintes douloureuses. Il comprit alors que le mal provenait du vase lui-même, dont le défaut corrompait au-dedans tout ce que l'on y versait du dehors, même les bonnes choses.» – *c.* «Il se fait par un vice ordinaire de nature, que nous ayons et plus de fiance, et plus de crainte des choses que nous n'avons pas vues, et qui sont cachées et inconnues.» [Traduction de Montaigne supprimée en fin de chapitre après 1588.]

Des vaines subtilités

CHAP. LIV

Il est de ces subtilités frivoles et vaines, par le moyen desquelles, les hommes cherchent quelquefois de la recommandation : comme les poètes, qui font des ouvrages entiers, de vers commençant par une même lettre : nous voyons des œufs, des boules, des ailes, des haches façonnées anciennement par les Grecs, avec la mesure de leurs vers, en les allongeant ou accourcissant, en manière qu'ils viennent à représenter telle, ou telle figure[1]. Telle était la science de celui, qui s'amusa à conter en combien de sortes se pouvaient ranger les lettres de l'alphabet, et y en trouva ce nombre incroyable, qui se voit dans Plutarque[2]. Je trouve bonne l'opinion de celui, à qui on présenta un homme, appris[a] à jeter de la main un grain de mil, avec telle industrie[b], que sans faillir, il le passait toujours dans le trou d'une aiguille, et lui demanda l'on après quelque présent pour loyer[c] d'une si rare suffisance[d] : sur quoi il ordonna bien plaisamment, et justement à mon avis, qu'on fît donner à cet ouvrier deux ou trois minots de mil, afin qu'un si bel art ne demeurât sans exercice[3]. C'est un témoignage merveilleux[e] de la faiblesse de notre jugement,

a. instruit – *b.* habileté – *c.* récompense – *d.* capacité – *e.* admirable

qu'il recommande[a] les choses par la rareté ou nouvelleté, ou encore par la difficulté, si la bonté et utilité n'y sont jointes. Nous venons présentement de nous jouer chez moi, à qui pourrait trouver plus de choses qui se tiennent par les deux bouts extrêmes : comme, Sire, c'est un titre qui se donne à la plus élevée personne de notre état[b], qui est le Roi, et se donne aussi au vulgaire, comme aux marchands, et ne touche point ceux d'entre-deux. Les femmes de qualité, on les nomme Dames, les moyennes, Damoiselles, et Dames encore celles de la plus basse marche[c]. Les dais[d] qu'on étend sur les tables, ne sont permis qu'aux maisons des princes et aux tavernes. Democritus disait, que les dieux et les bêtes avaient les sentiments plus aigus que les hommes, qui sont au moyen étage[1]. Les Romains portaient même accoutrement les jours de deuil et les jours de fête. Il est certain que la peur extrême, et l'extrême ardeur de courage troublent également le ventre et le lâchent[e]. Le sobriquet de tremblant, duquel le 12e Roi de Navarre Sancho fut surnommé[2], apprend que la hardiesse aussi bien que la peur font trémousser nos membres. Et celui, à qui ses gens qui l'armaient, voyant frissonner la peau, s'essayaient de le rassurer en appetissant[f] le hasard auquel il s'allait présenter, leur dit, Vous me connaissez mal : Si ma chair savait où mon courage la portera tantôt, elle s'en transirait tout à plat. La faiblesse qui nous vient de froideur, et dégoûtement aux exercices de Venus[g], elle nous vient aussi d'un appétit[h] trop véhément, et d'une chaleur déréglée. L'extrême froideur et l'extrême chaleur cuisent et rôtissent. Aristote dit que les gueuses de plomb se fondent, et coulent de froid, et de la rigueur

a. que ce dernier [notre jugement] rende dignes d'estime – *b.* État – *c.* du rang le plus bas – *d.* nappes – *e.* relâchent – *f.* minimisant – *g.* érotiques – *h.* désir

de l'hiver, comme d'une chaleur véhémente[1]. Le désir et la satiété remplissent de douleur les sièges[a] au-dessus et au-dessous de la volupté. La bêtise et la sagesse se rencontrent en même point de sentiment et de résolution à la souffrance des accidents humains[b] : les Sages gourmandent[c] et commandent le mal, et les autres l'ignorent : ceux-ci sont, par manière de dire, au-deçà des accidents, les autres au-delà : lesquels après en avoir bien pesé et considéré les qualités, les avoir mesurés et jugés tels qu'ils sont, s'élancent au-dessus, par la force d'un vigoureux courage : ils les dédaignent et foulent aux pieds, ayant une âme forte et solide, contre laquelle les traits de la fortune venant à donner, il est force[d] qu'ils rejaillissent et s'émoussent, trouvant un corps dans lequel ils ne peuvent faire impression : l'ordinaire et moyenne condition des hommes, loge entre ces deux extrémités, qui est de ceux qui aperçoivent les maux, les sentent, et ne les peuvent supporter. L'enfance et la décrépitude se rencontrent en imbécillité[e] de cerveau. L'avarice et la profusion en pareil désir d'attirer et d'acquérir. Il se peut dire avec apparence[f] qu'il y a ignorance abécédaire qui va devant la science[g]. Une autre doctorale qui vient après la science. Ignorance que la science fait et engendre tout ainsi comme elle défait et détruit la première[2]. Des esprits simples, moins curieux et moins instruits, il s'en fait de bons Chrétiens, qui par révérence[h] et obéissance, croient simplement et se maintiennent sous les lois. En la moyenne vigueur des esprits, et moyenne capacité, s'engendre[3] l'erreur des opinions : ils suivent l'apparence du premier sens : et ont quelque titre d'interpréter à[i] simplicité et bêtise,

a. états – *b*. La bêtise et la sagesse sont aptes à ressentir et à soutenir de la même manière les vicissitudes humaines – *c*. dominent – *d*. nécessaire – *e*. faiblesse – *f*. vraisemblance – *g*. il y a une ignorance inérudite qui précède la science – *h*. respect – *i*. raison de prendre pour

de nous voir arrêter en l'ancien train[a], regardant à nous[b], qui n'y sommes pas instruits par étude. Les grands esprits plus rassis[c] et clairvoyants, font un autre genre de bien croyants : lesquels par longue et religieuse investigation, pénètrent une plus profonde et abstruse lumière, ès écritures[d], et sentent[e] le mystérieux et divin secret, de notre police[f] Ecclésiastique. Pourtant en voyons-nous aucuns[g] être arrivés à ce dernier étage, par le second, avec merveilleux fruit, et confirmation[h] : comme à l'extrême limite de la Chrétienne intelligence : et jouir de leur victoire avec consolation, action de grâces, réformation[i] de mœurs, et grande modestie. Et en ce rang n'entends-je pas loger, ces autres, qui pour se purger du soupçon de leur erreur passé[j], et pour nous assurer d'eux, se rendent extrêmes, indiscrets[k], et injustes, à la conduite de notre cause, et la tachent, d'infinis reproches de violence. Les paysans simples, sont honnêtes gens et honnêtes gens les philosophes ou selon notre temps des natures fortes et claires, enrichies d'une large instruction de sciences utiles. Les métis[l] qui ont dédaigné le premier siège[m] d'ignorance de lettres, et n'ont pu joindre l'autre : le cul entre deux selles[1] : desquels je suis, et tant d'autres, sont dangereux, ineptes, importuns : ceux ici[n] troublent le monde. Pour tant de ma part[o] je me recule tant que je puis dans le premier et naturel siège, d'où je me suis pour néant[p] essayé de partir. [La] poésie populaire et purement naturelle a des naïvetés et grâces [par] où elle se compare à la principale[q] beauté de la poésie parfaite selon l'art[r] : comme il se voit ès villanelles [de] Gascouigne,

a. en l'ancienne manière de faire – *b.* en ce qui nous concerne – *c.* posés – *d.* font entrer une lumière plus profonde et cachée dans les Écritures – *e.* perçoivent – *f.* organisation – *g.* certains – *h.* raffermissement – *i.* réforme – *j.* passée – *k.* intempérants, dénués de discernement – *l.* « mélangés », qui partagent des caractéristiques issues des deux catégories mentionnées – *m.* état – *n.* ceux-ci – *o.* C'est pour cela, en ce qui me concerne, que – *p.* en vain – *q.* supérieure – *r.* parachevée selon les règles de l'art

et aux chansons qu'on nous rapporte des nations qui n'ont connaissance d'aucune science, ni même d'écriture. La poésie médiocre[a] qui s'arrête entre deux est dédaignée, sans honneur et sans prix[1]. Mais parce que après que le pas[b] a été ouvert à l'esprit, j'ai trouvé, comme il advient ordinairement, que nous avions pris pour un exercice malaisé et d'un rare sujet, ce qui ne l'est aucunement : et qu'après que notre invention[c] a été échauffée, elle découvre un nombre infini de pareils exemples, je n'en ajouterai que cettui-ci : que si ces essais étaient dignes, qu'on en jugeât, il en pourrait advenir à mon avis, qu'ils ne plairaient guère aux esprits communs et vulgaires, ni guère aux singuliers et excellents : ceux-là[2] n'y entendraient[d] pas assez, ceux-ci y entendraient trop : ils pourraient vivoter en la moyenne région[3].

a. médiane – *b*. la voie – *c*. inventivité – *d*. comprendraient

Des Senteurs

CHAP. LV

Il se dit d'aucuns, comme d'Alexandre le grand, que leur sueur épandait une odeur suave par quelque rare et extraordinaire complexion : de quoi Plutarque[1] et autres recherchent la cause. Mais la commune façon des corps est au contraire[a] : et la meilleure condition qu'ils aient, c'est d'être exempts de senteur. La douceur même des haleines plus[b] pures, n'a rien de plus excellent, que d'être sans aucune odeur, qui nous offense : comme sont celles des enfants bien sains. Voilà pourquoi dit Plaute,

Mulier tum bene olet, ubi nihil olet[c][2].

La plus parfaite senteur d'une femme, c'est ne sentir à rien, comme on dit que la meilleure odeur de ses actions, c'est qu'elles soient insensibles et sourdes[d]. Et les bonnes senteurs étrangères, on a raison de les tenir pour suspectes, à[e] ceux qui s'en servent, et d'estimer qu'elles soient employées pour couvrir quelque défaut naturel de ce côté-là. D'où naissent ces rencontres[f] des Poètes anciens : c'est puir[g], que de sentir bon,

a. contraire – *b.* les plus – *c.* Montaigne traduit à la suite de la citation. – *d.* peu bruyantes – *e.* on a raison de considérer qu'elles rendent suspectes – *f.* jeux de mots – *g.* puer

Rides nos Coracine nil olentes.
Malo quam bene olere nil olere[a][1].

Et ailleurs.

Posthume non bene olet, qui bene semper olet[b][2].

J'aime pourtant bien fort à être entretenu de bonnes senteurs, et hais outre mesure les mauvaises, que je tire[c] de plus loin que tout autre,

Namque sagacius unus odoror,
Polypus, an gravis hirsutis cubet hircus in alis,
Quam canis acer ubi lateat sus[d][3].

Les senteurs plus[e] simples et naturelles me semblent plus agréables. Et touche ce soin principalement les dames. En la plus épaisse barbarie les femmes scythes, après s'être lavées, se saupoudrent et encroûtent tout le corps et le visage de certaine drogue qui naît en leur terroir, odoriférante. Et pour approcher les hommes ayant ôté ce fard, elles s'en trouvent et polies et parfumées[4]. Quelque odeur que ce soit, c'est merveille combien elle s'attache à moi, et combien j'ai la peau propre à s'en abreuver. Celui qui se plaint de nature de quoi[f] elle a laissé l'homme sans instrument à porter les senteurs au nez, a tort, car elles se portent elles-mêmes. Mais à moi particulièrement, les moustaches que j'ai pleines, m'en servent : Si j'en approche mes gants ou mon mouchoir, l'odeur y tiendra tout un jour : Elles accusent[g] le lieu d'où je viens. Les étroits baisers de la jeunesse, savoureux, gloutons et gluants, s'y collaient autrefois, et s'y tenaient plusieurs heures après. Et si pourtant[h] je me trouve peu sujet aux maladies populaires[i], qui se chargent par la conversation[j], et qui

a. « Tu ris de nous, Coracinus, parce que nous ne sentons rien : j'aime mieux ne rien sentir que sentir bon. » – *b.* « Posthumus, il ne sent pas bon, celui qui sent toujours bon. » – *c.* sens – *d.* « Car je n'ai pas mon pareil pour sentir un polype ou un bouc puant sous des aisselles velues, avec plus de sagacité qu'un chien au flair subtil découvrant la retraite d'un sanglier. » – *e.* les plus – *f.* parce qu'elle – *g.* indiquent – *h.* Et pourtant malgré tout – *i.* épidémies – *j.* fréquentation

naissent de la contagion de l'air : et me suis sauvé de celles de mon temps, de quoi il y en a eu plusieurs sortes, en nos villes, et en nos armées. On lit de Socrates que n'étant jamais parti d'Athenes pendant plusieurs rechutes de peste qui la tourmentèrent tant [de] fois, lui seul ne s'en trouva jamais plus mal[1]. Les médecins pourraient crois-je tirer des odeurs, plus d'usage qu'ils ne font : car j'ai souvent aperçu qu'elles me changent, et agissent en mes esprits, selon qu'elles sont : Qui[a] me fait approuver ce qu'on dit, que l'invention des encens et parfums aux Églises, si ancienne et épandue en toutes nations et religions, regarde à[b] cela, de nous réjouir, éveiller, et purifier le sens, pour nous rendre plus propres à la contemplation. Je voudrais bien pour en juger, avoir eu ma part de l'art de ces cuisiniers, qui savent assaisonner [les] odeurs étrangères avec la saveur des viandes[c], comme singulièrement on remarqua au service de ce Roi de Thunes[d] qui de notre âge prit terre à Naples pour s'aboucher avec l'Empereur Charles. On farcissait ses viandes de drogues odoriférantes de telle somptuosité qu'un paon et deux faisans revenaient [à] cent ducats pour les apprêter selon leur manière et, quand on les dépeçait, remplissaient non seulement [la] salle mais toutes les chambres [de] son palais et jusques aux maisons du voisinage d'une très suave vapeur qui ne se perdait pas si tôt[2]. Le principal soin que j'aie à me loger[e], c'est de fuir l'air puant et pesant. Ces belles villes, Venise et Paris, altèrent la faveur que je leur porte, par l'aigre senteur, l'une de son marais, l'autre de sa boue.

a. ce qui – *b*. tend à – *c*. mets – *d*. Tunis – *e*. Mon principal souci quand je dois me loger

Des prières

CHAP. LVI

Je propose des[1] fantaisies informes et irrésolues[a], comme font ceux qui publient des questions douteuses[b], à débattre aux écoles : Non pour établir la vérité, mais pour la chercher : Et les soumets au jugement de ceux, à qui il touche[c] de régler non seulement mes actions et mes écrits, mais encore mes pensées[2]. Également m'en sera acceptable et utile la condamnation, comme l'approbation, tenant pour exécrable s'il se trouve chose dite par moi ignoramment ou inadvertament[d] contre les saintes prescriptions[3] de l'église catholique, apostolique et romaine, en laquelle je meurs et en laquelle je suis né. Et pourtant[e] me remettant toujours à l'autorité de leur censure, qui peut tout sur moi, je me mêle ainsi témérairement[4] à toute sorte de propos : Comme ici[5]. Je ne sais si je me trompe, Mais puisque par une faveur particulière de la bonté divine, certaine façon de prière nous a été prescrite et dictée mot à mot par la bouche de Dieu, il m'a toujours semblé que nous en devions avoir l'usage plus ordinaire, que nous n'avons[6] : Et si j'en étais cru, à l'entrée et à l'issue de nos tables, à notre lever et coucher, et à

a. inabouties – *b*. questions provoquant le doute – *c*. convient – *d*. ou par faute d'attention – *e*. pour cette raison

toutes actions particulières, auxquelles on a accoutumé de mêler des prières, je voudrais que ce fût le patenôtre[a] que les Chrétiens y employassent sinon seulement, au moins toujours. L'Église peut étendre et diversifier les prières selon le besoin de notre instruction : car je sais bien, que c'est toujours même substance, et même chose. Mais on devait[b] donner à celle-là ce privilège, que le peuple l'eût continuellement en la bouche : Car il est certain qu'elle dit tout ce qu'il faut, et qu'elle est très propre à toutes occasions. C'est l'unique prière de quoi je me sers partout : et la répète au lieu d'en changer. D'où il advient que je n'en ai aussi bien en mémoire que celle-là. J'avais présentement en la pensée, d'où nous venait cette erreur, de recourir à Dieu en tous nos desseins et entreprises, et l'appeler à toute sorte de besoin, et en quelque lieu que notre faiblesse veut de l'aide. Sans considérer si l'occasion est juste ou injuste. Et d'écrier[c] son nom, et sa puissance, en quelque état, et action que nous soyons, pour vicieuse qu'elle soit. Il est bien notre seul et unique protecteur et peut toutes choses à[d] nous aider : mais encore qu'il daigne nous honorer de cette douce alliance paternelle, il est pourtant autant juste, comme il est bon et comme il est puissant. Mais il use bien plus souvent de sa justice que de son pouvoir : et nous favorise selon la raison d'icelle, non selon nos demandes. Platon en ses *Lois* fait trois sortes d'injurieuse créance[e] des Dieux[1]. Qu'il n'y en ait point. Qu'ils ne se mêlent pas de nos affaires. Qu'ils ne refusent rien à nos vœux, offrandes et sacrifices. La première erreur selon son avis ne dura jamais immuable en homme depuis son enfance jusques à sa vieillesse. Les deux suivantes peuvent souffrir de la constance[f]. Sa justice[2] et

a. Pater Noster (Notre Père) – *b.* on aurait dû – *c.* invoquer – *d.* pour – *e.* de croyance qui fasse injure aux Dieux – *f.* peuvent durer de manière constante

sa puissance sont inséparables. Pour néant[a] implorons-nous sa force en une mauvaise cause: Il faut avoir l'âme nette, au moins en ce moment, auquel nous le prions, et déchargée de passions vicieuses: autrement nous lui présentons, nous-mêmes les verges, de quoi[b] nous châtier. Au lieu de rhabiller[c] notre faute, nous la redoublons. Présentant à celui, à qui nous avons à demander pardon, une affection[d] pleine d'irrévérence et de haine. Voilà pourquoi je ne loue pas volontiers ceux, que je vois prier Dieu plus souvent et plus ordinairement, si les actions voisines de la prière, ne me témoignent quelque amendement et réformation,

si nocturnus adulter
Tempora Sanctonico velas adoperta cucullo[e 1].

Et l'assiette[f] d'un homme mêlant à une vie exécrable la dévotion semble être aucunement[g] plus condamnable que celle d'un homme conforme à soi[h] et dissolu partout. Pourtant refuse notre Église tous les jours la faveur de son entrée et société aux mœurs obstinées à[i] quelque insigne malice. Nous prions par usage et par coutume: Ou pour mieux dire, nous lisons ou prononçons nos prières: Ce n'est en fin[j], que mine: Et me déplaît de voir faire trois signes de croix au *benedicite*, autant à grâces[2] (et plus m'en déplaît de ce que c'est un signe que j'ai en révérence[k] et continuel usage, mêmement au bâiller) et cependant[3] toutes les autres heures du jour, les voir occupées à la haine, l'avarice et l'injustice: Aux vices[4] leur heure, son heure à Dieu, comme par compensation et composition[l]. C'est miracle, de voir continuer des actions si diverses d'une si

a. en vain – *b.* par lesquelles – *c.* réparer – *d.* un cœur – *e.* «si pour commettre de nuit l'adultère tu dissimules tes tempes dans un capuchon de "Sainte-onge"» – *f.* la situation – *g.* quelque peu – *h.* cohérent – *i.* s'obstinant dans – *j.* enfin – *k.* respect – *l.* conciliation

pareille teneur[a], qu'il ne s'y sente point d'interruption et d'altération aux confins[b] mêmes, et passage de l'une à l'autre. [Quelle prodigieuse conscience se peut donner repos, nourrissant en même gîte, d'une société si] accordante[c] et si paisible, le crime et le juge ? Un homme de qui la paillardise [sans cesse] régente la tête et qui la juge très odieuse à la vue divine, que dit-il à dieu quand il lui en parle ? Il se ramène[d] : mais soudain il rechoit. Si l'objet de la divine justice et sa présence frappaient comme il dit et châtiaient son âme, pour courte qu'en fût la pénitence, la crainte même y rejetterait si souvent sa pensée, qu'incontinent il se verrait maître de ces vices qui sont habitués et acharnés en lui. Mais quoi, ceux qui couchent une vie entière sur le fruit et émolument[e] du péché qu'ils savent mortel ? Combien avons-nous de métiers et vacations[f] reçues de quoi l'essence [est] vicieuse. Et celui qui se confessant à moi me récitait[g] avoir tout un âge[h] fait profession [et] les effets[i] d'une religion damnable selon lui et contradictoire à celle qu'il avait [en] son cœur : pour ne perdre son crédit et l'honneur de [ses] charges : comment pâtissait-il[j] [ce] discours en son courage[k] ? De quel langage entretiennent-ils sur ce sujet la justice divine ? Leur repentance consistant en visible [et] maniable réparation, ils perdent [et] envers dieu et envers nous le moyen de l'alléguer. Sont-ils si hardis de demander pardon [sans] satisfaction[l] et sans repentance ? Je tiens que de [ces] premiers il en va comme de ceux ici, mais l'obstination n'y [est] pas si aisée à convaincre[m]. Cette contrariété [et] volubilité d'opinion, si soudaine, si violente, qu'ils nous feignent[n], sent[o] pour moi au miracle. [Ils] nous représentent l'état d'une indigestible agonie[p]. Que l'imagination [me] semblait fantastique de ceux qui ces années passées avaient [en] usage de reprocher à tout chacun[q], [en] qui il reluisait quelque clarté d'esprit professant la religion catholique, que c'était à feinte[r],

a. force, intensité – *b.* frontières – *c.* cordiale – *d.* il se reprend – *e.* salaire – *f.* charges – *g.* racontait – *h.* durant toute une époque – *i.* avoir adhéré et conformé ses actions à une religion – *j.* agençait – *k.* cœur – *l.* réparation – *m.* prouver – *n.* représentent – *o.* relève pour moi du – *p.* d'une opposition inconciliable – *q.* toute personne – *r.* par feinte

[et] tenaient même pour lui faire honneur quoi qu'il dît par apparence[a] qu'il ne pouvait faillir au-dedans d'avoir sa créance réformée à leur pied[b]. Fâcheuse maladie [de] se croire si fort qu'on se persuade qu'il ne se puisse croire [au] contraire[c]. Et plus fâcheuse encore qu'on se persuade d'un tel esprit[d] qu'il préfère je ne sais quelle disparité de fortune présente aux espérances et menaces de la vie éternelle. Ils m'en peuvent croire. Si rien eût dû tenter ma jeunesse, l'ambition du hasard et difficultés qui suivaient[e] cette récente entreprise[1] y eût bonne part. Ce n'est pas sans grande raison, ce me semble, que l'Église défend l'usage promiscue[f], téméraire et indiscret des saintes et divines chansons, que le Saint Esprit a dicté en David[2]. Il ne faut mêler Dieu en nos actions qu'avec révérence et attention pleine d'honneur et de respect. Cette voix est trop divine, pour n'avoir autre usage que d'exercer les poumons, et plaire à nos oreilles : C'est de la conscience qu'elle doit être produite, et non pas de la langue. Ce n'est pas raison qu'on permette qu'un garçon de boutique parmi ces[3] vains et frivoles pensements[g], s'en entretienne et s'en joue. Ni n'est certes raison de voir tracasser, par une salle[h], et par une cuisine, le Saint livre des sacrés mystères de notre créance. C'étaient autrefois mystères, ce sont à présent déduits[i] et ébats. Ce n'est pas en passant, et tumultuairement[j], qu'il faut manier un étude[k] si sérieux et vénérable. Ce doit être une action destinée, et rassise[l], à laquelle on doit toujours ajouter cette préface de notre office[m], *sursum corda*[n], et y apporter le corps même disposé en contenance[o], qui témoigne une

a. de manière ostensible – *b.* sa croyance réformée selon leur conception – *c.* le contraire – *d.* au sujet d'un tel esprit – *e.* le désir du risque et des difficultés qui allait de pair avec – *f.* banalisé – *g.* pensées – *h.* salle de réception – *i.* plaisirs – *j.* dans la confusion – *k.* une étude – *l.* prédéterminée et sérieuse – *m.* formule qui ouvre notre office religieux – *n.* « haut les cœurs » – *o.* attitude

particulière attention et révérence. Ce n'est pas l'étude de tout [le] monde. C'est l'étude des personnes qui y sont vouées, que dieu y appelle. Les méchants, les ignorants s'y empirent. Ce n'est pas une histoire à conter. C'est une histoire [à] révérer, craindre et adorer. Plaisantes gens qui pensent l'avoir rendue maniable au peuple pour l'avoir mise en langage populaire. Ne tient-il qu'aux mots qu'ils n'entendent[a] tout ce qu'ils trouvent par écrit ? Dirai-je plus ? Pour l'en approcher de ce peu, ils l'en reculent. [L']ignorance pure et remise toute en autrui[b] était bien plus salutaire et plus savante que n'est cette science verbale [et] vaine nourrice de présomption et de témérité. Je crois aussi que la liberté à[c] chacun de dissiper une[1] parole si religieuse et importante à tant de sortes d'idiomes, a beaucoup plus de danger que d'utilité. Les Juifs, les Mahométans, et quasi tous autres, ont épousé, et révèrent, le langage, auquel[d] originellement leurs mystères avaient été conçus, et en est défendue l'altération et changement : Non sans apparence[e]. Savons-nous bien qu'en Basque, et en Bretaigne, il y ait des Juges assez, pour établir cette traduction faite en leur langue : L'Église universelle n'a point de Jugement plus ardu à faire, et plus solenne[f] : En prêchant et parlant, l'interprétation est vague, libre, muable, et d'une parcelle[g] : ainsi ce n'est pas de même. [L'un de nos historiens Grecs[2] accuse justement son siècle, de ce que les secrets de la religion Chrétienne, étaient épandus emmi la place[h], ès[i] mains des moindres artisans : que chacun] en peut débattre et dire selon son sens. Et que ce nous devait être grande honte qui par la grâce de Dieu jouissons des purs mystères de la piété de les laisser profaner en la bouche de personnes ignorantes et populaires[j] vu que les Gentils interdisaient à Socrates, à Platon et aux plus sages de parler et s'enquérir des

a. ne comprennent – *b.* qui s'en remet toute au jugement d'autrui – *c.* de – *d.* dans lequel – *e.* Non sans motif valable – *f.* solennel – *g.* parcellaire – *h.* répandus au milieu de la place publique – *i.* aux – *j.* qui émanent du peuple

choses commises aux[a] prêtres de Delphes[1]. Dit aussi que les factions des Princes sur le sujet de la Théologie sont armées non de zèle mais de colère. Que le zèle tient de la divine raison et justice, se conduisant ordonnément et modérément. Mais qu'il se change en haine et envie, et produit au lieu du froment et du raisin de l'ivraie et des orties, quand il est conduit d'une passion humaine. Et justement aussi cet autre, conseillant l'Empereur Theodose, disait les disputes n'endormir pas tant les schismes de l'Église que les éveiller, et animer les Hérésies. Que pourtant[b] il fallait fuir toutes contentions[c] et argumentations dialectiques, et se rapporter nuement[d] aux prescriptions et formules de la foi établies par les anciens[2]. Et l'Empereur Androdicus, ayant rencontré en son palais deux grands hommes aux prises de parole contre Lopadius sur un de nos points de grande importance, les tança jusques à menacer de les jeter en la rivière s'ils continuaient[3]. Les enfants et les femmes en nos jours régentent les plus vieux et expérimentés sur les lois ecclésiastiques. Là où la première [de] celles de Platon leur défend de s'enquérir seulement de la raison des lois civiles qui doivent tenir lieu d'ordonnances divines, et permettant aux vieux [d']en communiquer entre eux et avec le magistrat, il ajoute pourvu que ce ne soit pas en présence des jeunes et personnes profanes[4]. Un évêque a laissé par écrit que en l'autre bout du monde il y a une Île que les anciens nommaient Dioscoride[5] : commode en fertilité de toutes sortes d'arbres et fruits, et salubrité d'air : de laquelle le peuple est Chrétien : ayant des églises et des autels qui ne sont parés que de croix sans autres images : grand observateur de jeûnes et de fêtes, exact payeur de dîmes aux prêtres et si chaste que nul d'eux ne peut connaître qu'une femme en sa vie. Au demeurant si content de sa fortune qu'au milieu de la mer, il ignore l'usage des navires, et si simple que de la religion qu'il observe si soigneusement il n'en entend[e] un seul mot. Chose incroyable à qui ne saurait les païens, si dévots idolâtres, ne connaître[f] de leurs dieux que simplement le

a. confiées – *b.* pour cette raison – *c.* controverses – *d.* simplement – *e.* comprend – *f.* à qui ne saurait que les païens [...] ne connaissent nom et la statue. L'ancien [commencement de Menalippe, tragédie d'Euripides, portait ainsi.

Ô Juppiter, car de toi rien sinon
Je ne connais seulement que le nom[1].]

J'ai vu aussi de mon temps, faire plainte d'aucuns[a] écrits, de ce qu'ils sont purement humains et philosophiques, sans mélange de Théologie. Qui dirait au contraire[b], ce ne serait pourtant sans quelque raison. Que la doctrine divine tient mieux son rang à part, comme Reine et dominatrice. Qu'elle doit être principale partout, point suffragante et subsidiaire[c]. Et qu'à l'aventure se tireraient les exemples à la grammaire, Rhétorique, Logique, plus sortablement[d] d'ailleurs que d'une si sainte matière. Comme aussi les arguments des Théâtres, jeux et spectacles publics. Que les raisons divines se considèrent plus vénérablement et révéramment seules, et en leur style, qu'appariées aux discours humains. Qu'il se voit plus souvent cette faute, que les Théologiens écrivent trop humainement : que cette autre, que les humanistes écrivent trop peu théologalement[e] : La Philosophie, dit saint Chrysostome, est piéça[f] bannie de l'école sainte, comme servante inutile, et estimée indigne de voir seulement en passant de l'entrée, le sacraire[g] des saints Trésors de la doctrine céleste[2]. Que le dire[h] humain a ses formes plus basses : et ne se doit servir de la dignité, majesté, régence[i], du parler divin. Je lui laisse pour moi, dire *verbis indisciplinatis*[j], fortune, destinée, accident, heur, et malheur, et les Dieux, et autres phrases, selon sa mode[3]. Je propose les fantaisies humaines et miennes, simplement comme humaines fantaisies : et

a. de certains – *b.* le contraire – *c.* non comme appui et comme renfort – *d.* opportunément – *e.* de manière théologique – *f.* depuis longtemps – *g.* sanctuaire – *h.* langage – *i.* royauté – *j.* « en des termes indisciplinés »

séparément considérées : Non comme arrêtées et réglées par l'ordonnance céleste, incapables de doute et d'altercation[a]. Matière d'opinion, non matière de foi. Ce que je discours selon moi, non ce que je crois selon dieu. Comme les enfants proposent leurs essais, instruisables, non instruisants[b]. D'une manière laïque, non cléricale : mais très religieuse toujours. Et ne dirait-on[1] pas aussi sans apparence[c], que l'ordonnance[d] de ne s'entremettre que bien réservément d'écrire[e] de la Religion, à tous autres qu'à ceux qui en font expresse profession, n'aurait pas faute[f] de quelque image d'utilité et de justice : et à moi avec à l'aventure de m'en taire[g]. On m'a dit que ceux mêmes, qui ne sont pas des nôtres[h], défendent pourtant entre eux l'usage du nom de Dieu, en leurs propos communs. Ils ne veulent pas qu'on s'en serve par une manière d'interjection, ou d'exclamation, ni pour témoignage, ni pour comparaison : En quoi je trouve qu'ils ont raison. Et en quelque manière que ce soit, que nous appelons[i] Dieu à notre commerce et société, il faut que ce soit sérieusement, et religieusement. Il y a, ce me semble, en Xenophon un tel discours, où il montre que nous devons plus rarement prier Dieu : d'autant qu'il n'est pas aisé, que nous puissions si souvent remettre notre âme, en cette assiette réglée, réformée, et dévotieuse[j], où il faut qu'elle soit pour ce faire[k], autrement nos prières ne sont pas seulement vaines et inutiles, mais vicieuses[2]. Pardonne-nous, disons-nous, comme nous pardonnons à ceux qui nous ont offensés[3]. Que

a. de débat – *b*. ouverts à l'instruction, et non la dispensant – *c*. Et n'y aurait-il pas quelque raison de dire – *d*. injonction donnée à tous autres... – *e*. que de n'entreprendre d'écrire sur la religion qu'avec une grande réserve – *f*. ne manquerait pas – *g*. et [ne dirait-on pas... que l'ordonnance,] moi avec, de m'en taire, [n'aurait pas faute...] – *h*. qui ne sont pas catholiques – *i*. le fait d'appeler Dieu – *j*. en cette disposition réglée, réformée et emplie de dévotion – *k*. pour prier disons-nous par là, sinon que nous lui offrons notre âme exempte de vengeance et de rancune ? Toutefois nous appelons Dieu et son aide au complot[a] de nos fautes, et le convions à l'injustice.

Quæ nisi seductis nequeas committere divis[b][1].

L'avaricieux le prie pour la conservation vaine et superflue de ses trésors : l'ambitieux pour ses victoires, et conduite de sa passion : le voleur l'emploie à son aide, pour franchir le hasard et les difficultés, qui s'opposent à l'exécution de ses méchantes entreprises, ou le remercie de l'aisance qu'il a trouvé à dégosiller[c] un passant. Au pied de la maison qu'ils vont écheller[d] ou pétarder[e], [ils] font leurs prières, l'intention et l'espérance pleine [de] cruauté, de luxure, d'avarice.

Hoc ipsum quo tu Jovis aurem impellere tentas,
Dic agedum, Staio, pro Juppiter, ô bone clamet,
Juppiter, at sese non clamet Juppiter ipse[f][2].

La reine de Navarre Marguerite récite[g] d'un jeune prince, et encore qu'elle ne le nomme pas, sa grandeur l'a rendu assez connaissable, qu'allant à une assignation[h] amoureuse, et coucher avec la femme d'un Avocat de Paris, son chemin s'adonnant au travers[i] d'une Église, il ne passait jamais en ce lieu saint allant ou retournant de son entreprise, qu'il ne fît ses prières et oraisons. Je vous laisse à juger, l'âme pleine de ce beau pensement[j], à quoi il employait la faveur divine : Toutefois elle allègue cela pour un témoignage de singulière dévotion[3]. Mais ce n'est

a. pour manigancer avec nous nos péchés – *b.* « Ce qu'on ne saurait confier aux Dieux, sinon en les prenant à part » – *c.* égorger – *d.* escalader – *e.* faire sauter – *f.* « Ces paroles mêmes par lesquelles tu tentes de toucher l'oreille de Jupiter, dis-les donc à Staius – Ô Jupiter, Bon Jupiter s'exclamera-t-il –, mais Jupiter ne s'adressera-t-il pas lui-même une telle exclamation ? » – *g.* raconte – *h.* un rendez-vous – *i.* traversant – *j.* pensée

pas par cette preuve seulement qu'on pourrait vérifier que les femmes ne sont guère propres à traiter les matières de[1] la Théologie. Une vraie prière, et une religieuse réconciliation de nous à Dieu, elle ne peut tomber en une âme impure et soumise lors même[a], à la domination de Satan. Celui qui appelle Dieu à son assistance, pendant qu'il est dans le train du vice, il fait comme le coupeur de bourse, qui appellerait la justice à son aide, ou comme ceux qui produisent le nom de Dieu en témoignage de mensonge :

tacito mala vota susurro,
Concipimus[b2].

Il est peu d'hommes qui osassent mettre en évidence les requêtes secrètes qu'ils font à Dieu,

Haud cuivis promptum est murmurque humilesque susurros,
Tollere de templis, et aperto vivere voto[c3].

Voilà pourquoi les Pythagoriciens voulaient qu'elles fussent publiques et ouïes d'un chacun, afin qu'on ne le requît de chose indécente et injuste, comme celui-là,

clare cum dixit Apollo,
Labra movet metuens audiri : pulchra Laverna
Da mihi fallere, da justum sanctumque videri.
Noctem peccatis, et fraudibus objice nubem[d4].

Les Dieux punirent grièvement[e] les iniques vœux d'Œdippus en les lui octroyant. Il avait prié que ses enfants vidassent par armes entre eux la succession de son état. Il fut si misérable de[f] se voir pris au

a. à ce moment précis – *b.* « c'est en les susurrant sans bruit que nous concevons des vœux pernicieux. » – *c.* « Il n'est pas donné à tout un chacun de chasser des temples la bassesse de ses murmures et de ses chuchotements, pour vivre en exprimant ouvertement ses vœux » – *d.* « après avoir dit à voix haute "Apollon", il remue les lèvres tout en craignant d'être entendu : "belle Laverna, donne-moi de tromper, accorde-moi de paraître juste et irréprochable. Couvre d'une nuit mes fautes, et mes méfaits d'un nuage" » – *e.* lourdement – *f.* assez malheureux pour

mot. Il ne faut pas demander que toutes choses suivent notre volonté mais qu'elle suive la prudence. Il semble à la vérité, que nous nous servons de nos prières comme d'un jargon, et comme ceux qui emploient les paroles saintes et divines à des sorcelleries et effets magiciens, Et que nous fassions notre compte que[a] ce soit de la contexture, ou son, ou suite des mots[b], ou de notre contenance, que dépende leur effet. Car ayant l'âme pleine de concupiscence, non touchée de repentance, ni d'aucune nouvelle réconciliation envers Dieu, nous lui allons présenter ces paroles que la mémoire prête à notre langue : et espérons en tirer une expiation de nos fautes. Il n'est rien si aisé, si doux, et si favorable que la loi divine : elle nous appelle à soi, ainsi fautiers[c] et détestables comme nous sommes : elle nous tend les bras et nous reçoit en son giron, pour vilains, ords, et bourbeux[d], que nous soyons, et que nous ayons à être à l'avenir. Mais encore en récompense[e] la faut-il regarder de bon œil : Encore faut-il recevoir ce pardon avec action de grâces[f] : Et au moins pour cet[g] instant que nous nous adressons à elle, avoir l'âme déplaisante de ses fautes[h] et ennemie des passions, qui nous ont poussé à l'offenser : Ni les dieux ni les gens de bien, dit Platon, n'acceptent le présent d'un méchant[1].

Immunis aram si tetigit manus,
Non somptuosa blandior hostia
Mollivit aversos penates,
Farre pio et saliente mica[i2].

a. que nous comptions – *b*. de l'entrelacement des sons ou des mots – *c*. fautifs – *d*. sales, et boueux – *e*. compensation – *f*. remerciement – *g*. en cet – *h*. l'âme dégoûtée de ses fautes – *i*. « Si une main innocente a touché l'autel, une victime somptueuse ne flattera pas davantage les Pénates hostiles pour les adoucir qu'un gâteau sacré et qu'un grain de sel crépitant. »

De l'âge

CHAP. LVII

Je ne puis recevoir la façon, de quoi[a] nous établissons la durée de notre vie. Je vois que les sages l'accourcissent[b] bien fort au prix de[c] la commune opinion. Comment, dit le jeune Caton[1], à ceux qui le voulaient empêcher de se tuer : suis-je à cette heure en âge, où l'on me puisse reprocher d'abandonner trop tôt la vie[2] ? Si[d] n'avait-il que quarante et huit ans. Il estimait cet âge-là bien mûr et bien avancé, considérant combien peu d'hommes y arrivent : et ceux qui s'entretiennent de ce, que[e3] je ne sais quel cours qu'ils nomment naturel, promet quelques années au-delà : ils le pourraient faire[f], s'ils avaient privilège qui les exemptât d'un si grand nombre d'accidents, auxquels chacun de nous est en butte par une naturelle sujétion, qui peuvent interrompre ce cours qu'ils se promettent. Quelle rêverie[g] est-ce de s'attendre de mourir d'une défaillance de forces, que l'extrême vieillesse apporte, et de se proposer ce but à notre durée : vu que c'est l'espèce de mort la plus rare de toutes, et la moins en usage ? Nous l'appelons seule

a. de laquelle – *b.* la raccourcissent – *c.* en comparaison de – *d.* Pourtant – *e.* ceux qui s'imaginent que – *f.* ils pourraient parvenir à vivre quelques années de plus – *g.* folie naturelle, comme si c'était contre nature, de voir un homme se rompre le col d'une chute, s'étouffer d'un naufrage, se laisser surprendre à la peste ou à une pleurésie, et comme si notre condition ordinaire ne nous présentait[a] à tous ces inconvénients. Ne nous flattons pas de ces beaux mots : on doit à l'aventure[b] appeler plutôt naturel, ce qui est général, commun, et universel. Mourir de vieillesse, c'est une mort rare, singulière et extraordinaire, et d'autant moins naturelle que les autres : c'est la dernière et extrême sorte de mourir : plus elle est éloignée de nous, d'autant est-elle moins espérable : c'est bien la borne, au-delà de laquelle nous n'irons pas, et que la loi de nature a prescrit, pour n'être point outrepassée : mais c'est un sien rare privilège[c] de nous faire durer jusque-là. C'est une exemption qu'elle donne par faveur particulière, à un seul, en l'espace de deux ou trois siècles, le déchargeant des traverses et difficultés qu'elle a jetées entre deux, en cette longue carrière. Par ainsi[d] mon opinion est, de regarder que l'âge auquel nous sommes arrivés, c'est un âge auquel peu de gens arrivent. Puisque d'un train ordinaire les hommes ne viennent pas jusque-là, c'est signe que nous sommes bien avant. Et puisque nous avons passé les limites accoutumés, qui est la vraie mesure de notre vie, nous ne devons espérer d'aller guère outre : ayant échappé tant d'occasions de mourir, où nous voyons trébucher le monde, nous devons reconnaître qu'une fortune extraordinaire comme celle-là qui nous maintient, et hors de l'usage commun, ne nous doit guère durer. C'est un vice des lois mêmes d'avoir cette fausse imagination[e] : elles

a. exposait – *b.* peut-être – *c.* c'est un rare privilège qui lui appartient – *d.* Par suite – *e.* cette fausse opinion ne veulent pas qu'un homme soit capable du maniement de ses biens, qu'il[a] n'ait vingt et cinq ans, et à peine conservera-il jusque lors le maniement de sa vie. Auguste retrancha cinq ans des anciennes ordonnances Romaines[1], et déclara qu'il suffisait à ceux qui prenaient charge de judicature[b] d'avoir trente ans. Servius Tullius, dispensa les chevaliers qui avaient passé quarante-sept ans des corvées de la guerre[2] : Auguste les remit à quarante et cinq. De renvoyer les hommes au séjour[c] avant cinquante-cinq ou soixante ans, il me semble n'y avoir pas grande apparence[d]. Je serais d'avis qu'on étendît notre vacation[e] et occupation autant qu'on pourrait, pour la commodité publique : mais je trouve la faute en l'autre côté, de ne nous y embesogner[f] pas assez tôt. Cettui-ci avait été juge universel du monde à dix et neuf ans[3], et veut que pour juger de la place d'une gouttière on en ait trente. Quant à moi j'estime que nos âmes sont dénouées à vingt ans, ce qu'elles doivent être[g], et qu'elles promettent tout ce qu'elles pourront. Jamais âme qui n'ait donné en cet âge, arrhe bien évidente de sa force, n'en donna depuis la preuve. Les qualités et vertus naturelles enseignent dans ce terme-là[h], ou jamais, ce qu'elles ont de vigoureux et de beau :

Si l'espine nou pique quand nai
A pene que pique jamai[i],

disent-ils en Dauphiné. De toutes les belles actions humaines, qui sont venues à ma connaissance, de quelque sorte qu'elles soient, je penserais en avoir plus grande part, à nombrer[j] celles qui ont été pro-

a. avant qu'il – *b*. fonction de juge – *c*. repos – *d*. raison – *e*. activité professionnelle – *f*. engager – *g*. [et montrent] ce qu'elles doivent être – *h*. sous un tel délai – *i*. Si l'épine ne pique quand elle naît, il y a peu de chance qu'elle pique jamais – *j*. à compter

duites et aux siècles anciens et au nôtre, avant l'âge de trente ans, que après. Oui, en la vie de mêmes hommes souvent. Ne le puis-je pas dire en toute sûreté, de celle de Hannibal et de Scipion son grand adversaire[1] ? La belle moitié de leur vie, ils la vécurent de la gloire acquise en leur jeunesse : grands hommes depuis au prix de tous autres, mais nullement au prix d'eux-mêmes. Quant à moi je tiens pour certain que depuis cet âge, et mon esprit, et mon corps ont plus diminué, qu'augmenté, et plus reculé que avancé. Il est possible qu'à ceux qui emploient bien le temps, la science, et l'expérience croissent avec la vie : mais la vivacité, la promptitude, la fermeté, et autres parties[a] bien plus nôtres, plus importantes et essentielles, se fanissent[b] et s'alanguissent.

ubi jam validis quassatum est viribus ævi
Corpus, et obtusis ceciderunt viribus artus
Claudicat ingenium, delirat linguaque mensque[c][2].

Tantôt c'est le corps qui se rend le premier à la vieillesse : parfois aussi c'est l'âme : et en ai assez vu, qui ont eu la cervelle affaiblie, avant l'estomac et les jambes : et d'autant que c'est un mal peu sensible à qui le souffre, et d'une obscure montre[d], d'autant est-il plus dangereux. Pour ce coup, je me plains des lois, non pas de quoi elles nous laissent trop tard à la besogne, mais de quoi elles nous y emploient trop tard. Il me semble que considérant la faiblesse de notre vie, et à combien d'écueils ordinaires et naturels elle est exposée[3], on n'en devrait pas faire si grande part à la naissance, à l'oisiveté, et à l'apprentissage.

FIN DU PREMIER LIVRE

a. qualités – *b*. fanent – *c*. « lorsque les puissants assauts du temps ont désormais secoué le corps, et que les membres, une fois leurs forces perdues, se sont affaissés, l'esprit se met à boiter, la langue et l'intellect à divaguer. » – *d*. et invisible

DOSSIER

APPENDICE

Sonnets d'Estienne de la Boetie

SONNET

I

Pardon amour, pardon, ô Seigneur je te voue
Le reste de mes ans, ma voix et mes écrits,
Mes sanglots, mes soupirs, mes larmes et mes cris :
Rien, rien tenir d'aucun, que de toi je n'avoue.

Hélas comment de moi, ma fortune se joue.
De toi n'a pas longtemps, amour, je me suis ris.
J'ai failli, je le vois, je me rends, je suis pris.
J'ai trop gardé mon cœur, or je le désavoue.

Si j'ai pour le garder retardé ta victoire,
Ne l'en traite plus mal, plus grande en est ta gloire.
Et si du premier coup tu ne m'as abattu,

Pense qu'un bon vainqueur et né pour être grand,
Son nouveau prisonnier, quand un coup il se rend,
Il prise et l'aime mieux, s'il a bien combattu.

II

C'est amour, c'est amour, c'est lui seul, je le sens :
Mais le plus vif amour, la poison la plus forte,
À qui onq pauvre cœur ait ouverte la porte.
Ce cruel n'a pas mis un de ses traits perçants,

Mais arc, traits et carquois, et lui tout dans mes sens.
Encor un mois n'a pas, que ma franchise est morte,
Que ce venin mortel dans mes veines je porte,
Et déjà j'ai perdu, et le cœur et le sens.

Et quoi ? Si cet amour à mesure croissoit,
Qui en si grand tourment dedans moi se conçoit ?
Ô crois, si tu peux croître, et amende en croissant.

Tu te nourris de pleurs, des pleurs je te promets,
Et pour te rafraîchir, des soupirs pour jamais.
Mais que le plus grand mal soit au moins en naissant.

III

C'est fait mon cœur, quittons la liberté.
De quoi meshui servirait la défense,
Que d'agrandir et la peine et l'offense ?
Plus ne suis fort, ainsi que j'ai été.

La raison fut un temps de mon côté,
Or révoltée elle veut que je pense
Qu'il faut servir, et prendre en récompense
Qu'oncq d'un tel nœud nul ne fut arrêté.

S'il se faut rendre, alors il est saison,
Quand on n'a plus devers soi la raison.
Je vois qu'amour, sans que je le desserve,

Sans aucun droit, se vient saisir de moi ?
Et vois qu'encor il faut à ce grand Roi
Quand il a tort, que la raison lui serve.

IV

C'était alors, quand les chaleurs passées,
Le sale Automne aux cuves va foulant,
Le raisin gras dessous le pied coulant,
Que mes douleurs furent encommencées.

Le paisan bat ses gerbes amassées,
Et aux caveaux ses bouillants muids roulant,
Et des fruitiers son automne croulant,
Se venge lors des peines avancées.

Serait-ce point un présage donné
Que mon espoir est déjà moissonné ?
Non certes, non. mais pour certain je pense,

J'aurai, si bien à deviner j'entends,
Si l'on peut rien pronostiquer du temps,
Quelque grand fruit de ma longue espérance.

V

J'ai vu ses yeux perçants, j'ai vu sa face claire :
(Nul jamais sans son dam ne regarde les dieux)
Froid, sans cœur me laissa son œil victorieux,
Tout étourdi du coup de sa forte lumière.

Comme un surpris de nuit aux champs quand il éclaire
Étonné, se pâlit si la flèche des cieux
Sifflant lui passe contre, et lui serre les yeux,
Il tremble, et voit, transi, Jupiter en colère.

Dis-moi Madame, au vrai, dis-moi si tes yeux verts
Ne sont pas ceux qu'on dit que l'amour tient couverts ?
Tu les avais, je crois, la fois que je t'ai vue,

Au moins il me souvient, qu'il me fut lors avis
Qu'amour, tout à un coup, quand premier je te vis,
Débanda dessus moi, son arc, et sa vue.

VI

Ce dit maint un de moi, de quoi se plaint-il tant,
Perdant ses ans meilleurs en chose si légère ?
Qu'a-il tant à crier, si encor il espère ?
Et s'il n'espère rien, pourquoi n'est-il content ?

Quand j'étais libre et sain j'en disais bien autant.
Mais certes celui-là n'a la raison entière,
Ains a le cœur gâté de quelque rigueur fière,
S'il se plaint de ma plainte, et mon mal il n'entend.

Amour tout à un coup de cent douleurs me point,
Et puis l'on m'avertit que je ne crie point.
Si vain je ne suis pas que mon mal j'agrandisse

À force de parler : s'on m'en peut exempter,
Je quitte les sonnets, je quitte le chanter.
Qui me défend le deuil, celui-là me guérisse.

VII

Quand à chanter ton los, parfois je m'aventure,
Sas oser ton grand nom, dans mes vers exprimer,
Sondant le moins profond de cette large mer,
Je tremble de m'y perdre, et aux rives m'assure.

Je crains en louant mal, que je te fasse injure.
Mais le peuple étonné d'ouïr tant t'estimer,
Ardant de te connaître, essaie à te nommer,
Et cherchant ton saint nom ainsi à l'aventure,

Ébloui n'atteint pas à voir chose si claire,
Et ne te trouve point ce grossier populaire,
Qui n'ayant qu'un moyen, ne voit pas celui-là :

C'est que s'il peut trier, la comparaison faite
Des parfaites du monde, une la plus parfaite,
Lors, s'il a voix, qu'il crie hardiment la voilà.

VIII

Quand viendra ce jour-là, que ton nom au vrai passe
Par France, dans mes vers ? combien et quantes fois
S'en empresse mon cœur, s'en démangent mes doigts ?
Souvent dans mes écrits de soi-même il prend place.

Maugré moi je t'écris, maugré moi je t'efface.
Quand Astrée viendrait et la foi et le droit,
Alors joyeux ton nom au monde se rendroit.
Ores c'est à ce temps, que cacher il te fasse,

C'est à ce temps malin une grande vergogne
Donc Madame tandis tu seras ma Dordouigne.
Toutefois laisse-moi, laisse-moi ton nom mettre,

Ayez pitié du temps, si au jour je te mets,
Si le temps ce connaît, lors je te le promets,
Lors il sera doré, s'il le doit jamais être.

IX

Ô entre tes beautés, que ta constance est belle.
C'est ce cœur assuré, ce courage constant,
C'est parmi tes vertus, ce que l'on prise tant :
Ainsi qu'est-il plus beau, qu'une amitié fidèle ?

Or ne charge donc rien de ta sœur infidèle,
De Vesere ta sœur : elle va s'écartant
Toujours flottant mal sûre en son cours inconstant.
Vois-tu comme à leur gré les vents se jouent d'elle ?

Et ne te repens point pour droit de ton aînage
D'avoir déjà choisi la constance en partage.
Même race porta l'amitié souveraine

Des bons jumeaux, desquels l'un à l'autre départ
Du ciel et de l'enfer la moitié de sa part,
Et l'amour diffamé de la trop belle Heleine.

X

Je vois bien, ma Dordouigne encor humble tu vas :
De te montrer Gasconne en France, tu as honte.
Si du ruisseau de Sorgue, on fait ores grand conte,
Si a-il bien été quelquefois aussi bas.

Vois-tu le petit Loir comme il hâte le pas ?
Comme déjà parmi les plus grands il se compte ?
Comme il marche hautain d'une course plus prompte
Tout à côté du Mince, et il ne s'en plaint pas ?

Un seul Olivier d'Arne enté au bord de Loire,
Le fait courir plus brave et lui donne sa gloire.
Laisse, laisse-moi faire, Et un jour ma Dordouigne,

Si je devine bien, on te connaîtra mieux :
Et Garonne, et le Rhône, et ces autres grands Dieux
En auront quelque envie, et possible vergogne.

XI

Toi qui ois mes soupirs, ne me sois rigoureux
Si mes larmes à part toutes miennes je verse,
Si mon amour ne suit en sa douleur diverse
Du Florentin transi les regrets langoureux,

Ni de Catulle aussi, le folâtre amoureux,
Qui le cœur de sa dame en chatouillant lui perce,
Ni le savant amour du mi-grégeois Properce,
Ils n'aiment pas pour moi, je n'aime pas pour eux.

Qui pourra sur autrui ses douleurs limiter,
Celui pourra d'autrui les plaintes imiter :
Chacun sent son tourment, et sait ce qu'il endure

Chacun parla d'amour ainsi qu'il l'entendit.
Je dis ce que mon cœur, ce que mon mal me dit.
Que celui aime peu, qui aime à la mesure.

XII

Quoi ? qu'est-ce ? ô vents, ô nues, ô l'orage !
À point nommé, quand d'elle m'approchant
Les bois, les monts, les baisses vais tranchant
Sur moi d'aguet vous poussez votre rage.

Ores mon cœur s'embrase davantage.
Allez, allez faire peur au marchand,
Qui dans la mer les trésors va cherchant :
Ce n'est ainsi, qu'on m'abat le courage.

Quand j'ois les vents, leur tempête, et leurs cris,
De leur malice, en mon cœur je me ris.
Me pensent-ils pour cela faire rendre ?

Fasse le ciel du pire, et l'air aussi :
Je veux, je veux, et le déclare ainsi
S'il faut mourir, mourir comme Leandre.

XIII

Vous qui aimer encore ne savez,
Ores m'oyant parler de mon Leandre,
Ou jamais non, vous y devez apprendre,
Si rien de bon dans le cœur vous avez.

Il osa bien branlant ses bras lavés,
Armé d'amour, contre l'eau se défendre,
Qui pour tribut la fille voulut prendre,
Ayant le frère, et le mouton sauvés.

Un soir vaincu par les flots rigoureux,
Voyant déjà, ce vaillant amoureux,
Que l'eau maîtresse à son plaisir le tourne :

Parlant aux flots, leur jeta cette voix :
Pardonnez-moi maintenant que j'y vois,
Et gardez-moi la mort, quand je retourne.

XIV

Ô cœur léger, ô courage mal seur,
Penses-tu plus que souffrir je te puisse ?
Ô bonté creuse, ô couverte malice,
Traître beauté, venimeuse douceur.

Tu étais donc toujours sœur de ta sœur ?
Et moi trop simple il fallait que j'en fisse
L'essai sur moi ? et que tard j'entendisse
Ton parler double et tes chants de chasseur ?

Depuis le jour que j'ai pris à t'aimer,
J'eusse vaincu les vagues de la mer.
Qu'est-ce meshui que je pourrais attendre ?

Comment de toi pourrais-je être content ?
Qui apprendra ton cœur d'être constant,
Puisque le mien ne le lui peut apprendre ?

XV

Ce n'est pas moi que l'on abuse ainsi :
Qu'à quelque enfant ses ruses on emploie,
Qui n'a nul goût, qui n'entend rien qu'il oie :
Je sais aimer, je sais haïr aussi.

Contente-toi de m'avoir jusqu'ici
Fermé les yeux, il est temps que j'y voie :
Et que meshui, las et honteux je sois
D'avoir mal mis mon temps et mon souci,

Oserais-tu m'ayant ainsi traité
Parler à moi jamais de fermeté ?
Tu prends plaisir à ma douleur extrême :

Tu me défends de sentir mon tourment :
Et si veux bien que je meure en t'aimant.
Si je ne sens, comment veux-tu que j'aime ?

XVI

Ô l'ai-je dit ? helas l'ai-je songé ?
Ou si pour vrai j'ai dit blasphème telle ?
Çà fausse langue, il faut que l'honneur d'elle
De moi, par moi, dessus moi, soit vengé.

Mon cœur chez toi, ô madame, est logé :
Là donne-lui quelque gêne nouvelle :
Fais-lui souffrir quelque peine cruelle :
Fais, fais-lui tout, fors lui donner congé.

Or seras-tu (je le sais) trop humaine,
Et ne pourras longuement voir ma peine.
Mais un tel fait, faut-il qu'il se pardonne ?

À tout le moins haut je me dédirai
De mes sonnets, et me démentirai,
Pour ces deux faux, cinq cents vrais je t'en donne.

XVII

Si ma raison en moi s'est pu remettre,
Si recouvrer asteure je me puis,
Si j'ai du sens, si plus homme je suis,
Je t'en mercie, ô bienheureuse lettre.

Qui m'eût (hélas) qui m'eût su reconnaître
Lorsqu'enragé vaincu de mes ennuis,
En blasphémant ma dame je poursuis ?
De loin, honteux, je te vis lors paraître

Ô saint papier, alors je me revins,
Et devers toi dévotement je vins.
Je te donrais[a] un autel pour ce fait,

a. Donnerais.

Qu'on vît les traits de cette main divine.
Mais de les voir aucun homme n'est digne,
Ni moi aussi, s'elle ne m'en eût fait.

XVIII

J'étais prêt d'encourir pour jamais quelque blâme.
De colère échauffé mon courage brûlait,
Ma folle voix au gré de ma fureur branlait,
Je dépitais les dieux, et encore ma dame.

Lorsqu'elle de loin jette un brevet dans ma flamme
Je le sentis soudain comme il me rhabillait,
Qu'aussitôt devant lui ma fureur s'en allait,
Qu'il me rendait, vainqueur, en sa place mon âme.

Entre vous, qui de moi, ces merveilles oyez,
Que me dites-vous d'elle ? et je vous prie voyez,
S'ainsi comme je fais, adorer je la dois ?

Quels miracles en moi, pensez-vous qu'elle fasse
De son œil tout-puissant, ou d'un rai de sa face.
Puisqu'en moi firent tant les traces de ses doigts.

XIX

Je tremblais devant elle, et attendais, transi,
Pour venger mon forfait quelque juste sentence,
À moi-même consent du poids de mon offense,
Lorsqu'elle me dit, va, je te prends à merci.

Que mon los désormais partout soit éclairci :
Emploie là tes ans : et sans plus, meshui pense
D'enrichir de mon nom par tes vers notre France,
Couvre de vers ta faute et paye-moi ainsi.

Sus donc ma plume, il faut, pour jouir de ma peine
Courir par sa grandeur, d'une plus large veine.
Mais regarde à son œil, qu'il ne nous abandonne.

Sans ses yeux, nos esprits se mourraient languissants.
Ils nous donnent le cœur, ils nous donnent le sens.
Pour se payer de moi, il faut qu'elle me donne.

XX

Ô vous maudits sonnets, vous qui prîtes l'audace
De toucher à ma dame : ô malins et pervers,
Des Muses le reproche, et honte de mes vers :
Si je vous fis jamais, s'il faut que je me fasse

Ce tort de confesser vous tenir de ma race,
Lors pour vous les ruisseaux ne furent pas ouverts
D'Appollon le doré, des muses aux yeux verts,
Mais vous reçut naissants Tisiphone en leur place

Si j'ai oncq quelque part à la postérité
Je veux que l'un et l'autre en soit déshérité.
Et si au feu vengeur dès or je ne vous donne,

C'est pour vous diffamer, vivez chétifs, vivez,
Vivez aux yeux de tous, de tout honneur privez :
Car c'est pour vous punir, qu'ores je vous pardonne.

XXI

N'ayez plus mes amis, n'ayez plus cette envie
Que je cesse d'aimer, laissez-moi obstiné,
Vivre et mourir ainsi, puisqu'il est ordonné,
Mon amour c'est le fil, auquel se tient ma vie.

Ainsi me dit la fée, ainsi en Æagrie
Elle fit Meleagre à l'amour destiné,
Et alluma sa souche à l'heure qu'il fut né,
Et dit, toi, et ce feu, tenez-vous compagnie.

Elle le dit ainsi, et la fin ordonnée
Suivit après le fil de cette destinée.
La souche (ce dit l'on) au feu fut consommée,

Et dès lors (grand miracle) en un même moment
On vit tout à un coup, du misérable amant
La vie et le tison, s'en aller en fumée.

XXII

Quand tes yeux conquérants étonné je regarde,
J'y vois dedans à clair tout mon espoir écrit,
J'y vois dedans amour, lui-même qui me rit,
Et m'y montre mignard le bonheur qu'il me garde.

Mais quand de te parler parfois je me hasarde,
C'est lors que mon espoir desséché se tarit.
Et d'avouer jamais ton œil, qui me nourrit,
D'un seul mot de faveur, cruelle tu n'as garde.

Si tes yeux sont pour moi, or vois ce que je dis,
Ce sont ceux-là, sans plus, à qui je me rendis.
Mon Dieu quelle querelle en toi-même se dresse,

Si ta bouche et tes yeux se veulent démentir.
Mieux vaut, mon doux tourment, mieux vaut les départir,
Et que je prenne au mot de tes yeux la promesse.

XXIII

Ce sont tes yeux tranchants qui me font le courage.
Je vois sauter dedans la gaye liberté,
Et mon petit archer, qui mène à son côté
La belle gaillardise et plaisir le volage.

Mais après, la rigueur de ton triste langage
Me montre dans ton cœur la fière honnêteté.

Et condamné je vois la dure chasteté,
Là gravement assise et la vertu sauvage,

Ainsi mon temps divers par ces vagues se passe.
Ores son œil m'appelle, or sa bouche me chasse.
Hélas, en cet estrif, combien ai-je enduré.

Et puisqu'on pense avoir d'amour quelque assurance,
Sans cesse nuit et jour à la servir je pense,
Ni encore de mon mal, ne puis être assuré.

XXIV

Or dis-je bien, mon espérance est morte.
Or est-ce fait de mon aise et mon bien.
Mon mal est clair : maintenant je vois bien,
J'ai épousé la douleur que je porte.

Tout me court sus, rien ne me réconforte,
Tout m'abandonne et d'elle je n'ai rien,
Sinon toujours quelque nouveau soutien,
Qui rend ma peine et ma douleur plus forte.

Ce que j'attends, c'est un jour d'obtenir
Quelques soupirs des gens de l'avenir :
Quelqu'un dira dessus moi par pitié :

Sa dame et lui naquirent destinés,
Également de mourir obstinés,
L'un en rigueur, et l'autre en amitié.

XXV

J'ai tant vécu, chétif, en ma langueur,
Qu'or j'ai vu rompre, et suis encore en vie,
Mon espérance avant mes yeux ravie,
Contre l'écueil de sa fière rigueur.

Que m'a servi de tant d'ans la longueur?
Elle n'est pas de ma peine assouvie:
Elle s'en rit, et n'a point d'autre envie,
Que de tenir mon mal en sa vigueur.

Doncques j'aurai, malheureux en aimant
Toujours un cœur, toujours nouveau tourment.
Je me sens bien que j'en suis hors d'haleine,

Prêt à laisser la vie sous le faix:
Qu'y ferait-on sinon ce que je fais?
Piqué du mal, je m'obstine en ma peine.

XXVI

Puisqu'ainsi sont mes dures destinées,
J'en saoulerai, si je puis, mon souci.
Si j'ai du mal, elle le veut aussi.
J'accomplirai mes peines ordonnées

Nymphes des bois qui avez étonnées,
De mes douleurs, je crois quelque merci,
Qu'en pensez-vous? puis-je durer ainsi,
Si à mes maux trêves en sont données?

Or si quelqu'une à m'écouter s'encline,
Oyez pour Dieu ce qu'ores je devine.
Le jour est près que mes forces jà vaines

Ne pourront plus fournir à mon tourment.
C'est mon espoir, si je meurs en aimant,
Adonc, je crois, faillirai-je à mes peines.

XXVII

Lorsque lasse est, de me lasser ma peine,
Amour d'un bien mon mal rafraîchissant,

Flatte au cœur mort ma plaie languissant,
Nourrit mon mal, et lui fait prendre haleine.

Lors je conçois quelque espérance vaine :
Mais aussitôt, ce dur tyran, s'il sent
Que mon espoir se renforce en croissant,
Pour l'étouffer, cent tourments il m'ameine

Encor tous frais : lors je me vois blâmant
D'avoir été rebelle à mon tourment.
Vive le mal, ô dieux, qui me dévore,

Vive à son gré mon tourment rigoureux.
Ô bien heureux, et bien heureux encore
Qui sans relâche est toujours malheureux.

XXVIII

Si contre amour je n'ai autre défence
Je m'en plaindrai, mes vers le maudiront,
Et après moi les roches rediront
Le tort qu'il fait à ma dure constance.

Puisque de lui j'endure cette offence.
Au moins tout haut, mes rythmes le diront,
Et nos neveux, alors qu'ils me liront,
En l'outrageant, m'en feront la vengeance.

Ayant perdu tout l'aise que j'avois,
Ce sera peu que de perdre ma voix.
S'ont sait l'aigreur de mon triste souci,

Et fut celui qui m'a fait cette plaie,
Il en aura, pour si dur cœur qu'il aie,
Quelque pitié, mais non pas de merci.

XXIX

Jà reluisait la benoîte journée
Que la nature au monde te devait,
Quand des trésors qu'elle te réservait
Sa grande clef, te fut abandonnée.

Tu pris la grâce à toi seule ordonnée,
Tu pillas tant de beautés qu'elle avoit :
Tant qu'elle, fière, alors qu'elle te voit
En est parfois, elle-même étonnée.

Ta main de prendre enfin se contenta :
Mais la nature encor te présenta,
Pour t'enrichir cette terre où nous sommes.

Tu n'en pris rien : mais en toi tu t'en ris,
Te sentant bien en avoir assez pris
Pour être ici reine du cœur des hommes.

NOTE SUR LA LANGUE DES *ESSAIS*

Montaigne est un auteur parfaitement conscient de ses moyens : sa réflexion continuelle sur la langue, ou plutôt les langues, dont il dispose, en témoigne. S'il écrit les *Essais* en français, sa langue maternelle est le latin (« Quant à moi, j'avais plus de six ans avant que j'entendisse non plus de Français ou de Périgourdin que d'Arabesque », I, 26 ; « Le langage latin m'est comme naturel, je l'entends mieux que le Français », III, 2) et il entend forger un « nouveau langage », « langage coupé », où les choix linguistiques seraient signifiants. Montaigne choisit donc le français, contre l'autorité du latin, en éprouvant la liberté relative offerte par cette langue qui ne l'emprisonne pas dans une norme linguistique : le moyen français qu'il pratique s'offre encore beaucoup aux écarts et transformations et l'auteur utilise cette malléabilité linguistique, cette « variation continuelle » (III, 9), pour en faire sa langue littéraire. L'attachement de Montaigne à la dignité du latin, à ses qualités expressives notamment, perdure néanmoins et le français des *Essais* dénote fréquemment l'innutrition lexicale et syntaxique de la langue littéraire par la langue maternelle. Les emprunts au dialecte gascon loué pour sa vigueur et son naturel contribuent encore à singulariser le style de Montaigne, hostile à toute reproduction artificielle des schémas rhétoriques. Alors qu'il inaugure un genre singulier, Montaigne prend position dans les débats de l'époque sur la ponctuation, la néologie, les choix orthographiques. Les « recommandations à l'imprimeur », les quelque neuf mille retouches autographes touchant la ponctuation et les majuscules de l'Exemplaire de Bordeaux s'intègrent de même dans une démarche de commentaire constant par l'auteur de son propre texte, commentaire qui peut prendre la forme d'une analyse linguistique. Sans préjuger d'un déterminisme strict de la pensée montaignienne sur chaque phénomène linguistique isolé, nous avons souhaité que le lecteur de Montaigne puisse encore accéder à cette langue, l'appréhender dans la spécificité de ses choix, et c'est pourquoi nous avons renoncé à moderniser certains tours grammaticaux qui peuvent surprendre aujourd'hui. Toutefois, afin de rendre plus aisée la familiarisation du lecteur avec le texte, nous proposons ici un tableau succinct des phénomènes linguistiques récurrents que nous avons conservés et qui concernent les accords, les constructions syntaxiques et les valeurs verbales.

Les phénomènes d'accord

Il faut d'abord prendre en compte le fait que le genre des substantifs se trouve parfois inversé par rapport à notre propre usage, puisque l'usage du moyen français retient fréquemment le genre étymologique : un terme féminin étant masculin et inversement (« affaire », « amour », « art », « énigme », « étude », « rencontre », etc.).

La variation des termes en nombre est par ailleurs marquée par l'influence de la langue latine qui pratique l'accord de proximité :

— en cas de sujet multiple, le verbe s'accorde avec le sujet le plus proche : « Et quant à ce beau mot, de quoi se couvre l'ambition et l'avarice » (I, 39)

— en cas de substantifs coordonnés, l'adjectif qui les qualifie ou le participe passé qui s'y rapporte s'accordent avec le substantif le plus proche : « Je suis content, quand il verra Fabricius ou Lælius, qu'il leur trouve la contenance et le port barbare, puisqu'ils ne sont ni vêtus ni façonnés à notre mode. » (I, 49) ; « les yeux et les mains tendues au ciel » (III, 4).

La règle de l'accord du participe passé régi par l'auxiliaire avoir avec le complément d'objet qui le précède est connue de Montaigne mais n'est pas respectée systématiquement : « apaise ta douleur, et te console en la connaissance, que tu as eu de moi » (II, 35) ; « J'ai dû la pareille aux enfants que j'ai eu » (II, 8).

Montaigne, influencé par le latin, pratique l'accord du participe présent en nombre : « Édouard prince de Galles, celui qui régenta si longtemps notre Guyenne [...] ayant été fort bien offensé par les Limousins, et prenant leur ville par force, ne put être arrêté par les cris du peuple, et des femmes et enfants abandonnés à la boucherie, lui criants merci et se jetants à ses pieds » (I, I).

Lorsqu'ils se trouvent en emploi adverbial, « quelque » et « tout » demeurent variables : « je sais bon gré à Jacques Amyot d'avoir laissé dans le cours d'une oraison française, les noms latins tous entiers, sans les bigarrer et changer pour leur donner une cadence française » (I, 46).

Les constructions syntaxiques

L'ordre des mots fait manifestement l'objet d'un travail minutieux dans les *Essais* sans que les tours soient toujours clairement motivés par une intention distincte de l'usage. Notons en particulier l'inversion récurrente de l'ordre sujet-verbe, héritée de l'ancien français, en particulier après la coordination « et » en tête de proposition : « Et tient-on que cette règle a été premièrement mise en usage par le législateur Charondas » (I, 16).

La phrase de Montaigne, dans ses constructions, est souvent plus elliptique que la phrase du français moderne et peut dérouter par les ruptures de construction qu'elle ose.

Ainsi, conformément à l'usage latin de « quod », les relatives reposent-elles fréquemment sur les pronoms « qui » et « que » donnés pour « ce qui » et « ce que » : « et Cicéron, ce me semble, avait accoutumé de rincer le nez, qui signifie un naturel moqueur » (II, 17). De même, on trouve le pronom « qui » dépourvu d'antécédent donné pour « celui qui » ou pour « si l'on » : « Et qui nous pourrait joindre à cette heure, et acharner à une entreprise commune tout notre peuple, nous ferions refleurir notre ancien nom militaire » (II, 7).

Il arrive également que Montaigne construise directement des verbes devenus intransitifs : « J'ai vu en mon temps cent artisans, cent laboureurs, plus sages et plus heureux que des recteurs de l'université, et lesquels j'aimerais mieux ressembler » ; « Moi, qui fais les lois, tiens que, ni vous n'êtes à vous, ni n'est à vous ce que vous jouissez» (II, 12) ou qu'il coordonne deux verbes aux régimes différents: «il s'élèvera abandonnant et renonçant à ses propres moyens» (II, 13); «je puis condamner et me déplaire de ma forme universelle» (III, 2). Montaigne fait également un usage privilégié de l'infinitif substantivé qui lui permet de densifier et d'animer son expression: «des grandes cannes ouvertes par un bout, par le son desquelles ils soutiennent la cadence en leur danser» (I, 31); «le long temps vivre et le peu de temps vivre est rendu tout un par la mort» (I, 20).

La construction de la négation se signale également par son caractère elliptique: Montaigne pratique fréquemment l'omission de «ne», second terme de la négation, après «ni» (calqué du latin *neque* placé en tête de phrase au sens de «et...ne... pas») et dans les énoncés interrogatifs: «Ni ces quatre victoires sœurs [...] de Salamine, de Platées, de Mycale, de Sicile, osèrent onques opposer toute leur gloire ensemble à la gloire de la déconfiture du Roi Léonidas et des siens» (I, 31); «dirons-nous pas que ces simples gens-là se sont laissé piper après le vulgaire» (I, 27).

Particularités dans l'emploi des temps et des modes

L'influence du latin s'exerce directement sur l'usage de l'imparfait (indicatif ou subjonctif) à sens conditionnel avec les verbes «pouvoir» et «devoir»: «Nature se devait contenter d'avoir rendu cet âge misérable, sans le rendre encore ridicule» (III, 5); «Mon sort m'a fait grâce de ne m'avoir présenté des occasions qui me pussent tenter, et divertir mon affection de la commune et légitime ordonnance» (II, 8).

L'usage du subjonctif est différent du français moderne, en particulier parce qu'il est plus répandu: ainsi, dans de nombreuses subordonnées interrogatives, suivant l'exemple du latin, on trouve le subjonctif («Il est incertain où la mort nous attende», I, 20); en général, dans tout contexte où le processus d'assertion est suspendu, comme dans les complétives dépendant de verbes exprimant une volonté, un sentiment, une opinion: «et tiens que nous les plaignons sans cause, estimant qu'ils soient agités de grièves douleurs» (II, 6); «Sauf l'ordre, la modération, et la constance, j'estime que toutes choses soient faisables par un homme bien manque et défaillant en gros» (II, 29); «J'aimerais aussi cher, que celui-là se gratifiât des bonnetades qu'on lui fait, pensant qu'il soit maître de la troupe, lui qui est de moindres de la suite» (III, 5).

NOTES

Au Lecteur

Rédigé pour ouvrir la première édition des *Essais*, cet « Avis au Lecteur » restreint l'ouvrage à une simple peinture de soi effectuée au soir de sa vie pour un entourage familier. La rhétorique de l'humilité emporte donc l'ouvrage dans son ensemble, et même si elle sera bien plus marquée dans d'autres chapitres, elle signe la caractéristique première de cet ouvrage : celui d'être « inutile ». L'avis fonctionne dès lors, à l'instar de l'ouverture de nombreux chapitres, comme une « clause auto-relativisante du discours » (F. Cossutta, *Le scepticisme*, Paris, PUF, 1994, p. 103-104), stratégie sceptique qui libère la parole tout en en suspendant toute portée dogmatique et didactique. Peut-être ne convient-il pas de prendre Montaigne au mot : l'édition de 1580, riche en son premier livre de considérations politiques et militaires, a été hâtée pour pouvoir être présentée au Roi lors d'un passage de Montaigne à Paris. Se peindre au vif, c'est aussi donner à la Cour une image de soi dont la fidélité n'est pas à remettre en cause, mais qui relève toutefois d'une projection étudiée, dans son refus même de tout artifice. Tournant le dos à une première carrière et voulant par la plume asseoir ses nouveaux titres de noblesse dans le monde politique, Montaigne entreprend « le farouche et extravagant dessein » de se peindre, entreprise accusant une « vanité » bien ambiguë : marque d'un objectif totalement personnel poursuivi par cette publication, mais marque aussi du trait le plus manifeste de l'humaine condition, qui place d'emblée les

Essais — malgré les époques que P. Villey a voulu dégager dans l'évolution du projet (*Les Sources et l'évolution des* Essais *de Montaigne*, Paris, Hachette, 1908) — sur un terrain anthropologique et philosophique. (E.N.)

Page 117.

1. [1580] : «je me fusse paré de beautés empruntées, ou me fusse tendu et bandé en ma meilleure démarche. Je veux».

2. L'Exemplaire de Bordeaux (dorénavant E.B.) restitue en toutes lettres la date initiale fixée en 1580, et conservée en 1582. Le retour au *terminus a quo* marque peut-être la conscience accrue que l'ouvrage n'a virtuellement pas de fin assignable. Pour l'édition L'Angelier, Montaigne avait mis à jour la datation, inscrivant «ce 12. Juin. 1588», date sur laquelle l'édition posthume ne revient pas en 1595.

Par divers moyens on arrive à pareille fin

CHAP. I

Réfléchissant sur l'attitude de soumission ou d'insoumission que doit prendre le vaincu à l'issue du combat face au vainqueur, Montaigne se donne, en mettant en regard des anecdotes historiques contrastées, un objet plus large : démontrer l'impossibilité d'assigner à un moyen un effet probable. Deux comportements contraires, objets éventuels d'un jugement prudentiel de celui qui est vaincu au combat, sont proposés : la soumission et la «braverie», termes que l'on peut rapprocher de deux extrémités éthiques chez Aristote : la lâcheté et la témérité. Tout jugement prudentiel du vaincu doit intégrer non seulement le naturel du vainqueur, sa variabilité, mais aussi son insertion dans un contexte social qui peut l'infléchir, comme le montre la prise en compte du jugement de ses soldats par Denys l'Ancien. Ce chapitre, par une accumulation d'exemples et contre-exemples et par une mise en abîme des niveaux de relativité et de contingence, n'a qu'un but : montrer que le résultat du jugement prudentiel du vaincu n'a qu'une efficacité relative au jugement d'autrui, frappé lui-même par plusieurs niveaux de contingence et de relativité. (E.N.)

Page 121.

1. C'est en 1370 que Limoges fut assiégée par Édouard de Galles, dit « le Noir » (1330-1376), comme en témoigne Froissart dans ses *Chroniques* (I, CCLXXXIX).

2. Paul Jove, *Commentarii delle cose de' Turchi con gli fatti e la vita di Scanderberg*, Venise, 1541, XLII, traduit en français trois ans plus tard. Georges Castriota, dit Scanderberg, souleva l'Albanie dont il était prince contre les Turcs parmi lesquels il avait pourtant été élevé. Il mourut le 17 janvier 1468.

Page 122.

1. Voir Jean Bodin, prologue du *Methodus ad facilem historiarum cognitionem* (1566) : Conrad III prit Weinsberg (Bavière) en 1140.

2. Voir Cicéron, *Tusculanes*, IV, XXVI, 56. Pour l'assimilation de la passion au vice, voir Plutarque, *De la vertu morale*, II, 440 e.

Page 123.

1. [1580] : « en honneur une vertu vive, mâle, ».

2. Voir Plutarque, *Comment on peut se louer soi-même*, IV, 540 e.

3. D'après Diodore de Sicile, *Bibliothèque historique*, XIV, CXII.

Page 124.

1. Plutarque, *Préceptes de gouvernement*, XIX, 815 e-f.

2. Le chapitre s'arrête ici dans l'édition de 1580.

3. D'après Quinte-Curce, *Histoire d'Alexandre*, IV, VI, 25-29.

Page 125.

1. [1588] : « les talons, et qu'on y traversât une corde : et le fit ».

De la Tristesse

CHAP. II

Au seuil des *Essais*, dont l'écriture est placée sous le signe du deuil de l'ami incomparable, Étienne de La Boétie, Montaigne se devait de poser un garde-fou contre les dangereux attraits de la mélancolie. Ce chapitre réfléchit sur les outrances de la tristesse, pour mieux les conjurer. Une série d'exemples anciens et modernes mettent en scène le corps à l'épreuve des passions ; douleur et joie extrême se rejoignent pour donner à voir la fragilité de l'homme, souvent incapable de résister à la force de ses émotions. En contrepoint de cet assemblage de contes et de citations, le « je » fait déjà discrètement entendre sa différence, l'analyse de soi prend peu à peu ses marques. (A.T.)

Page 126.

1. En italien, *tristizia* désigne à la fois la tristesse et la méchanceté.
2. Selon les stoïciens, la tristesse est une maladie de l'âme (voir Cicéron, *Tusculanes*, IV, XXVI).
3. Anecdote tirée d'Hérodote (*Histoires*, III, 14).
4. Il s'agit du cardinal de Lorraine, Charles de Guise, qui en 1563 perdit son frère aîné François, duc de Guise, puis son jeune frère François de Lorraine, et enfin son nain Romanoch.

Page 127.

1. L'Athénien Timanthe (IVe siècle ap. J.-C.) avait peint de cette manière la douleur d'Agamemnon au sacrifice de sa fille Iphigénie. Anecdote connue, citée par Cicéron (*Orator*, XXII, 74), Pline l'Ancien (*Histoire naturelle*, XXXV, X, 73) et Quintilien (*Institution oratoire*, II, XIII, 13).
2. Ovide, *Métamorphoses*, VI, 304.

Page 128.

1. Virgile, *Énéide*, XI, 151.
2. Anecdote citée par Paul Jove, *Historia sui temporis* (1553), XXXIX.
3. Pétrarque, *Canzoniere*, CLXX.

Page 129.

1. Catulle, *Poèmes*, LI.
2. Dans le texte paru en 1588, Montaigne ajoutait : « accident qui ne m'est pas inconnu ».
3. Sénèque, *Hippolyte*, II, 3, 607.
4. Virgile, *Énéide*, III, 306-309.
5. Exemples tirés de Pline l'Ancien (*Histoire naturelle*, VII,

53) et de Valère Maxime (*Faits et Paroles mémorables*, IX, 12) et rassemblés par le compilateur Ravisius Textor (*Officina*, I, 1551, p. 85-86).

6. Exemple présent chez Guichardin (*Histoire d'Italie*, XIV, x).

Page 130.

1. Anecdote tirée de Pline l'Ancien (*Histoire naturelle*, VII, LIII).

Nos affections s'emportent au-delà de nous

CHAP. III

À travers ses nombreux méandres, ce chapitre s'organise autour de la question du rapport de la conscience humaine au temps. S'ouvrant sur la critique de la propension humaine à ne jamais vivre dans le présent mais à toujours anticiper l'avenir, il aborde ensuite le sujet du destin des hommes, corps et âme, après leur mort. Ainsi la fin du règne d'un souverain marque-t-elle légitimement le début de l'évaluation populaire de sa postérité. Ainsi encore les hommes font-ils preuve d'un souci excessif du devenir des corps après la mort, accordant parfois même une puissance active à la dépouille des défunts. (D.R.)

Page 131.

1. Sénèque, *Lettres à Lucilius*, XCVIII, 6.
2. Platon, *Timée*, 72 a.

Page 132.

1. Cicéron, *Tusculanes*, V, XVIII, 54.
2. Voir *Sentence vaticane*, 35 ; Cicéron, *De finibus*, I, XVIII, 60-61.

Page 133.

1. Voir Tite-Live, *Histoire romaine*, XXXV, XLVIII, 2.
2. L'empereur Néron se signala notamment par son instabilité, ses extravagances et sa cruauté : il fit assassiner sa mère, Agrippine, en 55 et fut accusé d'être l'auteur du grand incendie de Rome en 64 ; il aimait à faire l'acteur et conduisait des chars lors de jeux du cirque.

3. Voir Tacite, *Annales*, XV, LXVII-LXVIII.
4. Voir Hérodote, *Histoires*, VI, 58.
5. Voir *Éthique à Nicomaque*, I, X, 1100 a ; voir *Essais*, I, 19.
6. Lucrèce, *De rerum natura*, III, 877-878 et 882.

Page 134.

1. Bertrand du Guesclin, voir *Essais*, I, 46. Voir J. Bouchet, *Annales d'Aquitaine*.
2. Voir Guichardin, *Histoire d'Italie*, XII, 17.
3. Voir Plutarque, *Vie de Nicias*, XI.
4. Voir *id.*, *Vie d'Agésilas*, XXVIII.

Page 135.

1. Le chef des Hussites (1360-1424) ; Montaigne rapporte ici une anecdote bien connue.
2. Voir Lopez de Gomara, *Histoire générale des Indes*, III, XXII.
3. Voir les *Mémoires* de M. et G. du Bellay, Paris, L'Huillier, 1569, f° 59.

Page 136.

1. Philippe II, roi d'Espagne.
2. Xénophon, *Cyropédie*, VIII, VII, 26.

Page 137.

1. Tite-Live, résumé du livre XLVIII.
2. Diogène Laërce, *Vie de Lycon*, V, 74.

Page 138.

1. Le texte de 1588 donnait, pour la suite du texte et jusqu'à « répond-il », le passage suivant : « et sauf les choses requises au service de ma religion, si c'est en lieu où il soit besoin de l'enjoindre, m'en remettrait volontiers à la discrétion des premiers à qui cette sollicitude tombera en partage. »
2. Cicéron, *Tusculanes*, I, XLV, 108.
3. Augustin, *Cité de Dieu*, I, XII, 22.
4. Platon, *Phédon*, 115 c.
5. Voir Diodore de Sicile, *Bibliothèque historique*, XIII, 31-32.

Page 139.

1. *Ibid.*, XV, 9.
2. L'île de Naxos, la plus grande des Cyclades, dans la mer Égée.
3. Sénèque, *Les Troyennes*, 407-408.
4. Vers d'Ennius cités par Cicéron, *Tusculanes*, I, XLIV, 107.

Comme l'âme décharge ses passions sur des objets faux, quand les vrais lui défaillent

CHAP. IV

Les passions violentes, lorsqu'elles dominent l'âme, la conduisent à s'attacher à des objets sans consistance. Parmi les effets irrationnels les plus puissants de ces passions, Montaigne relève en particulier le recours aux causalités imaginaires ou le choix de réactions disproportionnées par des esprits qui refusent avant tout d'admettre leur impuissance sur les faits. (D.R.)

Page 140.

1. Lucain, *Pharsale*, III, 362-363.
2. Plutarque, *Vie de Périclès*, I, 104.

Page 141.

1. Lucain, *Pharsale*, VI, 220-223.
2. Tite-Live, *Histoire romaine*, XXV, XXXVII, 9.
3. Voir Cicéron, *Tusculanes*, III, XXVI, 62.
4. Plutarque, *Comment il faut réfréner la colère*, V, 455 d.

Page 142.

1. Sénèque, *De ira*, III, 21.
2. *Ibid.*, III, 22.
3. Suétone, *Vie d'Auguste*, XVI et XXIII.
4. Hérodote, *Histoires*, IV, 94.
5. Cité par Plutarque, *De la tranquillité de l'âme*, IV, 467 a.

Si le chef d'une place assiégée, doit sortir pour parlementer

CHAP. V

Tous les moyens sont-ils légitimes pour l'emporter ? Quelle place faut-il donner à la loyauté dans les rapports avec l'ennemi ? Ce chapitre, comme le suivant, pose ces questions dans un cadre strictement militaire, à travers une série contrastée d'exemples antiques ou récents. Quels sont les risques encourus par celui qui sort de son camp pour parlementer avec l'ennemi ? Et les avantages inattendus qu'il peut en retirer ? Mais les enjeux de la réflexion sont plus larges : ils rejoignent la politique (avec l'allusion implicite à Machiavel, conseillant au Prince d'allier la ruse du renard à la force du lion) et l'éthique individuelle (Montaigne rappelant *in fine* l'importance qu'il veut accorder à la « bonne foi » dans les relations interpersonnelles — une notion déjà présente au cœur de l'avis *Au lecteur*). (A.T.)

Page 143.

1. Lucius Marcius contre Persée : voir Tite-Live, *Histoire romaine*, XLII, XXXVIII-XLVII.

2. Ce médecin proposait aux Romains d'empoisonner Pyrrhus ; le maître d'école voulait leur livrer les enfants des Falisques (voir Tite-Live, *ibid.*).

Page 144.

1. Virgile, *Énéide*, II, 390.

2. Voir Polybe, *Histoires*, XIII, III, cité d'après Juste Lipse, *Politica*, V, XVII.

3. Florus, *Abrégé de l'histoire romaine*, I, XII (citation trouvée *ibid.*)

4. Ennius, cité par Cicéron, *De officiis*, I, XII, 38.

5. Une île des Moluques (voir J. Osorio, *Histoire de Portugal*, XLV, XVI).

6. Voir G. Villani, *Chronique*, VI, LXXV, et Machiavel, *Histoires florentines*, II, 5.

7. Plutarque, *Vie de Lysandre*, VI (image utilisée par Machiavel, *Le Prince*, XVIII).

Page 145.

1. Montmort et Lassigny défendant Mousson contre le comte de Nassau : G. et M. du Bellay, *Mémoires*, 1569, I, f° 22.

2. Guido Rangone en la ville de Reggio : voir G. et M. du Bellay, *ibid.*, f° 29, et Guichardin, *Histoire d'Italie*, XIV, 2.

3. Eumène dans la ville de Nora, assiégée par Antigonos : voir Plutarque, *Vie d'Eumène*, XXI.

4. Voir Froissart, *Chroniques*, I, 209.

L'heure des parlements dangereuse

CHAP. VI

Directement greffé sur les pages qui précèdent, ce chapitre traite au départ, en accord avec le titre, des précautions à prendre en cas de pourparlers avec l'ennemi. Mais l'intérêt se déplace ensuite vers la question du droit de la guerre : la morale ordinaire doit-elle encore s'appliquer envers un ennemi ? Entre la ruse, légitime, et la fraude, répréhensible, où tracer la limite ? (A.T.)

Page 147.

1. Le siège de Mussidan, à côté de Montaigne, eut lieu en 1569.

2. Lucius Emilius Regillus assiégeant Phocée : voir Tite-Live, *Histoire romaine*, XXXVII, XXXII.

Page 148.

1. Cléomène, que les dieux puniront en le rendant fou : voir Plutarque, *Les Dits notables des Lacédémoniens*, 223 b.

2. Voir Tite-Live, *Histoire romaine*, XXIV, XIX.

3. Cicéron, *De officiis*, III, XVII, 72.

4. Dans la *Cyropédie*, Xénophon prend Cyrus comme modèle du Prince.

5. Voir Guichardin, *Histoire d'Italie*, V, 2.

6. Aujourd'hui Carignan, dans les Ardennes ; Montaigne confond avec le siège de Dinan, en 1554.

Page 149.

1. Le marquis de Pescara assiégea Gênes en 1522 (voir G. et M. du Bellay, 1569, II, f° 43 ; Guichardin, *Histoire d'Italie*, XIV, 5).

2. Voir G. et M. du Bellay, 1569, IX, f° 328.
3. L'Arioste, *Roland furieux*, XV, 1.
4. Chrysippe, philosophe stoïcien (voir Cicéron, *De officiis*, III, x, 42).
5. Quinte-Curce, *Histoire d'Alexandre*, IV, xiii, 9.
6. Virgile, *Énéide*, X, 732-735.

Que l'intention juge nos actions

Chap. vii

Montaigne s'intéresse dans ce chapitre à une question classique de morale ou de droit (le rapport entre la responsabilité, l'acte et l'intention), mais il le fait à partir de cas singuliers et extrêmes. Des personnages célèbres se croient à tort déliés de leur parole après leur décès. Une autre question surgit alors, qui ne cesse de préoccuper l'auteur des *Essais* : celle du rapport du sujet à sa propre mort. Montaigne interroge ici comme dans bien d'autres chapitres (notamment I, 19 et I, 20) la relation essentielle qui unit le bien vivre et le bien mourir. (A.T.)

Page 150.

1. Henri VII d'Angleterre demanda à Philippe d'Autriche (père du futur Charles Quint) de lui remettre le duc de Suffolk, en promettant de ne pas le mettre à mort ; il laissa ce soin à son successeur Henri VIII (exemple trouvé dans les *Mémoires* de Guillaume et Martin du Bellay [1569], I, f° 7).
2. Le duc d'Albe réprime en 1568 la révolte des Pays-Bas contre Philippe II et il fait exécuter les comtes de Hornes et d'Egmont.

Page 151.

1. Voir Hérodote, *Histoires*, II, 121. Anecdote présente chez H. Estienne, *Apologie pour Hérodote* (1566), XV.

De l'oisiveté

Chap. viii

Sur un ton humble et personnel, Montaigne réfléchit ici à sa manière sur la notion antique d'*otium* (théorisée en particulier par Cicéron ou Sénèque) — ce loisir aisé qui permettait de se consacrer à l'étude de la philosophie et des lettres, et à l'écriture (le chapitre I, 39 y revient). Ce chapitre nous permet de saisir le projet des *Essais* tel qu'il apparut très tôt à Montaigne : on y lit l'expérience inaugurale de la rêverie, de l'introspection et du dédoublement de la conscience qui permet à l'écrivain d'enregistrer ses rêveries les plus fugaces et de les soumettre à l'examen d'une relecture critique. L'écriture s'y présente avant tout comme une surprise : on ne trouve pas ce qu'on pensait dans l'esprit qui médite ; mais les pensées les plus vaines en apparence (ces « chimères » qui annoncent les « grotesques » de I, 28) deviennent le support de méditations fécondes. (A.T.)

Page 153.

1. L'image des terres laissées oisives se trouve chez Pierre Messie, *Diverses leçons*, trad. fr. 1552, I, 29, dans un chapitre qui porte le même titre que celui de Montaigne.
2. La comparaison médicale avec la croissance déréglée de tissus cancéreux dans la matrice fait écho à un passage du traité de Plutarque traduit par La Boétie et publié par Montaigne en 1571 (*Les Règles de mariage*, 50).
3. Virgile, *Énéide*, VIII, 22-25.
4. Horace, *Art poétique*, 7-8.

Page 154.

1. Martial, *Épigrammes*, VII, LXXIII.
2. Lucain, *Pharsale*, IV, 704.

Des Menteurs

CHAP. IX

L'un des traits distinctifs du tempérament de Montaigne serait son exécrable mémoire. Il détaille ici à la fois les inconvénients et les avantages attachés à ce défaut dans la vie sociale. Il est ainsi impossible à Montaigne d'être menteur car la pratique du mensonge demande une bonne mémoire pour garantir la cohérence artificielle des discours feints, en particulier dans le contexte de l'action politique. Reste que le mensonge se trouve sévèrement condamné en tant que grave menace à l'encontre de la sociabilité humaine. Une telle condamnation n'est pas sans faire écho à la déclaration de sincérité formulée dans l'avis « Au Lecteur » et qui oriente l'ensemble de la lecture des *Essais :* « C'est ici un livre de bonne foi ». (D.R.)

Page 155.

1. Les éditions antérieures à 1588 intercalent ici la remarque suivante : « J'en pourrais faire des contes merveilleux, mais pour cette heure il vaut mieux suivre mon thème. »
2. Platon, *Critias,* 108 d.

Page 157.

1. Hérodote, *Histoires,* V, 105.
2. Voir Aulu-Gelle, *Nuits attiques,* XI, XI cité par P. Messie, *Diverses leçons,* V, XVIII.

Page 159.

1. Voir Aristote, *Éthique à Nicomaque,* II, VI, 14.
2. Saint Augustin, *Cité de Dieu,* XIX, VII.
3. Pline l'Ancien, *Histoire naturelle,* VII, I, cité par Vivès dans son commentaire du passage précédent de *La Cité de Dieu* d'Augustin.
4. Voir les *Mémoires* des frères du Bellay, IV, f° 113-117.

Page 161.

1. Anecdote traduite d'Érasme (*De Lingua*) par Henri Estienne dans l'*Apologie pour Hérodote,* XV, XXXIV.
2. Louis XII.

Du parler prompt ou tardif

Chap. x

Les aptitudes à l'éloquence diffèrent. Certains possèdent une parole aisée, l'art de la repartie spontanément adéquate ; d'autres appuient leur discours sur une préparation lente, celle de la maturation du raisonnement. L'écriture de Montaigne, quant à elle, demeure ouverte aux sollicitations du hasard et s'anime des « rencontres » fortuites. (D.R.)

Page 162.

1. La Boétie, *Vers français*, éd. Montaigne, Paris, F. Morel, 1572, sonnet XIV, 14.

2. Voir G. et M. du Bellay, *Mémoires*, IV, f° 118 v°. L'entrevue eut lieu en 1533 et scella la réconciliation de François Ier et du pape.

Page 163.

1. Voir Sénèque le Rhéteur, *Controverses*, III, préambule.

Page 164.

2. Variante de 1582 : « Je connais bien privément et par ordinaire expérience, cette condition de nature, qui ne peut soutenir une véhémente préméditation, tant pour défaut de la mémoire et difficulté du choix des choses, et de leur disposition, que pour le trouble qu'une attention véhémente lui apporte d'ailleurs. »

2. En 1580, le chapitre se termine sur cette phrase ainsi rédigée : « L'agitation, c'est la vie et la grâce de son langage : ses écrits le montrent au prix de ses paroles : au moins s'il y peut avoir du choix où il n'y a point de valeur. »

Des pronostications

Chap. xi

Montaigne remarque, chez ses contemporains, la diffusion d'une foi excessive dans les prophéties, prévisions et signes de toutes sortes malgré le discrédit jeté sur eux par le christianisme. Il préfère quant à lui s'en remettre au sort ; et si l'irrationalité violente de certaines de ses inclinations pourrait donner prise à d'éventuelles interprétations ésotériques, c'est bien parce qu'elles manifestent à quel point le fonctionnement de notre esprit nous échappe. (D.R.)

Page 165.

1. Cicéron, *De divinatione,* II, LVII.
2. *Timée,* 72.
3. Cicéron, *De natura deorum,* II, LXIV.
4. *Ibid.,* II, LXV.

Page 166.

1. Lucain, *Pharsale,* II, 4-6 et 14-15.
2. Cicéron, *De natura deorum,* III, VI.
3. Voir les *Mémoires* de G. et M. du Bellay, VI, f° 185.
4. En Italie.

Page 167.

1. Fossano, ville du Piémont.
2. Horace, *Odes,* III, XXIX, 29-32 et 41-45, puis II, XVI, 25-26
3. Cicéron, *De divinatione,* I, VI, 10.
4. Cité par Cicéron, *ibid.,* I, LVII, 131.

Page 168.

1. Voir *ibid.,* II, XXIII, 50.
2. *République,* V, 460 a-b et III, 415 b-c.
3. Cicéron, *De divinatione,* II, LIX, 121.

Page 169.

1. *Id., De natura deorum,* III, XXXVII, 89.
2. *Id., De divinatione,* I, III, 5.
3. Joachim de Flore (environ 1130-1201), cistercien et théologien mystique, dont les ouvrages renferment de nombreuses prophéties et dont la légende a fait un prophète.
4. Voir N. Chalcondyle, *Histoire de la décadence de l'Empire grec,* I, 8.
5. Voir Plutarque, *Du démon ou esprit familier de Socrate*; voir également *Essais,* III, 13.

De la constance

CHAP. XII

Le titre annonce un sujet de philosophie morale, mais la vertu stoïcienne de constance est ici passée au crible du réalisme des champs de bataille (que Montaigne a fréquentés, mais sans doute d'assez loin). Dans les guerres modernes, l'artillerie — qui tue à distance et sans permettre au combattant de manifester sa bravoure dans le corps-à-corps — démystifie le courage et donne toute sa place au hasard : la fortune est désormais seule responsable de la vie ou de la mort des combattants. Cependant, les mouvements réflexes inspirés par la peur ne sont pas des fautes, puisqu'ils échappent à la volonté : les stoïciens eux-mêmes ne prétendaient pas qu'il faille s'en délivrer. De même, les aristotéliciens (dont la philosophie est selon Montaigne plus accessible) ne visent pas à éradiquer ce type de mouvements, mais à les modérer et à les contrôler. La sagesse consiste à comprendre que la vie du corps échappe en partie à notre contrôle. (A.T.)

Page 171.

1. Voir Platon, *Lachès*, 191 a.
2. Voir *Iliade*, V, 223.

Page 172.

1. Pausanias, roi de Sparte, bat les Perses à Platées en 479 av. J.-C.
2. Hérodote, *Histoires*, IV, 127 (trad. fr. par P. Saliat, 1556).
3. Campagne de Charles Quint en Provence (1536). L'anecdote est rapportée dans les *Mémoires* de G. et M. du Bellay, éd. 1569, VII, f° 129.

Page 173.

1. Laurent, père de Catherine de Médicis ; anecdote rapportée par Guichardin, *Histoire d'Italie*, XIII, 2-4.
2. Mondolfo, dans le Vicariat de Mondavio (dans les Marches).
3. Montaigne reprend une analyse de saint Augustin (*Cité de Dieu*, IX, IV), qui s'appuyait sur un passage d'Aulu-Gelle (*Nuits*

attiques, XIX, I). Selon les stoïciens, les premiers mouvements des passions ne sont pas du ressort de la volonté : seul le consentement durable à la passion est une faute. Pour les aristotéliciens (péripatéticiens), en revanche, les passions ne sont pas entièrement mauvaises : elles peuvent être modérées et orientées vers le bien.

Page 174.

1. Virgile, *Énéide*, IV, 449. Le sens induit par le contexte d'origine est assez différent : Didon pleure aux pieds d'Énée mais celui-ci reste inflexible et décide d'obéir aux dieux en quittant Carthage. Le vers est déjà détourné par saint Augustin, *loc. cit*.

Cérémonie de l'entrevue des Rois

CHAP. XIII

Ce court chapitre est une réflexion sur les usages diplomatiques et, plus généralement, sur la politesse — art de l'apparence, à la fois vain et crucial dans la vie de cour. Montaigne, dans la lignée des théoriciens italiens de la sociabilité (Castiglione, Guazzo), en reconnaît l'importance mais en critique les excès aliénants, préférant pour son compte éviter toute affectation avec les humbles comme avec les grands. (A.T.)

Page 175.

1. Il pourrait s'agir, plutôt que de Marguerite de Navarre, sœur de François Ier, de Marguerite de Valois, épouse d'Henri de Navarre, que Montaigne a connue à Nérac.

Page 176.

1. Cette entrevue entre Clément VII et François Ier eut lieu à Marseille en octobre 1553. Montaigne y fait déjà allusion dans le chapitre I, 10.

2. La rencontre de Clément VII et de Charles Quint eut lieu à Bologne en 1529 (voir Guichardin, *Histoire d'Italie*, XIX, VI).

Que le goût des biens et des maux dépend en bonne partie de l'opinion, que nous en avons

CHAP. XIV

Conformément à une idée fondamentale du stoïcisme, Montaigne réaffirme que nous pouvons choisir de vivre les choses comme des maux ou comme des biens en maîtrisant la valeur que notre « opinion » tend à donner à ce qui nous affecte. La relativité des réactions à la mort, la pauvreté ou la douleur nous invite à développer notre capacité de résistance à leur égard. Mais, dans la pratique, chacun pourra adapter l'argumentation éthique à sa situation singulière, relativisant ainsi l'ambition pragmatique de l'essai. (D.R.)

Page 177.

1. Épictète, *Manuel,* V ; sentence gravée sur une poutre de la bibliothèque de Montaigne.

Page 178.

1. Lucain, *Pharsale,* IV, 580-581.
2. Cicéron, *Tusculanes,* V, XL, 117.
3. Sénèque, *Lettres à Lucilius,* LXX, 19 *sq*.

Page 179.

1. Pour les récits qui suivent, voir H. Estienne, *Apologie pour Hérodote,* éd. Ristelhuber, t. I, chap. XV, p. 252-254.
2. Voir J. Bouchet, *Annales d'Aquitaine,* IV, IX ; la bataille d'Arras eut lieu en 1477.

Page 180.

1. J. Osorio, *Histoire de Portugal,* IV, XII. Il s'agit d'une région de l'Inde.
2. B. des Périers, *Nouvelles récréations et joyeux devis,* préface.

Page 181.

1. Plutarque, *Vie de Brutus,* XXXIX.
2. Diodore de Sicile, *Bibliothèque historique,* XI, VII.
3. J. Osorio, *Histoire du roi Emmanuel,* éd. latine 1574, f. 6 r° et 13 r°.
4. Successeur de Jean II, il régna de 1495 à 1521.

Page 182.

1. Cicéron, *Tusculanes*, I, XXXVII, 89.

Page 183.

1. D'après Sénèque, *Lettres à Lucilius*, IV, 4 et LXX, 19-20.
2. Diogène Laërce, *Vies et Opinions*, IX, LXVIII.
3. Phrase inspirée d'une sentence de l'Ecclésiaste (I, 13) peinte sur les poutres de la bibliothèque de Montaigne.

Page 184.

1. Cicéron, *Tusculanes*, II, VI, 15.
2. *Ibid.*, II, XXV, 61.
3. Lucrèce, *De rerum natura*, IV, 485.

Page 185.

1. Ovide, *Héroïdes*, X, 82, Ariane à Thésée.
2. Saint Augustin, *Cité de Dieu*, I, XI, 21.

Page 186.

1. Sénèque, *De la Providence*, IV, 4.
2. Cicéron, *De Finibus*, II, XX, 65.
3. Lucain, Pharsale, IX, 404.

Page 187.

1. Cicéron, *De Finibus*, II, XXIX, 95. Montaigne répète en latin ce qu'il vient d'écrire en français.
2. *Ibid.*, I, XV, 49.

Page 188.

1. *Phédon*, 83 d.
2. Sénèque, *Lettres à Lucilius*, LXXVIII, 15.
3. Cicéron, *Tusculanes*, II, XXIII.
4. Saint Augustin, *Cité de Dieu*, I, X, 18.
5. Genèse, III, 16.
6. Plutarque, *Vie de Lycurgue*, XXV.

Page 189.

1. Voir E. Pasquier, *Recherches de la France*, IV, XIX.
2. Plutarque, *De l'amour*, XXV, 771 b.
3. *Id.*, *Vie de Lycurgue*, XIV.
4. Valère Maxime, *Faits et Paroles mémorables*, III, III, ext. 1 ; voir *Essais*, II, 32.

5. Voir *Essais,* I, 23.
6. Cicéron, *Tusculanes,* V, XXVII, 78.
7. Tite-Live, *Histoire romaine,* II, XII, 47.

Page 190.

1. Sénèque, *Lettres à Lucilius,* LXXVIII, 18.
2. Aulu-Gelle, *Nuits attiques,* XII, V, 13.
3. Cicéron, *Tusculanes,* II, XVII, 41.
4. Tibulle, *Élégies,* I, VIII, 45-46.

Page 191.

1. Henri III fut roi de Pologne de 1573 à la mort de Charles IX, l'année suivante.
2. G. Postel, *Des histoires orientales,* éd. 1575, p. 228.
3. J. de Joinville, *L'Histoire et chronique du très chrétien roi saint Louis,* chap. XCIV, Poitiers, Marnef, 1561.
4. J. Bouchet, *Annales d'Aquitaine,* III, II.

Page 192.

1. Paul Émile, *Histoire de France,* III, Paris, Vascosan, 1550.
2. Pour les trois exemples voir Cicéron, *Tusculanes,* III, XXVIII, 70.
3. *Ibid.*, III, XXVIII, 71.

Page 193.

1. Plutarque, *Dits notables des anciens Rois,* f. 189 r°.
2. Tite-Live, *Histoire romaine,* XXXIV, XVII, 6.
3. Archevêque de Milan, saint Charles Borromée mourut en 1584.

Page 194.

1. Montaigne évoque Démocrite ; voir Cicéron, *De finibus,* V, XXIX ; Plutarque, *De la curiosité,* XI ; Aulu-Gelle, *Nuits attiques,* X, XVII.
2. Diogène Laërce, *Vies et Opinions,* I, 26 (*Vie de Thalès*).
3. Il s'agit d'Aristippe, voir Diogène Laërce, *Vies et Opinions,* II, 77.
4. Sénèque, *Lettres à Lucilius,* XVII.

Page 196.

1. Plutarque, *Vie de Jules César,* VI.
2. Catulle, *Poèmes,* IV, 18.

3. Publilius Syrus, *Mimes*, 284 (cité par Juste Lipse, *Politica*, V, xviii).

4. Vers d'Appius cité par Salluste dans le *De republica ordinanda*, I, i.

Page 197.

1. Sénèque, *Lettres à Lucilius*, lxxiv, 4.

Page 198.

1. Sénèque, *De tranquillitate animi*, viii, 3.
2. *Lois*, I, 631 c.
3. Plutarque, *Dits notables des anciens Rois*, 176 c, f° 190.

Page 199.

1. Variante de 1588 : « Je fus quatre ou cinq années. »
2. Cicéron, *Paradoxes*, VI, iii, 51.
3. *Ibid.*, VI, ii, 47.

Page 200.

1. Xénophon, *Cyropédie*, VIII, iii.

Page 201.

1. Sénèque, *Lettres à Lucilius*, lxxi, 23-24.
2. Cicéron, *Tusculanes*, II, xxii, 52 et 53.

On est puni pour s'opiniâtrer à une place sans raison

Chap. XV

Il faut savoir renoncer à une résistance désespérée, sous peine de provoquer la réaction la plus cruellement violente de la part de ses adversaires victorieux : les considérations portant sur un usage militaire conduisent Montaigne à méditer sur le déploiement de toute force. (D.R.)

Page 203.

1. Pour les trois exemples, voir G. et M. du Bellay, *Mémoires*, II, f° 61 ; VII, f° 267 ; IX, f° 295.

Page 204.

1. J. Osorio, *Histoire de Portugal*, XIV, xv.

De la punition de la couardise

Chap. XVI

Ce court chapitre, comme le précédent, traite une question d'art militaire : comment garantir la discipline dans une armée ? Montaigne puise chez les historiens antiques ou contemporains des exemples qui prônent une sévérité plus ou moins grande à l'encontre des lâches. Derrière cette question technique se profile une interrogation plus large, de nature anthropologique : la peur est-elle un phénomène corporel, incontrôlable, et partant excusable ? Ou est-elle une faute qui expose à un châtiment légitime ? (A.T.)

Page 205.

1. En 1544, Vervins dut céder Boulogne à Henri VIII d'Angleterre (voir G. et M. du Bellay, *Mémoires*, 1569, X).

Page 206.

1. Grand législateur grec (voir Diodore de Sicile, *Bibliothèque historique*, XII).
2. Tertullien, *Apologétique*, IV, 9. Cette formule est citée sous la forme que lui donnait Juste Lipse dans son *De una religione* (Leyde, Plantin, 1590).
3. Voir Ammien Marcellin, *Histoires*, XXIV.
4. *Ibid.*, XXV.
5. Voir Tite-Live, *Histoire romaine*, XXV, VII et XXVI, II-III.

Page 207.

1. Voir, sur la défaite du gouverneur Frauget, G. et M. du Bellay, *Mémoires*, 1569, II.
2. Le comte de Nassau s'empara de Guise en 1536 (*ibid.*, VII).

Un trait de quelques Ambassadeurs

Chap. XVII

Dans ce chapitre, Montaigne s'essaie à nouveau à la diplomatique (comme déjà en I, 10 et I, 13). Il s'interroge sur les principes qui doivent guider l'action de l'ambassadeur. Celui-ci étant un homme de médiation et de dialogue, il n'y a rien d'étonnant à ce que Montaigne commence sa réflexion par quelques considérations sur l'art de la conversation, lequel consiste selon lui à tirer de tout interlocuteur ce qu'il peut proposer de meilleur, en amenant la discussion sur les domaines qu'il connaît le mieux (ce thème sera plus développé dans les chapitres III, 3 et III, 8).

L'ambassadeur doit rendre fidèlement compte de ses pourparlers à son maître, sans rien censurer. Comme les témoins fiables sont ceux qui n'ajoutent rien de leur cru (I, 31), et comme les bons historiens sont ceux qui narrent simplement, sans ajouter de commentaires personnels (II, 10), les meilleurs diplomates doivent se faire l'écho fidèle et entier de leurs négociations. Ils doivent en outre s'abstenir de toute initiative intempestive et rester cantonnés sur la ligne que leur prince leur a fixée — même si parfois, dans l'intérêt même de leur maître, ils sont invités à saisir l'occasion lorsqu'elle se présente, sans perdre de temps à en référer en haut lieu. (A.T.)

Page 208.

1. Vers de Properce (*Élégies*, II, I, 43-45), traduits en italien par Stefano Guazzo, *La civil conversatione*, II).
2. Voir Plutarque, *Les Dits notables des Lacédémoniens*, 218 f.
3. Voir par exemple César, *Guerre des Gaules*, IV, 17.

Page 209.

1. Denys l'Ancien, tyran de Syracuse (voir Diodore de Sicile, *Bibliothèque historique*, XV, VII).
2. Horace, *Épitres*, I, XIV, 43.

Page 210.

1. Guillaume du Bellay.
2. L'évêque de Mâcon, Charles Hémard de Denonville, et le seigneur de Velly, ambassadeurs du roi de France auprès de Charles Quint en 1536 : voir G. et M. du Bellay, *Mémoires*, V, 1569, f°s 152-156.

Page 211.

1. Anecdote empruntée à Aulu-Gelle, *Nuits attiques*, I, XIII, 9-13 (citée par Castiglione, *Il Cortegiano*, II, XXIV).

De la peur

Chap. XVIII

À travers un catalogue d'exemples paradoxaux et spectaculaires, Montaigne s'intéresse ici aux effets surprenants de la peur sur la psychologie des individus et des foules. Cette passion paralyse le corps et l'esprit, corrompt le jugement, altère l'imagination. Elle transforme les courageux en lâches et les couards en héros. Lui-même peu sujet à cette véhémente passion (voir le début du chapitre III, 6), Montaigne observe ses effets à distance, glanant parmi les témoignages des historiens ceux qui révèlent le mieux l'emprise de l'irrationnel sur l'âme humaine. (A.T.)

Page 213.

1. Virgile, *Énéide*, II, 774.
2. Étendards des soldats pendant les guerres de Religion.
3. Les trois anecdotes qui suivent sont empruntées aux *Mémoires* de G. et M. du Bellay (livres III et VIII). La prise de Rome eut lieu en 1527, le siège de Saint-Paul en 1537.

Page 214.

1. Voir Tacite, *Annales*, II, xvii.
2. Quinte-Curce, *Histoire d'Alexandre*, III, xi, 12.

Page 215.

1. Voir Zonaras, *Chroniques*, trad. J. Millet, 1560, III, f° 58.
2. Bataille perdue par l'armée romaine face à Hannibal (Tite-Live, *Histoire romaine*, XXI, lvi).
3. Voir Cicéron, *Tusculanes*, III, xxvii.
4. Ennius, cité par Cicéron, *Tusculanes*, IV, viii. Le passage entre crochets qui va jusqu'à cette citation manque sur l'Exemplaire de Bordeaux, mais la marque d'insertion est visible : il est restitué d'après l'édition de 1595.

Page 216.

1. Voir Diodore de Sicile, *Histoires*, trad. Amyot, XV, xxiv.

Qu'il ne faut juger de notre heur, qu'après la mort

CHAP. XIX

Ce chapitre s'offre comme le commentaire d'un adage donné en titre, classique et souvent médité (au reste déjà cité par Montaigne en I, 3, p. 133). Conformément à la méthode des commentateurs humanistes, Montaigne en propose successivement plusieurs interprétations : le mot de Solon nous rappellerait d'abord à l'humilité devant la toute-puissance de la Fortune, qui peut anéantir le bonheur et renverser la renommée des hommes ; en second lieu, il suggérerait que l'attitude face à la mort est la véritable pierre de touche d'un caractère. Dans les dernières augmentations du chapitre, cet art de l'interprétation se complexifie grâce à la confrontation d'exemples paradoxaux : une mort illustre peut à la fois être l'aboutissement inattendu d'une existence abjecte, ou l'accomplissement tragique et mérité d'un destin extraordinaire. D'une extrémité à l'autre du chapitre, Montaigne met en tension deux postulations opposées qui organisent sa méditation : la fascination pour la « belle mort » (comme fut celle, par exemple, de La Boétie) ; et en même temps la démystification de l'héroïsme et, en ce qui le concerne personnellement, l'aspiration grandissante à une mort calme et sereine.

Malgré sa brièveté, ce chapitre introduit un certain nombre de thèmes chers à Montaigne : en particulier, bien sûr, la méditation sur la mort, qui prend toute son ampleur dans le chapitre qui suit. Mais on remarque aussi que le modèle éthique d'Épaminondas fait ici une entrée discrète, avant d'être développé dans les chapitres II, 36 et III, 1. On notera au passage un jeu redoublé sur le mot « essai », qui laisse entrevoir la figure fascinante de la mort comme ultime « essayeuse » du caractère de Montaigne (de la mort comme exercice philosophique suprême...) — comme si le Livre ne pouvait s'achever que par la mort de l'auteur. (A.T.)

Page 217.

1. Ovide, *Métamorphoses*, III, 135-137.

2. Exemple scolaire présent entre autres chez Hérodote, *Histoires* (I, 86) et Plutarque, *Vie de Solon* (LVIII).

3. Ce mot d'Agésilas vient de Plutarque, *Les Dits notables des Lacédémoniens,* 211 a.

Page 218.

1. Il s'agit d'Alexandre, fils du roi Persée (Plutarque, *Vie de Paul-Émile,* LIX).
2. Denys le Jeune devint maître d'école (voir Plutarque, *Vie de Timoléon,* XX, ou Cicéron, *Tusc.*, III, XII, 27).
3. Voir Plutarque, *Vie de Pompée,* CVIII, et Cicéron, *Tusc.*, I, XXXV.
4. L'exemple de Ludovic Sforza est pris de Guichardin, *Histoire d'Italie,* IV, XIV.
5. Marie Stuart, veuve du roi de France François II, fut décapitée le 18 février 1587.
6. Lucrèce, *De rerum natura,* V, 1233-1235.
7. Peut-être une réminiscence de Sénèque, *Lettres à Lucilius,* XCI.
8. Macrobe, *Saturnales,* II, VII.

Page 219.

1. Lucrèce, *De rerum natura,* III, 57-58.
2. Il s'agit de Sénèque ; voir pour tout ce passage la lettre XXVI.
3. Scipion, beau-père de Pompée : voir Sénèque, *Lettres à Lucilius,* XXIV.
4. Plutarque, *Les Dits notables des Lacédémoniens,* 194 a.

Page 220.

1. Selon R. Trinquet (*Bulletin de la société des amis de Montaigne,* 1976), il pourrait s'agir du duc Henri de Guise, assassiné à Blois le 23 décembre 1588, et que Montaigne admirait.

Que Philosopher, c'est apprendre à mourir

CHAP. XX

Comme dans le chapitre précédent, la méditation sur l'existence s'inscrit ici dans l'horizon de la mort, limitation constitutive de la condition humaine. Les références chrétiennes ne sont pas tout à fait absentes, mais Montaigne se tourne avant tout vers l'Antiquité, relisant Cicéron, Sénèque et Lucrèce. Il s'essaie ici au commentaire humaniste, à la manière d'Érasme dans les *Adages*, choisissant pour point de départ une sentence de Cicéron qu'il soumet au jeu croisé d'interprétations différentes. Une première lecture, platonicienne, ascétique et spiritualiste, oppose le corps et l'esprit : la méditation serait ce qui nous arrache à la servitude de la chair. Montaigne lui substitue aussitôt une lecture à la fois stoïcienne et épicurienne (il n'y a pas lieu, ici, d'opposer ces deux écoles) : il faut philosopher pour se libérer de la crainte de la mort. À partir de la sentence initiale, ainsi réinterprétée, le chapitre se développe par ajouts d'autres citations sur lesquelles se greffent d'autres commentaires. Montaigne manie avec virtuosité les techniques d'écriture alors couramment pratiquées par les humanistes : l'accumulation des anecdotes classées par *lieux communs*, l'assemblage des citations traduites ou non, refondues ou non, en vers ou en prose, selon la méthode du centon. Si Montaigne renoue avec la sagesse antique, ce n'est pas sur le mode de la répétition scolaire mais sur celui de la réaffirmation des principes, selon le principe des exercices spirituels stoïciens. Lorsqu'il commence à écrire, Montaigne, par fidélité peut-être à la leçon de La Boétie — l'ami disparu en sage, après avoir affronté courageusement l'agonie — est obsédé par le problème de la mort. Cette fascination ne décroît pas : jusqu'à la fin du livre III, la méditation de la mort reste le fil rouge des *Essais*. Sur cette question, la pensée de Montaigne connaît d'importantes évolutions. Au fil des ajouts et des rééditions, il en vient parfois à contredire radicalement ce qu'il écrivait d'abord (ainsi, l'évolution est spectaculaire entre I, 20 et III, 12), mais il laisse volontairement subsister intacts les états antérieurs de sa pensée, selon le principe d'une plurivocité assumée : « Je ne corrige point mes premières imaginations par les secondes » (II, 37, p. 536). Les *Essais* sont de ce point de vue un journal de la pensée de Montaigne, quelque peu brouillé dans sa chronologie, mais enregistrant fidèlement la diversité de ses opinions et la vivacité ininterrompue de sa réflexion. (A.T.)

Page 221.

1. Voir Cicéron, *Tusculanes*, I, XXX, 74 (qui citait un mot de Socrate : voir *Phédon*, 67 e).
2. Voir *ibid.*, I, XXXI.

3. Voir l'Ecclésiaste, III, 12.
4. Sénèque, *Lettres à Lucilius*, CXVII, 30.

Page 222.

1. Cicéron (*Tusculanes*, II, XVIII, 43) fait venir *virtus* de *vir*.
2. Phénomène connu dans la physique de la Renaissance sous le nom d'antipéristase.

Page 223.

1. Voir Sénèque, *Lettres à Lucilius*, LXX, 18.
2. Voir Pline l'Ancien, *Histoire naturelle*, VII, LI.
3. Horace, *Odes*, II, III, 25-28.
4. Voir Sénèque, *Lettres à Lucilius*, LXXIV, 3.
5. Cicéron, *De finibus*, I, XVIII, 60.

Page 224.

1. Horace, *Odes*, III, I, 18-21.
2. Claudien, *Contre Rufin*, II, 137-138.
3. Montaigne médite à nouveau cette maxime, mais dans un sens fort différent, dans le chapitre III, 12 (p. 384).
4. Lucrèce, *De rerum natura*, IV, 474.

Page 225.

1. Voir Plutarque, *Vie de Cicéron*, XXV.
2. Montaigne rapproche « feu » de « *fuit* », « il a vécu ».
3. Jusqu'en 1564, l'année commençait à Pâques.

Page 226.

1. Horace, *Odes*, II, XIII, 13-14.
2. Jean II, mort en 1305. Cet exemple a pu être emprunté aux *Annales d'Aquitaine* de Jean Bouchet (f° 102, éd. de 1557). Il figure aussi, comme les suivants, dans des compilations comme le *Theatrum Humanae vitae* de Theodor Zwinger et surtout l'*Officina* de Ravisius Textor, qui recense sous divers articles des exemples de morts subites collectés chez les auteurs antiques (Valère Maxime, Pline l'Ancien) ou modernes (Jean Bouchet, Nicole Gilles).
3. Le pape Clément V fut d'abord archevêque de Bordeaux.
4. Henri II, roi de France, mourut en 1559 après avoir été blessé dans un tournoi.
5. Philippe, fils de Louis le Gros.
6. Eschyle.

7. Anacréon.

8. Cette liste de personnages morts pendant l'acte sexuel est donnée dans l'*Officina* de Ravisius Textor ; le pape mentionné est Jean XII.

9. Arnaud Eyquem de Montaigne, sieur de Saint-Martin, né en 1541.

Page 227.

1. Voir Homère, *Odyssée*, XXII, 364-365.

4. Horace, *Épîtres*, II, II, 126-128.

Page 228.

1. *Id.*, *Odes*, III, II, 14-16.

2. Properce, *Élégies*, III, XVIII, 25-26.

3. Plutarque, *Banquet des sept sages*, 148 a.

Page 229.

1. Horace, *Épîtres*, I, IV, 13-14.

2. Voir Sénèque, *Lettres à Lucilius*, XXVI, 10.

3. Voir Cicéron, *Tusculanes*, V, XL, 118.

4. Catulle, *Poèmes*, LXVIII, 16.

5. Lucrèce, *De rerum natura*, III, 915.

Page 230.

1. Voir Sénèque, *Lettres à Lucilius*, XLIX, 11.

2. *Ibid.*, XCI, 16.

Page 231.

1. Horace, *Odes*, II, XVI, 17-18.

2. L'édition de 1595 ajoute ici cette phrase : « Les plus mortes morts sont les plus saines. »

3. Lucrèce, *De rerum natura*, III, 898-899.

4. Virgile, *Énéide*, IV, 88.

5. Ovide, *Amours*, II, X, 36.

Page 232.

1. Lucrèce, *De rerum natura*, III, 900-901.

2. Plutarque, *Vie de Lycurgue*, LVI.

3. Silius Italicus, *Punica*, XI, 51-54 (cité par Juste Lipse, *Saturnalium sermonum libri*, I, VI).

4. Plutarque, *Banquet des sept sages*, 148 a (exemple déjà cité plus haut, p. 228).

Page 233.

1. Voir Cicéron, *De officiis,* II, v, 16.
2. César, *Guerre des Gaules,* VII, 84.

Page 234.

1. Maximianus, *Élégies,* I, 16.
2. Voir Sénèque, *Lettres à Lucilius,* LXXVII, 18.
3. Horace, *Odes,* III, III, 3-6.

Page 235.

1. Voir Sénèque, *Lettres à Lucilius,* XXVI, 10.
2. Horace, *Épîtres,* I, XVI, 76-79.
3. Voir saint Augustin, *Cité de Dieu,* I, II.
4. Voir Diogène Laërce, *Vies et Opinions,* II, 35.
5. Voir Sénèque, *Lettres à Lucilius,* LXXVII, 11.

Page 236.

1. Voir Cicéron, *Tusculanes,* I, XXXIX, 94.
2. Ici commence une prosopopée de la Nature, étroitement inspirée du livre III du *De rerum natura* de Lucrèce.
3. Lucrèce, *De rerum natura,* II, 76 et 79.
4. Sénèque, *Hercule furieux,* 874.
5. Manilius, *Astronomiques,* IV, 16.

Page 237.

1. Lucrèce, *De rerum natura,* III, 938.
2. *Ibid.*, 941-942.
3. Manilius, *Astronomiques,* I, 522-523.
4. Lucrèce, *De rerum natura,* III, 1080.
5. Virgile, *Géorgiques,* II, 402.

Page 238.

1. Lucrèce, *De rerum natura,* III, 944-945.
2. Voir Sénèque, *Lettres à Lucilius,* XXX, 11.
3. Lucrèce, *De rerum natura,* III, 1090-1091.
4. *Ibid.*, 885-887.
5. *Ibid.*, 919 et 922.
6. *Ibid.*, 926-927.

Page 239.

1. *Ibid.*, 972-973.
2. Voir Sénèque, *Lettres à Lucilius,* XLIX, 10.

3. Voir *ibid.*, LXXVII, 13.
4. Lucrèce, *De rerum natura*, III, 968.
5. *Ibid.*, II, 578-580.

Page 240.

1. Le centaure Chiron : voir Lucien, *Dialogues des morts*, XXVI.
2. Diogène Laërce, *Vies et Opinions*, I, 35.
3. Voir Sénèque, *Lettres à Lucilius*, CXVII, 23.
4. *Ibid.*, CXX, 18.

Page 241.

1. *Ibid.*, XXIV, 13-14.

De la force de l'imagination

Chap. XXI

Faculté qui — pour Aristote — prolonge le dynamisme de l'agent extérieur à l'intérieur du sujet percevant en produisant une image, interface entre l'appareil sensoriel et la pensée rationnelle, l'imagination (*phantasia*, « fantaisie ») délivre des représentations qui sont à la fois traces physiques laissées par une impression sensible, et signes d'une forme matériellement absente. Elle est donc au fondement de tout processus de connaissance (la faculté noétique pense des « formes » [*eidè*] à travers des images), au fondement de l'*empeiria*, cette expérience qui accumule un savoir par répétition, tout en étant capable de produire des erreurs par une mauvaise interprétation des objets sensibles. Point de rencontre de l'extériorité et de l'intériorité, elle peut — malgré son inconsistance — avoir des effets physiologiques des plus concrets. Les auteurs dans lesquels Montaigne puise ici (Henri Corneille Agrippa, Ambroise Paré, Pierre Boaistuau, etc.) ont compilé ces cas étonnants où la représentation imaginative s'impose avec une telle force qu'elle produit des effets somatiques admirables, comme dans le cas de Marie Germain ou de la demoiselle morte d'avoir imaginé manger une tourte au chat. Mais Montaigne ne les accumule pas à titre de pur divertissement, ni comme dénonciation unilatérale des pouvoirs néfastes de la fantaisie. Cette dernière, loin d'être rapportée à un jugement incertain ou à un préjugé passible d'ironie, est présentée comme une force — au sens physique du terme — dont on peut tirer parti. Il n'est plus question dès lors de discriminer les fantaisies selon le vrai et le faux, mais selon leur utilité pratique. L'opinion fertilisée par la fantaisie, en tant que production naturelle de l'esprit, fait partie de la vie et doit servir la vie dans sa continuité selon un principe d'utilité. Les fictions, produits de la fantaisie, permettent alors de réguler le fonctionnement de cette dernière en la « [contre-pipant] ». Jouant d'un effet « physique » de contrepoids, il s'agit de créer, par un rééquilibrage des forces imaginatives, un effet libératoire. L'abondance d'exemples retenus par Montaigne en I, 21 sur la question de l'acte sexuel et de l'indocile liberté du membre viril est significative, car elle dramatise tout particulièrement notre perte de maîtrise sur nous-mêmes et sur la prolongation symbolique de l'existence dans la filiation : la fantaisie du talisman permettant d'annuler l'effet des craintes qui pesaient sur la nuit de noces du Comte, tout comme la vue de l'épingle tordue venant suspendre l'image de son ingestion, met en place une « contrebatterie » (*ibid.*, 100) fonctionnant comme la recherche d'une isosthénie au sein de l'examen sceptique, d'un équilibrage empirique des fictions auxquelles on est tenté de donner son assentiment. Comme dans la *skepsis*, il y a décrochage de la sphère de la maîtrise concertée et rationnelle pour la sphère de l'affect : manipulation souterraine, la libération se joue en deçà de toute volonté et de toute maîtrise. Une habile gestion de l'imagination ôte dans ce chapitre toute solution de continuité dans l'expansion du mouvement vital, et rend la vie à elle-même en annulant tout trouble inutile et néfaste. La fin du chapitre n'est en aucun cas digressive : par un retour métatextuel sur la valeur des cas et anecdotes ici compilées, Montaigne déclare refuser de trier et de discriminer ces derniers en termes de véracité ; la fiction — produit de l'imagination — et le discours en général, ont une valeur d'*usage* ; détachée de l'expérience en amont, elle influe en aval sur l'expérience. Les représentations, ces « fantaisies » impondérables dont l'essayiste ne peut se défier de manière différenciée, faute de pouvoir sonder leur exacte pertinence, doivent donc être gérées selon un principe utilitariste : Montaigne en « [fait son] profit » dans l'exercice du jugement et, en prolongeant la « conférence » par la mise en œuvre de l'imagination, il ambitionne peut-être, comme Plutarque cité en fin de chapitre, de la rendre « utile » au lecteur qui subira profitablement, lui aussi, la force. (E.N.)

Page 242.

1. Voir Pomponazzi, *De incantationibus,* III, 6e hypothèse [Tournon].

2. [1580] : « effort de l'appréhension ».

3. [1580] : « en est féru : mais aucuns en sont transformés ».

4. Médecin ayant exercé à Toulouse vers 1530, et ayant été au service de l'ambassadeur de France à Venise G. de Selve.

Page 243.

1. Exemple courant dans les recueils d'exemples tels que ceux de Ravisius Textor (*Officina*) ou de Cælius Rhodiginus (*Antiquarum lectionum libri*), issu de Sénèque le Rhéteur (*Controversiæ,* IX, II), et tiré de la lecture de Corneille Agrippa (*De occulta philosophia,* I, LXIV).

2. Lucrèce, *De rerum natura,* IV, 1035-1036.

3. Tiré de Corneille Agrippa, *De occulta philosophia,* I, LXIV, ou de Pierre Messie, *Diverses leçons,* II, VII. Compilé d'après Ovide, *Métamorphoses,* XV, 525-621 ou Valère Maxime, *Faits et Paroles mémorables,* V, VI, ext. 3.

4. Comme le raconte Hérodote (I, 85), Le fils de Crésus, muet de naissance, recouvra la voix au moment d'avertir son père du danger de mort qui le menaçait. Nombreux sont les compilateurs à avoir repris cette anecdote : entre autres Aulu-Gelle, *Nuits attiques,* V, IX ; Valère Maxime, *Faits et Paroles mémorables,* V, IV, ext. 6 ; Pierre Messie, *Diverses leçons,* I, XXXIII ; Cælius Rhodiginus, *Antiquae lectiones,* XX, XXV. On peut également la lire chez Corneille Agrippa, *De occulta philosophia,* I, LXIII.

5. [1580] : « Et Antiochus ».

6. Autre exemple tiré de Lucien (*Traité de la déesse de Syrie,* XVII) abondamment rapporté par les compilateurs : notamment Valère Maxime, *Faits et Paroles mémorables,* V, VII, ext. 1 ; Plutarque, *Vie de Démétrius,* LII-LIII ; P. Messie, *Diverses leçons,* III, XIV ; C. Rhodiginus, *Antiquae lectiones,* XX, XV. Corneille Agrippa le rapporte, *De occulta philosophia,* I, LXIII.

7. Pline l'Ancien, *Histoire naturelle*, VII, IV, 36. Le fait est rapporté également par Aulu-Gelle, *Nuits attiques*, IX, IV, 15.

Page 244.

1. L'humaniste italien Giovanni Pontano (1429-1503) avait abordé en 1512 la question du changement de sexe dans son *De rebus caelestibus* : Agrippa le mentionne, *De occulta philosophia*, I, LXIV.

2. Ovide, *Métamorphoses*, IX, 794.

3. Cette histoire, dont les faits datent du 10 septembre 1580, sont rapportés par Montaigne dans son *Journal de voyage* (éd. F. Garavini, Paris, Gallimard, « Folio classique », 1983, p. 78), où il renvoie à Ambroise Paré (*Des monstres et des prodiges*, VII) pour une autre attestation de ce cas. Le *Journal* ne mentionne pas l'Évêque de Soissons mais celui de Châlons.

4. Le Cardinal de Lenoncourt avait, lors d'une cérémonie sacramentelle, confirmé le baptisé et lui avait donné son nouveau prénom.

5. Montaigne suit toujours Corneille Agrippa, *De occulta philosophia*, I, LXIV : la peur de la gangrène aurait marqué de cicatrices le roi Dagobert ; saint François d'Assise, méditant sur le Golgotha où la crucifixion du Christ avait eu lieu, en aurait gardé des stigmates.

6. *Ibid.*

7. Il s'agit d'un prêtre nommé Restitutus. Voir *Cité de Dieu*, XIV, XXIV.

Page 245.

1. Les « liaisons » sont une allusion aux « nouements d'aiguillettes », maléfice par lequel on expliquait souvent les défaillances sexuelles. À ce propos, voir J. Bodin, *De la Démonomanie des sorciers* (1580), II, I ; G. Bouchet, *Les Serées* (1584), I, V ; Tabourot, *Bigarrures*, IV, IV.

[1580] : « liaisons des mariages, de quoi le monde se voit si plein, ».

Page 246.

1. Selon une note de Florimond de Raemond, il s'agirait peut-être de Louis de Foix, comte de Gurson, le fils du protecteur de Montaigne. La mariée n'est autre que Diane de

Foix-Candale, épousée le 8 mars 1579, et à qui Montaigne dédicace le chapitre 26 du premier livre.

2. Jacques Peletier du Mans (1517-1582), mathématicien, médecin et poète, prend la direction du Collège de Guyenne en 1572. Il aurait alors rendu visite à Montaigne, comme le mentionne l'Apologie de Raimond Sebond (II, 12, p. 351).

Page 247.

1. D'après Hérodote, *Histoires*, II, 181.

2. Voir Diogène Laërce, *Vies et Opinions*, VIII, 43.

3. [1580] : « une fortune pareille. [p. 246] Et notamment cela est à craindre, où les commodités se rencontrent imprévues et pressantes. À qui a assez de loisir pour se ravoir et remettre de ce trouble, mon conseil est qu'il se divertisse ailleurs son pensement, ou qu'on lui persuade, qu'on lui fournira des contre-enchantements d'un effet merveilleux et certain. Mais il faut aussi que celles, à qui légitimement on le peut demander, ôtent ces façons cérémonieuses et affectées de rigueur et de refus, et qu'elles se contraignent un peu pour s'accommoder à la nécessité de ce siècle malheureux. Car l'âme troublée de plusieurs ».

Page 248.

1. [1588] : « connaissance qu'on donne de soi, on ».

Page 249.

1. *Cité de Dieu*, XIV, XXIV.

2. Commentaire de Vivès, *ibid.*, *ad. loc.*, dans l'édition parisienne de Gentian Hervet, 1570.

3. Gilbert de Levis, duc de Ventadour, selon F. de Raemond.

4. [1595] : « Et plût à Dieu, que je ne le susse que par les histoires, combien de fois notre ventre par le refus d'un seul pet, nous mène jusques aux portes d'une mort très angoisseuse : et que l'Empereur nous donna liberté de péter partout, nous en eût donné le pouvoir. Mais ».

Page 250.

1. S'ouvre ici une parodie de discours judiciaire, tant pratiqué par Montaigne lors de son office à la Chambre des Enquêtes du Parlement de Bordeaux.

2. Platon, *Banquet*, 202 d-208 e.

3. [1588] : « il entre [p. 248] en si grande fièvre et dépit de cet accident, que cette frayeur s'en augmente et lui redouble à toutes les occasions suivantes : et sans quelque contre-mine on n'en vient pas aisément à bout. Tel à l'aventure ».

4. Les rois de France passaient pour pouvoir guérir les écrouelles, dépositaires du pouvoir thaumaturgique de saint Marcoult.

5. Voir Corneille Agrippa, *De occulta philosophia*, I, LXIV.

6. Pierre Eyquem, dont la mort remonte à juin 1568.

Page 252.

1. D'après Corneille Agrippa, *De occulta philosophia*, I, LXIII.

2. Lucrèce, *De rerum natura*, IV, 987-1000.

3. Le chapitre LXV du premier livre de *La Philosophie occulte* de Corneille Agrippa traite de tels cas de transmission de passions à distance.

4. Ovide, *Les Remèdes de l'amour*, 615-616.

5. Corneille Agrippa, *De occulta philosophia*, I, LXV (d'après Pline l'Ancien, VII, II).

6. Pline l'Ancien, *Histoire naturelle*, IX, X.

7. Virgile, *Bucoliques*, III, 103.

Page 253.

1. Ces anecdotes, dont celle de l'enfant maure est rapportée par saint Jérôme dans ses *Questions sur la Genèse*, sont compilées au cinquième chapitre des *Histoires prodigieuses* de P. Boaistuau (1560). Elles faisaient, pour celle de la fille de Pise et des brebis de Jacob, l'objet d'une brève exposition chez Agrippa (*De occulta philosophia*, I, LXV), ainsi que chez Rhodiginus (*Antiquae lectiones*, XX, XV), Messie (*Diverses leçons*, II, VII) et Paré (qui reprend aussi l'anecdote de l'enfant maure au chapitre IX de *Des monstres et prodiges*).

2. [1580] : « Mon père vit un jour ».

3. [1580] « Car les histoires que je récite je les renvoie sur la conscience de ceux de qui je les tiens. » Le chapitre s'interrompt ici en 1580.

Page 254.

1. En tant que gentilhomme ordinaire de la chambre des deux rois — Henri III comme Henri de Navarre dès 1577 —,

Montaigne devient un médiateur privilégié entre les chefs des partis catholiques et protestants à partir du début de l'année 1578.

2. Allusion à l'insertion, après 1588, d'une forte segmentation stylistique venant rompre les développements rhétoriques, les périodes oratoires, et aussi les « narrations étendues ». Montaigne revendique ce « langage coupé » dans sa « Considération sur Ciceron » (I, 40, p. 461), et le met en avant comme une originalité à respecter dans ses recommandations manuscrites à l'imprimeur portées sur l'E.B (voir p. 116).

Page 255.

1. Voir Plutarque, *Vie de Paul-Émile*, Prologue, trad. Amyot, t. I, p. 566 *sq*.

Le profit de l'un est dommage de l'autre

CHAP. XXII

Ce très court chapitre, jamais augmenté, laisse apparaître la dynamique d'écriture d'un essai : une remarque de Sénèque, sur un thème moral classique, est développée puis confirmée par une sentence prise chez Stobée, et enfin rapprochée d'un vers de Lucrèce. Les citations glanées sont disposées et appréciées par le jugement de l'écrivain qui en souligne la convergence. (A.T.)

Page 256.

1. Voir par exemple Alciat, *Emblèmes*, 125.
2. Voir Sénèque, *De beneficiis*, VI, XXXVIII.
3. Philémon : voir Stobée, *Sententiae, De medicis et medicina, sermo* C.

Page 257.

1. Lucrèce, *De rerum natura*, I, 670-671 (principe fondamental, énoncé plusieurs fois par Lucrèce).

De la coutume et de ne changer aisément une loi reçue

CHAP. XXIII

L'esprit humain possède une faculté d'oubli remarquable, qui lui permet d'effacer sa nature originelle et de la remplacer par cette seconde nature qu'est l'habitude. Ce conditionnement permet le meilleur comme le pire : il peut mener à l'aliénation et à la dénaturation ; il peut aussi permettre l'apprentissage. La coutume constitue aussi l'un des fondements possibles du droit : elle donne naissance à des lois « reçues », c'est-à-dire admises par le seul privilège de leur ancienneté, et non forgées par le législateur. Contre le préjugé qui voudrait que la coutume soit fondée en raison ou en nature, Montaigne démontre son caractère arbitraire par la seule vertu d'un dispositif formel : la composition par juxtaposition, procédé emprunté aux recueils de lieux communs, et poussé ici jusqu'au vertige. Une énumération interminable et hétéroclite d'usages venus de tous les horizons, de coutumes de l'Ancien et du Nouveau Monde, de l'Antiquité aux Temps modernes, touchant tous les domaines de la vie sociale (sociabilité, mariage, décès...), mène à la conclusion imparable que toute coutume est justifiable par la raison. Il n'existe donc pas de coutume supérieure aux autres : comme on le lira dans le chapitre « Des Cannibales » (I, 31), « chacun appelle barbarie ce qui n'est pas de son usage », la technique sceptique de la variation systématique du point de vue aboutit à la déconstruction des valeurs les plus fondamentales ; les coutumes ne sont garanties ni par la sagesse humaine ni par la sagesse divine. Ces variations audacieuses fourniront matière à réflexion aux libertins du siècle suivant. Ce vaste mouvement de déconstruction surprend par sa radicalité, mais il laisse place ensuite à un retournement encore plus inattendu, car, à la fin de l'essai, ce relativisme se renverse de façon paradoxale en un conservatisme des plus fermes : si rien ne fonde la coutume, rien ne justifie non plus qu'on en change. La « nouvelleté », en matière politique ou religieuse, est toujours néfaste, porteuse d'injustice et de violence (Montaigne vise ici aussi bien les excès réformateurs des rois que le zèle des Réformés). Ce chapitre illustre à merveille le caractère inclassable et imprévisible de la réflexion de Montaigne, qui réunit les contraires à plaisir : éloge de la nature et acceptation de l'arbitraire, relativisme et rationalisme, ouverture et conservatisme. (A.T.)

Page 258.

1. Anecdote collectée par Stobée, *Sententiae, sermo* XXIX. De son côté, Érasme, dans les *Adages*, commente le proverbe *Taurum tollet, qui vitulum sustulerit* (« Qui a porté un veau soulèvera un taureau »).

2. Pline l'Ancien, *Histoire naturelle*, XXVI, VI, 11 (phrase citée par Juste Lipse, *Politicorum libri sex*, I, VIII).

3. Voir Platon, *La République*, VII, 514 a *sq.*

4. Le roi Mithridate : voir par exemple Aulu-Gelle, *Nuits attiques*, XVII, XVI, 1-6.

5. Albert le Grand, théologien du XIIIe siècle, cité par Pierre Messie, *Diverses leçons*, I, XXVI, et par Corneille Agrippa, *De occulta philosophia*, I, XIX.

Page 259.

1. Voir Francisco Lopez de Gomara, *Histoire générale des Indes*, tr. fr. 1587, notamment II, IX et II, XI.

2. Voir *ibid.*, II, VI.

3. Cicéron, *Tusculanes*, II, XVII, 40.

4. Voir le *Songe de Scipion* de Cicéron, *De republica*, VI, XVIII, 19. Le mouvement des sphères célestes produit une musique parfaite mais inaudible des mortels.

Page 260.

1. Voir Diogène Laërce, *Vies et Opinions*, III, 38.

Page 261.

1. Phénomène signalé par les mémorialistes du temps : Guillaume et Michel Le Riche, *Journal*, année 1579 ; Pierre de l'Estoile, *Journal*, 10 février 1586.

2. Voir Ambroise Paré, *Des Monstres et des Prodiges*, VIII.

Page 262.

1. Cicéron, *De natura deorum*, I, XXX, 83.

2. L'édition de 1588 porte : « notre raison ».

3. Les exemples qui suivent sont en majorité empruntés à la peinture des cultures indigènes d'Amérique par Lopez de Gomara, *Histoire générale des Indes*.

4. D'après une note marginale manuscrite de Florimond de Raemond, il s'agirait de François de la Rochefoucauld (mort en 1591).

Page 263.

1. Les coutumes qui suivent sont rapportées par Lopez de Gomara, *Histoire générale des Indes.*

Page 264.

1. Cet exemple vient de Plutarque, *Que le vice seul est suffisant pour rendre l'homme malheureux,* 499 d.

Page 265.

1. Coutume de Libye : voir Hérodote, *Histoires,* IV, 172.
2. Coutume d'Éthiopie donnée par J. Osorio, *Histoire de Portugal,* tr. fr. S. Goulart, 1581, IV, XIX. Les exemples suivants viennent du même ouvrage.
3. Cet exemple et le suivant sont pris chez Lopez de Gomara, *Histoire générale des Indes.*

Page 266.

1. Voir Hérodote, *Histoires,* IV, 168.
2. Voir *ibid.,* II, 35 ; et Lopez de Gomara, *Histoire générale des Indes,* VI, 10.
3. Cet exemple et les suivants viennent à nouveau de Lopez de Gomara, *op. cit.*
4. Voir Hérodote, *Histoires,* IV, 180. Cet exemple et les suivants sont empruntés à des auteurs antiques, directement ou par l'entremise de compilations comme l'*Officina* de Ravisius Textor.
5. Voir Quinte-Curce, *Histoire d'Alexandre,* V, I, 37.

Page 267.

1. Voir *ibid.,* VIII, II, 19.
2. Par exemple, dans l'Antiquité, les Scythes (Pline l'Ancien, *Histoire naturelle,* VII, II, 12) ; ou bien, au temps de Montaigne, les Indiens du Brésil (voir le chapitre I, 31).
3. Voir Hérodote, *Histoires,* I, 216.
4. Voir Plutarque, *Vie de Lycurgue,* XXIX.
5. Voir Hérodote, *Histoires,* IV, 176.
6. Allusion aux Amazones, décrites par les historiens antiques (Hérodote, Diodore de Sicile...), et que certains ont cru retrou-

ver au Nouveau Monde (par exemple André Thevet, *Les Singularitez de la France antarctique*, chap. LXII et LXIII).

7. Les Thraces : voir Valère Maxime, *Faits et Paroles mémorables*, II, VI, 12.

8. À Sparte : voir Plutarque, *Les Dits notables des Lacédémoniens*, 239 c.

9. Chez les Perses : voir Xénophon, *Cyropédie*, I, II, 8 ; et Cicéron, *De finibus*, II, XXVIII, 92.

10. Les femmes de l'île de Chio : voir Plutarque, *Les Vertueux Faits des femmes*, 249 e.

Page 268.

1. Mot de Pindare transmis par Hérodote (*Histoires*, III, 38) et Platon (*Gorgias*, 484 b ; *Lois*, 714 e).

2. Voir Aristote, *Éthique à Nicomaque*, VII, VI, 2.

3. Voir *ibid.*, VII, V, 3.

4. Voir Valère Maxime, *Faits et Paroles mémorables*, VII, II, 18.

Page 269.

1. Écho du *Discours sur la servitude volontaire* de La Boétie. À cet endroit, l'édition de 1595 introduit la phrase suivante : « C'est par l'entremise de la coutume que chacun est content du lieu où nature l'a planté : et les sauvages d'Écosse n'ont que faire de la Touraine, ni les Scythes de la Thessalie. »

2. Hérodote, *Histoires*, III, 38.

3. Lucrèce, *De rerum natura*, II, 1028-1030.

Page 270.

1. Voir Platon (*Lois*, VIII, 838 b), qui condamne les amours incestueuses de Thyeste avec sa fille, d'Œdipe avec sa mère et de Macarée avec sa sœur.

2. Voir Diogène Laërce, *Vie de Chrysippe*, VII, 188 ; Sextus Empiricus, *Hypotyposes pyrrhoniennes*, I, XIV, 160.

Page 271.

1. Avec le regard éloigné que lui permet le long détour des coutumes exotiques, Montaigne décrit à partir d'ici les institutions du peuple français, qui apparaissent alors dans toute leur étrangeté.

2. Isocrate, *Second discours à Nicoclès*, XVIII.

3. Voir Paul Émile, *De Rebus gestis francorum*, Paris, 1550, f° 51 v° (le gentilhomme en question se nomme Vasco, qui signifie en latin « gascon »).

4. L'assemblée de notables tenue à Paris en 1558 était composée de quatre « états » ; cette innovation fut critiquée (voir par exemple Guy Coquille, *Discours des États de France*, 1588).

Page 272.

1. Les mentalités nobiliaires valorisent alors le duel — illégal du point de vue des magistrats qui rendent la justice au nom du roi — comme manière légitime de laver son honneur. Être traité de menteur représentait un affront caractérisé (voir sur le « démentir », le chapitre II, 18).

2. La braguette est un morceau d'étoffe bouffant, fixé au haut-de-chausses et couvrant le membre viril.

Page 273.

1. Voir par exemple Platon, *Criton*, 50 *sq*.

2. Voir Jean Crespin, *Gnômica*, « *In leges* », Genève, 1569, p. 218.

3. Charondas : voir Diodore de Sicile, *Bibl. hist.*, XII, XVII, 2.

4. Lycurgue, législateur de Sparte (voir Plutarque, *Vie de Lycurgue*, LX-LXI et LXVII).

Page 274.

1. Voir Plutarque, *Les Dits notables des Lacédémoniens*, 183 c.

2. Cette épée rouillée était conservée en raison de son antiquité (voir Valère Maxime, *Faits et Paroles mémorables*, II, VI, 7).

3. La « nouveauté » dont il est question ici est la Réforme ou plus exactement le soulèvement des protestants de France qui marque, à partir de 1562, l'entrée dans les guerres de Religion (l'édition de 1588 précisait : « depuis vingt-cinq ou trente ans »).

4. Ovide, *Héroïdes*, II, 48.

5. Tite-Live, que Montaigne avait d'abord cité, avant de préférer le traduire (XXXVII, XLV, 18).

6. Allusion aux Ligueurs, qui ont combattu les protestants avant de se dresser aussi contre le roi.

Page 275.

1. Voir Thucydide, *Histoire de la guerre du Péloponnèse*, III, LXXXII, 4 : cité par Plutarque, *Comment discerner le flatteur d'avec l'ami*, 56 b.

2. Térence, *Andrienne*, I, I, 141.

3. Tite-Live, *Histoire romaine*, XXXIV, LIV, 8.

4. En marge de l'Exemplaire de Bordeaux (f° 42 v°), ces deux phrases sont couchées de la main de Marie de Gournay, à la suite d'un premier mot écrit par Montaigne.

5. Voir Tite-Live, *Histoire romaine*, X, VI, 10.

Page 276.

1. Voir Hérodote, *Histoires*, VIII, 36.

2. Voir par exemple Matthieu, XXII, 21 ; Romains, XIII, 1-7.

3. Cicéron, *De divinatione*, I, XL, 87.

4. Voir Isocrate, *Second discours à Nicoclès*, XXXIII.

Page 277.

1. Cicéron, *De natura deorum*, III, II, 5.

Page 278.

1. Sénèque, *Œdipe*, 686.

Page 279.

1. Le consul Octavius refusa d'affranchir les esclaves pour les enrôler dans une armée qui eût pu défendre la République (Plutarque, *Vie de Marius*, LXXVII) ; Caton eut la même attitude (Plutarque, *Vie de Caton d'Utique*, LXXVIII).

2. Agésilas suspendit pendant un jour la loi sur les déserteurs (Voir Plutarque, *Vie d'Agésilas*, XLIX).

3. Malgré la présentation, il s'agit peut-être déjà d'Alexandre, qui enleva quelques jours du calendrier pour respecter un oracle qui avait prédit la chute de Tyr avant la fin du mois (voir Plutarque, *Vie d'Alexandre*, XLVI).

4. Allusion à Alexandre qui put ainsi partir en campagne au mois de juin, contre la coutume macédonienne (*ibid.*, XXVI).

5. Voir Plutarque, *Vie de Lysandre*, XI.

Page 280.

1. Voir *id.*, *Vie de Périclès*, LVII.

2. Voir *id.*, *Comparaison de Philopœmen avec T. Q. Flaminius*, VII.

Divers événements de même conseil

CHAP. XXIV

Nourri de lectures historiques comme de souvenirs personnels, ce chapitre évoque plusieurs exemples de clémence, bien ou mal récompensés. Comme dans le premier chapitre des *Essais* (I, 1, « Par divers moyens on arrive à pareille fin »), à l'intitulé parallèle, la contradiction des exemples invite à ne pas trop attendre des leçons de l'histoire. Plutôt que des préceptes fondés sur l'expérience, celle-ci nous délivre une leçon d'humilité : bien davantage que la prudence, c'est la fortune qui décide des événements. En matière politique ou militaire, comme d'ailleurs en médecine ou dans les arts, les réussites sont davantage le fruit heureux du hasard que celui des efforts conscients de l'ouvrier. La part laissée à l'homme est alors d'affirmer ses principes plutôt que de calculer les effets de ses actions. Faute de pouvoir contrôler le hasard, il faut s'en tenir à une conduite digne de soi, honnête et droite. Si les Princes doivent être cléments, c'est moins par respect de l'éthique chrétienne du pardon ou par calcul machiavélien que pour affirmer leur magnanimité. Cela n'est pas forcément contradictoire, d'ailleurs, avec leur intérêt bien compris : car une grande âme qui se manifeste à la foule rebelle, « la tête haute et le visage ouvert », impose naturellement le respect. (A.T.)

Page 281.

1. Jacques Amyot, grand aumônier de Charles IX et d'Henri III. Montaigne fait l'éloge de sa traduction de Plutarque au début du chapitre II, 4.
2. François de Guise, duc de Lorraine.
3. Le siège de Rouen, tenue par les protestants, en 1562.

Page 282.

1. Sur la conjuration de Cinna et la clémence d'Auguste, qui inspirera la tragédie de Corneille, voir Sénèque, *De la clémence*, I, IX, 2-11.

Page 283.

1. Listes de conspirateurs exécutés précédemment.

Page 285.

1. Æmilius Paulus, Fabius Maximus, les Cossii et les Servilii : d'autres prétendants au pouvoir.

2. François de Guise fut assassiné par le protestant Poltrot de Méré, devant Orléans, le 18 février 1563.

Page 286.

1. Montaigne exprimera à nouveau sa méfiance envers la médecine dans les chapitres II, 37 et III, 13.

Page 287.

1. Voir Plutarque, *Vie de Sylla*, XI.

Page 288.

1. Allusion à la garde suisse qui protégeait le pape et les rois.

Page 289.

1. Voir Sénèque, *Lettres à Lucilius*, IV, 8 (sentence citée par Machiavel, *Le Prince*, XIX, et par Jean Bodin, *La République*, IV, VII).

2. Voir Plutarque, *Les Dits notables des anciens rois*, 176 f.

3. Voir Arrien, *Histoire d'Alexandre*, II, IV, 8-11, et Plutarque, *Vie d'Alexandre*, XXXII-XXXIII.

4. Henri de Navarre, selon une note manuscrite de Florimond de Raemond.

5. Henri de Guise, d'après F. de Raemond.

Page 290.

1. Cet ajout est consigné de la main de Marie de Gournay.

2. Voir Tite-Live, *Histoire romaine*, XXVIII, XVII.

3. *Ibid.*, XXII, XXII, 14.

4. Louis XI se livra à Charles le Téméraire en 1468, à Péronne (voir Commynes, *Mémoires*, II, V).

5. Lucain, *Pharsale*, V, 316-318.

Page 291.

1. Tristan de Moneins fut tué à Bordeaux lors de l'insurrection de 1548 contre la gabelle.

Page 292.

1. En mai 1585, à Bordeaux, pendant le second mandat de maire de Montaigne, le Ligueur Vaillac tenta de fomenter une

insurrection. Montaigne procéda malgré tout à la traditionnelle revue de la garde bourgeoise.

2. Voir Suétone, *Vie de César*, LXXV et LXXXVI.

Page 293.

1. Voir Plutarque, *Les Dits notables des anciens rois*, 175 f.

2. Matteo di Morozzo dénonça un complot à Gautier de Brienne, duc d'Athènes (voir G. Villani, *Histoire*, IIe partie, XII, VIII ; Machiavel, *Histoires florentines*, II, XXXVI, et *Discours sur la première décade de Tite-Live*, III, VI.

3. Voir Appien, *Guerres civiles*, IV, 26 et 28.

Du pédantisme

CHAP. XXV

Ce chapitre, consacré à la dénonciation des faux savants, fait pendant avec le suivant, où Montaigne imaginera l'éducation idéale ; la critique du mauvais maître prépare en creux le portrait du bon pédagogue. À l'inverse de ce dernier — qui aura, lui, « plutôt la tête bien faite que bien pleine » —, le pédant est une caricature de savant, un type comique hérité du « pedante » de la comédie italienne. Embarrassé par une accumulation désorganisée de connaissances, il manque avant tout de jugement (la faculté maîtresse aux yeux de l'auteur des *Essais*). Son savoir reste livresque et inerte, il ne peut servir de fondement aux vertus morales : il est donc sans fruit pour l'action. Mais Montaigne dépasse rapidement la traditionnelle satire des gens de savoir, sans prise sur le monde réel, dénués de sens pratique et inélégants à souhait. Il s'agit pour l'auteur des *Essais* de prendre ses distances avec les érudits professionnels (quelle que soit son admiration pour un Turnèbe), et de camper ainsi son *éthos* de gentilhomme dilettante : confronté à la rivalité topique des armes et des lettres, Montaigne cherche une forme de conciliation qui lui permette à la fois de ne pas déroger à l'honneur nobiliaire et de manifester son goût profond pour la culture humaniste. Le repoussoir commode du pédant intervient alors pour conjurer un péril intérieur. Ce chapitre est ainsi l'occasion d'un double retour sur soi : comme humaniste, Montaigne met en question l'idolâtrie des lettres, et comme écrivain, il met en perspective critique sa propre manie de la citation antique. Cela n'empêche pas que, comme Sénèque et Plutarque, et comme Rousseau plus tard, Montaigne pousse parfois le paradoxe très loin, jusqu'à admirer sans partage le modèle spartiate, affichant à la limite de son propos un anti-intellectualisme qui étonne au sein d'un livre aussi savant que les *Essais*. (A.T.)

Page 295.

1. Depuis *Il Pedante* de Belo (1538), le professeur fait partie des personnages types de la comédie italienne.

2. Voir Du Bellay, *Les Regrets*, LXVIII, 14 (voir aussi les sonnets LXV et LXVI).

3. Voir Plutarque, *Vie de Cicéron*, VI.

4. Dicton en latin macaronique utilisé par Frère Jean des Entommeures dans le *Gargantua* de Rabelais (XXXIX).

Page 296.

1. Il pourrait s'agir de Marguerite de Valois, avant son mariage avec Henri de Navarre, ou bien, si l'anecdote est plus récente, de Catherine de Bourbon, sa sœur.

2. Allusion possible au traitement réservé à Socrate dans les *Nuées* d'Aristophane.

Page 297.

1. Voir Suétone, *Vie de Tibère*, XXXII.

2. La satire des philosophes éthérés qui précède est adaptée de Platon, *Théétète*, 174 b-175 b (lu ici dans la traduction latine de Marsile Ficin).

3. Vers de Pacuvius, cité par Aulu-Gelle (*Nuits attiques*, XIII, VIII, 4) et saint Augustin (*Cité de Dieu*, VIII, 1).

4. Le géomètre et physicien Archimède, qui utilisa des miroirs concaves pour incendier la flotte ennemie grâce à la chaleur du soleil : voir Plutarque, *Vie de Marcellus*, XXI-XXVII.

Page 298.

1. Voir Diogène Laërce, *Vies et Opinions*, VI, 92.

2. Voir *ibid.*, IX, 6 et 3.

3. Voir *ibid.*, VIII, 63.

4. Ce renard est celui de la fable d'Ésope (XXXII) qui, faute de pouvoir attraper des raisins, les juge trop verts à son goût.

Page 299.

1. Thalès fit fortune en vendant de l'huile d'olive : voir Diogène Laërce, *Vies et Opinions*, I, 26.

2. Voir Aristote, *Éthique à Nicomaque*, VI, VII, 5, 1141 b.

3. À rapprocher de Sénèque, *Lettres à Lucilius*, LXXXVIII, 38.

4. Voir *ibid.*, LXXXIX, 23.

5. Image homérique commentée par Plutarque, *De l'amour et charité naturelle des pères envers les enfants*, 494 d.

Page 300.

1. Voir Plutarque, *Comment l'on pourra s'apercevoir si l'on s'amende en l'usage de la vertu*, 78 f.

2. Formule adaptée de Cicéron, *Tusculanes*, V, XXXVI, 103.

3. Sénèque, *Lettres à Lucilius*, CVIII, 37.

4. Voir les remarques du chapitre I, 31, à propos des chansons des Indiens du Brésil.

Page 301.

1. Calvisius Sabinus, cité par Sénèque, *Lettres à Lucilius*, XXVII, 5-8.

2. Image empruntée à Plutarque, *Comment il faut ouïr*, 48 c.

3. Les talents de stratège de L. Licinius Lucullus étaient d'origine entièrement livresque : voir Cicéron, *Premiers Académiques*, II, I, 2 (exemple repris par Amyot dans la préface de sa traduction des *Vies* de Plutarque).

Page 302.

1. Vers d'Euripide, cité par Cicéron, *Ad familiares*, XIII, XV, 2, et par Stobée, *Sententiae*, *sermo* III (l'édition de 1588 substitue le vers grec à sa traduction française).

2. Cicéron, *De officiis*, III, XV, 62.

3. Vers de Juvénal adaptés par Montaigne (VIII, 14-15).

4. Cicéron, *De finibus*, I, I, 3 (cité par Juste Lipse, *Politica*, I, X).

5. Diogène Laërce (VI, 27-28) attribue ce mot non à Denys le Tyran, mais à Diogène.

Page 303.

1. Voir Platon, *Ménon*, 91 c-e.

2. Voir Platon, *Protagoras*, 328 b-c.

3. Galien (IIe siècle ap. J.-C.) : auteur de traités de médecine qui font encore autorité à la Renaissance.

Page 304.

1. Perse, *Satires*, I, 61-62.
2. Adrien Turnèbe (1512-1565), helléniste, professeur au Collège royal ; Montaigne a probablement suivi son enseignement et il possédait plusieurs de ses éditions savantes.
3. Juvénal, *Satires*, XIV, 34-35.

Page 305.

1. Stobée, *Sententiae, sermo* III (mot cité par Juste Lipse, *De la constance*, II, IV).
2. Sénèque, *Lettres à Lucilius*, CVI, 12 (sentence citée par Juste Lipse, *Politiques*, I, I).
3. Image sénéquienne : voir *Lettres à Lucilius*, XXXVI, 3 et LXXI, 31.
4. Cicéron, *Tusculanes*, II, IV, 12.

Page 306.

1. Anecdote rapportée par J. Bouchet, *Annales d'Aquitaine* (éd. 1545, f. 111) puis par G. Corrozet, *Propos mémorables*, 1557, p. 85. Voir plus tard chez Molière la tirade de Chrysale dans *Les Femmes savantes* (II, 7).
2. Sénèque, *Lettres à Lucilius*, XCV, 13.
3. Trait français relevé par le Tasse, *Lettera nella quale paragona l'Italia alla Francia, Rime e prose*, Venise, 1583, p. 29.

Page 307.

1. Voir Horace, *Épîtres*, I, II, 54.
2. Voir Platon, *République*, IV, 423 d.
3. Propos d'Ariston de Chios (disciple de Zénon), cité par Cicéron, *De la nature des dieux*, III, XXXI, 77 (Aristippe était un hédoniste, tandis que Zénon fut le fondateur de l'école stoïcienne).
4. Voir Xénophon, *Cyropédie*, I, II, 6-8.

Page 308.

1. Voir Platon, *Premier Alcibiade*, 121 c-122 a.
2. Sur les principes éducatifs de Lycurgue, législateur de Sparte, voir Plutarque, *Les Dits notables des Lacédémoniens*, 225 f-226 e, et *Vie de Lycurgue*, XXXIII-XXXIV.

3. Voir Platon, *Lois*, VII.
4. Voir Plutarque, *Vie de Lycurgue*, XXXVII.

Page 309.

1. Anecdote rapportée par Cyrus à sa mère Mandane (et non à Astyage) dans la *Cyropédie* de Xénophon, I, III, 16-18.
2. Voir Plutarque, *Apophtegmes lacédémoniens*, LXVII, 213 c-d.

Page 310.

1. Voir *ibid.*, LIV, 235 b (les enfants envoyés en otages auraient perdu les bénéfices de l'éducation spartiate).
2. Voir *id.*, *Vie d'Agésilas*, XXX.
3. Voir Platon, *Hippias majeur*, 282 e-286 c.

Page 311.

1. Tamerlan, chef tartare du XIVe siècle.
2. Ces exemples convergents sont empruntés à René de Lucinge, *De la naissance, durée et chute des États*, éd. M. Heath, Genève, Droz, 1984, p. 43-45.

De l'institution des enfants

CHAP. XXVI

Directement greffé sur le précédent, ce chapitre est le plus long du livre I, et l'un des plus célèbres. Après Erasme, Vivès, Budé ou Rabelais, Montaigne s'inscrit dans le grand mouvement de rénovation de la pédagogie qui caractérise l'humanisme de la Renaissance. Il remet en cause à son tour l'organisation obsolète des collèges traditionnels, où l'apprentissage par cœur et les châtiments corporels faisaient loi. Plutôt qu'à l'éducation des enfants en général, c'est plus spécifiquement à celle d'un garçon, de condition noble, que Montaigne réfléchit ici. Dans un siècle où la noblesse de France est plus portée vers les armes que vers les lettres, Montaigne propose un modèle d'éducation nouveau dans lequel les disciplines littéraires trouvent leur juste place aux côtés des exercices physiques et de l'apprentissage de la civilité. Il plaide à nouveau en faveur de la culture antique, et veut montrer que l'on peut être instruit sans être pédant. En alliant harmonieusement les préceptes d'Erasme et ceux de Castiglione, il définit déjà les traits de celui qu'on appellera, au siècle suivant, l'« honnête homme ».

Ces conseils pour l'éducation d'un enfant sont aisément généralisables : plus encore que l'élève, c'est son professeur que Montaigne veut former, en lui donnant une tête plutôt « bien faite que bien pleine ». Ce chapitre a beaucoup fait pour que les contemporains de Montaigne reconnaissent en lui un maître à penser. En fait, comme à l'accoutumée, l'auteur des *Essais* prend soin d'éviter tout didactisme : offrant ses conseils à autrui, il en vient à s'interroger sur sa propre méthode d'inquisition et de jugement, à donner les clés de sa manière de lire et d'écrire. Comment citer autrui sans aliéner sa pensée, et sans encombrer sa mémoire, comment trouver un style qui exprime son propre tempérament, comment orienter sa culture vers l'échange et le dialogue avec autrui : ces problèmes se posent aussi bien à l'enfant qu'à l'adulte, à l'écrivain qu'au lecteur. Le chapitre dépasse bien vite le simple traité d'éducation, pour livrer les fondements de la méthode de Montaigne.

En réfléchissant à l'éducation d'un enfant encore à naître, Montaigne se trouve reconduit vers sa propre enfance. Ce chapitre très érudit puise aux sources antiques les plus diverses, mais il s'enrichit pour finir d'un développement autobiographique sans équivalent dans les *Essais*. Sous couvert d'offrir au lecteur un exemple concret et atypique d'apprentissage des langues anciennes, inspiré de Quintilien et d'Erasme, Montaigne se replonge dans ses propres souvenirs d'apprentissage, avec un évident plaisir. Ce retour aux origines s'accompagne toutefois d'une certaine distorsion : on note ainsi l'éclipse des deux frères de Montaigne, dont on sait pourtant, grâce à un poème de Buchanan retrouvé par Michel Simonin, qu'ils furent éduqués en même temps que Montaigne au Collège de Guyenne. Montaigne a soigneusement sélectionné les souvenirs de jeunesse qu'il voulait transmettre à son lecteur. (A. T.)

Page 312.

1. Diane de Foix était la fille de Frédéric de Foix-Candale et l'épouse de Louis de Foix, comte de Gurson, l'un des protecteurs de Montaigne en Guyenne.
2. Image classique : voir par exemple Horace, *Satires*, I, x, 71.

Page 313.

1. Les filles de Danaos furent punies du meurtre de leur

mari par un châtiment infernal consistant à tenter éternellement de remplir d'eau un vase percé.

2. Voir Plutarque, *Propos de table*, 680 b *sq*.

Page 314.

1. Les éditions de 1580 à 1588 ajoutaient: «car autrement j'engendrerais des monstres».

2. Voir Diogène Laërce, *Vies et Opinions*, VII, 181.

3. Voir *ibid.*, X, 26.

Page 316.

1. Lelio Capilupi, auteur des *Centones ex Virgilio* (Rome, 1555), reprit un genre hérité de l'Antiquité (illustré notamment par Ausone, au IVe siècle, dans son *Cento nuptialis*) et consistant à recomposer un texte original à partir de vers empruntés à des œuvres célèbres.

2. Juste Lipse composa les *Politica* (Leyde, 1589) en adaptant le principe du centon à la prose philosophique. Il entretenait une correspondance avec Montaigne.

3. Et de fait, la comtesse donna naissance à un fils, Frédéric, quelques mois plus tard.

4. Montaigne représentait le marquis de Trans, père du marié, lors de la signature du contrat de mariage.

Page 317.

1. La formule exprime le lien de service qui existe entre Montaigne et ses protecteurs.

2. Voir Plutarque, *Pourquoi la justice divine diffère la punition des méchants*, 551 b.

3. Voir *ibid.*, 562 b.

Page 318.

1. Voir Platon, *République*, III, 415 a-c, et IV, 423 c.

2. La famille de Foix fut illustrée par un troubadour de renom au XIIIe siècle, et par l'auteur d'un traité sur la chasse au siècle suivant.

3. François de Foix-Candale, érudit célèbre, traduisit les *Éléments* d'Euclide en latin et le *Pimandre* de Mercure Trismégiste en français (1574).

Page 319.

1. Socrate et Arcésilas : voir Cicéron, *De Finibus*, II, II.
2. *Id.*, *De natura deorum*, I, v, 10.

Page 320.

1. Sénèque, *Lettres à Lucilius*, XXXIII, 10.
2. Il s'agit de Girolamo Borro, plusieurs fois emprisonné par l'Inquisition pour avoir mis en doute l'immortalité de l'âme (sur sa rencontre avec Montaigne, voir le *Journal de Voyage*, éd. F. Garavini, « Folio classique », p. 319).

Page 321.

1. Dante, *L'Enfer*, XI, 93 (cité par S. Guazzo, *Civil conversatione*, I).
2. Sénèque, *Lettres à Lucilius*, XXXIII, 4.
3. Voir *ibid.*, LXXXIV, 5.

Page 322.

1. Épicharme : voir Plutarque, *De la fortune ou vertu d'Alexandre*, 336 b.
2. Voir Sénèque, *Lettres à Lucilius*, XXXIII, 8.
3. Voir Platon, *Lettres*, X.
4. Lodovico Palvallo et Pompeo Diobono, danseurs célèbres à la cour.
5. À rapprocher de Sénèque, *Lettres à Lucilius*, LXXXVIII, 19.
6. Voir Plutarque, *Comment on pourra s'apercevoir si l'on s'amende en l'exercice de la vertu*, 79 d-e.

Page 323.

1. Le Panthéon de Rome, transformé en église chrétienne.
2. Courtisane romaine.
3. Horace, *Odes*, III, II, 5-6.

Page 324.

1. Cicéron, *Tusculanes*, II, XV, 36.

Page 325.

1. Sénèque, *Lettres à Lucilius*, CIII, 5.
2. D'après Cicéron, *De officiis*, I, XLI, 148.

Page 326.

1. D'après *id.*, *Premiers Académiques*, II, III, 8.

Page 327.

1. Properce, *Élégies*, IV, III, 39-40.

Page 328.

1. Voir Platon, *Hippias majeur*, 285 d-e.

2. Les *Vies des hommes illustres*, traduction française des *Vies parallèles* de Plutarque par Jacques Amyot, parues en 1559 à Paris.

3. Marcellus meurt imprudemment dans une embuscade près de Venouse, en 208 av. J.-C. (voir Tite-Live, *Histoire romaine*, XXVII, XXVII ; Plutarque, *Comparaison de Pélopidas avec Marcellus*, V).

4. Voir Plutarque, *De la mauvaise honte*, 532 e.

Page 329.

1. Voir *id.*, *Les Dits notables des Lacédémoniens*, 216 f.

2. Voir Cicéron, *Tusculanes*, V, XXXVII, 108 ; Plutarque, *Du bannissement*, 600 f-601 a.

Page 330.

1. Mot rapporté en savoyard par Henri Estienne dans l'avis au lecteur de l'*Apologie pour Hérodote* (éd. Ristelhuber, Paris, 1879, p. 20).

2. Les Épicuriens croient en l'existence de plusieurs mondes (voir Lucrèce, II, 1052-1089).

Page 331.

1. Voir Cicéron, *Tusculanes*, V, III, 9.

2. Perse, *Satires*, III, 69-72 et 67.

Page 332.

1. Virgile, *Énéide*, III, 459.

2. Jeu de mots traduit de Sénèque, *Lettres à Lucilius*, LXXXVIII, 2.

3. À rapprocher de Platon, *Euthydème*, 280 b-e.

4. Horace, *Épîtres*, I, II, 40-43.

5. Properce, *Élégies*, IV, I, 85-86.

Page 333.

1. Anacréon, *Odes,* IV, 10-11.
2. Voir Diogène Laërce, *Vies et Opinions,* II, 5.
3. Érudit byzantin du XVe siècle, auteur d'une grammaire grecque traduite en latin, l'*Institutio grammaticae* (Venise, 1495).

Page 334.

1. Voir Plutarque, *Des oracles qui ont cessé,* 412 d-e.
2. Juvénal, *Satires,* IX, 18-20.

Page 335.

1. Voir Sénèque, *Lettres à Lucilius,* LIX, 16.
2. Mots imaginaires servant à mémoriser des formes de syllogismes, dans la logique scolastique.
3. Invention des astronomes pour tenter de rendre compte du mouvement apparent des astres.
4. L'image du Mont de Vertu, tirée d'Hésiode (*Les Travaux et les Jours,* 289), est critiquée par Sénèque (*De ira,* II, 13). Ronsard l'exploite dans l'*Hymne de la Philosophie.*

Page 336.

1. Héroïnes guerrières du *Roland Furieux* de l'Arioste.
2. Le berger Pâris accorda la pomme d'or à Aphrodite, plutôt qu'à Athéna ou Héra.

Page 337.

1. Voir Platon, *République,* III, 415 b-c.
2. Perse, *Satires,* III, 23-24.

Page 338.

1. Voir Plutarque, *De la fortune ou de la vertu d'Alexandre,* 327 d-328 a.
2. Perse, *Satires,* V, 64-65.
3. Épicure à Ménécée : voir Diogène Laërce, *Vies et Opinions,* X, 122.

Page 339.

1. Carnéade : voir *ibid.,* IV, 62.
2. Proverbe rapporté par Cælius Rhodiginus, *Antiquae lectiones,* XXX, VIII.

Page 340.

1. Isocrate : voir Plutarque, *Propos de table,* 613 a.
2. Voir *ibid.*
3. Horace, *Épîtres,* I, I, 25-26.

Page 341.

1. Voir Plutarque, *Les règles et préceptes de santé,* 137 e.
2. Voir Platon, *Lois,* VII, 789 a-792 a.
3. Érasme dénonçait lui aussi la brutalité qui régnait dans les collèges dans le *De Pueris statim ac liberaliter instituendis.*
4. Voir Quintilien, *Institution oratoire,* I, III, 14-17.

Page 342.

1. Déesse de la floraison et déesses de la beauté.
2. Speusippe : voir Diogène Laërce, *Vies et Opinions,* IV, 1.
3. Voir Platon, *Lois,* VII.
4. Voir Diogène Laërce, *Vies et Opinions,* IX, 80 ; Sextus Empiricus, *Hypotyposes pyrrhoniennes,* I, XIV, 82.
5. Voir Plutarque, *De l'envie et de la haine,* 537 a.

Page 343.

1. Sénèque, *Lettres à Lucilius,* XC, 46.
2. Voir Plutarque, *Vie d'Alcibiade,* XLII-XLIII.
3. Horace, *Épîtres,* I, XVII, 23.

Page 344.

1. *Ibid.*, 25-26 et 29.
2. Voir Pseudo-Platon, *Les Rivaux,* 139 a.
3. Cicéron, *Tusculanes,* IV, III, 5.
4. *Ibid.*, V, III, 8.
5. Voir Diogène Laërce, *Vies et opinions,* VI, 64.
6. *Ibid.*, VI, 48.
7. Cicéron, *Tusculanes,* II, IV, 11.

Page 345.

1. Voir Plutarque, *Les Dits notables des Lacédémoniens,* 221 a-b.
2. François de la Rochefoucauld, oncle de Diane de Foix.

Page 346.

1. Horace, *Art poétique,* 311.
2. Sénèque le Rhéteur, *Controverses,* III, préface.

3. Cicéron, *De finibus*, III, v, 19.

4. Le Petit-Pont, en face du Châtelet à Paris.

Page 347.

1. Aper : voir Tacite, *Dialogue des orateurs*, XVIII-XX.

2. Cléomène : voir Plutarque, *Les Dits notables des Lacédémoniens*, 223 d.

3. Voir Plutarque, *Instruction pour ceux qui manient les affaires d'État*, 802 a.

4. Voir Plutarque, *Vie de Caton d'Utique*, XXXIII.

Page 348.

1. Horace, *Satires*, I, IV, 8 (à propos du poète satirique Lucilius).

2. *Ibid.*, 58-59 et 62 (allusion au corps d'Orphée déchiré par les Ménades ; selon Horace, la force du poème satirique ne dépend pas de la versification).

3. Ménandre : voir Plutarque, *Si les Athéniens ont été plus excellents en armes qu'en lettres*, 347 d-f.

4. Sénèque, *Lettres à Lucilius*, XL, 5.

5. Voir Diogène Laërce, *Vies et Opinions*, II, 70.

Page 349.

1. Voir *ibid.*, VII, 182.

2. Cicéron, *Premiers Académiques*, II, XXIV, 75.

3. Quintilien, *Institution oratoire*, VIII, III, 30.

4. Sénèque, *Lettres à Lucilius*, LIX, 5.

5. Vers final de l'épitaphe de Lucain, rapportée dans la *Vie de Lucain* qui ouvre les éditions du poète à la Renaissance.

Page 350.

1. Voir Suétone, *Vie de César*, LV, 1.

2. Voir Castiglione, *Le Livre du courtisan*, I, XXVI.

3. Voir Quintilien, *Institution oratoire*, introduction.

4. Sénèque, *Lettres à Lucilius*, XL, 4.

5. *Ibid.*, LXXV, 1.

6. Aristophane de Byzance : voir Diogène Laërce, *Vies et Opinions*, X, 13.

Page 351.

1. Voir Platon, *Lois*, I, 641 e.

2. Zénon : voir Stobée, *Sententiae*, « *De Garrulitate* ».

Page 352.

1. Ce précepteur allemand s'appelait Horstanus.

Page 353.

1. Au Collège de Guyenne, Montaigne eut pour précepteurs de grands humanistes européens : Nicolas Grouchy, auteur des *Comices des Romains* (Paris, 1555) ; Guillaume Guérente, qui a collaboré à un commentaire de la *Logique* d'Aristote ; et surtout George Buchanan, écossais, historien et poète néolatin, ainsi que Marc-Antoine Muret, poète et dramaturge néolatin, qui a aussi donné un commentaire des *Amours* de Ronsard (Montaigne le revoit lors de son séjour à Rome : voir le *Journal de Voyage*, éd. F. Garavini, « Folio classique », p. 214).

2. Buchanan fut le précepteur de Timoléon de Brissac, qui fut plus tard tué au siège de Mussidan en 1569 (évoqué par Montaigne au début du chapitre I, 6).

Page 354.

1. L'édition de 1580 précisait : « et avait un joueur d'épinette pour cet effet ».

2. Le Collège de Guyenne fut fondé à Bordeaux en 1533 et fut dirigé à partir de 1534 par André Gouvéa.

Page 355.

1. Montaigne évoque à nouveau sa prédilection pour les *Métamorphoses* d'Ovide dans le chapitre II, 10.

2. *Lancelot, Amadis de Gaule, Huon de Bordeaux* : romans de chevalerie.

Page 357.

1. D'après Virgile, *Bucoliques*, VIII, 39.

2. Buchanan a traduit *Alceste* et *Médée* d'Euripide, et a composé des tragédies chrétiennes, *Jephté* et *Jean Baptiste*. Muret a écrit une tragédie intitulée *Jules César*.

3. André Gouvéa (1497-1548), humaniste portugais, principal du Collège Sainte-Barbe à Paris puis du Collège de Guyenne à Bordeaux, de 1534 à 1547 ; il fut appelé ensuite pour réorganiser l'Université de Coïmbra, mais mourut peu après.

4. Tite-Live, *Histoire romaine*, XXIV, XXIV, 2-3.

C'est folie de rapporter le vrai et le faux à notre suffisance

CHAP. XXVII

Si la crédulité est une faiblesse, il faut toutefois savoir parfois accorder sa créance ou, du moins, la laisser en suspens car il est impossible que notre esprit, limité, puisse donner la mesure des choses. Devant les récits de prodiges et miracles extraordinaires, mesurer son soupçon, admettre l'incompréhensible, c'est faire preuve de prudence et d'humilité. Et ces dispositions vertueuses nous conduisent également à nous soumettre à la doctrine religieuse établie. (D.R.)

Page 359.

1. Cicéron, *Académiques*, II, XII, 38.

Page 360.

1. Horace, *Épîtres*, II, II, 208-209.
2. Voir *Essais*, II, 37.
3. Lucrèce, *De rerum natura*, II, 1038-1039.

Page 361.

1. *Ibid.*, 1033-1036.
2. Voir H. Estienne, préface de l'*Apologie pour Hérodote*.
3. Lucrèce, *De rerum natura*, VI, 674-677.
4. Cicéron, *De natura deorum*, II, XXXVIII, 96.
5. Voir *id.*, *De divinatione*, II, XXII, 49.
6. Variante de 1580 : « cette infinie puissance de Dieu ».
7. Voir Cicéron, *De divinatione*, II, XXII, 49.

Page 362.

1. Diogène Laërce, *Vie de Thalès*, I, 41.
2. Froissart, *Chroniques*, III, XVII ; la bataille eut lieu en 1385.
3. *Annales* de Nicole Gilles, Paris, L'Angelier, 1544 (1223).
4. Plutarque, *Vie de Paul-Émile*, XLI.
5. César, *Guerre civile*, III, 36 ; *Guerre des Gaules*, V, 53.

Page 363.

1. J. Bouchet, *Annales d'Aquitaine*, I, XIV-XV.
2. Saint Augustin, *Cité de Dieu*, XXII, VIII.
3. Cicéron, *Tusculanes*, I, XXI, 49.

De l'Amitié

CHAP. XXVIII

Ce chapitre avait pour fonction initiale d'introduire le *Discours de la servitude volontaire.* Situé au centre du premier livre, ce texte qui, comme le rappelle Montaigne, n'était pas véritablement un essai et ne permettait pas la peinture au vif de La Boétie, aurait pu constituer le fond même de la peinture du moi montaignien, en vertu d'une théorie des amis qui partagent pareille âme en deux corps distincts, et donc en deux œuvres séparées. Les chapitres montaigniens se seraient alors bornés à encadrer le texte dû à son *alter ego*, à la manière de grotesques à la fois monstrueux et ornementaux. L'abandon de ce projet d'insertion d'une voix étrangère mais intimement liée à celle de l'auteur n'a pas signé la disparition de cette réflexion sur l'amitié, qui renverse les traités habituels sur la question. Au terme d'une introduction qui montre que s'il est impossible de se peindre, il est possible de parler de soi par le détour d'un discours sur le parfait ami — La Boétie — (p. 366-368, «… une fois en trois siècles»), Montaigne ouvre une réflexion conduite en trois temps : il renverse tout d'abord les conceptions philosophiques courantes de l'amitié sous ses différentes espèces (relation avec les parents, relation amoureuse avec les femmes — catégories aristotéliciennes — et relation amoureuse homosexuelle — catégorie platonicienne ; p. 367-373 «… *judicandæ sunt*»). Montaigne produit alors la description de l'amitié telle qu'elle correspond à sa définition, beaucoup plus restrictive en ce qu'elle repose sur une communauté de conscience, amitié illustrée par celle de Gracchus et de Blosius (p. 374 «Au demeurant…»-375 «… de moi qu'à moi»). Retour ensuite à la réfutation des «amitiés communes», véhiculées par les philosophes eux-mêmes, ce qui permet de préciser sa propre conception : une telle relation ne doit pas être placée sous une ambition de maîtrise ; elle renverse — en vertu de l'unité de conscience — les théories antiques, notamment cicéroniennes, sur l'échange des bienfaits ; finalement, pure expérience, il est impossible d'en parler et surtout d'en transmettre la compréhension (p. 375-380 «… *sanus amico*»). Montaigne conclut par une déploration finale qui prépare l'insertion du témoignage écrit de La Boétie, en le rendant encore plus nécessaire ; mais aussi dérisoire au prix de la douleur de perdre la moitié de soi-même : ultime renversement par l'expérience de la théorie cicéronienne de l'amitié qui donne l'immortalité à celui qui meurt (*Lælius*, VII, 23). Ici, la relation brisée est l'occasion de constater un vide que le souvenir ne comble pas : là encore, l'expérience concrète est plus forte que toutes les abstractions : celles du simple souvenir, comme celles des théories sur l'amitié en général. (E.N.)

Page 366.

1. Ce type de peinture murale apparaît en Italie au milieu du xve siècle, s'inspirant des fresques de la *Domus aurea* de Néron. Il combine des entrelacements de feuillages et une profusion de sujets fantastiques, êtres hybrides proliférant de manière à suggérer, sous la symétrie des arrangements, une impression de désordre.

2. Horace, *Art poétique*, 4.

3. Né à Sarlat le 1er novembre 1530, Étienne de La Boétie, après avoir été élevé par un parrain ecclésiastique féru d'humanisme (le Sieur de Bouilhonas), fait des études de droit à l'Université d'Orléans. Licencié le 22 septembre 1553, il obtient d'Henri II le 13 octobre 1553 les lettres patentes qui lui permettent d'acheter une charge de conseiller au Parlement de Bordeaux, au sein duquel il est admis le 17 mai 1554 (Montaigne y rentrera comme conseiller de la Cour trois ans plus tard). En 1560, sa première mission délicate est de régler la question des émoluments des magistrats bordelais auprès de la Cour, alors que les relations entre ces derniers et les autorités municipales s'étaient fortement dégradées. Lié dès cette époque à Michel de L'Hospital, La Boétie se fait le défenseur de la politique de tolérance promulguée par ordonnance à la fin des états généraux d'Orléans le 31 janvier 1561. Malgré l'opposition de certains parlementaires catholiques, il impose cette ligne sans déroger à un parfait loyalisme lors des troubles en Agenais en septembre 1561. L'intensification des troubles le contraint à s'interposer en décembre 1562 pour arrêter une marche des Huguenots sur Bordeaux. Atteint de dysenterie, ou peut-être même d'une épidémie de peste qui sévissait alors dans la région, il meurt le 18 août 1563 en présence de Mon-

taigne, son plus proche ami. Son œuvre très diversifiée est typique d'un humaniste renaissant : considéré par Du Perron comme le « second Budé de son siècle », il lègue des traductions (*La Mesnagerie* de Xénophon, *Les Règles du mariage* et une *Lettre de consolation* de Plutarque, ainsi que les premiers chapitres des *Économiques* que l'on attribuait à cette époque à Aristote), une annotation des *Opuscules moraux* de Plutarque sur l'édition Froben de 1557, une œuvre poétique (vingt-neuf sonnets publiés dans l'édition de 1580 des *Essais*, vingt-huit poèmes latins ainsi qu'une adaptation en vingt-huit sonnets français du 32e chant du *Roland furieux* de l'Arioste), une œuvre politique enfin (*Mémoires sur l'édit de janvier* et *Discours de la servitude volontaire*).

Page 367.

1. Une partie du discours a connu une première publication dans le *Réveille-matin des Français et de leurs voisins* (traduction des *Dialogi ab Eusebio Philadelpho cosmopolita* imprimés en Suisse la même année), paru à Bâle en 1574 puis à Édimbourg. Deux ans plus tard, Simon Goulard opère des emprunts bien plus larges au sein du troisième tome des *Mémoires de l'Estat de France sous Charles Neufiesme* : le texte de La Boétie est appelé alors pour la première fois le *Contr'Un*. Cette diffusion du texte a fait de La Boétie — à tort — un monarchomaque, et en 1580, lorsque Montaigne aurait pu l'insérer au cœur du premier tome des *Essais*, ce texte connaît une audience qui fait de lui un libelle huguenot porteur d'un sens tout à fait imprémédité, quelques années après la nuit de la saint Barthélemy.

2. L'absence de toute mention d'un événement contemporain rend la datation du *Discours* incertaine. Selon Montaigne, il aurait été composé par un jeune homme de 18 ans (1580, 1588), ou même de 16 ans (correction de l'E.B.), soit en 1546 ou en 1548, avant d'être retouché plus tard, lorsqu'il étudiait à Orléans. « Il l'écrivit par manière d'essai en sa première jeunesse, à l'honneur de la liberté contre les tyrans » nous dit Montaigne (I, 28, p. 367), « par manière d'exercitation seulement, comme sujet vulgaire et tracassé en mille endroits des livres » (*ibid.*, p. 382) : ce jugement, qui ne va pas sans poser problème tellement la matière est dense, sera relayé par Sainte-

Beuve qui y voit un de ces «forfaits classiques qui se commettent au sortir de Tite-Live et de Plutarque» (*Causeries du lundi*, t. IX).

3. [1580]: «en sa première jeunesse, n'ayant pas atteint le dix-huitième an de son âge, à l'honneur».

4. Préparé par Catherine de Médicis et le Chancelier Michel de L'Hospital, cet édit est signé le 17 janvier 1562 par Charles IX alors qu'il a douze ans. Est promulguée une tolérance du culte protestant, dans le respect de certaines limites, ce qui marque une volonté de conciliation de la Cour après la répression opérée sous le règne d'Henri II. Dès le mois de mars, le conflit éclate à nouveau. Dans cet opuscule, La Boétie revient sur les conséquences de l'édit en Guyenne.

5. En 1571, Montaigne fait imprimer à Paris chez F. Morel deux volumes: *La Mesnagerie de Xenophon*, le livret en question, et des *Vers françois* non mentionnés ici.

Page 368.

1. *Éthique à Nicomaque*, VIII, 1155 a 20.

2. *Ibid*, VIII, 1161 b 15-29. Alors que l'amitié paternelle informe toutes les amitiés dans le cercle familial chez Aristote, Montaigne contrebalance cette idée d'affection naturelle intrafamiliale tant par des phénomènes («Il s'est trouvé...») que par des noumènes (Aristippe et «cet autre que Plutarque voulait induire...»).

3. Coutumes évoquées en I, 23, p. 267. Voir Sextus Empiricus, *Hypotyposes pyrrhoniennes*, III, 210-211.

4. Diogène Laërce, *Vies et Opinions*, II, 81.

5. D'après Plutarque, *De l'amitié fraternelle*, IV, 479 e.

Page 369.

1. À propos de l'amitié entre frères, voir Aristote, *Éthique à Nicomaque*, 1161 b 30-1162 a 36 et 1162 a 10-16.

2. Si dans le *Discours de la servitude volontaire*, la liberté est un produit de la «fraternelle affection» qui est la condition de possibilité de toute liberté, pour Montaigne, l'amitié est un effet de la liberté volontaire, c'est-à-dire d'une prise de conscience personnelle et d'une véritable décision de l'individu.

3. Horace, *Odes*, II, II, 5-6.

4. À comparer avec Aristote, *Éthique à Nicomaque*, VIII, 1162 a 17-33 et 1164 a 3-13: Montaigne marque encore ses

distances avec Aristote qui en fait l'accointance la plus naturelle qui soit, créant de la stabilité, alors que Montaigne exacerbe les soubassements passionnels de cette relation, facteur d'instabilité. L'évocation du mariage permet de renverser un peu plus Aristote par ses propres armes : il introduit l'idée d'une amitié par intérêt (l'autre des deux formes d'amitiés imparfaites avec celle que gouverne le plaisir) — dans le cas d'une union d'intérêt —, et insiste aussi sur la dissymétrie entre hommes et femmes qu'aucune proportionnalité dans l'échange ne peut unir véritablement.

5. Catulle, *Épigrammes*, LXVIII, 17-18.

Page 370.

1. L'Arioste, *Le Roland furieux*, X, VII, 4-8.

Page 371.

1. [1580] : « à autres fins : comme de la génération, alliances, richesses, il y survient ».

2. Montaigne ne se borne pas à l'amitié amoureuse conjugale comme le fait Aristote, il la complète par l'amitié amoureuse extraconjugale, non des femmes (ce qui vaut dans le mariage vaut hors mariage), mais des hommes : après la *philia* aristotélicienne, c'est celle de Platon exposée au *Banquet* qui est renversée : un *éros* dissymétrique, celui s'épanouissant dans la *paidérastia* qui unit l'amant d'âge mûr (*érastès*) et l'aimé, jeune homme dont ce dernier a l'éducation en charge (*éroménos*).

3. Cicéron, *Tusculanes*, IV, XXXIII, 70.

Page 372.

1. Voir la condamnation de l'Aphrodite « vulgaire » (Platon, *Banquet*, 181 a-c).

2. Le cas de l'amant au « courage plus généreux » renvoie à Socrate dont le portrait est donné ici en creux. La description de l'élévation de l'amour de l'*éroménos* vers une beauté spirituelle, mouvement ascendant vers la vérité, renvoie au portrait de Socrate par Alcibiade à la fin du *Banquet*.

3. La critique d'Eschyle, dont on a perdu la trilogie consacrée à Achille, est tirée du *Banquet*, 179 e-180 b.

4. *Ibid*, 182 c. Les deux amants firent chuter la tyrannie des

Pisistratides à Athènes en assassinant Hipparque, dont Harmodios avait repoussé les avances.

5. C'est-à-dire à la décharge de l'école de Platon.

Page 373.

1. Cicéron, *Tusculanes*, IV, xxxiv, 72, d'après la définition donnée par Zénon (Diogène Laërce, VII, 130).

2. *Id.*, *Lælius* (*De amicitia*), xx, 74.

3. On voit comment Montaigne n'a pas totalement récusé Aristote : il a juste resserré le champ de l'amitié, en ne gardant que l'amitié parfaite de deux hommes vertueux entre eux. Toutefois, la caractérisation est moins extensive, car si l'amitié est association profitable (même si le profit ne doit pas être la fin ultime de l'amitié), « l'échange de bienfaits » est plus restreint : il ne s'agit pas du jeu général de deux entités morales entre elles — vertueuses —, mais plus étroitement de celui de deux entités « philosophes », sachant faire jouer leur esprit du mieux qu'il est possible. Nous retrouverons ce « commerce » si profitable, celui des honnêtes et habiles hommes, décrit en III, 2 (« De trois commerces ») et en III, 8 (« De l'art de conférer »).

4. La question de la ressemblance excède les exigences de ressemblance proposées par Aristote : pour ce dernier, l'amitié achevée exige un seul partenaire (1158 a 11), car il faut créer un expérience commune ; de même, l'égalité et la ressemblance sont productrices d'amitié (1159 b 4-12), car elles garantissent une stabilité dans la relation. Montaigne met, lui, en place un paradoxe qui superpose la fusion, monologique et improductive, et la relation duelle, dialogique et productive, qui caractérise l'entretien.

5. Les spécialistes évoquent la date de 1557, ou celle — plus probable en vertu du témoignage de Marie de Gournay — de 1559.

6. *Ad Michaëlem Montanum*, dans *Poésies Latines*, XX.

Page 374.

1. Moins sévère que Cicéron qui condamne la réponse de Blosius dans son *Lælius* (xi, 37), Montaigne récupère avant tout dans ce passage ce qui permet de contredire Lælius et Cicéron, qui tous deux posent des limites respectables à l'amitié, préservant ainsi le principe d'identité qui assure une sin-

gularité et une autonomie à chacun des amis. Autre source : Plutarque, *Vie de Tiberius et Caïus Gracchus*, XXIX.

2. [1580] : « la volonté de Gracchus de laquelle il se pouvait répondre comme de la sienne, mais ».

Page 376.

1. Aulu-Gelle, *Nuits attiques*, I, III, 30. Scipion reprend ce principe à son compte dans le *Lælius*, XVI, 59.

2. Diogène Laërce, *Vies et Opinions*, V, 21 dans la traduction inexacte d'Ambroise le Camaldule. Le texte initial insiste sur le caractère unique de la vraie amitié.

3. Voir Cicéron, *Lælius*, XXI, 80.

4. Montaigne récupère un énoncé chez Aristote (« une seule âme en deux corps », 1168 b 7-8) pour le faire jouer contre les théories cicéronienne et aristotélicienne des bienfaits mutuels : or, cet énoncé est une citation d'Euripide qu'Aristote utilise pour mettre en avant la nécessité d'être ami de soi avant d'être ami de l'autre. Alors qu'Aristote essaie de montrer qu'il faut, dans ce type de relation, s'aimer avant tout, Montaigne souligne qu'il y a confusion entre le moi et l'ami. L'extension de cet énoncé dépasse de loin le propos d'Aristote pour se rapprocher de la représentation cicéronienne qui évoque la fusion spirituelle de tout être vivant (*Lælius*, XXI, 81 : [...] *qui et se ipse diligit et alterum anquirit, cuius animum ita cum suo misceat ut efficiat paene unum ex duobus* ; voir aussi XXV, 92). Nous avons là un exemple de la récupération d'un énoncé philosophique auquel on prête une extension radicale, et qui permet de renverser la source même à laquelle on recourt : la bienveillance envers autrui (*Lælius*, V, fin), qui induit une libéralité, est au fondement des théories antiques sur l'amitié. Si Cicéron concède que l'amitié ne doit pas devenir intéressée, et être définie par une attente de bienfaits (*ibid.*, IX, XIV, XVII et XXI), son point de vue est largement dépassé par Montaigne : l'unité des volontés annule toute possibilité de penser un échange entre deux entités séparées. Bien plus, pour Cicéron, la générosité est liée à l'autarcie, au fait de n'avoir aucun besoin : or pour Montaigne, c'est le contraire : le bienfait est dans le fait de donner l'occasion d'être généreux. On est proche ici, à travers les figures de Diogène et surtout d'Eudamidas qui lègue des dépenses à accomplir, de l'éloge des dettes

dans le *Tiers Livre*: il s'y crée une circulation d'argent qui permet de soutenir la communauté sans que l'avarice, la cupidité soient en jeu. On est par là même proche de la théorie stoïcienne des bienfaits: dans le *De vita beata* (XXIV), Sénèque pousse le paradoxe jusqu'à faire du don «le meilleur des placements». Il ne s'agit pas d'entrer dans une dynamique de réciprocité, mais simplement de trouver un dépôt sûr que l'on pourra récupérer, comme on déterre un trésor caché. La bienfaisance, libéralité témoignant de la liberté spirituelle du sage, doit s'appliquer sans discrimination. Dès que l'on sait que l'on donne à une entité gouvernée par la raison, l'argent ne nous est pas aliéné: communauté des acteurs économiques rationnels. Or, dans cette perspective, celui qui donne est aussi, comme dans ce chapitre des *Essais*, le gagnant. En faisant du bienfait pour autrui un bienfait plus grand pour soi, Montaigne renverse la dynamique de justice et de proportion ou d'égalité dans le don instaurée par Aristote et Cicéron, sources pourtant prépondérantes dans la constitution du chapitre.

5. Voir Plutarque, *Les Demandes des choses romaines*, VII, 265 e-f; *Les Préceptes de mariage* (traduits par La Boétie), 140 d-f.

6. Voir Aristote, *Éthique à Nicomaque*, IX, VIII, 1167 b 7-1168 a 26.

Page 377.

1. [1580]: «l'occasion, c'est celui-là qui fait l'honnête et le courtois, donnant».

2. Diogène Laërce, *Vies et Opinions*, VI, 46.

3. Lucien, *Toxaris*, XXII.

Page 378.

1. Aristote traite de l'impossibilité à se partager dans le cadre d'une amitié parfaite en *E.N.*, IX, 1171 a 3-13, ainsi que Plutarque, *De la pluralité d'amis*, 93 a-97 b.

Page 379.

1. Xénophon, *Cyropédie*, VIII, III, 26.

2. Térence, *Heautontimoroumenos*, I, I, 80.

3. Il s'agit d'Agésilas. Voir Plutarque, *Les Dits notables des Lacédémoniens*, 213 e et *Vie d'Agésilas*, XXX.

Page 380.

1. Horace, *Satires*, I, v, 44.
2. [1580] : « aux quatre ou cinq années ».
3. Virgile, *Énéide*, V, 49-50.
4. Térence, *Heautontimoroumenos*, 149-150.

Page 381.

1. Adaptation d'Horace, *Odes*, II, XVII, 5-9.
2. Horace, *Odes*, I, XXIV, 1-2.
3. Catulle, LXVIII, 20-26, tel qu'il était édité au XVIe siècle.
4. Jusqu'en 1588, Montaigne propose « dix-huit ans ». Les éditions précédentes proposent des astérisques (trois en 1580, cinq en 1582) qui séparent cette ligne du paragraphe suivant. Faut-il voir dans ce changement d'âge une manière de minimiser davantage la portée théorique — et éventuellement subversive aux yeux de certains lecteurs — du *Discours de la servitude volontaire* ?
5. Voir p. 367, n. 1.

Page 382.

1. La Boétie est né à Sarlat en Périgord, en novembre 1530. Venise fait l'objet d'un éloge de La Boétie dans son *Discours* : voir éd. A. et L. Tournon, Paris, Vrin, 2002, p. 35-36.
2. Ce sont les vingt-neuf sonnets de La Boétie substitués au *Discours*, et rayés sur l'E.B. pour suppression. Ils sont donnés en appendice ci-dessous p. 565.
3. [1580] : « enjoué, ce sont 29 sonnets que le sieur de Poiferré homme d'affaires et d'entendement, qui le connaissait longtemps avant moi a retrouvé par fortune chez lui parmi quelques autres papiers, et me les vient d'envoyer, de quoi je lui suis très obligé, et souhaiterais que d'autres qui détiennent plusieurs lopins de ses écrits par-ci par-là en fissent de même. »

Vingt et neuf sonnets d'Estienne de la Boetie,
à Madame de Grammont Comtesse de Guissen

CHAP. XXIX

Ce court chapitre se limite, dans l'Exemplaire de Bordeaux, à une dédicace faite à Diane d'Andouins des vingt-neuf sonnets français de La Boétie. Ces derniers, comme l'expose le chapitre précédent, ont été préférés en dernière instance à la publication du *Discours de la servitude volontaire*, premier projet auquel Montaigne a renoncé en raison de la réception agitée d'un tel texte en pleins troubles politiques et religieux. Publiés au centre du livre I des *Essais* de 1580 à 1588, comme image vive de l'*alter ego* — et par suite, comme image fidèle du moi à laquelle Montaigne dit ne pouvoir parvenir sans cette médiation de la parole de l'autre « soi-même » —, ils ont été biffés sur l'Exemplaire de Bordeaux et remplacés par un renvoi allusif à une autre localisation. La double absence — celle des vers qui devaient pallier celle du *Contr'Un* — est alors soulignée avec force comme la marque de l'impossibilité à peindre qui détermine l'ensemble de la publication : si le *Discours* posait le problème d'une réception impossible, les vers — pourtant liés par leur « gaillardise » et leur « enjouement » à l'*ethos* montaignien, ne peuvent remplacer les « essais » que La Boétie n'a jamais écrits, comme le déplore Montaigne dans « De l'amitié ». Si le moi « monstrueux » ne cesse de se dérober au peintre dans sa perpétuelle métamorphose, le moi du parfait ami, parfaitement uni à celui de Montaigne en son entendement et en sa volonté, est inaccessible par les traces écrites qu'il a laissées. Ce chapitre vide accuse de manière puissamment suggestive, mieux que toute autre chaîne de raisons, l'impossibilité de fixer l'objet d'une peinture qui va « trouble et chancelant, d'une ivresse naturelle » (III, 2). (E.N.)

Page 383.

1. De 1580 à 1588, et sur l'E.B. encore, ce chapitre est numéroté « vingt-huitième » ou XXVIII. En 1580, « De la modération » est donné comme le « vingt-neuvième » chapitre, tandis que l'édition de 1588 le numérote XXX (sans pour autant avoir rétabli la bonne numérotation du chapitre précédent).

2. Diane d'Andoins (1554-1621), vicomtesse de Louvigni, s'est mariée en 1567 au comte de Grammont et de Guiche (ou Guissen sur cette page). Son mari, auquel Montaigne était très lié, tué en 1580 au siège de la Fère, elle devient la maîtresse d'Henri de Navarre jusqu'en 1591.

3. Tel était le surnom de Diane d'Andouins, tiré d'*Amadis de Gaule*, le roman de chevalerie le plus en vogue à l'époque et que Montaigne mentionne à la fin de I, 26 (p. 355).

4. Musique et poésie allaient très souvent de pair au XVIe siècle. Dans son *Abrégé de l'art poétique* (1565), P. de Ronsard souligne combien la conjointure de ces deux arts doit présider à l'invention : « Tu feras tes vers masculins et féminins tant qu'il te sera possible, pour être plus propres à la musique et accords des instruments, en faveur desquels il semble que la poésie soit née, car la poésie sans les instruments ou sans la grâce d'une ou de plusieurs voix n'est nullement agréable. »

5. Montaigne avait dédicacé son recueil des œuvres de La Boétie à Paul de Foix (1528-1584), ambassadeur de Charles IX à Venise.

Page 384.

1. Biffée sur l'E.B., cette indication fut remplacée dans l'édition posthume de 1595 par la mention suivante : « *Ces vingt-neuf sonnets d'Estienne de la Boëtie qui étaient mis en ce lieu ont été depuis imprimés avec ses œuvres* ». Cette publication demeure mal identifiée. L'édition de la « Bibliothèque de la Pléiade » (2007) avance une hypothèse : l'*Historique description du solitaire et sauvage pays de Médoc*, Bordeaux, S. Millanges, 1593.

De la modération

CHAP. XXX

Sur un sujet canonique (l'une des quatre vertus cardinales), Montaigne propose une réflexion réversible et ironique, prônant à la fois la vertu de modération et la modération de la vertu. L'éthique du plaisir conjugal ici développée va dans le sens de la tradition, avec un soupçon de misogynie : il s'agit surtout d'interdire les ébats déréglés aux épouses, tandis que les époux sont simplement incités à réserver les plaisirs illégitimes aux femmes illégitimes. Plus profondément, le chapitre s'interroge aussi sur les conduites qui manifestent un excès dans la modération (paradoxe dans les termes) : la haine des plaisirs se pervertit parfois jusqu'à devenir une attirance morbide pour la souffrance. Montaigne s'interroge sur l'énigme que représente pour lui l'ascétisme, qu'il soit d'obédience stoïcienne ou chrétienne (on retrouvera cette protestation contre le mépris du corps dans le chapitre III, 13). Passant du masochisme au sadisme, le chapitre évoque pour finir le fanatisme religieux des peuples du Nouveau Monde, dont les sacrifices humains étonnent par leur démesure. Une fois dressé ce tableau sanglant et magnifique, le terrain est libre pour le chapitre suivant, qui sera consacré à un éloge presque sans ombre des Cannibales et de leurs vertus. (A.T.)

Page 385.

1. Montaigne vise ici les stoïciens, par exemple Sénèque: *De vita beata*, XIV, 1.

2. Horace, *Épîtres*, I, VI, 15-16.

3. Saint Paul, *Épître aux Romains*, XII, 3. Cette sentence figure sur le plafond de la « Librairie » : voir *Sentences peintes*, 23/s., éd. A. Legros, dans *Montaigne. Les Essais*, Gallimard, « Bibliothèque de la Pléiade », p. 1313.

4. Allusion probable à Henri III, dont les pratiques pénitentielles ostentatoires semblaient choquantes à ses contemporains.

Page 386.

1. Accusé d'avoir fomenté une révolte, Pausanias fut emmuré vivant à l'instigation de sa mère qui posa la première pierre (voir Diodore de Sicile, *Bibliothèque historique*, XI, XLV, 6-7).

2. Voir *ibid.*, XII, LXIV, 3.

3. Voir Platon, *Gorgias*, 484 c-e.

4. Voir Thomas d'Aquin, *Somme théologique*, II^{a} II^{ae}, Q. 154, art. 9.

Page 387.

1. Le texte de 1588 intercale ici cette phrase, supprimée ensuite: « Cela tiens-je pour certain qu'il est beaucoup plus sain de s'en abstenir ».

2. Platon compare le rapport sexuel voué à la stérilité à un meurtre (*Lois*, VIII, 838 e).

3. Voir F. Lopez de Gomara, *Histoire générale des Indes*, III, XVIII; Guillaume Postel, *Des Histoires orientales et principalement des Turcs*, II, 1 et II, 5.

4. Zénobie, reine de Palmyre: voir Trebellius Pollion, *Trente Tyrans*, XXIX (exemple repris par les compilateurs, comme Ravisius Textor dans son *Officina*).

Page 388.

1. Voir Platon, *République*, III, 390 b-c, reprenant Homère, *Iliade*, XIV, 294 *sq*.

2. Voir Plutarque, *Les Préceptes de mariage*, 140 b.

3. Voir Plutarque, *Instructions pour ceux qui manient les affaires d'État*, 808 d-e.

4. Voir Cicéron, *De officiis*, I, XL, 144 ; Plutarque, *Vie de Périclès*, XV.

5. Voir Spartien, *Ælius Verus*, *Histoire auguste*, V, 11.

Page 389.

1. Eusèbe, *Histoire ecclésiastique*, IV, 14 ; Nicéphore Calliste, *Histoire ecclésiastique*, III, 33.

2. Properce, *Élégies*, III, VII, 32.

3. À rapprocher de Tacite, *Annales*, VI, III, 3 (chez qui le sénateur Gallio est finalement gardé prisonnier dans la maison d'un magistrat).

Page 390.

1. La rhubarbe était utilisée comme laxatif.

2. Voir N. Chalcondyle, *Histoire de la décadence de l'empire grec*, VII, IV ; exemple cité par Jean de Léry, *Histoire d'un voyage fait en la terre du Brésil*, Genève, 1585 (3e éd.), chap. XV.

3. Le tableau des cruautés qui suit s'inspire de Lopez de Gomara, *Histoire générale des Indes*, not. II, LXXXIX-XC.

Page 391.

1. Voir *ibid.*, II, XXVII.

2. Pour ce trait et l'anecdote finale, voir Lopez de Gomara, *Voyages et Conquêtes du capitaine Ferdinand Courtois* [Hernan Cortés], trad. G. Le Breton, Paris, 1588, chap. XLII et XLV.

Des Cannibales

CHAP. XXXI

Après un titre volontairement accrocheur, Montaigne s'amuse à prendre son lecteur à contre-pied : au lieu du tableau attendu des horreurs des antipodes, il nous offre un éloge paradoxal et enflammé des Cannibales du Brésil. Ces tribus, récemment mises à la mode par les récits des voyageurs (comme Thevet ou Léry), heurtaient de plein fouet les tabous de la société européenne : nudité intégrale, polygamie, anthropophagie... Tout semblait confirmer les légendes traditionnelles qui décrivaient les peuples des confins comme des races monstrueuses. Mais Montaigne n'en a cure : il ne veut retenir chez les Indiens que leur bravoure au combat, leur fierté face à la mort, leur saine frugalité, leur proximité avec la nature. En jouant à déstabiliser son lecteur, Montaigne pose à nouveaux frais la question de l'altérité, et de la barbarie. Celle-ci n'est pas l'apanage de l'Étranger : elle est de tous les temps et de tous les pays. Le plus barbare n'est pas celui qu'on croit : à tout prendre, les cruautés commises par des chrétiens lors des guerres de Religion sont plus inexcusables que l'anthropophagie ritualisée des Indiens Tupinamba.

Montaigne est l'un des tous premiers à prendre la mesure du bouleversement culturel qui commence pour l'Europe avec la découverte du Nouveau Monde. Ce que l'on croyait intangible devient relatif : les lois, les dogmes, les coutumes sont désormais soumis au regard décentré du Sauvage. Une critique radicale de la société européenne est devenue possible. La fin du chapitre, en retrouvant les leçons de La Boétie dans la bouche de l'Indien de Rouen, ne fait qu'esquisser des thèmes promis à un bel avenir, chez un Rousseau ou un Diderot : critique de l'ethnocentrisme européen, supériorité de la nature sur l'artifice, égalité politique et fraternité. (A.T.)

Page 392.

1. Voir Plutarque, *Vie de Pyrrhus*, XXXIV.
2. Voir *id.*, *Vie de Flaminius*, IX.
3. Voir Tite-Live, *Histoire romaine*, XXXI, 34.
4. Sur la colonie fondée par Nicolas Durand de Villegagnon dans la future baie de Rio, voir André Thevet, *Les Singularités de la France Antarctique*, Paris, 1557, éd. F. Lestringant, Paris, Chandeigne, 1997, et Jean de Léry, *Histoire d'un voyage fait en la terre du Brésil*, Genève, 1578, éd. F. Lestringant, Paris, Livre de Poche, 1994.

Page 393.

1. Sur l'Atlantide, voir Platon, *Timée*, 24 e-25 d, et *Critias*, 110 d-111 b. Montaigne s'inspire ici de G. Benzoni, *Histoire*

nouvelle du Nouveau Monde, trad. U. Chauveton, Genève, 1579, I, v, 3.

2. D'après Virgile, *Énéide,* III, 414 et 416-417.
3. Voir Pline l'Ancien, *Histoire naturelle,* II, LXXXVIII.
4. Horace, *Art poétique,* 65-66.

Page 394.

1. L'existence des détroits de Béring et de Magellan est encore mal établie. Montaigne suit ici l'avis d'Urbain Chauveton, *Histoire nouvelle du Nouveau Monde.*
2. Thomas Eyquem de Montaigne, sieur de Beauregard puis d'Arsac, né en 1534.

Page 396.

1. Allusion à André Thevet, cosmographe du roi, qui avait voyagé à Jérusalem et au Brésil, et prétendait décrire l'univers entier (il est l'auteur de la *Cosmographie de Levant,* Lyon, 1554, et de la *Cosmographie universelle,* Paris, 1575). Jean de Léry, dans la préface à l'*Histoire d'un voyage fait en la terre du Brésil* (Genève, 1578), avait formulé des critiques semblables à l'égard de Thevet.

Page 397.

1. D'après Properce, *Élégies,* I, II, 10-11 et 14.
2. Voir Platon, *Lois,* X, 888 e.

Page 398.

1. Lycurgue, législateur mythique de Sparte, à qui Plutarque a consacré une *Vie*.
2. Énumération négative dont le modèle se trouvait chez Lopez de Gomara, *Histoire générale des Indes,* II, 96. Shakespeare s'inspire de ce passage des *Essais* pour une tirade de Gonzalo, dans la *Tempête* (II, 1).
3. Sénèque, *Lettres à Lucilius,* XC, 44.

Page 399.

1. Virgile, *Géorgiques,* II, 20.
2. Montaigne puise les détails concrets qui suivent dans des témoignages oraux de voyageurs, mais aussi dans les livres déjà cités de Thevet, Léry et Gomara.
3. Source non repérée dans le *Lexicon* de Suidas ; à rapprocher de ce que dit Diodore de Sicile des Ichtyophages (III, III).

Page 400.

1. Cette boisson, décrite par Thevet et Léry, est un breuvage fermenté à base de mil ou de manioc.

2. Il s'agit de farine de manioc.

3. Montaigne possédait une petite collection d'objets brésiliens.

4. Il s'agit des bâtons de rythme, faits d'un jonc creux et sonore, reproduits par Thevet dans les gravures des *Singularités de la France antarctique*.

Page 401.

1. Il s'agit des chamanes.

2. Voir Hérodote, *Histoires*, IV, 68-69.

Page 402.

1. Il s'agit des massues de combats, en bois, dont le bord est tranchant.

2. Voir Hérodote, *Histoires*, IV, 106.

Page 403.

1. Allusion aux cruautés commises en Europe lors des massacres des guerres de Religion.

2. Voir Diogène Laërce, *Vies et Opinions*, VII, 188, et Sextus Empiricus, *Hypotyposes pyrrhoniennes*, III, XXV, 247-249.

3. Voir César, *Guerre des Gaules*, VII, 77-78.

4. Juvénal, *Satires*, XV, 93-94.

Page 404.

1. Allusion à l'utilisation médicale de morceaux de momie.

Page 405.

1. D'après Claudien, *Le Sixième Consulat d'Honorius*, 248 (formule citée par Juste Lipse, *Politiques*, V, XVII).

2. Voir N. Chalcondyle, *Histoire de la décadence de l'Empire grec*, V, IX.

Page 406.

1. À rapprocher de Sénèque, *De la constance*, VI, VI.

2. Sénèque, *De la providence*, II, VI.

3. Les victoires navales de Salamine (480) et de Mycale (479) et la victoire terrestre de Platées (479) sont les succès les plus éclatants remportés par les Grecs contre les Perses. La

dernière victoire évoquée est celle remportée par les Spartiates sur les Athéniens à Syracuse (413).

4. Léonidas et ses trois cents soldats furent tués par les Perses lors de la bataille des Thermopyles (480), mais leur résistance fut héroïque.

5. Voir Diodore de Sicile, *Bibliothèque historique,* XV, LXIV, 4-5.

Page 407.

1. A. Thevet rapporte une chanson semblable dans les *Singularités,* chap. XL.

Page 408.

1. Allusion aux gravures qui ornent les récits de Thevet et de Léry.

2. Léa et Rachel, femmes de Jacob, ou Sarah, femme d'Abraham, offrent leur servante à leur mari pour pallier leur stérilité (Genèse, XXX, 1-13, et XVI, 2).

3. Voir Suétone, *Vie d'Auguste,* LXXI.

4. Voir Plutarque, *Les Vertueux Faits des femmes,* 258 d.

Page 409.

1. Digne de la poésie d'Anacréon (VIe siècle av. J.-C.), rééditée en 1554 par Henri Estienne. Ces deux chansons ont été appréciées par Goethe, qui les a mises en vers.

2. Sans doute à la fin de 1562.

Page 410.

1. Charles IX était né en 1550.

2. Ces deux paradoxes ne sont pas sans rappeler le thème du *Discours sur la servitude volontaire* de La Boétie.

Qu'il faut sobrement se mêler de juger des ordonnances divines

CHAP. XXXII

Ce chapitre invite à se garder de reconnaître dans les événements une action divine particulière dont on pourrait dégager un sens assuré. Montaigne s'en prend ici à l'exégèse des événements qui tente d'unifier sous un sens déterminé ce qui constitue la sphère par excellence de la bigarrure et de l'irrégularité.

Il refuse tout particulièrement de fonder la foi sur pareille interprétation, dont la faiblesse est celle du dogmatisme le plus évident. Bien sûr, Montaigne ne vise pas là les motifs de crédibilité légués par la Tradition, mais plutôt ceux que l'on chercherait à tirer des événements les plus récents, comme de la défaite turque à Lépante. Toutefois, il n'en va pas autrement pour les événements lointains, soumis à tradition écrite : ils rentrent parfaitement — comme tout phénomène — sous la catégorie des « choses inconnues » qui sont le terrain de la crédulité et de « l'imposture », objets de représentations qui sont visés par le début de l'essai : les miracles, prophéties et autres motifs de crédibilité correspondent bien à ces manifestations marquées par « l'étrangeté » et le « maniement d'une matière cachée ». Les exemples produits ici montrent qu'il est impossible de rendre signifiant un événement en l'intégrant à d'autres circonstances qui peuvent lui conférer un sens : le même événement — une mort foudroyante aux lieux d'aisance —, malgré une certaine cohérence fondée sur une récurrence (Arrius, Léon, Héliogabale), ne peut avoir le même sens : l'exemple d'Irénée, venant créer l'isosthénie, suggère qu'il peut être une punition divine comme il peut ne pas l'être. Ce champ contradictoire du *ou mallon* (« pas plus ») sceptique appliqué à l'interprétation des phénomènes plonge dans une irrémédiable obscurité les intentions divines. Montaigne réussit ici un nouveau coup de force qui le conduit à produire un discours hétérodoxe (l'action de Dieu dans l'histoire est illisible) au nom d'un discours orthodoxe (c'est là un souci de pédagogie divine). Bien sûr, l'argument sceptique énoncé au début de l'essai et qui consiste à mettre hors de portée toute reconnaissance des intentions divines rejaillit sur cette raison supérieure marquée du sceau de l'hétérodoxie : à partir du moment où Dieu ne nous permet pas de « faire notre profit » des événements de ce monde, il est impossible *a fortiori* de faire notre profit de ses intentions en les déclarant pédagogiques ; le sens des choses manifestes nous échappant, celui des choses non manifestes ne peut que faire de même. Dans cette incertitude totale, Montaigne propose de « croire toutes choses venir de Dieu, les recevoir avec reconnaissance de sa divine et inscrutable sapience, pourtant les prendre en bonne part » : dès que tout vient de Dieu et que tout est sage, on n'a plus qu'à vivre naturellement, c'est-à-dire à se plier à la fortune. Dieu n'est plus un support de réflexion — il ne s'agit plus d'analyser le sens de ses interventions —, mais au contraire un support de suspension de cette dernière : il faut lui « [soumettre son] Jugement et discours », comme le font les Indiens dans leur culte solaire, l'homme devant se contenter de cette exposition aux phénomènes sans essayer de les circonscrire avec les lunettes du métaphysicien. (E.N.)

Page 411.

1. Les sceptiques ont fait des choses obscures (*adèla)* le terrain même où s'épanouit le dogmatisme. Voir Sextus Empiricus, *Hypotyposes pyrrhoniennes,* I, XIII, 16, et 19-20. Les sceptiques embrassent au contraire les apparences qui s'imposent à eux sans chercher à les déborder par une investigation discursive qui ferait sombrer dans les choses obscures. Sur cette coupure entre l'expérience immédiate et les surélaborations intellectuelles faisant sombrer dans l'obscurité, voir les premières pages de « Des boiteux » (III, 11).

2. *Critias,* 107 a-b.

3. Horace, *Satires,* I, II,. 2. Dans son *De Incertitudine et Vanitate Scientiarum et Artium atque excellentia Verbi Dei Declamatio Invectiva* (J. Grapheus, Anvers, 1530), Henri Corneille Agrippa fait le « contrerôle » de toutes les professions dont l'arrogant dogmatisme est susceptible d'être renversé par un scepticisme dont la portée est évangélique.

Page 412.

1. Voir Lopez de Gomara, *Histoire générale des Indes,* III, XXII.

2. Le 25 juin 1569, les troupes protestantes conduites par Coligny vainquirent les troupes du Roi à la Roche-L'Abeille (Limousin).

3. Références à deux victoires du duc d'Anjou sur les Réformés : le 13 mars 1569 à Jarnac, et le 3 octobre 1569 à Moncontour.

Page 413.

1. Bataille de Lépante (7 octobre 1571) qui vit la défaite de la flotte turque de Selim II devant des forces catholiques.

2. Au IVe siècle, l'arianisme niait que le Christ partageât la même essence que Dieu : le Fils témoignerait du Père sans en partager la même substance au sein de la Trinité.

3. Réponse probable à Jean Bouchet qui, dans ses *Annales d'Aquitaine* (I, VI et X), voyait dans la fin d'Arius et de l'antipape Léon un effet de la vengeance divine.

4. La fin de l'Empereur romain et celle du martyr sont rapportées par Ravisius Textor (*Officina,* section « *In latrinis mortui* »).

5. Voir *Cité de Dieu,* I, VIII, ainsi que Cicéron, *De natura deorum,* II, II, 4.

6. Plutarque, *De la curiosité,* 517 a-b.

7. Sagesse, IX, 13.

De fuir les voluptés au prix de la vie

CHAP. XXXIII

Ce bref chapitre laisse entrevoir comment un essai prend forme, par le rapprochement de deux lectures (une lettre de Sénèque et une page des *Annales d'Aquitaine* de Jean Bouchet). La simple juxtaposition permet la réflexion, sans qu'il soit besoin de recourir au commentaire. Montaigne laisse apparaître son étonnement envers les manifestations les plus extrêmes du mépris des plaisirs et de la vie, qu'il soit d'origine antique ou chrétienne, d'obédience épicurienne ou stoïcienne. Les doctrines ascétiques se rejoignent dans une même déraison. L'auteur des *Essais* reprend ici le fil d'un éloge de la modération engagé dans le chapitre I, 30, et prépare l'interrogation sur la mort volontaire du chapitre II, 3. (A.T.)

Page 414.

1. Vers pris dans l'anthologie de Jean Crespin, *Gnômica,* III, Genève, 1569, p. 213 ; voir aussi Stobée, *Sententiae, sermo* CXVIII.

2. Sénèque, *Lettres à Lucilius,* XXII, 3.

Page 415.

1. Dans le passage allégué, Sénèque cite une lettre d'Épicure à Idoménée (Sénèque, *Lettres à Lucilius,* XXII, 5).

2. Voir la vie de saint Hilaire dans J. Bouchet, *Annales d'Aquitaine*, I, VIII et XII.

3. Dans son livre, Jean Bouchet donne la lettre de saint Hilaire.

La fortune se rencontre souvent au train de la raison

CHAP. XXXIV

Constitué par une accumulation d'anecdotes frappantes glanées en majorité chez les historiens modernes, ce chapitre permet à Montaigne de reprendre la réflexion sur la toute-puissance de la fortune engagée dans le chapitre I, 24. Les coïncidences extraordinaires ici répertoriées sont moins des écarts par rapport au cours ordinaire des événements que la manifestation de la logique profonde de la fortune, qui semble se jouer de la prudence humaine avec une insolence narquoise. Cependant il ne s'agit pas, dans ce chapitre, d'humilier les prétentions de la raison humaine à maîtriser le destin, mais plutôt d'admirer les effets proprement esthétiques qu'un « sort artiste » tire de l'entrecroisement des événements. Affranchie du modèle stoïco-chrétien de la Providence, qui postule une harmonie préétablie du monde, la fortune selon Montaigne rejoint finalement la raison, mais sur le mode du paradoxe et de la surprise. (A.T.)

Page 417.

1. César Borgia, duc de Valentinois, est le second fils du pape Alexandre VI Borgia. L'anecdote se situe en 1503 : voir Guichardin, *Histoire d'Italie*, VI, 2-4.

2. L'anecdote qui suit prend place en 1525 : voir G. et M. du Bellay, *Mémoires*, II.

Page 418.

1. Catulle, *Poésies*, LXVIII, 81-83.

2. Coïncidence notée par exemple par J. de Lavardin, *Histoire de Georges Castriot surnommé Scanderberg*, Paris, 1576, f° 331.

3. Ces deux anecdotes sont empruntées à J. Bouchet, *Annales d'Aquitaine*, II, IV et III, I.

4. Siège d'Arona par Lorenzo Orsini (1523) : voir G. et M. du Bellay, *Mémoires*, II.

Page 419.

1. Jason, tyran de Phères : voir par exemple Pline l'Ancien, *Histoire naturelle*, VII, L.

2. Voir des anecdotes semblables chez Pline l'Ancien (*Histoire naturelle*, XXXV, XXXVI) et Sextus Empiricus (*Hypotyposes pyrrhoniennes*, I, XII, 28).

3. Voir Froissart, *Chroniques*, I, X, 8.

4. Voir Plutarque, *Le Banquet des Sept Sages*, II, 147 C.

5. Vers de Ménandre, traduit à la suite (cité par J. Crespin, *Gnômica*, III).

6. Exemple pris chez G. Gémiste Pléthon, *Recueil des choses advenues depuis la journée de Mantinée*, trad. P. Saliat, Paris, 1556, f° 263 (voir aussi Plutarque, *Vie de Timoléon*, XXIV).

Page 421.

1. Voir Appien, *Guerres civiles*, IV, 4.

D'un défaut de nos polices

CHAP. XXXV

Ce court chapitre est un hommage discret au père, Pierre Eyquem (1495-1568), dont Montaigne salue ici les qualités de responsable public soucieux du progrès collectif (il fut maire de Bordeaux de 1554 à 1556) et d'administrateur avisé des biens familiaux. Toutefois, l'auteur des *Essais* évoque ensuite, pour s'en démarquer, des pratiques d'écritures journalières chères à son père — livres de comptes ou mémoires domestiques —, mais qu'il n'a pas souhaité poursuivre. (A.T.)

Page 422.

1. Lelio Gregorio Giraldi, poète et humaniste, mort à Ferrare en 1552. Il fut l'auteur de poèmes latins (1556), d'une *Histoire des poètes* (1545), et d'un traité de mythologie (*De Deis Gentium*, 1548), que Montaigne possédait.

2. Sébastien Castellion, mort à Bâle en 1563. Réformé, traducteur de la Bible en latin et en français, il fut l'un des rares partisans de la tolérance religieuse au XVIe siècle.

Page 423.

1. Expression employée par Rabelais (*Pantagruel*, XIV ; *Tiers Livre*, XXXVII).

2. Montaigne n'a toutefois pas entièrement failli à cet usage, puisqu'il a consigné, tout au long de sa vie, un certain nombre d'événements historiques et familiaux importants, dans les marges de l'*Ephemeris Historica* de Beuther (Paris, 1551).

De l'usage de se vêtir

CHAP. XXXVI

Ce bref chapitre prolonge *De la coutume* (I, 23) en inventoriant les usages vestimentaires des peuples anciens et modernes, proches ou lointains. Il s'agit à nouveau pour Montaigne d'interroger les rapports complexes qui se nouent entre nature et culture dans les pratiques les plus quotidiennes. Par association d'idée, le chapitre bifurque sur le thème du froid et de l'endurance qui permet d'y résister. (A.T.)

Page 424.

1. La nudité des Indiens d'Amérique est déjà mentionnée dans l'avis *Au lecteur* et dans le chapitre *Des Cannibales* (I, 31). Les voyageurs (Léry, Thevet) et les historiens (Lopez de Gomara, Osorio) insistaient beaucoup sur cette coutume très éloignée des mœurs européennes.

2. Ecclésiaste, IX, 3. Voir les *Sentences peintes* au plafond de Montaigne, éd. A. Legros, *Les Essais*, Gallimard, « Bibliothèque de la Pléiade », 2007, n° 4/s, p. 1312.

Page 425.

1. Lucrèce, *De rerum natura*, IV, 935-936.

2. Voir G. Postel, *Des Histoires orientales et principalement des Turcs*, II, VII.

3. Dans une note manuscrite en marge de son exemplaire des *Essais*, F. de Raemond s'attribue cette anecdote.

Page 426.

1. À rapprocher du Pogge, *Facéties*, CLIII.

2. Voir Cicéron, *De la vieillesse*, X (trait cité par P. Béroalde

dans son commentaire à la *Vie de César* de Suétone, Lyon, 1548, LVIII).

3. Voir Hérodote, *Histoires*, III, 12.

4. Voir Plutarque, *Vie d'Agésilas*, XXII.

5. Voir Suétone, *Vie de César*, I, LVII (trait pris dans le commentaire de P. Béroalde).

6. Silius Italicus, *Guerres puniques*, I, 250 (vers cité par P. Béroalde).

7. Voir G. Balbi, *Viaggio dell'Indie orientali*, Venise, 1590, f° 107 r°.

8. Voir Platon, *Lois*, XII, 942 d.

9. La monarchie de Pologne était élective : Henri d'Anjou avait été roi de Pologne avant de devenir roi de France en 1574. Étienne Bathory (1533-1586) lui avait succédé.

Page 427.

1. Voir Pline l'Ancien, *Histoire naturelle*, XXVIII, XVII.

2. Voir G. et M. Du Bellay, *Mémoires*, X, nov.-déc. 1543.

3. Ovide, *Tristes*, III, X, 23-24.

4. En bordure de la mer d'Azov, golfe ouvert sur la mer Noire.

5. Voir Strabon, *Géographie*, VII, III, 18.

6. Voir Tite-Live, *Histoire romaine*, XXI, LIV-LV.

Page 428.

1. La retraite des Dix Mille, en 400 av. J.-C. : voir Xénophon, *Anabase*, IV, V, 11-14.

2. Voir Diodore de Sicile, *Bibliothèque historique*, XVII, XVIII.

3. Les additions qui précèdent sont consignées dans les marges par une main qui n'est pas celle de Montaigne.

4. Voir Lopez de Gomara, *Histoire générale des Indes*, II, XXXIII.

Du jeune Caton

CHAP. XXXVII

L'admiration de Montaigne pour Caton d'Utique — l'un des hommes illustres de Plutarque, qui incarne par son suicide héroïque les valeurs essentielles du stoïcisme romain — est constante dans les *Essais* (on le croise à nouveau dans les chapitres I, 44, II, 3, II, 13 et II, 28). Montaigne n'hésite pas à le défendre contre ses détracteurs. Ces pages n'en appartiennent pas moins au genre ancien de l'éloge paradoxal. Car la vertu de Caton est d'autant plus parfaite qu'elle reste au-dessus de nos forces : l'admiration ici n'entraîne aucune velléité d'imitation. Montaigne — il le dira plus loin (III, 2) — aspire davantage à régler son jugement qu'à amender ses actes. Au reste, il estime que la vertu des grands hommes ne se laisse pas rabattre sur la psychologie des âmes ordinaires. La nature humaine est infiniment diverse et Caton n'incarne pas l'humanité dans sa perfection, mais plutôt un point extrême et unique des possibilités humaines. Il appartient à l'âge d'or des temps antiques, irrémédiablement éloigné du présent de plomb des guerres de Religion.

Parti sur des considérations de morale, le chapitre bifurque brusquement vers des questions de poétique. C'est que seule la grande poésie peut monter à l'unisson de la grande vertu. Mieux que dans la prose de Montaigne, Caton sera loué par les plus grands poètes latins. L'enthousiasme du sentiment moral rejoint alors les transports du sentiment esthétique. S'engage ensuite une double réflexion sur la nature du sublime qui, en poésie comme en morale, transcende la raison ordinaire. Parti de questions d'éthique et de psychologie morale, l'essai rejoint pour finir la critique littéraire et la théorie poétique. Comme dans les chapitres I, 26 ou II, 10, Montaigne nous donne à connaître sa conception de la grande poésie. (A.T.)

Page 429.

1. Caton d'Utique.
2. Montaigne admire cet ordre récent, fondé en 1577 par Jean de la Barrière, et apprécie son austérité. Il sera inhumé dans l'église des Feuillants à Bordeaux, grâce aux soins de sa veuve.
3. Les Capucins appliquent avec rigueur la règle sévère de saint François.
4. Cicéron, *Tusculanes*, II, I, 3.

Page 430.

1. Horace, *Épîtres*, I, VI, 31-32.

2. Cicéron, *Tusculanes,* V, II, 6.

3. Il s'agit en fait de la bataille de Platées (479 av. J.-C.), où les Grecs, commandés par Pausanias, l'emportèrent sur les Perses, menés par Mardonios (voir Hérodote, *Histoires,* IX, 70-71).

Page 431.

1. Voir Hérodote, *Histoires,* VII, 231.

2. À la fin du chapitre II, 10, Montaigne adresse ce reproche à Guichardin.

Page 432.

1. Voir Plutarque, *De la malignité d'Hérodote,* 856 a.

2. Voir saint Augustin, *La Cité de Dieu,* I, XXIII et XIX, IV.

Page 433.

1. Voir Platon, *Ion,* 533 e.

2. Voir la fin du chapitre I, 26.

3. Martial, *Épigrammes,* VI, XXXII.

4. Manilius, *Astronomiques,* IV, 87.

5. Lucain, *Pharsale,* I, 128.

6. Horace, *Odes,* II, I, 23-24.

Page 434.

1. Virgile, *Énéide,* VIII, 670.

Comme nous pleurons et rions d'une même chose

CHAP. XXXVIII

Montaigne reprend ici en moraliste le topos de l'inconstance humaine pour souligner l'ambivalence et l'instabilité de toutes nos réactions affectives. Ces réactions sont trop fugaces pour ne pas échapper à la conscience claire, mais reflètent la complexité du réel lui-même, sur lequel il est possible d'adopter des points de vue divergents mais complémentaires. (D.R.)

Page 435.

1. Pyrrhus chassa Antigonos Gonatas, roi de Macédoine ; Plutarque, *Vie de Pyrrhus,* LXXVII.

2. G. B. Fulgoso, *De dictis factisque memorabilibus,* IV, V.

3. Charles le Téméraire, qui fut défait par René II, à Nancy en 1477.

4. Il s'agit de la bataille d'Auray (29 septembre 1364) ; voir Froissart, *Chroniques*, II, XCCI, Lyon, J. de Tournes, 1559, et Nicole Gilles, *Annales*, I et II.

5. Pétrarque, *Canzoniere*, CII.

6. Plutarque, *Vie de Pompée*, CXII.

Page 436.

1. Lucain, *Pharsale*, IX, 1037-1039.

2. Publilius Syrus cité par Aulu-Gelle, *Nuits attiques*, XVII, XIV, 4, 7.

Page 437.

1. Catulle, *La Chevelure de Bérénice*, LXVI, 15-18.

2. Tacite, *Annales*, XIV, 4.

Page 438.

1. Lucrèce, *De rerum natura*, V, 281-283.

2. Hérodote, *Histoires*, VII, 45-46.

Page 439.

1. Lucrèce, *De rerum natura*, III, 182-185.

2. Plutarque, *Vie de Timoléon*, VI, VII, IX.

De la solitude

CHAP. XXXIX

Le thème classique de la vie solitaire était un point de passage obligé pour celui qui, dès 1571, avait conçu sa retraite du Parlement de Bordeaux sur le modèle de l'*otium* antique — ce loisir studieux, voué à la lecture et à l'écriture, au « commerce des Muses », comme le disait l'inscription que Montaigne fit peindre sur le mur de son cabinet de travail. Mais l'auteur des *Essais* ne méconnaît pas les dangers de cette posture savante sacralisée par la tradition humaniste : à tout ce qui s'apparente à la *libido sciendi* ou à l'amour de la gloire, il oppose un refus de principe. Saluant au passage la logique sincère de la retraite monacale, mais sans y souscrire pour lui-même, il pense la retraite authentique comme un détachement des biens inessentiels, une méditation de la finitude, une préparation à la mort, un art savoureux d'être à soi. Dans ce chapitre, écrit sans doute parmi les premiers, Montaigne affirme déjà ses goûts philosophiques et littéraires : il méprise le souci de la gloire et la recherche du style qui animait les *Lettres* de Cicéron et Pline, et cultive au contraire la sagesse vigoureuse de Socrate, d'Épicure et de Sénèque. Encore sous l'influence étroite de ce dernier (dont il compose un véritable centon à la fin du chapitre), Montaigne affirme cependant déjà des thèmes très personnels, qui seront repris et développés par la suite : méfiance envers les leurres de la vie politique et les risques d'aliénation inhérents à l'action publique (comme en III, 10), dégoût pour la gestion fastidieuse d'un domaine (comme en III, 9), passion pour la lecture d'agrément, d'exercice ou de consolation (comme en II, 10 et III, 3). Il définit la vie intérieure, le dialogue solitaire de la pensée avec elle-même comme le lieu même des exercices philosophiques que sont les *Essais*. (A.T.)

Page 440.

1. Alternative classique, débattue par Platon, Aristote, Cicéron, Sénèque, Plutarque, saint Basile, saint Augustin, puis par Pétrarque, Salutati, Castiglione et Guazzo.
2. Idée stoïcienne : voir l'éloge de Caton par Lucain (*Pharsale*, II, 383).
3. Voir Diogène Laërce, *Vies et Opinions*, I, 88.
4. Voir, en réalité, l'Ecclésiaste, VII, 28.
5. Juvénal, *Satires*, XIII, 26-27.

Page 441.

1. Voir Sénèque, *Lettres à Lucilius*, VII, 2 et 8.
2. Voir Diogène Laërce, *Vies et Opinions*, I, 86.
3. Voir J. Osorio, *Histoire de Portugal*, VIII, IX.
4. Traduit de Sénèque, *Lettres à Lucilius*, XXVIII, 7.
5. Voir Diodore de Sicile, *Bibliothèque historique*, XII, XII, 3.
6. Voir saint Augustin, *Cité de Dieu*, XIX, V.
7. Voir Diogène Laërce, *Vies et Opinions*, VI, 6.

Page 442.

1. Horace, *Épîtres*, I, XI, 25-26.
2. À rapprocher de Sénèque, *Lettres à Lucilius*, XXVIII, LXIX, CIV et *De la tranquillité de l'âme*, II.

3. Horace, *Odes*, III, I, 40.
4. Virgile, *Énéide*, IV, 73.
5. Sénèque, *Lettres à Lucilius*, XXVIII, 1.
6. Horace, *Odes*, II, XVI, 18-20.

Page 443.

1. Perse, *Satires*, V, 158-160.
2. Lucrèce, *De rerum natura*, V, 43-48.

Page 444.

1. Horace, *Épîtres*, I, XIV, 13.
2. Voir Sénèque, *De la tranquillité de l'âme*, XIV, 2.
3. Voir Sénèque, *Lettres à Lucilius*, CIV, 7.
4. Stilpon, philosophe cynique, face à Démétrius Poliorcète («le preneur de villes»): voir Sénèque, *Lettres à Lucilius*, IX, 3.
5. Antisthène: voir Diogène Laërce, *Vies et Opinions*, VI, 6.
6. Paulin, évêque de Nole: voir saint Augustin, *Cité de Dieu*, I, X.

Page 445.

1. Adapté de Tibulle, *Élégies*, IV, XIII, 12.
2. Voir Diogène Laërce, *Vies et Opinions*, VI, 11.

Page 446.

1. Développement à rapprocher de Sénèque, *De la brièveté de la vie*, XIII, 1, et d'Érasme, *Éloge de la Folie*, XLIX, 4.
2. Térence, *Les Adelphes*, I, I, 13-14.
3. Voir Diogène Laërce, *Vies et Opinions*, I, 23.

Page 447.

1. À rapprocher de Sénèque, *Lettres à Lucilius*, LXXIV, 17.
2. Quintilien, *Institution oratoire*, X, VII, 24.
3. Parole attribuée à Aristoxène chez Stobée, *Sententiae*, *sermo* XLI.

Page 448.

1. Démocrite se creva les yeux pour mieux méditer: voir Cicéron, *De finibus*, V, XXIX, 87.
2. Le cynique Cratès jeta ses richesses dans une rivière: voir Diogène Laërce, *Vies et Opinions*, VI, 87.
3. Horace, *Épîtres*, I, XV, 42-46.
4. Voir Diogène Laërce, *Vies et Opinions*, IV, 38.

Page 450.

1. Adapté d'Horace, *Épîtres*, I, I, 19.
2. Voir Salluste, *Catilina*, IV.
3. Voir Xénophon, *Économique*, IV, 16 et 24 (cité par Cicéron, *De senectute*, XVII, 59).
4. Horace, *Épîtres*, I, XII, 12-13.
5. Voir Pline le Jeune, *Épîtres*, I, III, 3 (à Caninius [et non Cornelius] Rufus).
6. Cicéron, *Orator*, XLIII, 148 (voir sur ce point le chapitre suivant : I, 40).
7. Perse, *Satires*, I, 26-27.

Page 452.

1. Jeu sur deux racines grecques voisines, signifiant « amant » et « voleur » (voir Sénèque, *Lettres à Lucilius*, LI, 13).
2. Properce, *Élégies*, II, XXV, 38.

Page 453.

1. Horace, *Épîtres*, I, IV, 4-5.
2. Perse, *Satires*, V, 151-152.
3. *Ibid.*, I, 22.

Page 454.

1. Il s'agit d'Épicure, écrivant à son ami Idoménée (voir Sénèque, *Lettres à Lucilius*, XXI, 3), et de Sénèque, correspondant avec son ami Lucilius (voir dans le passage qui suit des emprunts aux lettres VII, XIX, XXI, XXII, XXV et LXVIII).
2. Citation d'Épicure dans une lettre de Sénèque (VII, 11).
3. Citation de Démocrite par Sénèque (*Lettres à Lucilius*, VII, 10).
4. Voir Sénèque, *Lettres à Lucilius*, LXVIII, 3-4.

Page 455.

1. Cicéron, *Tusculanes*, II, XXII, 52.
2. Ces héros vertueux font partie des hommes illustres loués par Plutarque.

Considération sur Ciceron

Chap. XL

Comme le précédent, faisant l'éloge de la sagesse d'Épicure et de Sénèque, ce chapitre poursuit l'exercice du parallèle entre auteurs anciens. Mais c'est pour blâmer cette fois la vanité considérable de Cicéron et de Pline qui se sont abaissés à chercher la gloire du bien dire jusque dans leur correspondance privée. Car il faut bien davantage chercher à briller par ses actes que par ses discours, et ceci conformément à sa fonction et son statut. Comme le montre l'exemple de Sénèque et d'Épicure, la sagesse surpasse l'éloquence. À la faveur de développements métapoétiques manuscrits, Montaigne déplore ainsi qu'on loue le langage des *Essais* au lieu de goûter leur profondeur intellectuelle et souligne le caractère indéfiniment inachevé des essais que la méditation du lecteur pourrait poursuivre. Dans sa propre correspondance, rompant avec les exigences d'une rhétorique artificielle, Montaigne adopte un parler sans complaisance, extérieur au commerce d'une civilité affectée et néglige tout souci formel. (D.R.)

Page 456.

1. Pline et Cicéron, Sénèque et Épicure (voir le chapitre précédent).
2. Pline l'Ancien.
3. Cicéron, *Épîtres familières*, V, XII, 1-3 ; Pline le Jeune, *Épîtres*, VII, XXXIII, 1-3.

Page 457.

1. La légende veut que Térence ait prêté son nom à Scipion et Laelius, ses protecteurs (voir l'hommage qu'il leur rend dans le prologue des *Adelphes*).
2. Xénophon, *Économique*, IV, 16-23 ; Cicéron, *De senectute*, XVII, 59.

Page 458.

1. Plutarque, *Vie de Démosthène*, XXIII.
2. Horace, *Chant séculaire*, 51-52.
3. D'après Virgile, *Énéide*, VI, 849-851.

4. Plutarque, *Vie de Périclès*, I.
5. *Id.*, *Dits notables des anciens rois*, « Philippe », 179 b.
6. *Id.*, *Vie de Périclès*, I.

Page 459.

1. Sénèque, *Lettres à Lucilius*, CXV, 2.
2. Aristote, *Éthique à Nicomaque*, I, I, 2 ; VII, 14 ; XIII, 20.
3. Sénèque et Épicure.

Page 460.

1. Plutarque, *Dits notables des anciens rois*, « Cicéron », 205 e.
2. Montaigne évoque son amitié avec La Boétie, voir *Essais*, I, 27.

Page 462.

1. Humaniste italien, traducteur de l'*Énéide*, auteur de *Lettres familières* réunies après sa mort (1572-1575).

De ne communiquer sa gloire

CHAP. XLI

Montaigne développe ici le topos du souci de la vaine gloire chez les hommes : c'est l'occasion de poursuivre le geste de rupture avec la figure de Cicéron inauguré dans le chapitre précédent. L'ambition étend en effet son emprise même chez les philosophes, comme en témoigne encore le cas de Cicéron, dont le modèle est une nouvelle fois mis à distance. Montaigne multiplie en revanche les exemples historiques, qui mettent en scène des hommes ayant, par leurs actes, expérimenté le mépris de la gloire. (D.R.)

Page 464.

1. Le Tasse, *Jérusalem délivrée*, XIV, LXIII.
2. Augustin, *Cité de Dieu*, V, XIV, 218.

Page 465.

1. Cicéron, *Pro Archia*, XI, 26.
2. Plutarque, *Vie de Marius*, XL.
3. G. et M. du Bellay, *Mémoires*, VI, f° 194 r°.
4. Plutarque, *Dits notables des Lacédémoniens*, « Brasidas », V, 219 d.

Page 466.

1. La bataille de Crécy eut lieu le 26 août 1346 ; voir Froissart, *Chroniques,* I, cxxx.

2. Tite-Live, *Histoire romaine,* XXVII, xlv, 6.

3. Plutarque, *Préceptes de gouvernement,* XI, 806 a.

4. Cicéron met en scène Lælius et Scipion dans le traité *De l'amitié.*

5. Plutarque, *Dits notables des Lacédémoniens,* « Théopompe », IV, 221 e.

Page 467.

1. J. Du Tillet, *Recueil des rois de France,* Paris, J. Du Puys, 1580, p. 259-260.

2. Les règles canoniques interdisaient aux ecclésiastiques de répandre le sang.

De l'inéqualité qui est entre nous

CHAP. XLII

L'inégalité des hommes n'est ici que le support d'une réflexion plus restreinte, portant sur notre capacité à en juger : comme il le réaffirmera en ouverture de « Des boiteux » (III, 11) de manière plus radicale encore, Montaigne souligne combien nous ne savons estimer les qualités naturelles pour ce qu'elles sont ; seul le fard de l'artifice venant outrer l'apparence extérieure retient notre regard, insensible aux qualités essentielles des individus. Dès lors, c'est la possibilité de bien juger de l'inégalité entre les hommes qui est mise en question par cette difficulté à franchir les préjugés imposés par les apparences. Soulevant leur voile, Montaigne développe une suite de paradoxes traditionnels, s'arrêtant tout particulièrement sur l'infortune des puissants, incapables d'être évalués — et plus encore de jouir des liens de l'amitié —, car retranchés de tout jugement critique émanant d'autrui. Le chapitre se clôt sur un appel à faire de la vertu et des mœurs la pierre de touche d'une existence dont le sens, manifesté par des apparences codifiées et arbitraires, est singulièrement faussé. (E.N.)

Page 468.

1. Plutarque, *Que les bêtes brutes usent de la raison,* 992 d.

2. [1580] : « qualités internes. Car quant à la forme corporelle il est bien évident, que les espèces des bêtes sont distinguées de bien plus apparente différence, que nous ne sommes les uns des autres. À la vérité ».

3. Térence, *Phormion,* V, III, 790.

4. [1580] : « à telle bête. C'est-à-dire, que le plus excellent animal est plus approchant de l'homme de la plus basse marche, que n'est cet homme d'un autre homme grand et excellent. Mais à propos ».

5. La fin de cette page et la suivante s'inspirent de Sénèque, *Lettres à Lucilius,* XLI, LXXVI, LXXVII, LXXX et XCII.

6. Juvénal, *Satires,* VIII, 57-59.

Page 469.

1. Fixées à la patte des faucons, les sonnettes permettaient de les localiser.

2. Horace, *Satires,* I, II, 86-89.

3. Sénèque, *Lettres à Lucilius,* LXXVI, 32.

Page 470.

1. Horace, *Satires,* II, VII, 83-88.

2. Plaute, *Trinummus,* II, II, 363.

3. [1580] : « empire et ses richesses. Il vit satisfait, content et allègre. Et à qui a cela, que reste-il ? / *Nonne videmus* ».

Page 471.

1. Lucrèce, *De rerum natura,* II, 16-19.

2. [1580] : « Comparez à celui-là la tourbe de nos hommes ignorante, stupide et endormie, basse, servile, pleine de fièvre et de frayeur, instable et continuellement flottante en l'orage des passions diverses, qui la poussent et tempêtent, pendant toute d'autrui ».

3. Hérodote, *Histoires,* V, 7.

4. Lucrèce, *De rerum natura,* IV, 1126-1128.

Page 472.

1. Sénèque, *Lettres à Lucilius,* CXIX, 11 et CXV, 9.

2. Horace, *Odes,* II, XVI, 9-12.

3. Lucrèce, *De rerum natura,* II, 48-51.

4. *Ibid.*, II, 34-36.

5. Plutarque, *Dits notables des anciens rois*, 180 e.

Page 473.

1. *Ibid.*, 182 c.

2. Perse, *Satires*, II, 37-38.

3. Térence, *Heautontimoroumenos*, I, III, 195-196.

4. Horace, *Épîtres*, I, II, 47-53.

Page 474.

1. [1580] : «*podagram. / Syncerum est nisi vas, quodcumque infundis acessit.* / Il est».

2. Platon, *Lois*, II, 661 d.

3. Tibulle, *Élégies*, I, II, 69.

4. Horace, *Épîtres*, I, XII, 5-6.

5. Plutarque, *Si l'homme d'âge se doit mêler d'affaires publiques*, 790 a.

Page 475.

1. Lucrèce, *De rerum natura*, V, 1129-1130.

2. Plutarque, *Dits notables des anciens rois*, 172 e. Rapporté également par Xénophon dans sa *Cyropédie*, VIII, 1.

3. Xénophon, *Hiéron*, ou *De la condition des rois*, II, III et VII. Ce dialogue qui oppose le tyran de Syracuse et le philosophe Simonide compare la condition des rois et celle des simples «privés».

4. Ovide, *Amours*, II, XIX, 25-26.

Page 476.

1. Horace, *Odes*, III, XXIX, 13-16.

2. D'après G. Postel, *De la République des Turcs*, Poitiers, E. de Marnef, 1560, p. 6.

3. N. Chalcondyle, *Histoire de la décadence de l'empire grec*, III, XIII. Cet ancêtre est Bajazet Ier.

4. Platon, *Gorgias*, 469 c.

5. [1588] : «la montre et publication de leur vie, blesse».

Page 477.

1. Possible allusion au mythe de Sémélé (Ovide, *Métamorphoses*, III, 259-315).

2. Xénophon, *Hiéron*, I, 11-12.

3. C. Lycosthène, *Apophtegmes*, «*De magistratuum curis*», Lyon, A. de Harsy, 1574, p. 660.

4. Casal fut pris en 1534 par Charles de Cossé, qui devait devenir maréchal de Brissac, grand panetier et grand fauconnier de la Cour. Sienne fut défendue lors de son siège de 1555 par Blaise de Montluc.

5. César, *Guerre des Gaules*, VI, 11 et 23. Les chefs des partis germains y sont appelés «principes»; A. Tournon suggère que la «France» fait ici référence au pays habité par les Francs, c'est-à-dire la Germanie.

Page 478.

1. Le Doge.
2. Sénèque, *Lettres à Lucilius*, XXII, 11.
3. Xénophon, *Hiéron*, III, IV et VI.
4. Sénèque, *Thyeste*, II, I, 205-207.

Page 479.

1. Développé en III, 7 («De l'incommodité de la grandeur»). Thème abordé par La Boétie à la fin de son *Discours de la servitude volontaire*: «C'est, cela, que certainement le tyran n'est jamais aimé, ni n'aime: l'amitié, c'est un nom sacré, c'est une chose sainte; elle ne se met jamais qu'entre gens de bien, et ne se prend que par une mutuelle estime; [...] Or quand bien cela n'empêcherait point, encore serait-il malaisé de trouver en un tyran un'amour assurée, parce qu'étant au-dessus de tous, et n'ayant point de compagnon, il est déjà au-delà des bornes de l'amitié, qui a son vrai gibier en l'équalité; qui ne veut jamais clocher, ains est toujours égale» (éd. A. et L. Tournon, Paris, Vrin, 2002, p. 51).

2. [1580]: «coutume, ou pour en tirer leurs agrandissements ou commodités particulières. Tout ce qu'ils me dient, tout ce qu'ils me font ce n'est que fard et piperie: leur liberté étant toute bridée par».

3. Ammien Marcellin, XXII, X, 4.
4. D'après P. Crinito, *De honesta disciplina*, XIII, VIII.

Page 480.

1. Plutarque, *Banquet des Sept Sages*, 154 e.
2. D'après *id.*, *Vie de Pyrrhus*, XXX.
3. Lucrèce, *De rerum natura*, V, 1432-1433.

4. Cornélius Népos, *Vie des grands capitaines*, « Vie d'Atticus », XXV, XI, 6.

Des lois somptuaires

CHAP. XLIII

Peut-être rédigé vers 1572 selon l'hypothèse de P. Villey, ce chapitre traite d'un problème contemporain : celui des nombreuses réglementations sur le luxe qui avaient vu le jour depuis le règne de François Ier pour répondre tant aux conséquences de l'essor d'une bourgeoisie marchande fortunée, qu'à l'influence des pratiques courtisanes observées en Italie. L'enjeu est bien sûr économique en ce qu'il s'agit d'équilibrer les dépenses de la Cour en restreignant les distinctions vestimentaires superflues, mais aussi sociopolitique, dans la mesure où la vulgarisation du luxe tendait à niveler des ordres qu'il s'agissait d'identifier par un apparat spécifique, qui ne pouvait croître indéfiniment. La simplicité doit venir d'en haut et s'imposer depuis la Cour comme modèle à la dynamique sociale ; la relativité des coutumes rend pensable de pouvoir détacher le luxe excessif du pouvoir et de permettre sa circonscription dans d'étroites limites. Ou alors, comme l'envisage l'ultime addition manuscrite, convient-il mieux de régler cette inflation du luxe et des fards trompeurs en réhabilitant le critère primordial de l'ancienneté, qui atteste de la solidité et de la légitimité d'une forme accoutumée. (E.N.)

Page 481.

1. Ce chapitre est numéroté « XXXIX » de manière erronée en 1588. L'E.B. ne corrige pas.

Page 482.

1. Le deuil, entamé en 1559, dura un an.
2. Diodore de Sicile, *Bibliothèque historique*, XII, v, 21.
3. Le texte s'achève ici dans l'édition de 1580.

Page 483.

1. Quintilien, *Déclamations*, III, 15.
2. [1588] : « y sert de loi, car le reste de la France prend pour patron, ce qui se fait à la cour : ces façons vicieuses naissent près d'eux : qu'ils ».

3. Partie d'un vêtement venant envelopper telle ou telle partie du corps. Il s'agit, dans ce cas précis, de la braguette, parfois fort voyante à cette époque.

4. Henri III, dès 1578, avait renouvelé le règlement de l'étiquette à la Cour, qu'il continuera à transformer en 1585, avec l'aide de son Grand maître des cérémonies, Guillaume Pot de Rhodes. Cette réforme, mal acceptée des courtisans, prévoyait qu'en présence du roi, l'on se tienne la tête découverte.

5. Platon, *Lois*, VII, 797 b-c.

Du dormir

Chap. XLIV

Ce court chapitre laisse apparaître la structure accumulative qui se trouve à l'origine de nombreux chapitres des *Essais*. Comme dans un recueil de lieux communs, le lecteur découvre une liste d'exemples paradoxaux, plus ou moins développés : quelques cas de sommeil extraordinaires (un sommeil paisible malgré l'approche d'une bataille, le dernier sommeil des suicidaires), puis des cas de veille ou de sommeil extraordinairement prolongés. Mais Montaigne n'est pas un simple compilateur. À travers ces exemples, une thèse s'énonce et se confirme (le sommeil tranquille des grands hommes est un signe de leur force d'âme) puis se trouve soumise au soupçon (ce sommeil peut s'interpréter comme l'indice d'une fuite devant les responsabilités). Enfin le chapitre se prolonge vers une autre question, qui reste ouverte : le sommeil est-il indispensable à la vie, malgré les exemples d'insomnies prolongées relevés dans la tradition ? (A.T.)

Page 485.

1. Voir Sénèque, *Lettres à Lucilius*, XX, 2.

Page 486.

1. Voir Plutarque, *Vie d'Alexandre*, LIX.
2. Voir *id.*, *Vie d'Othon*, XXIII.
3. Voir *id.*, *Vie de Caton d'Utique*, LXXXVIII.

Page 487.

1. Voir *ibid.*, XXXVII-XXXVIII.

2. Il s'agit de la victoire de Myles : voir Suétone, *Vie d'Auguste*, XVI.

Page 488.

1. Voir Plutarque, *Vie de Sylla*, LX.
2. Voir *id.*, *Vie de Paul-Émile*, LIX.
3. Voir Pline l'Ancien, *Histoire naturelle*, VII, LII, 172.
4. Voir la fable signalée comme telle par Hérodote, *Histoires*, IV, 25.
5. Voir Diogène Laërce, *Vies et Opinions*, I, 109, et Pline l'Ancien, *Histoire naturelle*, VII, LII, 175.

De la bataille de Dreux

CHAP. XLV

Ce chapitre, comparant une bataille récente aux exemples de l'Antiquité, pose le problème déjà traité dans le premier livre (I, 1 par exemple) du choix de la bonne tactique au combat. Comme dans d'autres chapitres portant sur cette question, la « prudence » du capitaine calculateur est congédiée au profit d'une spontanéité plus immédiate : les « occurrences particulières » — paramètres foisonnants relevant ici souvent de l'honneur et du goût de la prouesse — ne peuvent que « divertir » du seul objet que l'on doit poursuivre « en gros », de manière globale et sans volonté de calcul ou de raffinement. Refuser ce que fortune présente pour quelque subtilité plus éclatante peut entraîner un désastre. On notera qu'en dernière instance, c'est la fortune qui décide de la tactique la plus évidente : le cas du duc de Guise est contrebalancé par celui d'Agésilas puisque dans l'un et l'autre, le mouvement de troupe le plus naturellement favorable diverge. (E.N.)

Page 489.

1. Le 19 décembre 1562, la bataille de Dreux ouvrit les guerres de religion, opposant les forces protestantes conduites par le Prince de Condé et l'Amiral de Coligny, et les troupes de l'armée royale dirigées par le connétable Anne de Montmorency (qui y fut fait prisonnier malgré la victoire de ses soldats), le duc de Guise et Jacques d'Albon de Saint-André (qui y laissa la vie).

2. François Ier de Lorraine, deuxième duc de Guise (1519-1563), impose lors du règne de François II (1559-1560) une influence décisive sur le gouvernement de la France. Résolument opposé à la politique conciliatrice dirigée par Catherine de Médicis à l'égard des Réformés, il prend l'initiative du massacre de Wassy, bourgade champenoise où l'on célébrait le culte réformé, le 1er mars 1562. Ce massacre où vingt-trois protestants périssent est le point de départ de la première guerre de religion. Le duc de Guise est assassiné un an plus tard, le 18 février 1563, par Jean Poltrot de Méré.

3. La rivalité qui opposait le duc de Guise et le connétable Anne de Montmorency qui commandait les armées royales était un fait de notoriété publique.

4. Plutarque, *Vie de Philopœmen*, XVI. Il s'agit de la bataille de Mantinée (207 av. J.-C.), qui opposa Philopœmen, stratège grec originaire de Mégalopolis, à celui qui depuis 211 av. J.-C. était le tyran de Lacédémone, Machanidas. Ce dernier tué de la main de Philopœmen, les Spartiates furent défaits et durent s'intégrer à la ligue grecque.

Page 490.

1. Plutarque, *Vie d'Agésilas*, XXVI-XXVII. La bataille de Chéronée (394 av. J.-C.) vit les troupes thébaines défaites par celles de Sparte, emmenées par Agésilas.

Des noms

CHAP. XLVI

S'ouvrant en trompe-l'œil, le chapitre propose d'abord une rapide remarque d'ordre linguistique sur le rapport, approximatif et grossier, des signes de la langue à leurs référents. Mais Montaigne précise très vite et avec humour son objet : il s'agira, par une succession de remarques, d'évoquer et de critiquer la capacité singularisante des noms propres plus que des noms communs. Toutefois, parce qu'ils sont dotés de connotations et de prestige acoustique autant qu'historique, les noms propres questionnent encore la réalité et la rationalité du rapport du langage au réel. C'est donc une nouvelle occasion pour Montaigne de fustiger les prétentions humaines à travailler l'image que le moi entend donner de lui-même au travers du prisme flatteur de son nom. (D.R.)

Page 491.

1. J. Bouchet, *Annales d'Aquitaine*, IV, I.

2. Allusion aux développements étymologiques du *Cratyle.*

Page 492.

1. J. Bouchet, *Annales d'Aquitaine*, III, V.

2. Spartien, *Histoire Auguste*, V, d'après Crinitus, *De honesta disciplina*, XIV, II.

3. Platon, *Cratyle*, 392 b-c.

Page 493.

1. J. Bouchet, *Annales d'Aquitaine*, I, VI.

2. Boèce, *De musica*, I, I.

3. Montaigne évoque la traduction par Amyot des *Vies* et *Œuvres morales* de Plutarque.

Page 494.

1. Il s'agirait de Bernard de Poyanne, gentilhomme de Lannes, chef de troupes catholiques en Gascogne.

Page 496.

1. Les historiens orthographiaient ce nom diversement : Guesquin ou Gueaquin chez J. Bouchet (*Annales d'Aquitaine*), Glesquin chez Froissart.

2. Lucien de Samosate, *Procès des voyelles*, 87, où le *Sigma* poursuit en justice le *Tau* qui prend sa place dans le dialecte attique.

3. Virgile, *Énéide*, XII, 764.

4. Anagramme et pseudonyme de Nicolas Denisot.

5. Les surnoms du père et du fils, *lenis* et *tranquillus*, partagent le sens de « doux ».

6. « Bayard » était le surnom de Pierre Terrail.

7. « Capitaine Poulin » était le surnom d'A. Escalin qui portait le titre de baron de la Garde.

Page 497.

1. Diogène Laërce consacre la fin de ses monographies au recensement des homonymes du philosophe évoqué.

2. Virgile, *Énéide*, IV, 34.

3. Cicéron, *Tusculanes*, V, xvii, 49, premier vers de l'inscription de la statue d'Épaminondas à Thèbes.
4. Scipion l'Africain.
5. Cicéron, *Tusculanes*, V, xvii, 49, vers d'Ennius.
6. Juvénal, *Satires*, x, 137-141.

De l'incertitude de notre jugement

CHAP. XLVII

La citation d'Homère qui ouvre le chapitre non seulement en justifie le titre, mais encore l'organise par voie de contradiction : dès qu'il s'agit de juger, il est toujours possible de se prononcer en un sens, comme en sens contraire. Les six cas militaires qui suivent ne viennent qu'illustrer ce constat sceptique — exposé entre autres par Sextus Empiricus au premier livre des *Hypotyposes pyrrhoniennes* : dès que l'esprit déborde les apparences pour fixer un sens déterminé et y ajuster une action adéquate, il sombre dans une « recherche » portant sur des réalités « obscures », recherche toujours ouverte à la contradiction. Qui veut « juger » du monde ne pourra rendre raison d'une évaluation définitive, la pratique du *ou mallon* (« pas plus ») pyrrhonien délivrant ce constat toujours vérifiable : « il y a prou loi de parler par tout, et pour et contre ». Comme le souligne la fin du chapitre avec cette insistance sur le règne universel du hasard, l'irrégularité et l'incohérence affectent tant les choses que les mots : phénomènes et noumènes, dès qu'ils sont l'objet d'un jugement, sont l'occasion d'une contradiction infinie. L'ultime addition étend la portée du chapitre, et ne le borne pas à une simple mise en difficulté de la prudence humaine, capacité de délibération : c'est le raisonnement dans son ensemble qui relève de la *propétéia* pyrrhonienne, cette « précipitation » hasardeuse et inconsidérée. Il y a toujours place pour une contradiction qui relancera la chasse de vérité. Notons que ce chapitre est le seul des *Essais* à être organisé en paragraphes concertés, comme si Montaigne rendait ici sensible la poétique nécessitée par l'essai de ses propres facultés : une poétique du contrerolle « d'imaginations irrésolues et, quand il y échet, contraires » (III, 2). La seule marque d'ordre de son œuvre n'est donc donnée que pour systématiser le désordre contradictoire du jugement. (E.N.)

Page 498.

1. Homère, *Iliade*, XX, 249 ; en accentuant νομός (le pâturage) sur la première syllabe, Montaigne prend le terme au sens de « loi », ce qui justifie la reformulation qui suit dans le texte.

2. Pétrarque, *Canzoniere*, CIII, 1-2.

3. Le 30 octobre 1569, le duc d'Anjou (futur Henri III) y défit les forces protestantes de l'amiral de Coligny. Ne cherchant pas à poursuivre ses ennemis, il préféra assiéger Niort.

4. Victoire des armées espagnoles de Philippe II sur les troupes françaises dirigées par le connétable Anne de Montmorency (10 août 1557).

Page 499.

1. Lucain, *Pharsale*, VII, 734.

2. D'après Plutarque, *Vie de Jules César*, XLVII-LI.

3. Voir Appien, *Guerres civiles*, II, VI, 45.

4. Dans ses *Annales d'Aquitaine* (IV, XI), Jean Bouchet met en relief la cause de la mort de Gaston de Foix (11 avril 1512) : il avait poursuivi ses ennemis espagnols après leur défaite, passant outre le « conseil des anciens capitaines ».

Page 500.

1. Livrée le 14 avril 1544, la bataille de Cérisoles vit la victoire des troupes françaises commandées par François de Bourbon, comte d'Enghien, sur celles de Charles Quint, dirigées par Alfonso de Àvalos. Au lieu de prendre Milan qui restait sans défense, le comte d'Enghien s'engagea dans un combat à outrance. Il fut convaincu par un de ses capitaines de ne pas suivre l'exemple de Gaston de Foix en poursuivant ses ennemis après leur défaite.

2. Porcius Latro cité par Juste Lipse, *Politicorum libri VI*, V, XVIII.

3. Lucain, *Pharsale*, IV, 275.

4. D'après Diodore de Sicile, *Bibliothèque historique*, XII, LXXIX, 6.

5. Voir J. Bouchet, *Annales d'Aquitaine*, II, IV.

6. Voir Plutarque, *Vie de Sertorius*, XIX ; *Vie de Brutus*, XLVI ; *Vie de Philopœmen*, XIV et Suétone, *Vie de César*, LXVII.

7. Xénophon, *Cyropédie*, IV, III, 2.

Page 501.

1. Tite-Live, *Histoire romaine,* IX, XL.

2. D'après Plutarque, *Dits notables des Lacédémoniens,* 228 f.

3. Voir Plutarque, *Vie d'Othon,* IX, avec une inflexion notable : chez Plutarque, ce sont les soldats de Vitellius et non ce dernier qui poussent par leurs provocations l'ennemi à reprendre les armes.

Page 502.

1. D'après Plutarque, *Vie de Pyrrhus,* XXXVI. Mégaclès, familier de Pyrrhus, se fait tuer en prenant l'identité de son général, ce qui décourage toute l'armée grecque.

2. *Id.*, voir respectivement *Vie d'Alexandre,* XXVII, Suétone, *Vie de César,* LXVII, et Plutarque, *Vie de Lucullus,* LIII.

3. *Id.*, voir respectivement *Vies d'Agis et Cléomène,* VI ; *Vie d'Agésilas,* XXII ; *Vie de Nicias,* XXXIV.

4. *Id.*, *Vie de Pompée,* XCIX.

Page 503.

1. *Ibid.*, Montaigne cite les propos de César dans la traduction Amyot.

2. Bataille de Counaxa entre Cyrus et Artaxerxès. Voir Xénophon, *Anabase,* I, VIII.

3. *Ibid.*, I, VIII, 14-17.

Page 504.

1. Voir les *Mémoires* des frères Du Bellay, VII, qui optent pour l'offensive, contrairement à Machiavel dans ses *Discours sur la première décade de Tite-Live* (II, XII). Les événements se déroulent en mai 1536.

Page 506.

1. Pour ces quatre exemples, voir Machiavel, *Discours sur la première décade de Tite-Live,* II, XII.

2. Le terme « prudence » est à prendre dans son sens aristotélicien, capacité à délibérer qui permet de déterminer une action droite et vertueuse, en considération des paramètres qui définissent son contexte. L'exemple même de l'homme prudent est chez Aristote Périclès, et bien souvent au XVIe siècle, le chef de guerre : voir par exemple Pierre de Lostal, *Discours philosophiques,* 1579, Paris, Jean Borel, XIV.

3. Manilius, *Astronomiques*, IV, 95-99.

4. [1580] : « et que la fortune n'est pas plus incertaine et téméraire que nos discours ».

5. *Timée*, 34 c.

6. [1595] : « participation à la témérité du hasard ».

Des destriers

CHAP. XLVIII

Ce chapitre dresse un inventaire technique et historique des usages du cheval par l'homme. Montaigne, lui-même excellent cavalier, y expose une série d'anecdotes pittoresques et frappantes où domine le portrait du couple étonnant constitué par le chevalier et son destrier. L'étroitesse du lien possible entre l'homme et l'animal, notamment en situation périlleuse, conduit à ranger l'équitation au rang des arts. Le couple en équilibre mobile du cavalier et de sa monture acquiert ainsi une valeur métaphorique en évoquant, par le biais de considérations pratiques, les prouesses intellectuelles du philosophe qui maintient son « assiette » en toutes circonstances. (D.R.)

Page 507.

1. Suétone, *Vie de Tibère*, VI.

2. Tite-Live, *Histoire romaine*, XXIII, XXIX, 5.

Page 508.

1. Hérodote, *Histoires*, V, 111-112.

2. Paul Jove, *Sur les choses faites et advenues de son temps*, II, Paris, Dupuis, 1581.

3. Bataille de Fornoue, en juillet 1495, où Charles VIII affronta le marquis de Mantoue.

4. Plutarque, *Vie de César*, XXI.

Page 509.

1. Aulu-Gelle, *Nuits Attiques*, V, II.

2. Suétone, *Vie de César*, LXI.

3. Platon, *Lois*, 789 d.

4. Pline l'Ancien, *Histoire naturelle*, XXVIII, XIV.

5. Xénophon, *Cyropédie*, IV, 3.

6. Suétone, *Vie de César*, LX.

7. Tite-Live, *Histoire romaine*, IX, XXII, 10.
8. César, *La Guerre des Gaules*, VII, 11.

Page 510.

1. René de Lucinge, *De la naissance, durée et chute des états*, [1588], Genève, 1984, p. 177.
2. La guerre de Cent Ans.
3. Xénophon, *Cyropédie*, IV, 3.
4. Virgile, *Énéide*, X, 756-757.
5. Tite-Live, *Histoire romaine*, XXV, XLI, 6.

Page 511.

1. Lucain, *Pharsale*, VIII, 384-386.
2. Voir *Essais*, II, 9.
3. Virgile, *Énéide*, IX, 705-706.

Page 512.

1. Tite-Live, *Histoire romaine*, XXXVIII, XXIX, 4-7.
2. *Ibid.*, XXXVIII, V, 3-4.
3. Les Galates d'Asie Mineure dont la parenté avec les Gaulois ne consiste qu'en la consonance verbale de leur nom.
4. Tite-Live, *Histoire romaine*, XXXVIII, XXI, 10-11.
5. Il s'agit des mercenaires enrôlés par Cyrus, voir Xénophon, *Anabase*, IV, II, 28.
6. Il s'agit des catapultes, voir Diodore de Sicile, XIV, XLII.
7. E. de Monstrelet, *Chroniques*, I, XLVI.
8. *Ibid.*, I, LXVI.

Page 513.

1. « ceux des Suèves », peuple germanique ; *Guerre des Gaules*, IV, 2.
2. Lucain, *Pharsale*, IV, 682-683 ; Virgile, *Énéide*, IV, 41.
3. Tite-Live, *Histoire romaine*, XXXV, XI, 8.

Page 514.

1. Antonio de Guevara, *Épîtres familières*, I, 40.
2. Balthasar Castiglione, *Le Livre du Courtisan*, II, III.
3. Souverain d'Éthiopie.
4. Xénophon, *Cyropédie*, III, III.
5. *Ibid.*, VIII, I.
6. Martial, *De Spectaculis*, III, 4.
7. Crète.

8. René de Lucinge, *De la naissance, durée et chute des États*, [1588], Genève, 1984, p. 132.

Page 515.

1. Gomara, *Voyages et conquêtes du capitaine Ferdinand Courtois [Hernan Cortes]*, Paris, L'Angelier, 1586.
2. Arrien, *Historia indica*, XVII, 2.
3. Tite-Live, *Histoire romaine*, VIII, XXX, 6.
4. *Ibid.*, XL, XL.

Page 516.

1. Herburt von Fulstin, *Histoire des rois et princes de Pologne*, Paris, L'Huillier, 1573, XVIII, 9.
2. *Ibid.*, XVIII, 6.
3. N. Chalcondyle, *Histoire de la décadence de l'empire grec*, III, XII.
4. Hérodote, *Histoires*, I, 78.
5. Plutarque, *Vie de Nicias*, L.
6. Quinte-Curce, *Histoire d'Alexandre*, VII, VII.

Page 517.

1. François de Carnavalet, premier écuyer de la Grande Écurie sous Henri II.
2. À Rome, le 8 octobre 1581, voir le *Journal de voyage*, éd. F. Garavini, Paris, Gallimard, « Folio classique », 1983, p. 348-349.
3. G. Lebelski, *Description des jeux représentés à Constantinople*, Paris et Lyon, J. Patrasson, 1583, p. 70 et 76.
4. Charles de Lannoy, vice-roi de Naples, grand écuyer de Charles Quint.

Des coutumes anciennes

CHAP. XLIX

Construit sur une série de parallèles entre les coutumes antiques et modernes, ce chapitre propose, comme *De la coutume* (I, 23), une méditation sur la « continuelle variation » des usages. Montaigne semble s'abandonner ici au plaisir du pittoresque et de l'érudition, parfois grivoise. Mais il s'agit aussi (comme dans les chapitres I, 43 ou I, 52) de déplorer la décadence présente à l'aune de la vertu des Anciens, tout en remarquant que cette déperdition progressive des forces humaines s'observe dans la vertu comme dans le vice. (A.T.)

Page 518.

1. Caius Fabricius Luscinus, consul du IIIe siècle av. J.-C., connu pour ses victoires militaires, et Caius Laelius Sapiens (IIe siècle av. J.-C.), ami de Scipion, tous deux fameux pour leurs mœurs intègres et frugales.

Page 519.

1. César, *Guerre civile*, I, 75.

Page 520.

1. Martial, *Épigrammes*, II, LXII, 1.
2. D'après Martial, *Épigrammes*, VI, XCIII, 9.
3. Virgile, *Énéide*, II, 2.
4. Voir Plutarque, *Vie de Caton d'Utique*, LXXIV.
5. Ovide, *Pontiques*, IV, IX, 13.
6. À rapprocher de Diogène Laërce, *Vies et Opinions*, VI, 89.

Page 521.

1. Voir Sénèque, *Lettres à Lucilius*, LXX, 20-21.
2. Martial, *Épigrammes*, XI, LVIII, 11.
3. Lucrèce, *De rerum natura*, IV, 1026-1027 (cité dans l'édition de Lambin, Paris, 1563).
4. Voir Sénèque, *Lettres à Lucilius*, LXXVIII, 23.
5. Martial, *Épigrammes*, VII, XLVIII, 4-5.

Page 522.

1. Caius Oppius, ami et confident de César.
2. Il s'agit de la bataille de Cynocéphales, en 197 av. J.-C. : voir Plutarque, *Vie de T. Q. Flaminius*, XIV.

Page 523.

1. Martial, *Épigrammes*, VII, XXXV, 1-2.
2. Voir Sidoine Apollinaire, *Carmina*, V, 238-240.
3. Horace, *Satires*, I, V, 13-14.
4. Suétone rapporte ce surnom donné à César qui lui attribue une liaison homosexuelle avec le roi de Bithynie, Nicomède (*Vie de César*, XLIX).

5. Horace, *Odes*, II, XI, 18-20.

6. Perse, *Satires*, I, 58-60 (Janus a deux têtes et peut voir ce qui se passe derrière lui).

Page 524.

1. Voir Plutarque, *Les Demandes des choses romaines*, 270 d-f.

De Democritus et Heraclitus

CHAP. L

En préambule, Montaigne caractérise la prudence expérimentale dans l'exercice du jugement qu'il entend appliquer dans les *Essais*. Ce tâtonnement est propre à l'ignorance et favorise l'ouverture de la recherche à tous les terrains d'investigation. Car la connaissance de soi peut se former à la faveur des plus insignifiantes activités. Ainsi, devant le ridicule de notre condition, faut-il préférer le détachement ironique de Démocrite à la compassion d'Héraclite. (D.R.)

Page 526.

1. Le passage qui s'achève ici et a commencé à « Je prends de la fortune » se présente ainsi jusqu'en 1588 : « Au demeurant je laisse la fortune me fournir les sujets, d'autant qu'ils me sont également bons : et si, n'entreprends pas de les traiter entiers et à fond de cuve : de mille visages qu'ils ont chacun, j'en prends celui qu'il me plaît : je les saisis volontiers par quelque lustre extraordinaire : j'en trierais bien de plus riches et pleins, si j'avais quelque autre fin proposée, que celle que j'ai. Toute action est propre à nous faire connaître : ».

Page 527.

1. Juvénal, *Satires*, X, 28-30.

Page 528.

1. Plutarque, *Vie d'Alexandre*, XXII.

2. Timon d'Athènes, dit Timon le Misanthrope, personnage d'un dialogue éponyme de Lucien.

3. Plutarque, *Vie de Brutus*, XII.

Page 529.

1. Diogène Laërce, *Vies et Opinions*, II, 95.
2. *Ibid.*, II, 98.

De la vanité des paroles

CHAP. LI

Reprenant la critique traditionnelle de la rhétorique, assimilée au mensonge comme art du grandissement imaginaire, Montaigne recense les condamnations de la discipline par les philosophes. Il souligne en particulier le rôle politique que la rhétorique est susceptible de jouer lorsqu'elle est employée à dessein de manipuler le peuple ignorant. L'abus que les hommes en société font de la puissance de l'hyperbole ou du jargon, vidant le langage de toute consistance, apparaît à la fois risible et inquiétant. (D.R.)

Page 530.

1. Platon, *Phèdre*, 267 a.
2. Plutarque, *Dits notables des Lacédémoniens*, « Agésilas », III, 208 c.
3. *Id.*, *Vie de Périclès*, XIV.

Page 531.

1. Quintilien, *Institution oratoire*, II, XV, 19.
2. *Gorgias*, 463 b, 465 c et *passim*.
3. G. Postel, *De la République des Turcs*, Poitiers, Marnef, 1560, p. 36.
4. Quintilien, *Institution oratoire*, II, XVI, 4.
5. Tite-Live, *Histoire romaine*, X, XXII, 6-7.
6. Tacite, *Dialogue des orateurs*, XL.

Page 532.

1. Carlo Caraffa (1516-1561), neveu du pape Paul IV.
2. Juvénal, *Satires*, V, 123-124.

Page 533.

1. Térence, *Adelphes*, III, III, 425-429.
2. Plutarque, *Vie de Paul-Émile*, XLVII.
3. Palais magique dans le roman de chevalerie *Amadis de Gaule*, IV.

4. Le titre de *Senatores* était attribué aux membres du parlement de Paris.

Page 534.

1. Pierre L'Arétin (Pietro Aretino), 1492-1556, écrivain et dramaturge italien.

De la parcimonie des Anciens

CHAP. LII

Ce chapitre est une simple et brève énumération d'exemples sur le train de vie modeste de quelques grands Anciens. Sa sécheresse et son dépouillement semblent parfaitement assortis à ce thème. L'absence de commentaire laisse le lecteur libre d'interpréter les exemples proposés de manière variable, soit dans le sens de la frugalité vertueuse, soit dans celui de l'avarice coupable. (A.T.)

Page 535.

1. Voir Sénèque, *Consolation à Helvia*, XII, 5 ; Valère Maxime, *Faits et Paroles mémorables*, IV, IV, 6.

Page 536.

1. Détails empruntés à Plutarque, *Vie de Caton le Censeur*, XII, XIII et X.
2. Voir Valère Maxime, *Faits et Paroles mémorables*, IV, III, 13 (Scipion Émilien avait remporté la victoire sur Carthage et sur Numance).
3. Voir Sénèque, *Consolation à Helvia*, XII, 4.
4. Voir Plutarque, *Vie de Tibérius et Caïus Gracchus*, XVIII (cette faible allocation était une punition infligée par les grands propriétaires terriens à l'homme qui leur avait imposé une réforme agraire). Cette phrase a été déplacée de l'avant-dernière à la dernière position dans les marges de l'E.B.

D'un mot de Cæsar

CHAP. LIII

Thème récurrent dans les *Essais*, le lieu commun de l'inconstance et du dérèglement du désir humain fait ici l'objet de brèves remarques. Cette peinture de l'insatisfaction perpétuelle nourrira profondément la réflexion de Pascal et l'élaboration, dans les *Pensées*, de la notion de « divertissement ». (D.R.)

Page 537.

1. Lucrèce, *De rerum natura*, III, 1082-1084.

Page 538.

1. *Ibid.*, VI, 9-19.
2. César, *Guerre civile*, II, 4. Montaigne donne la traduction citée dans ses premières éditions mais la raye dans l'exemplaire de Bordeaux.

Des vaines subtilités
CHAP. LIV

Le titre du chapitre, qui évoque la question de l'enquête théologique confinant à une curiosité coupable, renvoie — dans une logique autosuspensive fréquente dans les *Essais* — à la frivolité de l'esprit humain qui se manifeste tant dans les jeux « enrollés » dans ces pages, qui visent quelque effet rare et difficile, que dans l'ensemble du chapitre lui-même qui témoigne de la « vanité » de l'auteur et de son projet. En s'y adonnant, Montaigne accumule des exemples qui sont fondés — en vertu de la structure du passage dans son entier — sur l'opposition entre deux extrêmes, dont l'un reflète l'abandon à une vanité naturelle, et l'autre à une vanité subtile, c'est-à-dire mettant en jeu une surélaboration intellectuelle faisant dévier le phénomène naturel vers une expression artificielle : la « résolution et la souffrance » — et plus loin l'honnêteté — illustrent alors autant la vertu des individus les moins réfléchis, les paysans, que celle des philosophes. Sur le même schéma finissent par s'équivaloir la foi humble et soumise du charbonnier demandée par la tradition ecclésiastique et celle de ceux qui ont poussé l'enquête théologique au plus loin. La dénonciation des vaines subtilités aurait pu entraîner un appel logique à la modération, moins « vaine » : or, ici, c'est bien l'effet inverse qui se produit, car les extrêmes finissent par s'équivaloir non plus en tant que vices comme chez Aristote, mais comme des traces apparentes — leur examen sceptique donne lieu à d'autres chapitres —

d'un *habitus* vertueux. La « médiocrité », dès que les extrêmes sont privilégiés, est disqualifiée comme un moyen terme, fauteur de trouble et de division : le demi-habile en matière de foi s'épuisera vainement dans une critique stérile de la croyance des autres. Dans cette configuration tripartite, Montaigne finit par désigner la place qu'il occupe : « le cul entre deux selles », il évolue lui et son livre dans la « moyenne région ». Montaigne assume ici l'essai de ses facultés naturelles qui l'éloignent de la pure naïveté, sans pour autant lui donner accès à l'excellence cognitive : l'une comme l'autre, toutes désirables qu'elles sont, sont désormais pour lui inaccessibles. Paradoxalement, c'est l'occupation de cette position médiane inconfortable où s'épanouissent les *Essais*, phase critique et troublée de la mise à l'épreuve du jugement, qui accuse chez Montaigne la volonté de retrouver l'excellence des extrêmes. (E.N.)

Page 539.

1. Montaigne fait ici référence aux calligrammes pratiqués par les poètes alexandrins, dont Scaliger fait mention dans sa *Poétique* (II, XXV).
2. Voir Plutarque, *Propos de table*, VIII, IX, 3.
3. Voir Quintilien, *Institution oratoire*, II, XX. Le reproche est rapporté à Alexandre qui se moque de celui qui excelle à lancer des pois chiches.

Page 540.

1. Voir Plutarque, *Opinions des philosophes*, IV, x, 900 a.
2. Sancho Garcia, roi de Navarre dans les dernières années du Xe siècle, avait été surnommé le « Tremblant » malgré ses victoires contre les Maures. Source possible : J. Surita, *Indices rerum ab Aragoniæ regibus gestarum*, Augsbourg, 1578 [Pléiade].

Page 541.

1. Pseudo-Aristote, *Des récits merveilleux*, 50, 834 a.
2. Voir III, 11, p. 354 : « il y a quelque ignorance forte et généreuse qui ne doit rien en honneur et en courage à la science. Ignorance pour laquelle concevoir il n'y a pas moins de science que pour concevoir la science. » L'examen sceptique, qui aboutit toujours empiriquement et ponctuellement à

un constat d'ignorance personnelle, est une procédure qui nécessite justement de pousser à son extrémité la procédure scientifique.

3. [1588] : « et moyenne science, s'engendre ».

Page 542.

1. Expression versée par Érasme dans ses *Adages* (I, VII, 2, *Duabus sedere sellis*), dont l'équivalent moderne serait « le cul entre deux chaises ».

Page 543.

1. Voir Horace, *Art poétique*, 372-378.
2. [1580] : « esprits grossiers et ignorants, ni guère aux délicats et savants. Ceux-là ».
3. [1580] : « entendraient trop. Ils trouveraient place entre ces deux extrémités. » (Dernière phrase insérée en *errata*).

Des Senteurs

CHAP. LV

Développement détaillé des agréments et puissances des diverses manières de sentir, ce chapitre témoigne autant des goûts personnels de Montaigne que de son intérêt philosophique pour la valeur théorique de la vie sensible, et même sensuelle. (D.R.)

Page 544.

1. Plutarque, *Vie d'Alexandre*, VI.
2. Plaute, *Mostellaria*, I, III, 273.

Page 545.

1. Martial, *Épigrammes*, VI, LV, 4-5.
2. *Ibid.*, II, XII, 4.
3. Horace, *Épodes*, XII, 4-6.
4. Hérodote, *Histoires*, IV, 75.

Page 546.

1. Diogène Laërce, *Vies et Opinions*, II, 25.
2. Paul Jove, *Sur les choses faites et advenues de son temps*, XLIV, Paris, Dupuis, 1581, t. II.

Des prières

CHAP. LVI

Ce chapitre, auquel Montaigne adjoint en 1582 — à la suite de la censure subie à Rome en 1581 — une profession de foi catholique parfaitement explicite, propose une réflexion ecclésiologique sur l'usage des prières. Dicté par Dieu lui-même, trace tangible de l'Incarnation et de la matérialisation verbale d'un « style divin », le *Pater noster* est revendiqué par Montaigne comme la seule prière passible d'un usage ordinaire pour le croyant. Derrière cette restriction se joue un refus de galvauder la Parole divine, et une condamnation de l'usage direct et indiscret des Écritures que la Réforme, mais aussi l'évangélisme catholique des érasmiens, avait favorisé depuis les premières décenniès du siècle. À l'heure où se multiplient les Bibles en langue vernaculaire et les Nouveaux Testaments de poche, l'encadrement de l'Église dans la diffusion de ces textes s'est durci : la règle IV de l'*Index* de 1564, renforcée en 1596 par une observation, stipule l'interdiction de posséder une Bible en langue vulgaire sans autorisation en bonne et due forme. Montaigne semble donc revendiquer une position éminemment tridentine dans ces pages, redoutant l'immersion de ce qui doit être unique, universel et révéré au sein de la multiplicité, du relatif et du trivial. La traduction en langue vulgaire n'est qu'une illusion de transparence, puisque l'on ne fait que substituer des mots à d'autres mots, sans en révéler le sens profond ; le texte d'arrivée est toujours aussi obscur que celui de départ, même s'il crée le mirage d'une proximité accrue. Cette critique prônant la docte et pure ignorance est d'autant plus radicale qu'elle ne se contente pas d'emporter les nouvelles traductions ; le texte latin — pour ne pas parler des écrits originels —, relève lui aussi de la dangereuse vanité des « sciences verbales ». C'est en effet une coupure plus nette entre deux « styles », le langage des hommes et celui de Dieu, qui est en jeu dans ces pages ne se bornant pas à attaquer les « nouveaux docteurs » de la Réforme. Comme dans l'Apologie de Raimond Sebond (II, 12), l'argumentation se fait si radicale qu'au nom de l'éminence de la Théologie, Montaigne finit par congédier la Théologie, l'éloignant dans sa grandeur de tout accès humain légitime. Le respect du véritable discours divin passe par son confinement dans une sphère discursive à laquelle nous n'avons pas accès ; celui-ci doit être isolé des « discours humains » et maintenu « en [son] style » propre. Si le problème de la « dévotion sans conscience » est bien abordé dans le chapitre, il ne structure pas la critique fondamentale qui est celle des moyens du discours sur Dieu. Cette dernière est de la plus grande audace, puisque, fondée sur une évaluation sceptique des limites de notre langage et le postulat — théologiquement orthodoxe — que Dieu déborde ces dernières, elle dénie toute validité à la théologie humaine, sans pour autant nier la possibilité d'une Théologie légitime : celle-ci serait discours de Dieu sur lui-même, le discours suprême, inadaptable au « dire humain » dont les « formes de parler [sont] plus basses ». Dès qu'il s'agit de parler légitimement de Dieu, le silence semble donc bien de mise. Incommensurable au langage humain, la parole divine doit paradoxalement sortir de la sphère langagière et ne plus relever du *foris*, mais du seul *intus*. La Bible est bien le seul livre pour Montaigne qui, eu égard à sa dignité, mérite de ne pas être lu, et la théologie est en retour le seul discours qui mérite de ne pas être tenu. Cette séparation des « styles » permet donc à notre auteur de revendiquer un espace de parole libre de toute censure, où l'esprit puisse s'essayer dans sa propre sphère discursive, sans tomber sous la juridiction d'une autre. Finalement, la réduction du discours dans notre dévotion donne lieu à un modèle de religion naturelle incarnée par les Chrétiens de l'île Dioscoride : abandon à la Providence, simplicité et suspension de la raison, tout concorde, dans leur profonde ignorance théologique, au respect conjugué de la nature divine, incompréhensible, et de la nature humaine. (E.N.)

Page 547.

1. [1582 et 1588] : « Je propose ici des ». Les quinze premières lignes, jusqu'à « comme ici », ont été insérées dans l'édition de 1582.

2. Il s'agit des censeurs du Saint-Office, auxquels Montaigne avait eu à faire lors de son voyage en Italie de 1580-1581. Les *Essais* furent mis à l'Index le 12 juin 1676, après examen de l'édition rouennaise de 1627 par le Minime P. Antonio Gillio.

3. [1595] : « tenant pour absurde et impie, si rien se rencontre ignoramment ou inadvertamment couché en cette rhapsodie contraire aux saintes résolutions et prescriptions ».

4. La « témérité » est un défaut qui superpose une acception morale, ici surdéterminée religieusement, et une acception épistémologique : le terme est le décalque français de la traduction latine par Henri Estienne du terme sextusien « προπέτεια » qui, dans les *Hypotyposes pyrrhoniennes*, renvoie à une « précipitation » inconsidérée de l'esprit lorsqu'il confère son assentiment à une représentation obscure car invérifiable. Le dogmatique fait toujours preuve de « témérité », entre autres ici, lorsqu'il s'agit de se prononcer sur le champ de la métaphysique.

5. La témérité de Montaigne avait été soulignée en mars 1581 lorsque les *Essais*, saisis à la douane en novembre de l'année précédente, furent restitués à leur auteur. Les reproches, qui ne donnèrent pas lieu à poursuite puisqu'ils furent abandonnés après contre-expertise lors de la dernière rencontre de Montaigne avec Sisto Fabri, maître du *Sacro Palazzo*, le 15 avril 1581, tenaient en ces six objections : usage du terme « fortune », éloge de poètes déclarés « hérétiques » comme Buchanan ou Bèze (I, 26, p. 353 et II, 17, p. 480), sympathie exprimée à l'égard de Julien l'Apostat (II, 19, p. 491), proclamation de la nécessité de prier seulement en ayant « l'âme en cette assiette réglée, réformée, et dévotieuse » (I, 56, p. 555), prise de position contre la torture (II, 5, p. 61-62 ; II, 11, p. 151-154 ; II, 27, p. 534-535), prise de parti pour une éducation fondée sur la diversification des expériences (I, 6).

6. Il s'agit du *Pater Noster* (« Notre Père »), proposé par le Christ (voir Matthieu, VI, 9-13 et Luc, XI, 2-4).

Page 548.

1. *Lois*, X, 885 b.

2. [1580] : « comme il est bon : et nous favorise selon la raison de sa justice, non selon nos inclinations et volontés. Sa justice ».

Page 549.

1. Juvénal, *Satires*, VIII, 144-145. En ajoutant un *c* à l'adjectif « *Santonicus* », Montaigne suggère que ces capuchons

fabriqués en Saintonge enveloppent des hommes (des moines ?) dont la sainteté affichée est démentie par leurs actes.

2. Prières qui encadrent le repas, et qui consistent à le bénir avant de le prendre, et à remercier Dieu une fois qu'on l'a pris.

3. [1588] : « autant à grâces (et d'autant plus m'en déplaît-il, que ce sont façons que j'honore et imite souvent) et cependant ».

4. [1588] : « occupées à usures, vengeances et paillardises : aux vices ».

Page 551.

1. Celle de la Réforme.

2. Les Psaumes avaient connu une diffusion en langue vernaculaire, dans la traduction de Marot que Dolet avait publiée en 1541. Inachevé, ce corpus fut complété par Théodore de Bèze en 1562, ce qui permit de constituer le *Psautier Huguenot*. Mis en musique, ces cantiques étaient chantés non seulement au temple, mais aussi dans la vie quotidienne.

3. [1580] : « ses ». Corrigé dès l'édition de 1582.

Page 552.

1. [1588] : « de le traduire et dissiper une ».

2. Nicéphore Grégoras, historien byzantin du XIVe siècle hostile au galvaudage des discussions théologiques et que Juste Lipse cite au livre III de son *Adversus dialogistam liber de una religione* (1590). Montaigne tire profit de ce texte de controverse en en traduisant certains passages dans les lignes qui suivent.

Page 553.

1. Juste Lipse, *Histoires*, fo 60 ro de l'éd. Delas de 1594.

2. *Ibid.*, fo 60 vo-61 ro.

3. *Ibid.* La source stipule que c'est Andronicus qui menace de se jeter lui-même dans le lac.

4. *Lois*, I, 634 d-e (les personnes profanes ne sont pas mentionnées chez Platon).

5. D'après l'évêque de Silves (Algarve) J. Osorio da Fonseca, *De Rebus Emmanuelis, Lusitaniae regis invictissimi virtute et auspicio* (traduit par Simon Goulart en 1580 et publié l'année suivante à Genève chez A. Chuppin sous le titre *Histoire de Portugal*). Voir V, VI sur cette île de Zacotera (Socotra) située au large du Mozambique.

Page 554.

1. Vers d'Euripide cités par Plutarque en 756 b (traduction Amyot ; *De l'amour*, f° 604).

2. *Homélies sur la première Épître aux Corinthiens*, VII, 3.

3. En parlant *verbis indisciplinatis* (expression empruntée à saint Augustin, *Cité de Dieu*, X, XXIX), Montaigne fait peu de cas du reproche des censeurs romains sur l'emploi du lexique de la Fortune, dont les connotations sont trop païennes. En cela, et dans le cadre de la dichotomie entre « parler » humaniste et « parler » théologique, il se place clairement du côté de ceux qui se consacrent aux *studia humanitatis* sans chercher à violer la frontière qui les sépare du « dire » divin.

Page 555.

1. [1595] : « je crois selon Dieu, d'une façon laïque, non cléricale : mais toujours très religieuse. Comme les enfants proposent leurs essais, instruisables, non instruisants. Et ne dirait-on ».

2. A. Legros, dans son édition de I, 56 (Droz, 2003), a proposé un rapprochement avec les *Mémorables*, I, 3 : le raisonnement, même s'il est fondé sur la même topique, reste lointain.

3. Fin du Notre Père traduite de Matthieu, VI, 12 ; cette partie de la prière est glosée aux versets 14-15.

Page 556.

1. Perse, *Satires*, II, 4.

2. *Ibid.*, II, 21-23.

3. *Heptaméron*, Troisième journée, nouvelle XXV.

Page 557.

1. [1580] : « traiter les mystères de ».

2. Lucain, *Pharsale*, V, 104-105. Le contexte initial précise que dans l'espace sacré de Delphes, on ne formule aucun vœu néfaste en tapinois. Montaigne renverse le sens en supprimant la négation.

3. Perse, *Satires*, II, 6-7.

4. Horace, *Épîtres*, I, XVI, 59-62.

Page 558.

1. Platon, *Lois*, IV, 717 a.

2. Horace, *Odes*, III, XXIII, 17-20.

De l'âge

CHAP. LVII

Ce chapitre s'ouvre sur une thématique stoïcienne traditionnelle, notamment illustrée par Sénèque dans *De la brièveté de la vie*. Comme ce dernier, Montaigne souligne combien une juste perception de la durée de l'existence échappe au sens commun, les véritables sages sachant que l'on ne peut indéfiniment se projeter toujours plus loin dans l'avenir. Toutefois, il ne s'agit pas là de rendre sensible l'urgence d'une conversion à l'*otium* philosophique qui permettra, comme chez Sénèque, d'avoir la chance de naître comme être rationnel avant que la mort ne se referme sur soi. Le chapitre se réoriente sur l'adéquation entre la vigueur des facultés naturelles et l'activité de l'individu : il ne faut pas attendre une maturité fixée arbitrairement par les lois pour accomplir ce dont on est capable. Le constat de l'étiolement des capacités avec le temps jette une lumière sombre au terme du premier livre : la vieillesse ne conduit pas à célébrer le passage du *negotium* à l'*otium* ; non seulement l'activité professionnelle tarde trop à venir dans l'évolution naturelle de l'individu, mais la déchéance physique et intellectuelle hypothèque la nouvelle vie consacrée au service des Muses. Nouvelle clause auto-relativisante du discours, ce chapitre fait alors le pendant de l'Avis au lecteur qui ouvrait le livre, enfermant son contenu entre des limites qui accusent avant tout l'incapacité de celui qui écrit. Mais il ne s'agit pas ici de stratégie simplement rhétorique, car nous avons là un résultat bien tangible des « essais » que Montaigne fait de lui-même, résultat décevant qui suspend toute certitude sur la capacité de l'auteur à remplir son projet : arriver à se peindre et, partant, à se connaître lui-même. (E.N.)

Page 559.

1. Caton d'Utique, auquel le chapitre I, 37 est consacré.
2. Plutarque, *Vie de Caton d'Utique*, LXXXVII.
3. [1580] : « ceux qui se consolent, en ce que ».

Page 561.

1. Suétone, *Vie d'Auguste*, XXXII. Cette source fixe cependant à 20 ans, au lieu de 25, l'âge auquel on pouvait accéder à la judicature.

2. Aulu-Gelle, *Nuits attiques*, X, XXVIII, 1 : à 46 ans révolus, on devenait *senior*, sous le règne de Servius Tullius. Pierre Villey renvoie à une probable lecture, pour ce passage, de l'édition de Suétone accompagnée des commentaires de P. Béroalde l'Ancien et de Sabellicus (Lyon, J. Frellon, 1548), où l'annotation rapproche Auguste et Servius Tullius.

3. Auguste, qui accepta la succession de Jules César à la mort de ce dernier, en 44 av. J.-C.

Page 562.

1. Lorsqu'il partit à la conquête de l'Italie en 218 av. J.-C., Hannibal n'avait que 28 ans ; de même, Scipion dit « l'Africain », proconsul d'Espagne en 211 av. J.-C., prit à 24 ans le commandement des forces romaines pour reconquérir la péninsule. Il défait les Carthaginois à Zama en octobre 202 av. J.-C., à 31 ans.

2. Lucrèce, *De rerum natura*, III, 451-453.

3. [1580] : « elle est opposée, ».

REMERCIEMENTS

Nous tenons à remercier Frank Lestringant qui, à l'origine de ce projet, nous a réunis pour le mettre en œuvre, ainsi que Jean-Yves Tadié, qui a accepté d'accueillir dans sa collection cette édition renouvelée des *Essais* d'après l'Exemplaire de Bordeaux et qui nous a aidés de ses conseils.

DOSSIER

DU MÊME AUTEUR

Dans la même collection

JOURNAL DE VOYAGE. *Édition présentée et établie par Fausta Garavini.*

ESSAIS, I. *Édition présentée et établie par Emmanuel Naya, Delphine Reguig et Alexandre Tarrête.*

ESSAIS, II. *Édition présentée et établie par Emmanuel Naya, Delphine Reguig et Alexandre Tarrête.*

ESSAIS, III. *Édition présentée et établie par Emmanuel Naya, Delphine Reguig et Alexandre Tarrête.*

COLLECTION FOLIO

Dernières parutions

5581. Paolo Rumiz	*L'ombre d'Hannibal*
5582. Colin Thubron	*Destination Kailash*
5583. J. Maarten Troost	*La vie sexuelle des cannibales*
5584. Marguerite Yourcenar	*Le tour de la prison*
5585. Sempé-Goscinny	*Les bagarres du Petit Nicolas*
5586. Sylvain Tesson	*Dans les forêts de Sibérie*
5587. Mario Vargas Llosa	*Le rêve du Celte*
5588. Martin Amis	*La veuve enceinte*
5589. Saint Augustin	*L'Aventure de l'esprit*
5590. Anonyme	*Le brahmane et le pot de farine*
5591. Simone Weil	*Pensées sans ordre concernant l'amour de Dieu*
5592. Xun zi	*Traité sur le Ciel*
5593. Philippe Bordas	*Forcenés*
5594. Dermot Bolger	*Une seconde vie*
5595. Chochana Boukhobza	*Fureur*
5596. Chico Buarque	*Quand je sortirai d'ici*
5597. Patrick Chamoiseau	*Le papillon et la lumière*
5598. Régis Debray	*Éloge des frontières*
5599. Alexandre Duval-Stalla	*Claude Monet - Georges Clemenceau : une histoire, deux caractères*
5600. Nicolas Fargues	*La ligne de courtoisie*
5601. Paul Fournel	*La liseuse*
5602. Vénus Khoury-Ghata	*Le facteur des Abruzzes*
5603. Tuomas Kyrö	*Les tribulations d'un lapin en Laponie*
5605. Philippe Sollers	*L'Éclaircie*
5606. Collectif	*Un oui pour la vie ?*
5607. Éric Fottorino	*Petit éloge du Tour de France*
5608. E.T.A. Hoffmann	*Ignace Denner*

5608. Frédéric Martinez — *Petit éloge des vacances*
5610. Sylvia Plath — *Dimanche chez les Minton et autres nouvelles*
5611. Lucien — *« Sur des aventures que je n'ai pas eues ». Histoire véritable*
5612. Julian Barnes — *Une histoire du monde en dix chapitres ½*
5613. Raphaël Confiant — *Le gouverneur des dés*
5614. Gisèle Pineau — *Cent vies et des poussières*
5615. Nerval — *Sylvie*
5616. Salim Bachi — *Le chien d'Ulysse*
5617. Albert Camus — *Carnets I*
5618. Albert Camus — *Carnets II*
5619. Albert Camus — *Carnets III*
5620. Albert Camus — *Journaux de voyage*
5621. Paula Fox — *L'hiver le plus froid*
5622. Jérôme Garcin — *Galops*
5623. François Garde — *Ce qu'il advint du sauvage blanc*
5624. Franz-Olivier Giesbert — *Dieu, ma mère et moi*
5625. Emmanuelle Guattari — *La petite Borde*
5626. Nathalie Léger — *Supplément à la vie de Barbara Loden*
5627. Herta Müller — *Animal du cœur*
5628. J.-B. Pontalis — *Avant*
5629. Bernhard Schlink — *Mensonges d'été*
5630. William Styron — *À tombeau ouvert*
5631. Boccace — *Le Décaméron. Première journée*
5632. Isaac Babel — *Une soirée chez l'impératrice*
5633. Saul Bellow — *Un futur père*
5634. Belinda Cannone — *Petit éloge du désir*
5635. Collectif — *Faites vos jeux !*
5636. Collectif — *Jouons encore avec les mots*
5637. Denis Diderot — *Sur les femmes*
5638. Elsa Marpeau — *Petit éloge des brunes*
5639. Edgar Allan Poe — *Le sphinx*
5640. Virginia Woolf — *Le quatuor à cordes*
5641. James Joyce — *Ulysse*

5642.	Stefan Zweig	*Nouvelle du jeu d'échecs*
5643.	Stefan Zweig	*Amok*
5644.	Patrick Chamoiseau	*L'empreinte à Crusoé*
5645.	Jonathan Coe	*Désaccords imparfaits*
5646.	Didier Daeninckx	*Le Banquet des Affamés*
5647.	Marc Dugain	*Avenue des Géants*
5649.	Sempé-Goscinny	*Le Petit Nicolas, c'est Noël !*
5650.	Joseph Kessel	*Avec les Alcooliques Anonymes*
5651.	Nathalie Kuperman	*Les raisons de mon crime*
5652.	Cesare Pavese	*Le métier de vivre*
5653.	Jean Rouaud	*Une façon de chanter*
5654.	Salman Rushdie	*Joseph Anton*
5655.	Lee Seug-U	*Ici comme ailleurs*
5656.	Tahar Ben Jelloun	*Lettre à Matisse*
5657.	Violette Leduc	*Thérèse et Isabelle*
5658.	Stefan Zweig	*Angoisses*
5659.	Raphaël Confiant	*Rue des Syriens*
5660.	Henri Barbusse	*Le feu*
5661.	Stefan Zweig	*Vingt-quatre heures de la vie d'une femme*
5662.	M. Abouet/C. Oubrerie	*Aya de Yopougon, 1*
5663.	M. Abouet/C. Oubrerie	*Aya de Yopougon, 2*
5664.	Baru	*Fais péter les basses, Bruno !*
5665.	William S. Burroughs/ Jack Kerouac	*Et les hippopotames ont bouilli vifs dans leurs piscines*
5666.	Italo Calvino	*Cosmicomics, récits anciens et nouveaux*
5667.	Italo Calvino	*Le château des destins croisés*
5668.	Italo Calvino	*La journée d'un scrutateur*
5669.	Italo Calvino	*La spéculation immobilière*
5670.	Arthur Dreyfus	*Belle Famille*
5671.	Erri De Luca	*Et il dit*
5672.	Robert M. Edsel	*Monuments Men*
5673.	Dave Eggers	*Zeitoun*
5674.	Jean Giono	*Écrits pacifistes*
5675.	Philippe Le Guillou	*Le pont des anges*

5676. Francesca Melandri	*Eva dort*
5677. Jean-Noël Pancrazi	*La montagne*
5678. Pascal Quignard	*Les solidarités mystérieuses*
5679. Leïb Rochman	*À pas aveugles de par le monde*
5680. Anne Wiazemsky	*Une année studieuse*
5681. Théophile Gautier	*L'Orient*
5682. Théophile Gautier	*Fortunio. Partie carrée. Spirite*
5683. Blaise Cendrars	*Histoires vraies*
5684. David McNeil	*28 boulevard des Capucines*
5685. Michel Tournier	*Je m'avance masqué*
5686. Mohammed Aïssaoui	*L'étoile jaune et le croissant*
5687. Sebastian Barry	*Du côté de Canaan*
5688. Tahar Ben Jelloun	*Le bonheur conjugal*
5689. Didier Daeninckx	*L'espoir en contrebande*
5690. Benoît Duteurtre	*À nous deux, Paris !*
5691. F. Scott Fitzgerald	*Contes de l'âge du jazz*
5692. Olivier Frébourg	*Gaston et Gustave*
5693. Tristan Garcia	*Les cordelettes de Browser*
5695. Bruno Le Maire	*Jours de pouvoir*
5696. Jean-Christophe Rufin	*Le grand Cœur*
5697. Philippe Sollers	*Fugues*
5698. Joy Sorman	*Comme une bête*
5699. Avraham B. Yehoshua	*Rétrospective*
5700. Émile Zola	*Contes à Ninon*
5701. Vassilis Alexakis	*L'enfant grec*
5702. Aurélien Bellanger	*La théorie de l'information*
5703. Antoine Compagnon	*La classe de rhéto*
5704. Philippe Djian	*"Oh..."*
5705. Marguerite Duras	*Outside* suivi de *Le monde extérieur*
5706. Joël Egloff	*Libellules*
5707. Leslie Kaplan	*Millefeuille*
5708. Scholastique Mukasonga	*Notre-Dame du Nil*
5709. Scholastique Mukasonga	*Inyenzi ou les Cafards*
5710. Erich Maria Remarque	*Après*
5711. Erich Maria Remarque	*Les camarades*
5712. Jorge Semprun	*Exercices de survie*

5713. Jón Kalman Stefánsson *Le cœur de l'homme*
5714. Guillaume Apollinaire *« Mon cher petit Lou »*
5715. Jorge Luis Borges *Le Sud*
5716. Thérèse d'Avila *Le Château intérieur*
5717. Chamfort *Maximes*
5718. Ariane Charton *Petit éloge de l'héroïsme*
5719. Collectif *Le goût du zen*
5720. Collectif *À vos marques !*
5721. Olympe de Gouges *« Femme, réveille-toi ! »*
5722. Tristan Garcia *Le saut de Malmö*
5723. Silvina Ocampo *La musique de la pluie*
5724. Jules Verne *Voyage au centre de la terre*
5725. J. G. Ballard *La trilogie de béton*
5726. François Bégaudeau *Un démocrate : Mick Jagger 1960-1969*
5727. Julio Cortázar *Un certain Lucas*
5728. Julio Cortázar *Nous l'aimons tant, Glenda*
5729. Victor Hugo *Le Livre des Tables*
5730. Hillel Halkin *Melisande ! Que sont les rêves ?*
5731. Lian Hearn *La maison de l'Arbre joueur*
5732. Marie Nimier *Je suis un homme*
5733. Daniel Pennac *Journal d'un corps*
5734. Ricardo Piglia *Cible nocturne*
5735. Philip Roth *Némésis*
5736. Martin Winckler *En souvenir d'André*
5737. Martin Winckler *La vacation*
5738. Gerbrand Bakker *Le détour*
5739. Alessandro Baricco *Emmaüs*
5740. Catherine Cusset *Indigo*

Composition Interligne
Impression Grafica Veneta
à Trebaseleghe (Pd), le 20 février 2015
Dépôt légal : février 2015
1er dépôt légal dans la collection : août 2009.

ISBN : 978-2-07-042381-1./Imprimé en Italie

287406